W MOCY DUCHA

Akademia wampirów

W serii
Akademia wampirów:

AKADEMIA WAMPIRÓW
W SZPONACH MROZU
POCAŁUNEK CIENIA
PRZYSIĘGA KRWI
W MOCY DUCHA
OSTATNIE POŚWIĘCENIE

W przygotowaniu nowa seria
ze świata *Akademii wampirów*:

KRONIKI KRWI

Richelle Mead

W MOCY DUCHA

Akademia wampirów

Przełożyła
Monika Gajdzińska

Nasza Księgarnia

Mojemu agentowi, Jimowi McCarthy'emu.
Dziękuję za Twoją ciężką pracę.
Te książki nie powstałyby bez Ciebie!

Rozdział Pierwszy

Istnieje wielka różnica między listem z pogróżkami a takim z wyznaniem miłosnym, nawet jeśli nadawca twierdzi, że darzy cię uczuciem. Ale cóż, może nie powinnam tego komentować – w końcu sama próbowałam zabić ukochaną osobę. Spodziewałam się tego listu. Wręcz miałam pewność, że przyjdzie. Przeczytałam go czterokrotnie i chociaż byłam już spóźniona, nie mogłam się powstrzymać, żeby nie wrócić do treści po raz piąty.

Najdroższa Rose!

Jedną z niewielu wad przebudzenia jest to, że nie potrzebujesz snu; my, strzygi, nie śnimy. Żałuję, bo gdybym miewał sny, z pewnością ty byś się w nich pojawiała. Czułbym Twój zapach i jedwabistą miękkość Twoich czarnych włosów między palcami. Gładkość Twojej skóry i namiętność pocałunków.

Pozostaje mi wyobraźnia, która podsuwa mi niemal rzeczywiste obrazy. Widzę nas po tym, jak zabiorę Cię ze świata żywych. Przykro mi, lecz nie postawiłaś mi innego wyboru. Nie chciałaś połączyć się ze mną na wieczność, odrzuciłaś moją miłość. Rozumiesz więc, dlaczego nie pozwolę, by ktoś tak niebezpieczny jak Ty chodził po ziemi. Oczywiście mógłbym przebudzić Cię wbrew Twojej woli, ale masz tylu wrogów pośród strzyg, że ktoś z pewnością zechciałby Cię wyeliminować. Skoro już musisz umrzeć, to zgiń z mojej ręki.

Życzę Ci powodzenia na egzaminach, choć jestem pewien, że doskonale sobie poradzisz. Nie rozumiem, dlaczego każą Ci się wykazywać. Jesteś najlepszą uczennicą. Dziś wieczorem dostaniesz znaki obietnicy, co sprawi, że spotkanie z Tobą będzie dla mnie jeszcze większym wyzwaniem — nie mogę się go doczekać.

Bo spotkamy się znowu. Otrzymasz dyplom i wyjedziesz z Akademii. Magia szkoły nie będzie Cię dłużej chronić i wtedy Cię odnajdę. Nie ma takiego miejsca na świecie, w którym mogłabyś się przede mną ukryć. Obserwuję Cię.

Z wyrazami miłości
Dymitr

Poza życzeniami powodzenia nie znalazłam w tym liście nic pozytywnego. Rzuciłam go na łóżko i wyszłam przepełniona mieszanymi uczuciami. Starałam się nie przejmować groźbami Dymitra, lecz w głębi duszy kiełkował lęk. Nie ma takiego miejsca na świecie, w którym mogłabyś się przede mną ukryć.

Nie wątpię, że to prawda. Dymitr ma wielu szpiegów. Mój dawny nauczyciel i kochanek został przemieniony w strzygę i od tamtej pory wywalczył sobie znaczącą pozycję w świecie nieumarłych wampirów. Przyczyniłam się do tego, zabijając jego zwierzchniczkę. Podejrzewałam, że na usługach strzyg pracuje wielu ludzi, którzy tylko czekają, aż wyściubię nos poza teren Akademii. Wampiry w ciągu dnia nie mają do mnie dostępu. Niedawno przekonałam się, jak bardzo niektórzy ludzie pragną zostać przemienieni w bestie. Wierzą, że nieśmiertelność jest warta swej okrutnej ceny: utraty duszy i zabijania. Robi mi się niedobrze, kiedy ich sobie przypominam.

Ale to nie myśl o ludziach zaprzątała mnie, kiedy szłam po świeżej zielonej trawie porastającej dziedziniec szkoły. Rozmyślałam o Dymitrze. Niezmiennie. Kochałam go. Pragnęłam ocalić jego duszę. Mój ukochany zmienił się w bestię, którą pewnie będę musiała zabić.

Powtarzałam sobie, że powinnam o nim zapomnieć i żyć dalej, przekonałam przyjaciół, że mi się to udało, ale nadal nosiłam go w sercu. Dymitr był obecny w każdej mojej myśli, brałam go pod uwagę, podejmując wszelkie decyzje.

— Wyglądasz, jakbyś ruszała na wojnę.

Ocknęłam się z ponurych rozmyślań o Dymitrze i jego liście. Zapomniałam o całym świecie i nie zauważyłam, jak dołączyła do mnie najlepsza przyjaciółka, Lissa. Uśmiechała się kpiąco. Rzadko udawało jej się mnie zaskoczyć, ponieważ łączy nas szczególna więź, dzięki której zawsze wiem, gdzie ona przebywa i co czuje. Musiałam być nieźle zakręcona, skoro nie zauważyłam Lissy. Taki brak czujności nie wróżył nic dobrego.

Posłałam jej krzepiący uśmiech, a w każdym razie miałam nadzieję, że tak to wyglądało. Lissa wiedziała, co przydarzyło się Dymitrowi i że zamierzał mnie zabić po tym, jak próbowałam go unicestwić. Czułam, że przyjaciółka niepokoi się listami, które Dymitr przysyłał mi regularnie co tydzień, a miała dostatecznie dużo własnych problemów, żeby zamartwiać się moim nieumarłym amantem.

— W pewnym sensie tak jest — stwierdziłam.

Zapadał letni wieczór i słońce jeszcze nie zaszło nad Montaną. Cieszyły mnie złote promienie padające na nasze twarze, ale dla Lissy — żywej wampirzycy — były męczące. Słońce ją osłabiało.

Roześmiała się, odgarniając długie jasne włosy na ramię. Jej blada skóra nabrała w złotym blasku niemal anielskiego wyglądu.

— Rozumiem. Ale nie sądziłam, że aż tak się tym przejmujesz.

Wiedziałam, do czego pije. Nawet Dymitr uważał, że nie muszę stawać do egzaminu. Ostatecznie wybrałam się samotnie aż do Rosji, żeby go odnaleźć, i tam walczyłam z prawdziwymi strzygami. Wiele zabiłam. Nie miałam powodów, by bać się próby, lecz czułam presję oczekiwań. Serce zabiło mi żywiej. Co jeśli nawalę? Jeśli okaże się, że nie jestem tak dobra, jak myślę? Strażnicy, którzy będą mnie atakowali podczas egzaminu, nie są wprawdzie prawdziwymi strzygami, lecz mają doświadczenie i umiejętności większe od moich. Może przyjdzie mi zapłacić za arogancję, a za nic nie chciałam zawieść przyjaciół, którzy we mnie wierzyli.

Poza tym martwiło mnie coś jeszcze.

— Oceny mogą zaważyć na mojej przyszłości — przyznałam szczerze. Czekał mnie końcowy egzamin na strażniczkę. Dyplom ukończenia Akademii Świętego

Władimira jest przepustką dla nowicjuszy pragnących objąć służbę w obronie morojów przed strzygami. Wynik testu decyduje o przydziale podopiecznego.

Lissa popatrzyła na mnie ze współczuciem. Odebrałam przez więź, że i ona się tym niepokoi.

— Alberta twierdzi, że mamy szansę. Jest nadzieja, że zostaniesz moją strażniczką.

Skrzywiłam się.

— Alberta powiedziałaby wszystko, żeby zatrzymać mnie w szkole. — Kilka miesięcy temu zrezygnowałam z nauki i wyruszyłam na poszukiwanie Dymitra. Co prawda wróciłam, lecz moja wcześniejsza decyzja z pewnością została odnotowana w papierach. Pozostawał jeszcze jeden niesprzyjający szczegół: królowa Tatiana nienawidziła mnie i nie miałam wątpliwości, że dołoży wszelkich starań, aby odsunąć mnie od Lissy. — Alberta dobrze wie, że pozwoliliby mi chronić ciebie tylko wtedy, gdybym została ostatnią strażniczką na świecie. A i to nie jest pewne.

Okrzyki tłumu zgromadzonego na boisku przybierały na sile. Teren sportowy został tymczasowo przekształcony w arenę do walki, jak za czasów rzymskich gladiatorów. Wokół, jak w amfiteatrze, ustawiono ławki. Część zbito z desek, ale zadbano także o wyścielane poduszkami zacienione siedzenia dla morojów. Wokół boiska łopotały na wietrze jaskrawe flagi. Nie widziałam dobrze z tej odległości, ale wiedziałam, że na zapleczu postawiono baraki, w których czekali zdenerwowani nowicjusze. Niedługo każą nam wyjść na arenę stanowiącą prawdziwy tor przeszkód. Sądząc po wrzasku na trybunach, widownia czekała na igrzyska.

— A ja nie tracę nadziei — oświadczyła Lissa. Znowu poczułam, że mówi szczerze. To było w niej cudowne: niezachwiana wiara i optymizm, które pomagały jej wychodzić z największych opresji. Postawa Lissy kontrastowała z moim świeżo nabytym cynizmem. — I mam coś, co powinno ci dziś pomóc.

Lissa przystanęła i sięgnęła do kieszeni dżinsów. Wyjęła z niej mały srebrny pierścionek wysadzany drobnymi kamieniami przypominającymi oliwiny. Nie musiałam pytać, żeby zrozumieć, co mi ofiarowała.

— Och, Liss... Sama nie wiem. Nie chcę żadnych środków dopingujących.

Moja przyjaciółka przewróciła oczami.

— Dobrze wiesz, że nie o to chodzi. Przysięgam, że nie odczujesz skutków ubocznych.

Pierścionek, który mi podarowała, był zaczarowany. Lissa napełniła go rzadkim rodzajem magii. Moroje rodzą się z darem panowania nad jednym z żywiołów: ziemi, powietrza, wody, ognia lub ducha. Ten ostatni występuje u tak nielicznych wampirów, że mało kto pamięta o jego istnieniu. Dopiero niedawno Lissa oraz kilku morojów odkryło, że nim włada. Moc ducha przejawia się w niezwykłych zdolnościach umysłu. Do tej pory nie zgłębiono wszystkich sposobów jej wykorzystania.

Lissa od niedawna uczyła się używać swego daru, właściwie eksperymentowała w tej dziedzinie. Jej najmocniejszą stroną było leczenie, toteż skupiała się głównie na wytwarzaniu przedmiotów o właściwościach uzdrawiających. Ostatnio podarowała mi taką bransoletkę, którą nosiłam na ramieniu.

— Pierścionek pomoże ci odgonić mrok podczas egzaminu — rzuciła lekkim tonem, lecz obie zdawałyśmy sobie sprawę z wagi tych słów. Dary ducha miały swoją ciemną stronę, którą obie odczuwałyśmy jako niekontrolowane emocje, w tym gniew i zagubienie. Były to tak intensywne uczucia, że mogły prowadzić do obłędu. Zdarzało się, że mrok przenikał we mnie poprzez więź z Lissą. Ktoś podpowiedział mi, że uzdrawiająca moc przyjaciółki może przezwyciężyć negatywne emocje, musiałyśmy się jednak nauczyć, jak to osiągnąć.

Wzruszyła mnie troska Lissy, więc uśmiechnęłam się do niej blado i przyjęłam pierścionek. Nie poparzyłam się, co uznałam za dobry znak. Nic nie poczułam. Tak działały przedmioty uzdrawiające albo... bezużyteczne. Pomyślałam, że w obu przypadkach nic nie tracę. Pierścionek okazał się jednak tak wąski, że ledwo zdołałam go wsunąć na mały palec.

— Dzięki — powiedziałam i natychmiast odczułam, że Lissa jest uszczęśliwiona. Poszłyśmy dalej. Wyciągnęłam przed siebie rękę i podziwiałam blask zielonych kamieni. Nie powinnam nosić biżuterii do walki, ale miałam zamiar włożyć rękawiczki.

— Trudno uwierzyć, że niedługo opuścimy szkołę i zamieszkamy w realnym świecie — myślałam na głos, nie zastanawiając się nad tym, co mówię.

Lissa zesztywniała i natychmiast pożałowałam swoich słów. „Zamieszkanie w realnym świecie" oznaczało, że Lissa i ja podejmiemy wyzwanie, co przed dwoma miesiącami pochopnie mi obiecała.

Na Syberii usłyszałam od kogoś, że istnieje sposób, żeby przywrócić Dymitra do dawnej postaci dampira.

Nie wiedziałam, czy to prawda. Poza tym, biorąc pod uwagę, że Dymitr chciał mnie zabić, nie miałam złudzeń: jeśli dopadnie mnie pierwszy, to będę musiała go pokonać lub zginąć. Jeśli jednak naprawdę istniała szansa, by go ocalić, to musiałam spróbować.

Niestety, jedyną osobą, która mogła nam pomóc, był przestępca. Nie byle jaki przestępca, bo sam Wiktor Daszkow. Moroj królewskiego rodu, który kiedyś torturował Lissę i nie cofał się przed żadnym okrucieństwem, żeby zamienić nasze życie w piekło. Sprawiedliwości stało się zadość, Wiktor trafił do więzienia, co teraz komplikowało sprawę. Mając przed sobą dożywocie za kratkami, Wiktor nie widział powodu, by ujawnić nam miejsce pobytu przyrodniego brata — jedynego moroja, który twierdził, że wskrzesił strzygę. Uznałam — może bezpodstawnie — że Wiktor zdradzi nam tajemnicę w zamian za jedyną rzecz, która teraz się dla niego liczyła: wolność.

Mój plan miał kilka słabych punktów. Po pierwsze, nie byłam pewna, czy Daszkow zgodzi się nam pomóc. Po drugie, nie wpadłam jeszcze na to, jak go uwolnić, zwłaszcza że nikt nie potrafił wskazać, gdzie znajduje się jego więzienie. Na domiar złego zamierzałyśmy uwolnić naszego śmiertelnego wroga. Sama myśl o tym przyprawiała mnie o drżenie. A co dopiero musiała czuć Lissa? Bała się Wiktora, a jednak postanowiła mi towarzyszyć. W ciągu ostatnich miesięcy wielokrotnie proponowałam, że zwolnię ją z danej obietnicy, lecz odmawiała. Cóż, być może nigdy nie uda nam się dowiedzieć, gdzie jest to tajemnicze więzienie.

Spróbowałam przerwać niezręczną ciszę i roztoczyłam przed Lissą wizję świętowania jej urodzin, które przypadały w przyszłym tygodniu. Przerwał nam Stan, instruktor, którego znałam od dawna.

— Hathaway! — warknął, idąc w naszą stronę. — Miło, że do nas dołączyłaś. Pakuj się do środka!

Lissa natychmiast zapomniała o Wiktorze. Uściskała mnie pośpiesznie.

— Powodzenia — szepnęła mi do ucha. — Chociaż nie będzie ci potrzebne.

Wyraz twarzy Stana mówił, że to dziesięciosekundowe pożegnanie było o dziesięć sekund za długie. Uśmiechnęłam się do Lissy z wdzięcznością i odprowadziłam ją wzrokiem na trybunę, gdzie zasiedli już nasi przyjaciele. Potem poszłam posłusznie za Stanem.

— Masz szczęście, że nie startujesz jako pierwsza — warknął. — Stawiano zakłady, czy w ogóle się pojawisz.

— Serio? — zdziwiłam się wesoło. — A jakie są zakłady? Mogłabym postawić na siebie i wygrać trochę forsy. Miałabym kieszonkowe.

Zmrużone oczy Stana posłały mi ostrzeżenie. Weszliśmy na teren, gdzie znajdowały się poczekalnie. W poprzednich latach nieodmiennie zdumiewała mnie staranność przygotowań do egzaminów. Także i teraz byłam pod wrażeniem. Zadaszone baraki dla oczekujących na walkę nowicjuszy zbudowano z drewna. Sprawiały wrażenie solidnych, jakby stanowiły stałą część campusu. A przecież wzniesiono je w rekordowym czasie i wiedziałam, że zostaną rozebrane tuż po igrzyskach. Wejście szerokości trzech osób dawało ograniczony widok na arenę. Zobaczyłam koleżankę z klasy, która nerwowo oczekiwała wywołania jej nazwiska. Na boisku zbudowano tor przeszkód, gdzie nowicjusze musieli wykazać się umiejętnością zachowania równowagi i koordynacją. Jednocześnie w każdej chwili mogli spodziewać się ataku ukrytych strażników. Po przeciwległej stronie areny wzniesiono drewniane ściany tworzące ciemny i zawiły labirynt. Tu i ówdzie rozwieszono sieci albo poustawiano chwiejne podesty — wszystko po to, by poddać próbie nasze umiejętności walki w trudnych warunkach.

Kilku nowicjuszy tłoczyło się przy bramie w nadziei, że ułatwią sobie zadanie, obserwując poczynania poprzedników. Nie miałam zamiaru do nich dołączać. Postanowiłam, że wejdę tam z marszu i będę walczyć z każdą przeszkodą, jaką przede mną postawią. Podglądając, zaczęłabym kombinować albo, co gorsza, wpadłabym w panikę. Potrzebowałam spokoju.

Oparłam się o ścianę jednego z baraków i rozejrzałam dookoła. Wyglądało na to, że rzeczywiście zgłosiłam się jako ostatnia. Ciekawe, czy ktoś stracił pieniądze, uznawszy, że nie przyjdę. Część kolegów szeptała w małych grupkach, inni rozciągali się i rozgrzewali przed walką. Jeszcze inni rozmawiali ze swoimi instruktorami. Nauczyciele byli skupieni, udzielali ostatnich wskazówek podopiecznym. Docierały do mnie pojedyncze słowa: koncentracja i spokój.

Patrzyłam na nich ze ściśniętym sercem. Jeszcze nie tak dawno inaczej wyobrażałam sobie ten dzień: stałabym z Dymitrem, który powtarzałby, że egzamin to poważna sprawa i że nie mogę stracić głowy. Od czasu, kiedy wróciłam z Rosji, trenowałam pod okiem Alberty, której nauki wiele mi dały, ale jako kapitan straży była teraz na arenie, zajęta licznymi obowiązkami. Nie miała czasu trzymać mnie za rękę. Znajomi — Eddie, Meredith i inni — przeżywali teraz swoje lęki. Zostałam sama.

Nie mając u boku Alberty, Dymitra — kogokolwiek — poczułam się rozpaczliwie samotna. To było niesprawiedliwe. Nie tak to miało wyglądać. Dymitr powinien mi towarzyszyć. Zamknęłam oczy i wyobraziłam sobie, że on jest przy mnie, stoi obok i rozmawia ze mną.

— Spokojnie, towarzyszu. Będę walczyć z zamkniętymi oczami. Do diabła, może naprawdę mi się uda. Masz przepaskę? Jeśli będziesz miły, to pozwolę ci zawiązać ją na moich oczach. — Ta fantazja rozgrywała się po naszej wspólnie spędzonej nocy. Miałam nadzieję, że Dymitr pomoże mi również zdjąć przepaskę... Kiedy już będziemy sami.

Zobaczyłam w wyobraźni, jak mój ukochany kręci głową z rezygnacją.

— Rose, słowo daję, każdy dzień spędzony z tobą to dla mnie próba.

Ale wiedziałam, że w końcu się uśmiechnie, a jego wzrok pełen dumy i zachęty będzie mi towarzyszył na arenie.

— Medytujesz?

Otworzyłam oczy, zaskoczona brzmieniem tego głosu.

— Mama? Co ty tu robisz?

Przede mną stała Janine Hathaway, moja matka. Była kilkanaście centymetrów niższa ode mnie, ale umiejętnościami i gotowością do walki biła na głowę dwukrotnie wyższych od siebie. Niebezpieczny wyraz jej opalonej twarzy onieśmielał każdego, kto spróbowałby się z nią zmierzyć. Uśmiechnęła się sucho i oparła rękę na biodrze.

– Naprawdę myślałaś, że nie przyjdę zobaczyć twojej walki?

– Sama nie wiem – przyznałam, bo nagle ogarnęły mnie wyrzuty sumienia, że w nią zwątpiłam. Nie miałyśmy kontaktu przez długie lata i dopiero ostatnie wydarzenia – w większości złe – sprawiły, że zaczęłyśmy zbliżać się do siebie. Wciąż czułam się zagubiona. Traktowałam ją na przemian jak tęskniące dziecko albo zbuntowana nastolatka, która została porzucona. Nie byłam pewna, czy przebaczyłam jej „przypadkowy" cios, kiedy walczyłyśmy ze sobą na treningu. – Właściwie sądziłam, że masz ważniejsze sprawy.

– Nie przegapiłabym tego za nic w świecie. – Skinęła głową w kierunku areny, potrząsając brązowymi lokami. – Twój ojciec także nie.

– Co takiego?

Podbiegłam do bramy i wyjrzałam na trybuny. Miałam stąd ograniczony widok, bo przesłaniał mi go tor przeszkód, ale zobaczyłam go od razu. Abe Mazur z czarną brodą i wąsami miał na sobie długą szatę i szmaragdowozielony szal. Dostrzegłam z daleka nawet blask złota, którym się obwieszał. Musiał się smażyć w tym upale, ale wiedziałam, że za nic nie zrezygnowałby z szykownego stroju.

Miałam słaby kontakt z matką, ale moja relacja z ojcem po prostu nie istniała. Poznałam go w maju tego roku, nie wiedząc, kim jest. Odkryłam prawdę dopiero po powrocie do Akademii. Dampiry rodzą się ze związków morojów z dampirami. Mój ojciec był morojem. Nie zdecydowałam jeszcze, co do niego czuję. Jego historia nadal pozostaje dla mnie tajemnicą, lecz zdążyłam już nasłuchać się plotek o ciemnych interesach, jakie rzekomo prowadził. Słyszałam, że specjalizuje się w uszkadzaniu rzepek kolanowych, i chociaż nie widziałam tego na własne oczy, to łatwo mogłam uwierzyć. W Rosji nazywano go Żmijem.

Wpatrywałam się w ojca w osłupieniu, kiedy matka stanęła przy mnie.

– Będzie szczęśliwy, kiedy wyjdziesz na arenę – powiedziała. – Zdaje się, że sporo na ciebie postawił. Może ta wiadomość poprawi ci nastrój.

Jęknęłam.

– No jasne. Powinnam się domyślić. Któż inny mógłby być tajemniczym bukmacherem... – Nagle opadła mi szczęka. – Czy on rozmawia z Adrianem?

Nie myliłam się. Obok Abe'a zasiadał Adrian Iwaszkow, mój tak zwany chłopak. Adrian należał do królewskiego rodu morojów, a w dodatku władał mocą ducha, podobnie jak Lissa. Miał bzika na moim punkcie (w ogóle był lekko stuknięty), ale dla mnie długo liczył się tylko Dymitr. Obiecałam jednak Adrianowi, że dam mu szansę, jeśli wrócę z Rosji. Ku memu zdziwieniu układało nam się całkiem dobrze. Nawet świetnie. Napisał do mnie list, w którym wyjaśnił w punktach, dlaczego powinnam się z nim związać. Znalazły się tam argumenty w rodzaju: „Rzucę palenie, chyba że naprawdę będę musiał sięgnąć po papierosa" albo „Będę cię zaskakiwał romantycznymi propozycjami każdego tygodnia, takimi jak pikniki, bukiety róż albo wypady do Paryża. Oczywiście nie spodziewaj się żadnej z wymienionych propozycji, bo te już cię nie zaskoczą".

Adrian był zupełnie inny niż Dymitr, lecz uznałam, że każda relacja wygląda nieco inaczej. Nadal codziennie budziłam się z uczuciem tęsknoty za Dymitrem i naszą miłością. Zadręczałam się, że nie udało mi się zabić ukochanego na Syberii i uwolnić jego duszy.

Rozpacz nie pozbawiła mnie jednak zdolności do romantycznych uczuć, choć trochę trwało, zanim się do tego przyznałam. Niełatwo było mi się pozbierać, ale Adrian umiał mnie uszczęśliwić. Ostatecznie postanowiłam cieszyć się dniem dzisiejszym i nie martwić przyszłością.

Co nie znaczyło, że chciałam, by Adrian bratał się z moim ojcem piratem.

— To nie jest dla niego odpowiednie towarzystwo! — oburzyłam się.

Moja matka prychnęła.

— Wątpię, czy Adrian może wpłynąć na Abe'a w jakikolwiek sposób.

— Nie mówię o Adrianie! On stara się zachowywać przyzwoicie. Abe wszystko zepsuje. — Poza paleniem Adrian obiecał również zrezygnować z alkoholu oraz innych używek. Przyglądałam się im obu z daleka, zachodząc w głowę, o czym rozmawiają z takim ożywieniem. — Co ich tak zainteresowało?

— Myślę, że teraz to jest najmniejszy z twoich problemów — zauważyła jak zawsze praktyczna Janine Hathaway. — Masz przed sobą egzamin.

— Myślisz, że rozmawiają o mnie?

— Rose! — Matka szturchnęła mnie w ramię i oprzytomniałam. — Bądź poważna. Nie wolno ci się teraz rozpraszać.

To samo powiedziałby Dymitr. Słuchając jej, nie mogłam powstrzymać uśmiechu. Jednak nie byłam sama.

— Co cię tak rozbawiło? — spytała podejrzliwie.

— Nic. — Uściskałam ją. W pierwszej chwili zesztywniała, ale odwzajemniła mój gest. — Cieszę się, że przyszłaś.

Janine Hathaway nie była typem uczuciowym i teraz wytrąciłam ją z równowagi.

— Cóż — zaczęła z zakłopotaniem. — Mówiłam, że nie mogłabym tego przegapić.

Zerknęłam na arenę.

— Ale nie jestem pewna, czy cieszę się z widoku Abe'a — dodałam.

Zaraz... A może? Coś mi przyszło do głowy. Abe obracał się w szemranym towarzystwie, ale miał koneksje. Udało mu się przesłać wiadomość do więzienia Daszkowa. Chciał mi pomóc i zaproponował Wiktorowi coś w zamian za informacje o jego przyrodnim bracie. Kiedy Daszkow odrzucił ofertę mojego ojca, zapomniałam o sprawie i zaczęłam rozważać odbicie więźnia na własną rękę. Może jednak obecność ojca była mi na rękę?

— Rosemarie Hathaway!

To był głos Alberty, dźwięczny i silny. Zabrzmiał jak trąbka wzywająca do walki. W jednej chwili odsunęłam od siebie myśli o Abie, Adrianie i, tak, nawet o Dymitrze. Zdaje się, że matka życzyła mi powodzenia, ale nie zrozumiałam jej słów. Ruszyłam na arenę, gdzie czekała Alberta. Poczułam napływ adrenaliny. Skupiłam się wyłącznie na tym, co mnie czekało: na egzaminie, po którym zostanę strażniczką.

ROZDZIAŁ DRUGI

NIE PAMIĘTAM SZCZEGÓŁÓW. Można by pomyśleć, że będę umiała odtworzyć każdą minutę egzaminów, które stanowiły najważniejszy moment całej mojej edukacji w Akademii Świętego Władimira. Ale w czym mogły okazać się trudniejsze od tego, co już przeżyłam? Jak porównać pozorowaną walkę z prawdziwą napaścią strzyg na szkołę? Wtedy biłam się jak oszalała, nie wiedząc, czy moi bliscy jeszcze żyją. Czyż mogłam odczuwać lęk przed potyczką z instruktorem, skoro walczyłam z Dymitrem? Był niebezpiecznym przeciwnikiem już jako dampir, a po przemianie w strzygę nie miał sobie równych.

Nie chcę przez to powiedzieć, że potraktowałam egzamin lekko. Nie było łatwo. Wielu nowicjuszy ponosiło porażkę, a ja nie chciałam znaleźć się w tym gronie. Musiałam zmierzyć się w walce ze strażnikami, którzy walczyli w obronie morojów, zanim się urodziłam. Arena nie była płaskim terenem, co utrudniało sprawę. Porozstawiano na niej liczne przeszkody, rozłożono żerdzie i zbudowano schody, na których miałam dowieść swojej umiejętności zachowywania równowagi. Zobaczyłam nawet mostek, który boleśnie przypomniał mi ostatnią noc, kiedy widziałam Dymitra. Zepchnęłam go wówczas do rzeki ze srebrnym sztyletem wbitym w serce. Ten sztylet musiał się wysunąć, gdy Dymitr spadał w otchłań. Most zbudowany na arenie był inny niż tamten solidny, drewniany most syberyjski. Przy każdym kroku luźne klepki podskakiwały na sznurowej konstrukcji. Idąc, widziałam dziury w deskach — miejsca, gdzie moi poprzednicy (szczęśliwie lub nie) odkryli wady budowli. Przejście po sznurowym mostku okazało się najtrudniejszym zadaniem. Moim celem było odciągnięcie „moroja" poza zasięg bandy „strzyg", które wybrały się na łowy. Moroja odgrywał Daniel, nowy strażnik przybyły do Akademii po tym, jak wielu zginęło podczas napaści. Nie znaliśmy się dobrze, a podczas egzaminu udawał uległego i bezbronnego, nawet lekko wystraszonego, jak przystało na podopiecznego moroja.

Daniel opierał się lekko przed wejściem na most i musiałam przemawiać do niego nadzwyczaj spokojnie i stanowczo, żeby skłonić go do przejścia na drugą stronę. Poza umiejętnością walki musiałam wykazać, że potrafię również współpracować z podopiecznymi. Tymczasem „strzygi" deptały nam po piętach.

Daniel ruszył naprzód niepewnie, a ja podążałam za nim jak cień. Przez cały czas mówiłam do niego, zachowując jednocześnie nadzwyczajną czujność. W pewnej chwili most zakołysał się gwałtownie — znak, że nasi prześladowcy są tuż, tuż. Byłam pod wrażeniem — poruszali się niemal równie zwinnie i szybko jak prawdziwe strzygi. Wiedziałam, że nas dopadną, jeśli nie skłonię Daniela do pośpiechu.

— Świetnie sobie radzisz — zapewniłam, starając się, by zabrzmiało to przekonująco. Krzykiem tylko bym go bardziej przeraziła, a zbytnia łagodność kazałaby mu myśleć, że sytuacja nie jest poważna. — Wiem, że możesz iść szybciej. Musimy trzymać dystans, bo strzygi są coraz bliżej. Na pewno dasz sobie radę. Idziemy.

Moja zdolność perswazji okazała się skuteczna, bo Daniel przyspieszył kroku. Poruszaliśmy się wprawdzie wolniej niż pościg, ale wzięłam to za dobrą monetę. Nagle most znowu się zakołysał. Daniel wrzasnął przekonująco i zamarł, rozpaczliwie chwytając się liny. Przed nim, po drugiej stronie, stała strzyga, w którą wcielał się nowy instruktor o imieniu Randall. Tkwiłam w pułapce między nim a bandą podkradającą się z tyłu. Randall nawet nie drgnął. Stał na pierwszej desce i kołysał mostem, żeby utrudnić nam przeprawę.

— Idziemy dalej — poleciłam Danielowi, gorączkowo szukając wyjścia z sytuacji. — Dasz radę.

— Ale tam jest strzyga! Jesteśmy w pułapce! — wykrzykiwał „moroj".

— Spokojna głowa. Załatwię go bez trudu. Nie zatrzymuj się.

Tym razem użyłam bardziej perswazyjnego tonu i Daniel posłuchał polecenia. Następne minuty wymagały ode mnie bezbłędnego wyczucia. Musiałam obserwować strzygi z przodu i z tyłu i pilnować, żeby Daniel się nie zatrzymał. Jednocześnie rejestrowałam każdy nasz krok na moście. Przebyliśmy mniej więcej trzy czwarte drogi, kiedy syknęłam mu do ucha:

— Na czworaka! Już!

Wykonał polecenie. Przyklękłam przy nim i znów odezwałam się szeptem:

— Zaraz na ciebie krzyknę. Nie przejmuj się tym. — Po chwili zawołałam tak, żeby strzygi nas usłyszały: — Co robisz? Nie możemy się zatrzymywać!

Daniel wytrzymał, a ja znów zapewniłam go cicho:

— Świetnie. Widzisz, gdzie liny łączą podest z poręczą? Chwyć się ich. Trzymaj się z całych sił i nie puszczaj, choćby nie wiem co się działo. Możesz sobie owinąć sznur wokół dłoni. Teraz!

Zrobił, co mu kazałam. Czas płynął, więc nie traciłam ani chwili. Obróciłam się na klęczkach. Dzięki Bogu, ostrze było jak żyletka. Strażnicy odpowiedzialni za egzaminy solidnie przygotowali pole walki. Przecięłam liny tak szybko, że „strzygi", które nas ścigały, nie zdążyły się zabezpieczyć.

Sznury puściły w momencie, kiedy ponownie kazałam Danielowi się trzymać. Oba fragmenty mostu zawisły na drewnianych rusztowaniach — z każdej strony obciążone strzygami i dwojgiem uciekinierów. Oboje z Danielem byliśmy przygotowani, za to strzygi dały się zaskoczyć. Dwie spadły, a jedna się osunęła, ale zdołała się utrzymać. Od ziemi dzieliły nas dwa metry, lecz kazano mi udawać, że jest ich sto sześćdziesiąt — upadek z tej wysokości oznaczał pewną śmierć dla mnie i Daniela.

Mój moroj dzielnie trzymał się liny. Odczekałam, aż prowizoryczny most zawiśnie wzdłuż rusztowania, i zaczęłam się po nim wspinać jak po drabinie. Miałam trudności z wyminięciem Daniela, ale dopięłam swego. Znów przypomniałam mu, żeby się trzymał. Randall, który czekał na nas po drugiej stronie, nie dawał za wygraną. W chwili, kiedy przecięłam liny, stał na moście i stracił równowagę, ale szybko odzyskał ją i teraz próbował wspiąć się na twardą powierzchnię. Miał nade mną przewagę, jednak złapałam go za nogę. Szarpnęłam. Utrzymał się. Walczyliśmy w niewygodnej pozycji. Wiedziałam już, że nie uda mi się go zrzucić, więc starałam się wspiąć jak najbliżej. W pewnym momencie wypuściłam nóż z ręki i wyciągnęłam zza pasa srebrny sztylet — to była prawdziwa ekwilibrystyka. Randall zawisł tak nieszczęśliwie, że miałam dostęp do jego klatki piersiowej. Wbiłam mu ostrze prosto w serce.

Na czas egzaminów dano nam specjalne sztylety o tępych końcówkach. Nie można było nimi zranić, ale przy dostatecznej sile ciosu przekonać przeciwnika, że wiemy, co robimy. Zadałam idealny cios i Randall uznał, że otrzymał śmiertelną ranę. Runął w dół mostu.

Pozostało mi trudne zadanie pokierowania Daniela tak, by wspiął się na rusztowanie. Długo to trwało, bo strażnik zachowywał się jak na przerażonego moroja przystało. Byłam mu jednak wdzięczna, że nie postanowił rozluźnić uścisku i spaść.

Po tej próbie następowały kolejne. Walczyłam jak maszyna, utrzymując tempo i odsuwając od siebie myśli o zmęczeniu. Przerzuciłam się na tryb bojowy i skoncentrowałam na podstawowych zasadach: walcz, unikaj ciosów, zabijaj.

Jednocześnie musiałam błyskawicznie reagować na niespodziewane sytuacje. Nie było mowy o rutynowym działaniu, inaczej przegrałabym już tam na moście. Nie wybiegałam więc myślą poza konkretne zadania. Starałam się też zapomnieć, że walczę z dawnymi instruktorami. Traktowałam ich jak strzygi. Nie hamowałam się. Nie wiem, kiedy to się skończyło. Po prostu nagle odkryłam, że stoję na środku areny i nikt mnie nie atakuje. Byłam sama. Powoli zaczynałam dostrzegać fragmenty otoczenia. Tłumy wiwatujące na trybunach. Kilku instruktorów kiwających do siebie głowami i przyłączających się do aplauzu. Słyszałam bicie własnego serca.

Dopiero kiedy Alberta pociągnęła mnie za ramię z uśmiechem, dotarło do mnie, że jest już po wszystkim. Egzamin, na który czekałam całe życie, skończył się w mgnieniu oka.

— Chodź. — Strażniczka objęła mnie ramieniem i poprowadziła w stronę wyjścia. — Powinnaś usiąść i napić się wody.

Byłam oszołomiona i pozwoliłam jej wyprowadzić się z areny, wokół której widzowie wciąż wykrzykiwali moje imię do wtóru braw. Usłyszałam za plecami, że trzeba zrobić przerwę w celu naprawy mostu. Weszłyśmy do poczekalni i tam Alberta delikatnie popchnęła mnie na ławkę. Ktoś usiadł obok i podał mi butelkę wody. Obejrzałam się i zobaczyłam matkę. Miała taką minę, jakiej nigdy u niej nie widziałam. Promieniała dumą.

— I to wszystko? — spytałam.

Znowu mnie zaskoczyła, parskając szczerym śmiechem.

— To wszystko? — powtórzyła. — Rose, byłaś tam prawie przez godzinę. Przeszłaś test śpiewająco. To był najlepszy egzamin, jaki oglądała ta szkoła.

— Naprawdę? Zdawało mi się to... — Łatwe nie było odpowiednim słowem. — Jestem oszołomiona.

Mama ścisnęła mnie za rękę.

— Byłaś zachwycająca. Jestem z ciebie taka dumna.

Dotarło do mnie, co powiedziała, i usta rozciągnęły mi się w szerokim uśmiechu.

— I co dalej? — spytałam.

— Zostaniesz strażniczką.

Miałam już wiele tatuaży, ale żadna z poprzednich ceremonii nie mogła się równać nadaniu znaku obietnicy. Znaki molnija dostałam po tym, jak nieoczekiwanie wzięłam udział w pamiętnej walce ze strzygami w Spokane i ponownie po napaści na szkołę. Po tamtych wydarzeniach wszyscy przeżywaliśmy żałobę. Zginęło tyle osób, niemal nie sposób było je policzyć. Specjaliści od tatuaży, którzy zwykle odznaczali na naszych karkach każdą pokonaną strzygę, zdecydowali się pokazać na mojej szyi gwiazdę — symbol wielu stoczonych walk.

Wykonanie tatuażu zajmuje sporo czasu, nawet jeśli ma on być niewielki. Tego dnia cała moja klasa czekała na swój moment. Ceremonia odbywała się w jadalni przystrojonej z tej okazji tak wspaniale i dostojnie, że przypominała salę na dworze królewskim. Publiczność — przyjaciele, rodzina, strażnicy — szczelnie wypełniła pomieszczenie. Alberta odczytywała kolejno nasze nazwiska wraz z liczbą uzyskanych punktów, a my podchodziliśmy do tatuażysty. Te wyniki miały znaczenie. Później miały zostać podane do wiadomości publicznej i razem z naszymi ocenami z pozostałych przedmiotów brane pod uwagę w przydziale służby. Moroje także mogli prosić o przydział konkretnych opiekunów. Lissa zgłosiła już wniosek, bym została jej strażniczką, ale na-

28

wet najlepsze stopnie nie mogły wymazać czarnych kart w historii mojej edukacji.

W ceremonii nie brali udziału moroje poza garstką zaproszonych gości. Pozostali byli dampirami: dyplomowanymi strażnikami lub nowicjuszami takimi jak ja. Goście usiedli z tyłu, a starsi strażnicy zajęli miejsca w pierwszych rzędach. Moim kolegom z klasy kazano stać, jakby to miała być ostatnia próba wytrzymałości. Nie buntowałam się. Zdążyłam już zrzucić podarte i brudne ubranie i przebrać się w proste spodnie i bluzkę. Wypadło w miarę elegancko i oficjalnie zarazem. W powietrzu wyczuwało się napięcie, na twarzach obecnych widziałam radość z sukcesu i niepokój związany z nową rolą, która wiązała się ze śmiertelnym ryzykiem. Przyglądałam się roziskrzonym wzrokiem twarzom moich przyjaciół. Byłam zaskoczona i poruszona ich umiejętnościami.

Eddic Castile, mój bliski przyjaciel, dostał szczególnie wysoką ocenę za obronę moroja w kategorii jeden na jednego. Nie mogłam powstrzymać uśmiechu, widząc jak Eddie odbiera swój tatuaż.

— Ciekawe, jak udało mu się przeprowadzić moroja po moście — mruknęłam pod nosem. Eddie był pomysłowy.

Stojąca obok Meredith obrzuciła mnie zaciekawionym spojrzeniem.

— Co masz na myśli? — spytała szeptem.

— Tę część egzaminu, kiedy ścigano nas i morojów po moście. Przydzielono mi opiekę nad Danielem. — Meredith wciąż nic nie rozumiała i musiałam jej wyjaśniać.

— Strzygi czyhały na nas po obu stronach mostu.

— Przebiegłam most — syknęła — ale sama. Nie dano mi moroja. Miałam go przeprowadzić przez labirynt. Umilkłyśmy, zgromione wzrokiem przez kolegę z klasy. Nie pytałam dłużej.

Kiedy wywołano moje imię, usłyszałam westchnienia na wieść, ile zdobyłam punktów. Zebrałam najwyższe noty w klasie. Ucieszyłam się, że Alberta nie odczytała moich ocen, bo pozbawiłyby mnie chwały. Zawsze dobrze sobie radziłam podczas treningów, za to matematyka i historia... Cóż, miałam pewne braki w tej dziedzinie, zwłaszcza że często opuszczałam szkołę.

Związano mi starannie włosy i upięto każdy luźny kosmyk, żeby nic nie przeszkadzało w pracy mistrzowi tatuażu. Pochyliłam głowę i usłyszałam, że mruknął z podziwem. Moją szyję pokrywały znaki i mężczyzna musiał znaleźć odpowiednie miejsce na nowy. Nowicjusze nie mieli zazwyczaj żadnych tatuaży. Mistrz znał się jednak na rzeczy i umieścił znak obietnicy pośrodku, u nasady mojego karku. Znak miał kształt rozciągniętej litery S o zawiniętych końcówkach. Teraz lśnił pomiędzy tatuażami molnija, obejmując je ramionami. Bolało, ale nie dałam tego poznać i nawet się nie skrzywiłam. Zobaczyłam później rezultat w lusterku, zanim zabandażowano mi szyję, żeby rany dobrze się goiły.

Dołączyłam do kolegów i obejrzałam wszystkie tatuaże. Zabrało mi to około dwóch godzin, lecz nie miałam nic przeciwko temu. Nadal byłam oszołomiona wydarzeniami tego dnia. Zostałam strażniczką. Prawdziwą opiekunką ślubującą wierność dobrej sprawie. Razem z tą myślą pojawiły się pytania. Co się teraz stanie? Czy wysoka punktacja pozwoli władzom zapomnieć o moim złym zachowaniu? Czy zostanę strażniczką Lissy? I co będzie z Wiktorem? Co z Dymitrem?

Przestąpiłam z nogi na nogę, uświadamiając sobie znaczenie ceremonii nadania znaków obietnicy. Tu nie chodziło tylko o Dymitra i Wiktora. Dzisiejszy dzień miał odmienić moje życie. Skończyłam szkołę. Nie będę już mogła liczyć na nauczycieli, którzy do tej pory poprawiali każdy mój błąd. Z chwilą, kiedy obejmę opiekę nad drugą osobą, będę musiała podejmować samodzielne decyzje. Stanę się autorytetem dla morojów i młodszych dampirów. Już nie będę mogła odpoczywać w swoim pokoju po skończonej lekcji. Wszystko się zmieni. Służba strażnika nie kończy się nigdy.

Myśl o tym trochę mnie zmieszała. Do tej pory kojarzyłam ukończenie szkoły z początkiem wolności. Teraz nie byłam już tego taka pewna. Jaki kształt przybierze moje życie? Kto o tym zdecyduje? I jak odnajdę Wiktora, jeśli przydzielą mnie do opieki nad kimś innym niż Lissa?

Poszukałam jej wzrokiem wśród publiczności zgromadzonej na sali. W jej oczach dostrzegłam dumę, tak jak wcześniej w oczach matki. Uśmiechnęła się do mnie.

„Co to za mina? — kpiła ze mnie poprzez więź. — Nie masz powodu do niepokoju, nie dzisiaj. To twój wielki dzień".

Miała rację. Na pewno sobie poradzę. Powinnam odłożyć swoje liczne troski przynajmniej na tę chwilę, zwłaszcza że nastrój panujący na sali obiecywał dobrą zabawę. Mój wpływowy ojciec zdążył już zorganizować małą salę bankietową, w której urządził przyjęcie na moją cześć. To nic, że takie imprezy bardziej pasowały do debiutantki królewskiego rodu niż nisko urodzonej zbuntowanej dampirzycy.

Musiałam ponownie zmienić ubranie i włożyć coś ładniejszego od oficjalnego stroju. Wybrałam szmaragdową obcisłą sukienkę z krótkimi rękawami. Zawiesiłam na szyi nazar, chociaż nie pasował do tego stroju. Był to mały wisiorek w kształcie oka o kilku odcieniach niebieskiego. W Turcji, skąd pochodził Abe, wierzono, że amulet ma ochronną moc. Abe ofiarował go mojej matce przed laty, a ona przekazała go potem mnie.

W pełnym makijażu, z rozpuszczonymi włosami, które teraz układały się w miękkie fale (bandaż na szyi zupełnie nie pasował do eleganckiej kiecki), nie przypominałam wojowniczki walczącej ze strzygami. Po chwili skorygowałam tę myśl. Patrząc w lustro, ujrzałam ze zdziwieniem udręczony wyraz brązowych oczu. Wyzierał z nich ból, cierpienie z powodu straty, którego nie zdołałabym ukryć pod najbardziej wyrafinowanym makijażem.

Postanowiłam o tym nie myśleć i dobrze się bawić. Wychodząc z pokoju, wpadłam na Adriana. Chwycił mnie w ramiona bez słowa i pocałował. Zupełnie mnie tym zaskoczył. Kto by pomyślał? Nie dałam się podejść nieumarłym, a oto wyluzowany moroj królewskiego rodu tego dokonał.

Bo nie był to przyjacielski pocałunek. Niemal przyprawił mnie o poczucie winy. Kiedy zaczęłam spotykać się z Adrianem, byłam pełna obaw, które z czasem się rozproszyły. Widząc, jak bezwstydnie flirtuje z wieloma dziewczynami i żadnej nie traktuje poważnie, nie oczekiwałam jego zaangażowania. Nie spodziewałam się również, że sama coś do niego poczuję. Wciąż kochałam Dymitra i obmyślałam szalony plan ocalenia jego duszy. Roześmiałam się, kiedy Adrian postawił mnie z powrotem na ziemi. Kilkoro młodszych morojów zatrzymało się i obserwowało nas. Takie mieszane pary nie były rzadkim zjawiskiem wśród naszych rówieśników, ale ciesząca się złą sławą dampirzyca i siostrzeniec królowej? Stanowiliśmy nie lada sensację, zwłaszcza że królowa Tatiana nie ukrywała swojej nienawiści do mnie. Kiedy widziałam ją ostatnio, krzyczała, że nie mam prawa spotykać się z Adrianem, i choć tę scenę oglądało niewielu świadków, to jednak plotki rozniosły się po całej szkole.

— Zadowoleni z widowiska? — zwróciłam się do grupki gapiów. Dzieciaki natychmiast ruszyły w swoją stronę. Uśmiechnęłam się do Adriana. — Co to było? Takich pocałunków nie demonstruje się publicznie.

— To... — zaczął, przesadnie akcentując słowa — była twoja nagroda za waleczność i hart ducha podczas egzaminów. Poza tym wyglądasz niezwykle apetycznie w tej sukience.

Spojrzałam na niego surowo.

— Nagroda? Chłopak Meredith podarował jej kolczyki z brylantami.

Adrian wzruszył ramionami i pociągnął mnie za rękę.

— Pragniesz brylantów? Dam ci je. Obsypię cię brylantami. Do diabła, każę ci uszyć brylantową suknię. Obawiam się tylko, że okaże się niewygodna.

— Chyba zadowolę się pocałunkiem. — Wyobraziłam sobie, że Adrian ubiera mnie w strój kąpielowy jak modelkę. Albo tancerkę na rurze. Poza tym nasza rozmowa o klejnotach przypomniała mi coś, o czym chciałam zapomnieć. Kiedy Dymitr więził mnie na Syberii, usypiając moją czujność ukąszeniami strzygi, często przynosił mi klejnoty.

— Wiedziałem, że jesteś twarda — ciągnął Adrian. Ciepły letni wiatr rozwiał mu włosy, które z takim poświęceniem układał każdego dnia. Wolną ręką próbował je teraz przygładzić. — Nie wiedziałem jednak że aż tak, dopóki nie zobaczyłem, jak rozwalasz kolejnych strażników.

— Czy dzięki temu będziesz dla mnie milszy? — zakpiłam.

— Już jestem miły — odparł lekko. — Czy zdajesz sobie sprawę, jak bardzo chciałbym teraz zapalić? Ale nie zrobię tego. Cierpię jak mężczyzna z powodu głodu tytoniowego, a wszystko dla ciebie. Sądzę jednak, że powinienem być ostrożniejszy w twojej obecności. Podobnie w obecności twojego szalonego tatusia.

Jęknęłam na wspomnienie widoku Adriana siedzącego u boku Abe'a.

— Boże. Naprawdę musisz się z nim prowadzać?

— Jest fantastyczny. Lekko niezrównoważony, ale fantastyczny. Świetnie się dogadujemy. — Adrian otworzył przede mną drzwi. — Na swój sposób on także jest twardy. Kto inny nosi takie szaliki? Wyśmiano by każdego, ale nie Abe'a. On dołożyłby prześmiewcom równie skutecznie jak ty. Właściwie... — nieoczekiwanie wyczułam zdenerwowanie w głosie Adriana. Przyjrzałam mu się ze zdziwieniem.

— Co?

— No... Abe twierdzi, że mnie polubił, lecz nie pozostawił mi złudzeń. Wyjaśnił, co mi zrobi, jeśli cię skrzywdzę. — Skrzywił się. — Przedstawił mi to opisowo ze wszystkimi szczegółami. Zaraz potem zmienił temat i zaczął żartować. Lubię go, ale jest dość przerażający.

— Tego już za wiele! — Zatrzymałam się przed wejściem do sali bankietowej. Słyszałam stamtąd rozbawione głosy i zrozumiałam, że mieliśmy się pojawić jako ostatnia para. Czekało mnie wielkie wejście, jak przystało gościom honorowym. — On nie ma prawa grozić moim chłopakom. Mam osiemnaście lat. Jestem dorosła. Nie potrzebuję jego opieki. Sama potrafię się bronić.

Adrian był rozbawiony moim wybuchem. Posłał mi uspokajający uśmiech.

— Zgadzam się z tobą. Ale zamierzam potraktować poważnie jego „rady". Moja twarz jest zbyt ładna, nie będę ryzykował.

Jego twarz była naprawdę ładna, ale pokręciłam głową w desperacji. Ujęłam klamkę, lecz Adrian mnie odciągnął.

— Zaczekaj — poprosił i znów wziął mnie w ramiona. Pocałowaliśmy się namiętnie. Przylgnęłam do niego całym ciałem i naraz poczułam się zmieszana swoją reakcją. Byłam blisko momentu, w którym zapragnę więcej niż pocałunku.

— Dobrze — powiedział Adrian, odsuwając się nieco. — Teraz możemy wejść.

Mówił lekkim tonem, ale dostrzegłam w ciemnozielonych oczach iskrę pożądania. Więc nie tylko ja myślałam o czymś więcej. Do tej pory nie rozmawialiśmy o seksie. Doceniałam to, że Adrian nie nalegał. Pewnie wiedział, że nie jestem na to gotowa po Dymitrze, lecz w chwilach takich jak ta czułam, jak trudno jest mu się powstrzymać.

Wzruszyło mnie to, stanęłam na palcach i pocałowałam go jeszcze raz.

— Co to było? — spytał.

Uśmiechnęłam się.

— Twoja nagroda.

Powitano mnie okrzykami radości i uśmiechami pełnymi dumy. Dawniej uwielbiałam znajdować się w centrum uwagi. Dziś to pragnienie nieco we mnie przybladło, ale przybrałam pewną siebie minę i przyjmowałam komplementy z niekłamaną radością. Uniosłam triumfująco ramiona, czym wywołałam tym większe brawa.

Przyjęcie oszołomiło mnie niemal tak samo jak walka na arenie. Nie zdajemy sobie sprawy, jak wielu osobom na nas zależy, dopóki wszyscy nie zjawią się wtedy, kiedy ich potrzebujemy. Ogarnęła mnie wdzięczność, prawie miałam łzy w oczach. Ale ukryłam wzruszenie. Nie mogłam się rozpłakać na przyjęciu wydanym na cześć mojego zwycięstwa.

Wszyscy chcieli rozmawiać, a ja witałam każdego z równym zachwytem. Nieczęsto zdarzało mi się mieć u boku wszystkich, których kochałam. Uświadomiłam sobie, że taka okazja może mi się więcej nie powtórzyć.

— Nareszcie zdobyłaś licencję na zabijanie. Najwyższy czas.

Odwróciłam się i napotkałam rozbawiony wzrok Christiana Ozery, dawnego wroga, który stał się moim dobrym przyjacielem. Tak dobrym, że w porywie entuzjazmu objęłam go serdecznie. Nie spodziewał się tak wylewnego powitania. Tego dnia zaskakiwałam wszystkich.

— Spokojnie! — Christian cofnął się, oblewając się rumieńcem. — Kto by pomyślał? Jesteś jedyną dziewczyną, która wzrusza się na myśl o zabijaniu. Nie chcę nawet myśleć, co robicie z Iwaszkowem, kiedy jesteście sami.

— I kto to mówi? Widziałam cię w akcji.

Ozera nie przekomarzał się dłużej, tylko wzruszył ramionami. W naszym świecie obowiązywała podstawowa zasada: strażnicy chronią morojów, a moroje nie angażują się w walkę. Ale po licznych napaściach, jakich od niedawna dopuszczały się strzygi, wielu morojów — chociaż trudno mówić o większości — zaczęło nawoływać, że pora wesprzeć strażników w walce. Szczególnie cennymi pomocnikami okazały się wampiry władające żywiołem ognia (Christian należał do tej grupy). Strzygę można zabić na trzy sposoby: spalić, pozbawić głowy lub przebić jej serce srebrnym ostrzem. Rządzący sprzeciwili się wprawdzie żądaniu wprowadzenia treningów sztuk walki dla morojów, lecz nie powstrzymało to zwolenników tego pomysłu od potajemnych ćwiczeń. Christian także brał w nich udział. Nagle zobaczyłam kogoś za jego plecami i zamrugałam ze zdziwienia.

Jill Mastrano podążała za młodym Ozerą jak cień. Była uczennicą pierwszej klasy — właściwie niedługo miała przejść do drugiej — i zgłosiła się do Christiana, chcąc nauczyć się walczyć.

— Cześć, Jill. — Uśmiechnęłam się do niej ciepło. — Dziękuję, że przyszłaś.

Dziewczynka się zarumieniła. Wykazywała niezwykłą determinację podczas treningów samoobrony, ale inni wciąż ją onieśmielali, szczególnie „gwiazdy" takie jak ja. Reagowała nerwowo, co zwykle przejawiało się w paplaninie.

– Musiałam przyjść. – Odgarnęła z twarzy długie jasnobrązowe włosy, które tworzyły niesforną burzę loków na jej głowie. – Podziwiałam cię. Mam na myśli twój egzamin. Wszyscy uważają, że byłaś fantastyczna. Słyszałam, jak jeden ze strażników mówił, że jeszcze nigdy nie mieli tu takiej uczennicy. Strasznie się ucieszyłam, kiedy Christian spytał, czy chcę przyjść na twoje przyjęcie. Och! – Jill wytrzeszczyła jasnozielone oczy. – Nawet ci nie pogratulowałam. Przepraszam. Gratulacje.

Christian usiłował zachować powagę podczas tej przemowy. Mnie się to nie udało. Roześmiałam się szczerze i uściskałam małą. Ten wieczór mógł poważnie zagrozić mojej reputacji twardej strażniczki. Zrobiłam się serdeczna i miękka.

– Dziękuję. I co, jesteście gotowi zmierzyć się z armią strzyg?

– Już niedługo – zapewnił Christian. – Ale będziemy potrzebowali twojego wsparcia.

Wiedział równie dobrze jak ja, że nie mogą się równać ze strzygami. Bardzo mi pomógł, używając w walce magii ognia, ale w pojedynkę był bez szans. Tymczasem oboje z Jill ćwiczyli się w ataku, a ja wpadałam czasem na ich treningi, żeby pokazać im nowe techniki.

Jill nagle posmutniała.

– Nie będę miała nauczyciela, kiedy Christian wyjedzie.

Spojrzałam na Ozerę. Oczywiście wszyscy mieliśmy wkrótce opuścić szkołę.

— Co zamierzasz? — spytałam.

Wzruszył ramionami.

— Pojadę na dwór razem z wami. Ciocia Tasza zapowiedziała poważną rozmowę na temat mojej przyszłości. — Skrzywił się. Nie wiedziałam, jakie ma plany, lecz odniosłam wrażenie, że odbiegają od wyobrażeń Taszy. Większość morojów z rodzin królewskich studiowała w college'ach. Nie byłam pewna, co chce robić Christian. Nowo mianowani strażnicy udawali się na dwór królewski po instrukcje i przydział podopiecznych. Wszyscy mieliśmy tam pojechać za kilka dni. Podążając za wzrokiem Christiana, trafiłam na jego ciotkę, która rozmawiała... Tak, z Abe'em.

Tasza Ozera dobiegała trzydziestki. Miała takie same lśniące czarne włosy i jasnoniebieskie oczy jak Christian. Piękna twarz morojki została jednak brutalnie oszpecona. Blizna przecinająca jej policzek była śladem walki z rodzicami młodego Ozery. Dymitr przemienił się w strzygę wbrew woli, ale rodzice Christiana zdecydowali się na to w zamian za obietnicę nieśmiertelności. Ironia losu. Oboje zginęli z rąk strażników, którzy wyruszyli za nimi w pościg. Od tamtej pory, kiedy Christian nie przebywał w szkole, zajmowała się nim Tasza. Była liderką morojów pragnących walczyć ze strzygami.

Z blizną czy bez, uważałam ją za piękną, podziwiałam. Jak można było sądzić po zachowaniu ojca, podzielał moją opinię. Nalał jej kieliszek szampana i powiedział coś, co ją rozśmieszyło. Tasza nachyliła się, jakby powierzała mu jakąś tajemnicę, i teraz to on się roześmiał. Nie mogłam w to uwierzyć. Nawet z tej odległości było oczywiste, że flirtują.

— Dobry Boże! — Wzdrygnęłam się i pośpiesznie odwróciłam do Christiana i Jill.

Christian był lekko rozbawiony moją reakcją, ale zauważyłam, że i on poczuł się nieswojo na widok kobiety, którą traktował jak matkę, w towarzystwie tajemniczego mafiosa. Po chwili złagodniał i podjął przerwaną rozmowę z Jill.

— Nie będę ci już potrzebny — powiedział. — Z pewnością znajdziesz tu wielu chętnych do ćwiczeń. Zanim się obejrzysz, założą twój fanklub.

Uśmiechnęłam się bezwiednie, lecz w tej samej chwili poczułam ukłucie zazdrości. To nie było moje uczucie. Odebrałam je od Lissy. Poszukałam jej wzrokiem na sali i dostrzegłam, że wbija mordercze spojrzenie w Christiana.

Powinnam napisać, że Christian i moja przyjaciółka byli wcześniej parą. Bardzo się kochali i wiedziałam, że ciągle coś do siebie czują. Niestety, ostatnie wydarzenia źle wpłynęły na ich związek i Christian zerwał z Lissą, bo przestał jej ufać. Lissa straciła nad sobą kontrolę i zaczęła zachowywać się nieodpowiedzialnie, kiedy Avery Lazar, morojka obdarzona mocą ducha, manipulowała jej wolą. Udało nam się unieszkodliwić Avery. Trafiła do szpitala psychiatrycznego. Christian zdążył poznać przyczyny nieznośnego zachowania Lissy, lecz nie umiał zapomnieć o tym, co robiła. Przyjęła jego decyzję z przygnębieniem, jednak najwyraźniej była teraz wściekła.

Twierdziła, że nie chce mieć nic wspólnego z Christianem, ale mnie nie mogła oszukać. Była zazdrosna o każdą dziewczynę, z którą rozmawiał, a szczególnie o Jill, z którą spędzał ostatnio najwięcej czasu. Wiedziałam na pewno, że tych dwoje nic nie łączy. Jill idealizowała Ozerę jako mądrego nauczyciela i tyle. Jeśli w kimś się durzyła, to raczej w Adrianie, który jednak niezmiennie traktował ją jak młodszą siostrę. Podobnie jak my wszyscy.

Christian powędrował za moim wzrokiem i rysy jego twarzy stwardniały. Lissa zorientowała się, że ją zauważył, więc natychmiast odwróciła głowę i zagadnęła pierwszego chłopaka, który jej się napatoczył – przystojnego dampira z mojej klasy. Użyła przy tym swojego nieodpartego uroku, pochodzącego z mocy ducha, i już po chwili oboje świergotali niczym Abe i Tasza. Przyjęcie zamieniło się w randkę w ciemno.

Christian spojrzał na mnie wymownie.

– Wygląda na bardzo zajętą.

Przewróciłam oczami. Nie tylko Lissa miała problem z zazdrością. Ona złościła się, widząc go w towarzystwie innych dziewczyn, Christian rzucał kąśliwe uwagi, kiedy Lissa rozmawiała z innymi chłopakami. Oboje mnie wkurzali. Zamiast przyznać, że wciąż coś do siebie czują, i wyjaśnić nieporozumienia, ci idioci zachowywali się wobec siebie coraz bardziej wrogo.

– Czy możesz przestać i porozmawiać z nią jak normalny człowiek? – jęknęłam.

– Jasne – odparł z goryczą. – Kiedy tylko ona zacznie normalnie się zachowywać.

– Boże. Przez was wyrwę sobie wszystkie włosy z głowy.

– Szkoda byłoby takich ładnych włosów – skwitował Christian. – A Lissa pokazuje wyraźnie, na czym jej zależy.

Chciałam zaprotestować i powiedzieć mu, że jest głupcem, ale on jak zwykle nie zamierzał wysłuchiwać moich kazań.

— Chodź, Jill — powiedział. — Rose powinna zająć się pozostałymi gośćmi.

Odszedł tak szybko, że przez chwilę miałam ochotę go dogonić i wbić mu do głowy odrobinę rozumu, ale usłyszałam czyjś głos.

— Kiedy zamierzasz to naprawić? — Obok mnie przystanęła Tasza i pokręciła głową, patrząc za Christianem.

— Tych dwoje musi się pogodzić.

— Ja to wiem i ty to wiesz. Tylko do nich nic nie dociera.

— Lepiej się pośpiesz — poradziła. — Kiedy Christian wyjedzie do college'u, będzie za późno.

Informacja o wyjeździe Christiana zabrzmiała niespodziewanie gorzko w jej ustach.

Lissa zamierzała studiować w Lehigh, na uniwersytecie mieszczącym się w pobliżu dworu królowej. Wszystko zostało uzgodnione. Lissa mogła podjąć naukę na większej uczelni niż te, gdzie zazwyczaj studiowali moroje. W zamian za to zobowiązała się częściej przebywać na dworze i poznawać panujące tam reguły.

— Wiem — przyznałam z rezygnacją. — Ale dlaczego to ja mam ich godzić?

Tasza skrzywiła się w uśmiechu.

— Tylko ty masz dość siły, żeby przemówić im do rozumu.

Postanowiłam puścić tę uwagę mimo uszu.

Rozmawiając ze mną, Tasza nie mogła jednocześnie flirtować z Abe'em. Rozejrzałam się za nim i nagle zamarłam. Stał obok mojej matki. Starałam się podsłuchać strzępki ich rozmowy.

— Janine... — Uśmiechnął się triumfalnie. — Nie postarzałaś się nawet o dzień. Wyglądasz jak siostra Rose. Czy pamiętasz tę noc w Kapadocji?

Moja matka zachichotała. Nigdy nie byłam świadkiem takiego jej zachowania i doszłam do wniosku, że nie chcę powtórki.

— Oczywiście. Pamiętam również, jak ochoczo rzuciłeś się na pomoc, kiedy urwało mi się ramiączko sukienki.

— Dobry Boże — mruknęłam. — Ten facet jest niezrównany.

Tasza spojrzała na mnie ze zdumieniem, ale szybko zorientowała się, o kim mówię.

— Abe? Uważam, że jest czarujący.

— Przepraszam — jęknęłam i ruszyłam w stronę rodziców.

Zaakceptowałam to, że mieli kiedyś romans, który zaowocował moim poczęciem, ale to nie oznaczało, że zamierzałam pozwolić, by historia się powtórzyła. Właśnie rozważali spacer po plaży, kiedy do nich podeszłam i odciągnęłam Abe'a za ramię. Stał stanowczo za blisko matki.

— Możemy pogadać? — spytałam.

Zaskoczyłam go, lecz wzruszył ramionami.

— Oczywiście. — Posłał matce znaczący uśmiech. — Porozmawiamy później.

— Czy żadna kobieta nie jest tu bezpieczna? — zaczęłam, kiedy odeszliśmy kilka kroków.

— O czym ty mówisz?

Przystanęliśmy przy wazie z ponczem.

— Flirtujesz z każdą!

Nie zmieszał się.

— Jest tu tak wiele pięknych kobiet... O tym chciałaś pogadać?

— Nie! O tym, że groziłeś mojemu chłopakowi. Nie masz prawa.

Abe uniósł ciemne brwi.

— Więc o to chodzi. To nic nie znaczyło. Zwyczajny wyraz ojcowskiej troski.

— Większość ojców nie grozi, że wypatroszy chłopaka córki.

— Mylisz się. Poza tym nic takiego nie powiedziałem. Zagroziłem mu czymś znacznie gorszym.

Westchnęłam. Abe świetnie się bawił.

— Potraktuj to jako prezent z okazji ukończenia szkoły. Jestem z ciebie dumny. Mówiono mi, że jesteś dobra, ale nikt nie spodziewał się, że aż tak. — Mrugnął do mnie. — A już na pewno nie spodziewano się, że zniszczysz własność publiczną.

— Jaką własność?

— Most.

Zmarszczyłam brwi.

— Musiałam. Uznałam, że to najskuteczniejszy sposób. Boże, to było diabelne wyzwanie. A co zrobili inni? Chyba nie walczyli na tej kładce?

Abe pokręcił głową, smakując każdą sekundę swojej przewagi.

— Nikt poza tobą nie został postawiony w takiej sytuacji.

— Oczywiście, że tak. Przechodziliśmy jednakowe próby.

— Nie ty. Planując przebieg egzaminu, strażnicy uznali, że potrzebujesz czegoś... ekstra. Potraktowano cię w specjalny sposób. Przecież zasmakowałaś już walki w prawdziwym świecie.

— Co takiego?! — wykrzyknęłam i kilka osób popatrzyło na nas. Przypomniałam sobie, co mówiła Meredith. Obniżyłam głos. — To niesprawiedliwe!

Abe nie wyglądał na oburzonego.

— Jesteś lepsza od swoich kolegów. To sprawiedliwe, że musiałaś wykonać trudniejsze zadanie.

Spotykałam się już w życiu z absurdalnymi sytuacjami, ale ta przekroczyła moje wyobrażenia.

— Więc to na mój użytek wybudowano ten idiotyczny most? To dlaczego tak się dziwili, że go pocięłam? Co niby miałam zrobić? Jak przeżyć?

— Hmm... — Abe pogłaskał się po brodzie. — Szczerze mówiąc, myślę, że nie mają na to odpowiedzi.

— Na litość boską! To niewiarygodne.

— Dlaczego tak się wściekasz? Przecież zdałaś.

— Bo postawili mnie w sytuacji z założenia bez wyjścia. — Zerknęłam podejrzliwie na ojca. — A skąd ty o tym wiesz? To tajemnice strażników.

Nie spodobał mi się wyraz jego twarzy.

— Cóż, byłem wczoraj u twojej matki i...

— W porządku. Wystarczy — przerwałam. — Nie chcę słyszeć, co robiliście. To będzie gorsze niż opowieść o moście.

Abe się uśmiechnął.

— To już przeszłość, w obu przypadkach. Nie musisz się martwić. Ciesz się sukcesem.

— Spróbuję. I daruj sobie przysługi w rodzaju pogaduszek z Adrianem. Cieszę się, że mi pomogłeś, ale zrobiłeś już więcej niż trzeba.

Jego chytry wzrok przypomniał mi, że pod maską fanfaronady Abe jest przebiegłą i niebezpieczną osobą.

— Byłaś uszczęśliwiona, kiedy wyświadczyłem ci przysługę po twoim powrocie z Rosji.

Skrzywiłam się. Trafił w sedno. Udało mu się przesłać wiadomość do pilnie strzeżonego więzienia. Zaimponował mi, nawet jeśli nic w ten sposób nie wskórał.

— W porządku — przyznałam. — Zrobiłeś na mnie wrażenie. I jestem ci wdzięczna. Nadal nie wiem, jak tego dokonałeś. — Nieoczekiwanie, niczym sen, który przypominamy sobie w ciągu dnia, powróciła do mnie myśl, którą rozważałam tuż przed egzaminem. Zniżyłam głos.

— Chyba nie dostarczyłeś listu osobiście?

Abe żachnął się.

— Oczywiście, że nie. Nie postawiłbym nogi w tym miejscu. Uruchomiłem swoje kontakty.

— Gdzie jest to więzienie? — spytałam w nadziei, że zabrzmiało to obojętnie.

Nie dał się zwieść.

— Dlaczego chcesz wiedzieć?

— Z ciekawości! Skazańcy zwykle znikają bez śladu. Zostałam strażniczką, a nie mam pojęcia, jak funkcjonuje system więziennictwa. Mamy jedno więzienie? Czy może więcej?

Abe nie odpowiedział od razu. Przyglądał mi się uważnie. Jego profesja nauczyła go podejrzliwości. Co do mnie,

46

miał pewnie podwójne wątpliwości. Ostatecznie musiałam odziedziczyć jakieś jego cechy.

Chyba jednak nie docenił poziomu mojej determinacji.

– Mamy kilka więzień – powiedział w końcu. – Wiktor przebywa w jednym z najgorszych, w Tarasowie.

– Gdzie się mieści?

– Obecnie? – Zamyślił się. – Gdzieś na Alasce.

– Jak to „obecnie"?

– Więzienie w ciągu roku jest przenoszone z miejsca na miejsce. Teraz jest na Alasce, a następnie znajdzie się w Argentynie. – Zerknął na mnie chytrze, ciekawy, czy skojarzę fakty. – Zgadniesz dlaczego?

– Nie... Zaraz. Światło słoneczne! – Nagle mnie olśniło – O tej porze roku na Alasce panuje wieczny dzień, a zimą jest prawie zupełnie ciemno.

Zdaje się, że bardziej wprawiłam go w dumę odgadnięciem tej zagadki niż zdanym egzaminem.

– Więźniowie planujący ucieczkę mieliby poważne kłopoty. Podróżujący w pełnym słońcu moroj nie uszedłby daleko. Dodatkowo powstrzymuje ich nowoczesny system zabezpieczeń.

Próbowałam zignorować groźbę zawartą w tej informacji.

– W takim razie musieli zainstalować więzienie daleko na północy Alaski – podsunęłam z nadzieją, że Abe poda mi więcej szczegółów. – Tam jest najwięcej światła.

Zachichotał.

– Nawet ja tego nie wiem. Strażnicy strzegą tej informacji w sztabie jak oka w głowie.

Zamarłam. Sztab...

Zazwyczaj czujny Abe nie zauważył, jak zareagowałam, bo dostrzegł kolejną osobę na sali.

— Czy to Renee Szelski? No, no... wyrosła na piękną kobietę.

Machnęłam ręką z niechęcią, bo myślałam już o czym innym. Poza tym nie przepadałam za Renee i zainteresowanie ojca jej osobą mnie nie obeszło.

— Nie będę cię dłużej zatrzymywać. Możesz schwytać następną ofiarę w swoje sieci.

Abe nie potrzebował zachęty. Zostałam sama, więc pozwoliłam sobie na małą burzę mózgu. Zastanawiałam się, czy mój plan miał szanse powodzenia. Ostatecznie nie był bardziej szalony niż inne przedsięwzięcia, jakich się podejmowałam. Zerkając w stronę sali, napotkałam jadeitowe oczy Lissy. Christian gdzieś przepadł i jej nastrój od razu się poprawił. Dobrze się bawiła, podekscytowana świeżo uzyskaną wolnością, która oferowała mnóstwo przygód. Myślałam o tym wcześniej tego dnia i czułam lekki niepokój. Wiedziałam, że wkrótce będziemy musiały się zmierzyć z wymogami nowej rzeczywistości. Czas płynął, a Dymitr czekał na dogodną okazję do ataku. Nie miałam pojęcia, czy po wyjeździe ze szkoły wciąż będę dostawała listy od niego.

Uśmiechnęłam się do Lissy. Miałam poczucie winy, że zepsuję jej dobry humor. Musiała jednak wiedzieć, że zyskałyśmy realną szansę odnalezienia Wiktora Daszkowa.

ROZDZIAŁ TRZECI

KOLEJNE DNI wprowadziły sporo zamieszania. Nam, nowicjuszom, urządzono krótkie zakończenie roku, ale nie tylko my odbieraliśmy dyplomy w Akademii Świętego Władimira. Moroje wzięli udział w osobnej ceremonii i do szkoły zawitało mnóstwo gości. Rodzice ulotnili się jednak niemal równie szybko, jak przyjechali. Zabrali ze sobą córki i synów. Członkowie rodzin królewskich spędzali wakacje w luksusowych rezydencjach — wielu wybrało się na półkulę południową, gdzie dni były krótsze o tej porze roku. „Przeciętni" moroje udawali się pod opieką rodziców do swoich skromniejszych domów. Część zamierzała podjąć letnią pracę.

Szkoła opustoszała, jak zawsze podczas wakacji. Uczniowie, którzy nie mieli rodzin, najczęściej dampiry, pozostawali w Akademii przez cały rok, ale było ich niewielu. Z każdym dniem robiło się bardziej pusto, a my wciąż czekaliśmy, kiedy zabiorą nas na dwór. Pożegnaliśmy się już z kolegami, morojami i młodszymi dampirami, którzy wkrótce mieli do nas dołączyć.

Ze smutkiem pożegnałam się z Jill. Spotkałam ją dzień przed wyjazdem, kiedy szłam do dormitorium Lissy. Jill była w towarzystwie jakiejś kobiety, pewnie matki. Niosły pudła. Mała rozpromieniła się na mój widok.

— Hej, Rose! Pożegnałam się już ze wszystkimi, ale ciebie nie mogłam znaleźć — zaczęła z ożywieniem.

Uśmiechnęłam się.

— Cieszę się, że się spotkałyśmy.

Nie mogłam jej powiedzieć, że i ja rozstawałam się z tym miejscem. Ostatni dzień w Akademii przeznaczyłam na spacer po campusie. W pierwszej kolejności zajrzałam do części przeznaczonej dla najmłodszych adeptów. To tam, w przedszkolu, poznałyśmy się z Lissą. Przechadzałam się korytarzami, zaglądałam do dawnych dormitoriów, klas szkolnych i nawet do kaplicy. Sporo czasu spędziłam w miejscach wywołujących we mnie słodko-gorzkie wspomnienia — na sali treningowej, gdzie poznałam Dymitra, bieżni, którą kazał mi pokonywać każdego dnia. Na koniec zajrzałam do małego domku, w którym się kochaliśmy. To była najbardziej zachwycająca noc w moim życiu. Myśl o niej nieodmiennie budziła we mnie radość i ból.

Nie chciałam obciążać tym Jill. Postanowiłam przywitać się z jej matką, ale zorientowałam się, że nie może podać mi ręki. Dźwigała spore pudło.

— Jestem Rose Hathaway. Chętnie pani pomogę.

Odebrałam jej bagaż, zanim zdążyła zaprotestować.

— Dziękuję. — Była miło zaskoczona. Ruszyłyśmy razem w dalszą drogę. — Nazywam się Emily Mastrano. Jill wiele mi o tobie mówiła.

— Naprawdę? — Uśmiechnęłam się do Jill.

— Nie aż tak dużo. Tylko to, że czasem się widujemy.

Wyczytałam w zielonych oczach ostrzeżenie i domyśliłam się, że Emily nie ma pojęcia o wyczynach córki, która potajemnie ćwiczyła stosowanie magii w walce ze strzygami.

— Wszyscy tu lubimy Jill — odparłam, postanawiając jej nie zdradzić. — Kiedyś nauczymy ją również, jak się czesać.

Emily się roześmiała.

— Próbuję tego dokonać od piętnastu lat. Powodzenia.

Matka Jill była olśniewająco piękną kobietą. Jill jej nie przypominała, przynajmniej fizycznie. Lśniące włosy Emily były proste i czarne, rzęsy długie, oczy miały głęboki niebieski odcień. Kobieta poruszała się z gracją i lekko w przeciwieństwie do nieco sztywnej Jill. Dostrzegłam jednak kilka cech wspólnych — twarze w kształcie serca i wykrój ust. Jill była bardzo młoda, na pewno z wiekiem wypięknieje i złamie wiele męskich serc, czego z pewnością nie była teraz świadoma. Życzyłam jej większej pewności siebie.

— Gdzie mieszkacie? — zagadnęłam.

— W Detroit. — Jill się skrzywiła.

— Nie jest tak źle. — Jej matka się roześmiała.

— Tam nie ma gór, są tylko autostrady.

— Jestem tancerką baletową — opowiadała Emily. — Mieszkamy w różnych miejscach, w zależności od finansów.

Bardziej niż fakt, że Emily jest baletnicą, zaskoczyła mnie wiadomość, że mieszkańcy Detroit oglądają spektakle baletowe. Przyjrzałam się jej. To miało sens. Smukli i wysocy moroje wyglądali jak idealni tancerze w świecie ludzi.

— To duże miasto — zwróciłam się do Jill. — Z pewnością oferuje wiele atrakcji w porównaniu z nudnym życiem na tym pustkowiu. — Trening sztuk walki i napaści strzyg nie miały nic wspólnego z nudą, ale próbowałam pocieszyć dziewczynę. — Poza tym wakacje nie trwają długo.

Letnia przerwa w świecie morojów trwała zaledwie dwa miesiące. Rodzice chętnie podsyłali dzieci do Akademii, gdzie były bezpieczne.

— Może masz rację — Jill nie wydawała się przekonana.

Doszłyśmy już do ich samochodu i włożyłam pudło do bagażnika.

— Będę do ciebie pisała maile — obiecałam. — Założę się, że Christian również. Może nawet namówię Adriana.

Jill pojaśniała, a ja ucieszyłam się, widząc, że odzyskała humor.

— Naprawdę? Byłoby cudnie. Chcę wiedzieć o wszystkim, co się dzieje na dworze królewskim. Na pewno będziecie się świetnie bawić z Lissą i Adrianem. Założę się, że Christian dokona wielu niezwykłych odkryć...

Emily się nie zorientowała, o czym mówi jej córka, i obdarzyła mnie uśmiechem.

— Dziękuję za pomoc, Rose. Miło było cię poznać.

— Ciebie też... Uch!

Jill rzuciła mi się w ramiona.

— Powodzenia we wszystkim — powiedziała. — Jesteś taka szczęśliwa... Czeka cię fantastyczne życie!

Uściskałam ją. Nie mogłam powiedzieć Jill, jak bardzo jej zazdroszczę. Nie miała ochoty spędzać lata w Detroit, ale będzie tam krótko i powróci do znajomego, łatwego życia u Świętego Władimira. Nie wyruszy w nieznany, niebezpieczny świat.

Dopiero kiedy Jill i jej matka odjechały, mogłam odpowiedzieć.

— Mam nadzieję — mruknęłam, myśląc o tym, co miało się zdarzyć. — Mam nadzieję.

Moi koledzy z klasy i wybrani moroje wylecieli rankiem następnego dnia, zostawiając za sobą skaliste góry Montany. My zaś przenieśliśmy się na łagodne zbocza pagórków Pensylwanii. Dwór królewski wyglądał podobnie jak podczas mojej ostatniej wizyty. Miejsce przepełniała podniosła atmosfera, którą Akademia Świętego Władimira naśladowała wysokimi budynkami i rytymi w kamieniu ozdobami. W szkole postawiono jednak na warunki sprzyjające nauce, podczas gdy na dworze królowej panował przepych. Tak jakby nawet wyglądem budynków chciano nas utwierdzić w przekonaniu, iż znaleźliśmy się w siedzibie władzy królewskiej świata morojów. Dwór miał nas zachwycić i może nawet trochę onieśmielić.

Zrobił na mnie wrażenie, mimo że widziałam go nie po raz pierwszy. Drzwi i okna kamiennych budowli zdobiły wymyślne złote ornamenty. Nie dorównywały nawet w przybliżeniu bogactwu architektury, jakie podziwiałam w Rosji, ale teraz uświadomiłam sobie, że projektanci wzorowali się właśnie na budowlach starej Europy

— fortecach i pałacach Sankt Petersburga. W Akademii Świętego Władimira były dziedzińce i podwórza, wokół których przebiegały schludne ścieżki i stały ławki, ale campus nie równał się nawet ze dworem. Na trawnikach stały eleganckie posągi dawnych władców, wyrafinowane dzieła z marmuru, które podczas mojej pierwszej wizyty okrywał śnieg. Dopiero teraz, w pełni lata, mogłam podziwiać ich piękno. I wszystko, dosłownie wszystko tonęło w kwiatach — drzewa, krzewy, ścieżki — to był oszałamiający widok.

Wizyta nowo mianowanych strażników w siedzibie władzy była wprawdzie czymś naturalnym, ale przyszło mi do głowy, że istnieje inny powód, dla którego zaprosili nas latem. Zamierzali nas olśnić, pokazać nam dwór w pełnym majestacie. Chcieli, byśmy tym gorliwiej walczyli w ich obronie. Rozejrzałam się po twarzach kolegów i stwierdziłam, że moroje dopięli swego. Większość nowicjuszy była tu po raz pierwszy.

Lissa i Adrian przylecieli z nami. Razem wysiedliśmy z samolotu. Było równie ciepło jak w Montanie, choć tutejsze powietrze przesycała wilgoć. Zaczęłam się pocić już po kilku krokach.

— Mam nadzieję, że tym razem zabrałaś sukienkę? — spytał Adrian.

— Oczywiście — odparłam. — Na pewno zaproszą nas na fajne imprezy poza oficjalną fetą. Choć mnie może każą występować w czarno-białym uniformie.

Adrian pokręcił głową. Zauważyłam, że sięgnął ręką do kieszeni, ale zawahał się i zrezygnował. Nieźle sobie radził bez papierosów, lecz wiedziałam, że nawykowo szuka ich, kiedy musi tu przebywać.

— Miałem na myśli twój strój na dzisiejszą kolację.

Spojrzałam pytająco na Lissę. Kiedy zapraszano ją na dwór, miała bardziej urozmaicony harmonogram spotkań niż zwykli śmiertelnicy. Nie byłam pewna, czy pozwolą mi jej towarzyszyć. Wyczułam jednak, że Lissa nie wie, o czym mowa. Najwyraźniej nie poinformowano jej o specjalnej kolacji.

— Co to za impreza?

— Zorganizowana przez moją rodzinę.

— Przez kogo? — Stanęłam jak wryta. Nie podobał mi się jego uśmieszek. — Adrian!

Kilkoro nowicjuszy przyjrzało nam się z zaciekawieniem.

— Daj spokój, spotykamy się od paru miesięcy. Powinnaś poznać moich rodziców, taka jest konwencja. Poznałem już twoją mamę i groźnego tatusia. Teraz twoja kolej. Gwarantuję, że nikt nie udzieli ci rad, jakimi uraczył mnie twój ojciec.

Właściwie poznałam już ojca Adriana. W każdym razie spotkałam go na przyjęciu. Nie sądziłam jednak, by wiedział, kim jestem, mimo mojej złej sławy. Nie miałam jednak pojęcia, jaka jest matka Adriana. Rzadko wspominał o swojej rodzinie. W każdym razie o większości jej członków.

— Będą tylko twoi rodzice? — spytałam ostrożnie. — Czy zaprosiłeś innych gości?

— Cóż... — Adrian znów nieznacznie poruszył ręką. Pewnie miał ochotę zniknąć za zasłoną dymu papierosowego.

Zauważyłam, że Lissa świetnie się bawi, przysłuchując się naszej rozmowie.

— Może wpadnie też moja cioteczna babka — dodał.

— Tatiana?! — wykrzyknęłam. Po raz setny nie mogłam się nadziwić, że spotykam się z siostrzeńcem władczyni morojów. — Ona mnie nie cierpi! Wiesz przecież, co mi powiedziała podczas ostatniej rozmowy.

Jej Wysokość napadła na mnie. Wrzeszczała, że jestem nikim i nie mam prawa zadawać się z jej siostrzeńcem, którego miejsce jest u boku Lissy.

— Myślę, że już jej przeszło.

— Akurat.

— Naprawdę — przekonywał. — Rozmawiałem o tym z mamą i... Sam nie wiem. Ciocia Tatiana chyba przestała cię nienawidzić.

Zastanowiło mnie to.

— Może doceniła twoje oddanie służbie — podsunęła Lissa.

— Możliwe — mruknęłam, chociaż wcale w to nie wierzyłam. Moja waleczność powinna jeszcze bardziej zniechęcić królową.

Miałam żal do Adriana, że zaaranżował kolację bez mojej wiedzy, ale było za późno, żeby się wycofać. Pocieszałam się, że może tylko się wygłupiał z tą wizytą królowej. Obiecałam, że przyjdę i wprawiłam go tym w tak dobry nastrój, że nie sprzeciwiał się, kiedy oświadczyłyśmy z Lissą, iż mamy „swoje sprawy". Reszta nowo mianowanych strażników odbywała właśnie obowiązkową rundkę po dworze w ramach dalszej indoktrynacji, ale wykręciłam się, tłumacząc, że już tu byłam. Zostawiłyśmy bagaże w pokojach i poszłyśmy do położonych na uboczu budynków.

— Powiesz mi wreszcie, na czym polega druga część twojego planu? — zaczęła Lissa.

Od czasu kiedy Abe wyjaśnił mi, gdzie jest więziony Wiktor, układałam w głowie listę przeszkód, które musiałyśmy pokonać. Właściwie widziałam głównie dwie, czyli o jedną mniej, niż sądziłam na początku. Co nie znaczy, że sprawa prezentowała się łatwiej. Po pierwsze, nie wiedziałyśmy, w której części Alaski zainstalowano więzienie. Po drugie, nie znałyśmy systemu zabezpieczeń ani planu budynku. Nie miałyśmy pojęcia, na co natrafimy.

Jednak coś mi mówiło, że znajdziemy wszystkie odpowiedzi u jednego źródła, co sprowadzało się do głównego problemu: jak tam dotrzeć. Na szczęście znałam kogoś, kto mógł nam pomóc.

— Idziemy pogadać z Mią — wyjaśniłam Lissie.

Mia Rinaldi była morojką, naszą dawną koleżanką ze szkoły i wrogiem. Mogłaby posłużyć za wzór niezwykłej przemiany osobowości. Kiedyś wredna suka, gotowa pójść do łóżka z każdym, kto zapewniłby jej popularność, stała się konkretną, rzeczową dziewczyną pragnącą umieć bronić siebie i innych przed strzygami. Mieszkała na dworze królewskim razem z ojcem.

— Spodziewasz się, że powie nam, jak włamać się do więzienia?

— Mia jest niezła, ale nie aż tak. Może jednak nam pomóc w pracy wywiadowczej.

Lissa jęknęła.

— Nie wierzę, że użyłaś tego słowa. To nie jest film szpiegowski.

Mówiła lekkim tonem, lecz wyczułam w niej niepokój. Próbowała ukryć strach i niechęć przed uwolnieniem Wiktora.

Moroje nienależący do rodzin królewskich, którzy pracowali na dworze, mieli kwatery oddalone od apartamentów królowej. Zdobyłam wcześniej adres Mii i teraz prowadziłam Lissę przez wypielęgnowany ogród, narzekając pod nosem na upał. Mia była u siebie, ubrana w dżinsy i podkoszulek. Jadła sorbet. Otworzyła szeroko oczy ze zdumienia na nasz widok.

— Niech mnie diabli! — zawołała.

Rozśmieszyła mnie. Zareagowałabym tak samo.

— Ciebie też miło widzieć. Możemy wejść?

— Jasne. — Mia odsunęła się na bok. — Chcecie loda?

Pytanie. Wybrałam sorbet o smaku winogronowym i usiadłyśmy w małym salonie. Mieszkanko było czyste, przytulne i bez wątpienia Mia i jej ojciec o nie dbali.

— Wiedziałam o przyjeździe nowicjuszy. — Mia odgarnęła z twarzy jasne loki. — Ale nie byłam pewna, czy do nich dołączysz. Udało ci się skończyć szkołę?

— Tak — odparłam. — Dostałam znak obietnicy i resztę. — Uniosłam włosy i zademonstrowałam zabandażowaną szyję.

— Jestem zaskoczona, że pozwolili ci wrócić po tym, jak uciekłaś na morderczą wyprawę. A może zostałaś za to nagrodzona?

Zorientowałam się, że Mia także słyszała mocno przesadzone plotki na mój temat. Nie przeszkadzało mi to i nie miałam ochoty opowiadać, jak było naprawdę. Nie umiałabym zwierzać się jej ze spotkania z Dymitrem.

— Myślisz, że ktoś mógłby odwieść Rose od zrobienia rzeczy, których zapragnie? — Lissa się uśmiechnęła. Nie chciała, żeby Mia zaczęła mnie wypytywać, gdzie byłam. Spojrzałam z wdzięcznością na przyjaciółkę.

Mia parsknęła śmiechem i ugryzła spory kawałek limonkowego loda. Cud, że mózg jej od tego nie zamarzł.

— Fakt. — Spoważniała. Niebieskie oczy świdrowały mnie dłuższą chwilę. — I teraz przyszła do mnie nie bez przyczyny.

— Hej, po prostu chciałyśmy cię zobaczyć — sprzeciwiłam się.

— Wierzę ci, ale na pewno macie dodatkowy powód.

Lissa uśmiechnęła się szerzej. Bawiło ją, że Mia przejrzała moją szpiegowską grę.

— Dlaczego tak sądzisz? Potrafisz czytać w myślach Rose czy zakładasz, że ona zawsze ma ukryte motywy?

Teraz Mia się uśmiechnęła.

— Jedno i drugie. — Objęła kolana ramionami i popatrzyła na mnie z powagą. Od kiedy zrobiła się taka bystra? — Dobra. Szkoda czasu. Do czego jestem wam potrzebna?

Westchnęłam z rezygnacją.

— Muszę się dostać do głównego biura ochrony.

Siedząca obok mnie Lissa wydała zduszony okrzyk. Poczułam wyrzuty sumienia. Rzadko udawało jej się ukrywać przede mną swoje myśli. Zwykle wiedziałam, co czuje. A ja? Wciąż ją zwodziłam. Nie miała pojęcia, co się kroi, chociaż jednocześnie sprawa wydawała się oczywista. Skoro planowałyśmy włamać się do więzienia, logiczne było, gdzie musimy zasięgnąć informacji.

— No, no — mruknęła Mia. — Nie tracisz czasu na głupstwa. — Uśmiechnęła się lekko. — Nie przychodziłybyście do mnie z jakąś błahostką. Poradziłabyś sobie bez pomocy.

— Czy możesz mnie... nas tam wprowadzić? — spytałam. — Zaprzyjaźniłaś się z tutejszymi strażnikami, a twój tata ma dostęp do wielu miejsc... — Nie wiedziałam, na czym dokładnie polega praca pana Rinaldiego, ale sądziłam, że ma coś wspólnego z administracją.

— Czego szukacie? — zapytała Mia. Uniosła rękę, bo już otwierałam usta, żeby zaprotestować. — Nie pytam o szczegóły. Powiedz ogólnie, żebym wiedziała, do kogo się zwrócić. Nie sądzę, żebyście chciały tylko zwiedzić biura.

— Potrzebuję pewnej dokumentacji — wyjaśniłam.

Mia uniosła brwi.

— Z działu kadr? Szukasz posady?

— Nie... — Właściwie Mia podsunęła mi niezły pomysł, biorąc pod uwagę moją niepewną przyszłość u boku Lissy. Ale musiałam zrezygnować. Inne sprawy były ważniejsze. — Potrzebuję informacji o systemach bezpieczeństwa w innych placówkach: szkołach, domach rodzin królewskich, więzieniach — starałam się, by przy ostatnim słowie głos mi nie zadrżał. Mia angażowała się w szalone przedsięwzięcia, ale nawet ona nie poparłaby każdego straceńczego planu. — Sądzę, że znajdę to w tutejszym archiwum?

— Tak — odparła. — Ale takie informacje są przechowywane na sprzęcie elektronicznym. Bez obrazy, lecz nawet ty miałabyś problem, żeby je odczytać. Możemy spróbować uzyskać dostęp do któregoś z komputerów, tylko jak znajdziemy właściwe hasło? Poza tym komputery są wyłączane podczas nieobecności strażników. Zgaduję, że nie zostałaś hakerką od czasu, kiedy widziałyśmy się po raz ostatni.

Miała rację. W przeciwieństwie do bohaterów filmów szpiegowskich, do których porównywała mnie Lissa, nie miałam do dyspozycji utalentowanych przyjaciół, którzy bez trudu włamaliby się do skomplikowanego systemu zabezpieczeń elektronicznych. Szlag. Wpatrywałam się w swoje stopy ponurym wzrokiem, zastanawiając się, czy zdołam wyciągnąć więcej informacji od Abe'a.

— Zaraz... — zastanawiała się głośno Mia. — Jeśli informacje, których szukasz, są tu od dłuższego czasu, może spisano je wcześniej na papierze.

Poderwałam głowę.

— Gdzie?

— Są tu wielkie archiwa pełne akt. Znajdują się w jednej z piwnic. Oczywiście zamykają je na klucz, ale łatwiej się do nich dostać niż do komputera. Wszystko zależy od tego, czego konkretnie szukasz. I jak długo przechowuje się takie dane.

Po rozmowie z Abe'em doszłam do wniosku, że więzienie Tarasow przemieszcza się od dłuższego czasu. Na pewno istniała jakaś wzmianka o nim w królewskim archiwum. Nie wątpiłam, że strażnicy od dawna posługują się technologią cyfrową i nie znajdziemy w papierach aktualnych informacji na temat systemu zabezpieczeń więzienia. Mimo to każda informacja była dla mnie cenna.

— To może być to, czego szukamy. Zaprowadzisz nas?

Mia milczała przez chwilę. Widziałam, że myśli intensywnie.

— Możliwe. — Zerknęła na Lissę. — Potrafisz nadal tak wpływać na innych, żeby cię słuchali?

Lissa się skrzywiła.

— Nie lubię o tym myśleć w ten sposób, ale tak, potrafię.

Była to jedna z zalet mocy ducha.

Mia zastanawiała się chwilę, a potem skinęła głową.

— Dobrze. Przyjdźcie do mnie koło drugiej. Zobaczymy, co da się zrobić.

Druga po południu dla reszty świata oznaczała środek nocy dla morojów, którzy budzili się o zmierzchu. Przekradając się w świetle dnia, narażałyśmy się wprawdzie na rozpoznanie, ale Mia zakładała, że o tej porze na dziedzińcu nie będzie się kręcić zbyt wiele osób.

Właśnie rozważałam, czy powinnyśmy zostać dłużej towarzysko, czy po prostu wyjść, kiedy rozległo się pukanie. Zauważyłam, że gospodyni zesztywniała. Podeszła do drzwi i wkrótce usłyszałyśmy znajomy głos w korytarzu.

— Przepraszam, że przyszedłem wcześniej, ale...

Do salonu wparował Christian i natychmiast umilkł na nasz widok. Ponieważ nikt się nie odzywał, uznałam, że do mnie należy zatuszowanie nieprzyjemnej sytuacji.

— Cześć, Christian! — zawołałam wesoło. — Jak leci?

Ozera gapił się na Lissę i dopiero po chwili zdołał przenieść wzrok na mnie.

— W porządku. — Zerknął na Mię. — Mogę wrócić później...

Lissa zerwała się z miejsca.

— Nie! — rzuciła chłodnym głosem księżniczki. — I tak już wychodziłyśmy.

— Właśnie — przytaknęłam. — Mamy... coś do zrobienia. Nie będziemy wam przeszkadzać w... — Nie miałam pojęcia, w jakim celu się umówili i chyba nie chciałam wiedzieć.

Mia odzyskała głos.

— Christian chciał, żebym mu zaprezentowała techniki walki, które trenuję ze strażnikami.

— Fajnie. — Nie przestawałam się uśmiechać, idąc za Lissą do drzwi. Zauważyłam, że ominęła Christiana szerokim łukiem. — Jill będzie zazdrosna.

Nie tylko Jill. Pożegnałyśmy się jeszcze raz i wyszłyśmy na dziedziniec. Czułam, że Lissa jest wściekła i zawiedziona.

— Oni tylko razem ćwiczą, Liss — zaczęłam, nie oczekując, że będzie chciała ze mną rozmawiać. — Nic się nie dzieje. Omówią techniki ciosów, wykopów i innych nudnych rzeczy.

Szczerze mówiąc, mnie nie wydawało się to nudne, ale nie mogłam przecież chwalić tego, co robili Christian i Mia.

— Może teraz nic się nie dzieje — warknęła Lissa, patrząc z uporem przed siebie. — Ale kto wie, co się może zdarzyć? Spędzają razem czas, trenują walki, jedno prowadzi do drugiego...

— To śmieszne — sprzeciwiłam się. — Nie ma w tym nic romantycznego. — Znów skłamałam, biorąc pod uwagę, jak się rozwinął mój związek z Dymitrem. Ale o tym też nie powinnam wspominać. — Poza tym Christian nie może się interesować każdą dziewczyną, z którą się wi-

duje. Mia, Jill... Bez obrazy, nie jest aż tak uwodziciel-
ski.

– Christian jest bardzo przystojny – upierała się Lissa. Nadal miała w sobie mroczne uczucia.

– To prawda – ustąpiłam, wpatrując się w ścieżkę
pod nogami. – Ale nie tylko w tym rzecz. Sądziłam, że
już cię nie interesuje.

– I słusznie. – Lissa nie przekonała nawet samej siebie. – Nie interesuje mnie.

Do końca dnia bezskutecznie próbowałam zająć Lissę czym innym. Przypomniałam sobie pytanie Taszy:
Dlaczego tego nie naprawiłaś? Cóż, dlatego że Christian
i Lissa byli na siebie wściekli i nie chcieli nikogo słuchać.
Teraz i mnie zaczynało to wkurzać. Christian mógł okazać się bardzo pomocny w realizacji mojego planu, a nie
mogłam z nim o tym rozmawiać ze względu na Lissę.

Ostatecznie odpuściłam i zostawiłam przyjaciółkę
w złym nastroju. Zbliżała się pora kolacji. W porównaniu z problemami sercowymi Lissy mój związek z roz-
pieszczonym playboyem z rodziny królewskiej, która
pewnie nigdy mnie nie zaakceptuje, wydawał się wręcz
sielankowy. Jaki smutny i przerażający stawał się nasz
świat. Zapewniłam Lissę, że przyjdę do niej zaraz po kolacji i razem wybierzemy się do Mii. Myśl o włamaniu
pozwoliła jej na chwilę zapomnieć o Christianie.

Włożyłam brunatnoczerwoną sukienkę z lekkiego
materiału, idealnego na letnią pogodę. Miała przyzwo-
ity dekolt i krótkie zaokrąglone rękawy, dzięki którym
kreacja nabierała elegancji. Związałam włosy nisko nad
karkiem, żeby zasłonić gojące się rany, i stwierdziłam, że
mój wygląd powinien zadowolić rodzinę Adriana, co do-

wodziło jedynie, że pozory mylą. Nikt się nie domyślał, że snuję szalony plan wskrzeszenia byłego chłopaka. Rodzina Iwaszkowów zajmowała stały apartament na dworze królewskim. Kiedy zjawiłam się na miejscu, Adrian otaksował mnie wzrokiem od stóp do głowy. Jego uśmiech powiedział mi, że podoba mu się to, co widzi.

— Odpowiednio się ubrałam? — spytałam, wykonując obrót.

Objął mnie w talii.

— Niestety tak. Miałem nadzieję, że włożysz coś bardziej prowokacyjnego. Coś, co oburzyłoby moich rodziców.

— Czasem wydaje mi się, że nie zauważasz we mnie żywej osoby — stwierdziłam, kiedy wchodziliśmy do środka. — Interesują cię wyłącznie skandale.

— Cenię sobie jedno i drugie, mała dampirzyco. Zależy mi na tobie i lubię skandale.

Skryłam uśmiech, idąc za gosposią do jadalni. Na dworze mieściło się kilka restauracji i kawiarni, ale arystokraci, w tym rodzice Adriana, uważali, że bardziej elegancko jest zapraszać gości do domu. Co do mnie, wolałabym pójść do lokalu, przynajmniej miałabym możliwość ucieczki.

— Na pewno jesteś Rose.

Właśnie się rozglądałam, szukając na wszelki wypadek drzwi wyjściowych, kiedy podeszła do nas wysoka i bardzo elegancka pani domu. Miała na sobie długą ciemnozieloną suknię, na której widok natychmiast poczułam się nie na miejscu. Idealnie podkreślała kolor jej oczu, takich samych jak oczy Adriana. Ciemne włosy upięła w kok. Uśmiechnęła się do mnie ciepło, ściskając mi dłoń.

— Jestem Daniella Iwaszkow — przywitała się. — Bardzo się cieszę, że w końcu mogę cię poznać.

Czyżby? Automatycznie odwzajemniłam uścisk.

— Ja również się cieszę, lady Iwaszkow.

— Proszę, mówmy sobie po imieniu. — Spojrzała na syna i poprawiła mu kołnierzyk koszuli. — Słowo daję, kochanie. Zdarza ci się spojrzeć w lustro przed wyjściem? Jesteś niemożliwie potargany.

Adrian uchylił się, kiedy sięgnęła do jego włosów.

— Żartujesz? Spędzam wiele godzin przed lustrem, żeby tak wyglądać.

Daniella westchnęła.

— Nieraz zastanawiam się, czy to dobrze, że nie mam więcej dzieci.

Milcząca służba zastawiała stół za jej plecami. Z półmisków unosiła się para i natychmiast zaburczało mi w brzuchu. Miałam nadzieję, że nikt tego nie słyszał. Daniella obróciła się w kierunku korytarza.

— Nathan, pośpiesz się. Kolacja stygnie.

Po chwili na drewnianej podłodze rozległy się ciężkie kroki i do pokoju wszedł Nathan Iwaszkow. Był ubrany równie elegancko jak żona — niebieski satynowy krawat kontrastował z ciężkim garniturem w ciemnych barwach. Ucieszyłam się, że dom jest klimatyzowany, w przeciwnym razie Nathan roztopiłby się w tym stroju. Widziałam go już kiedyś i zapamiętałam przede wszystkim charakterystyczną twarz okoloną srebrzystymi włosami oraz imponujące wąsy. Zastanawiałam się, czy Adrian też będzie kiedyś tak wyglądał. Nie, nigdy się tego nie dowiem. Na pewno zacznie farbować włosy, kiedy pojawi się w nich pierwsza siwa czy też srebrna nitka. Tymczasem stało się jasne, że ojciec Adriana nie ma pojęcia, kim jestem. Był wyraźnie zaskoczony moją obecnością.

— To jest... koleżanka Adriana, Rose Hathaway — podsunęła delikatnie Daniella. — Pamiętasz, zapowiedział, że ją dziś zaprosi.

— Bardzo mi miło, lordzie Iwaszkow.

W przeciwieństwie do żony nie zaproponował, byśmy mówili sobie po imieniu, co przyjęłam z ulgą. Strzyga, który siłą przemienił Dymitra, nosił to samo imię. Nie miałam ochoty wypowiadać go na głos. Pan domu otaksowałam mnie spojrzeniem, w którym nie było aprobaty. Odniosłam wrażenie, że potraktował mnie jak niespodziewaną przykrość.

— Och. Dziewczyna dampir.

Nie był niegrzeczny, po prostu niezainteresowany. Nie nazwał mnie dziwką sprzedającą krew. Usiedliśmy przy stole. Adrian prezentował wprawdzie beztroski uśmiech, ale czułam, że ma wielką ochotę zapalić. Pewnie równie chętnie napiłby się czegoś mocniejszego. Nie czuł się dobrze w towarzystwie rodziców. Kiedy podano wino, zobaczyłam ulgę na jego twarzy. Posłałam mu ostrzegawcze spojrzenie, lecz zignorował mnie.

Nathan pochłaniał wieprzowinę w gęstym sosie i wciąż wyglądał przy tym elegancko. W pewnej chwili skierował wzrok na syna.

— Co zamierzasz robić teraz, kiedy Wasylissa skończyła szkołę? Nie będziesz chyba marnował dłużej czasu z licealistami. Pora coś zmienić.

— Jeszcze nie wiem — odparł Adrian. Pokręcił głową, przez co jego starannie potargana fryzura stała się jeszcze bardziej niedbała. — Lubię ich towarzystwo. Uważają, że jestem zabawniejszy niż w rzeczywistości.

— Nic dziwnego — skwitował ojciec. — Ty wcale nie jesteś zabawny. Czas zająć się czymś konstruktywnym. Skoro nie chcesz wracać do college'u, zacznij bywać na spotkaniach zarządu rodzinnej firmy. Tatiana cię psuje, a mógłbyś się wiele nauczyć od Rufusa.

Wiedziałam wystarczająco dużo na temat polityków z rodzin królewskich, aby znać to imię. Najstarszy przedstawiciel rodu nosił zazwyczaj tytuł księcia lub księżniczki i zasiadał w Radzie Królewskiej. Tym samym miał prawo do dziedziczenia tronu. Kiedy Tatiana objęła rządy, Rufus, jako najstarszy, otrzymał tytuł księcia Iwaszkowa.

— Racja. — Adrian miał bezbarwny głos. Prawie nic nie zjadł, rozgrzebywał tylko kolację na talerzu. — Naprawdę chciałbym wiedzieć, jak udaje mu się utrzymywać dwie kochanki w tajemnicy przed żoną.

— Adrian! — warknęła Daniella, a jej blade policzki zabarwił rumieniec. — Nie wolno mówić takich rzeczy przy stole, a już na pewno nie przy gościu.

Nathan, który znów mnie zauważył, wzruszył lekceważąco ramionami.

— Ona się nie liczy.

Przygryzłam wargę, powstrzymując się przed wypróbowaniem chińskiego talerza w charakterze frisbee. Miałam ochotę cisnąć nim w głowę lorda Nathana. Zrezygnowałam z tego pomysłu, bo zepsułabym kolację, a i tak nie dorzuciłabym dostatecznie daleko. Nathan zwrócił nachmurzony wzrok na Adriana.

— Czas, byś wziął się do pracy. Nie będę przymykał oczu na to, że się wałkonisz za nasze pieniądze — wycedził.

Coś mi mówiło, że nie powinnam się wtrącać, lecz nie mogłam znieść, że ojciec pomiata Adrianem. To prawda, że mój chłopak tracił czas i pieniądze, ale Nathan nie miał prawa z niego drwić. Prawdę mówiąc, i ja z niego kpiłam, jednak to było co innego.

— Może pojedziesz do Lehigh razem z Lissą — zaproponowałam. — Nadal ćwiczylibyście się w mocy ducha... Poza tym w college'u mógłbyś wrócić do przerwanych zajęć...

— Czyli do picia i opuszczania wykładów — zauważył Nathan.

— Do sztuki — pośpieszyła Daniella. — Adrian studiował sztuki piękne.

— Naprawdę? — Spojrzałam na niego ze zdumieniem. Właściwie był typem artysty z tą swoją pokręconą osobowością. — To świetnie. Mógłbyś wznowić studia.

Adrian wzruszył ramionami i dokończył drugi kieliszek wina.

— Jeszcze nie zdecydowałem. W tym college'u napotkałbym ten sam problem co w poprzednim.

Zmarszczyłam brwi.

— Mianowicie?

— Zadania domowe.

— Adrian! — Ryknął jego ojciec.

— Spokojnie — odezwał się lekkim tonem, niedbale opierając rękę na stole. — Nie potrzebuję pracy ani dodatkowych funduszy. Kiedy już pobierzemy się z Rose, dzieci i ja będziemy żyć z jej pensji strażniczki.

Wszyscy zamilkli, nawet ja nie wiedziałam, co powiedzieć. Byłam pewna, że Adrian się wygłupia. Nawet jeśli fantazjował o małżeństwie i dzieciach (a naprawdę nie sądziłam, by tak było), to nędzna pensyjka strażniczki nie zapewniłaby mu luksusów, do jakich przywykł.

Jego ojciec nie uważał tego za żart, a Daniella była lekko zdezorientowana. Co do mnie, poczułam się nieswojo. Adrian przywołał fatalny temat na rodzinną kolację i szczerze mówiąc, wciąż nie mogłam uwierzyć w to, co usłyszałam. Nawet nie podejrzewałam, że upił się winem. Po prostu dręczenie ojca sprawiało mu uciechę.

Milczenie się przedłużało. Odruchowo chciałam rozładować niezręczną sytuację, ale coś mi podszepnęło, że powinnam siedzieć cicho. W powietrzu zrobiło się gęsto z napięcia. Kiedy zadźwięczał dzwonek u drzwi, wszyscy podskoczyliśmy na krzesłach.

Torrie, gosposia, pobiegła otworzyć, a ja westchnęłam z ulgą. Nieoczekiwany gość może rozładować napięcie.

Albo nie.

Torrie wróciła do jadalni i odchrząknęła. Rumieniąc się, popatrzyła na Daniellę i Nathana.

— Jej Wysokość królowa Tatiana — zaanonsowała.

Niemożliwe.

Iwaszkowowie wstali jak na komendę, a ja podniosłam się zaraz po nich. Nie uwierzyłam Adrianowi, kiedy wspomniał, że Tatiana może się tu pojawić. Sądząc po jego minie, był równie zaskoczony. A jednak przybyła. Weszła do pokoju ubrana w elegancki kostium na oficjalne okazje: szyte na miarę czarne spodnie i żakiet oraz czerwoną jedwabną bluzkę z lamówką. W jej ciemnych włosach lśniły spinki. Imperialne oczy obdarzyły nas łaskawym spojrzeniem, podczas gdy pochyliliśmy głowy w ukłonach. Nawet jej rodzina zachowywała należną etykietę.

— Ciocia Tatiana. — Nathan zmusił się do uśmiechu. Uznałam, że nie uśmiechał się często. — Zjesz z nami kolację?

Królowa machnęła ręką.

— Nie, nie. Nie mogę zostać. Idę na spotkanie z Priscillą, ale postanowiłam do was zajrzeć na wieść o powrocie Adriana. — Zatrzymała wzrok na siostrzeńcu. — Nie mogę uwierzyć, że jesteś tu od rana i nie przyszedłeś się ze mną przywitać...

Powiedziała to lekkim tonem, ale mogłabym przysiąc, że dostrzegam w jej oczach rozbawienie. Przeraziło mnie to. Tatiana nie była ciepła ani serdeczna. Widząc ją poza oficjalną salą audiencyjną, odniosłam wrażenie, że jest nierealna.

Adrian się uśmiechnął. W tej chwili tylko on czuł się tu swobodnie. Z powodów dla mnie niezrozumiałych Tatiana kochała go i rozpieszczała. Nie znaczyło to, że nie kochała pozostałych członków swojej rodziny; po prostu wszyscy wiedzieli, że Adrian jest jej pupilkiem. Zawsze mnie to dziwiło, biorąc pod uwagę, jak skandalicznie się prowadził.

— Sądziłem, że masz ważniejsze sprawy na głowie — odparł. — Poza tym rzuciłem palenie i nie będziemy już mogli wykradać się z sali tronowej na papierosa.

— Adrian! — ofuknął go Nathan. Poczerwieniał. Pomyślałam, że mogłabym zrobić rozrywkę z liczenia, jak

71

wiele razy skarcił syna tego wieczora. — Przepraszam, cio...

Tatiana uniosła rekę.

— Cicho bądź, Nathan. Nikt nie chce tego słuchać. Omal się nie udławiłam. Obecność królowej napawała mnie strachem, ale uznałam, że warto było zobaczyć, jak poniewiera lordem Iwaszkowem. Jakby nic się nie stało, zwróciła się do siostrzeńca z rozanieloną miną.

— W końcu rzuciłeś palenie. Najwyższy czas. Pewnie to twoja zasługa.

Chwilę to trwało, zanim się zorientowałam, iż mówi do mnie. Do tej pory miałam nadzieję, że mnie nie zauważyła. Tylko to mogło wyjaśnić fakt, że nie zaczęła krzyczeć, aby natychmiast wyrzucono stąd tę małą zbuntowaną dziwkę krwi. Przeżyłam szok. Głos Tatiany nie zabrzmiał oskarżycielsko. Był... pełen aprobaty.

— Cóż... to nie dzięki mnie, Wasza Wysokość — wyjąkałam. Byłam zmieszana, nagle straciłam całą brawurę, jaką zaprezentowałam na ostatniej audiencji u królowej.

— Adrian sam znalazł w sobie dość determinacji, żeby z tym skończyć.

Tatiana zachichotała. Nie mogłam w to uwierzyć.

— Dyplomatyczna odpowiedź. Powinnaś opiekować się jakimś politykiem.

Nathan okazywał wyraźne niezadowolenie, że znalazłam się w centrum uwagi. Podzielałam jego zdanie, mimo że poczułam lekką satysfakcję.

— Umówiłaś się z Priscillą w interesach czy urządzacie sobie przyjacielską kolacyjkę?

Tatiana wreszcie odwróciła wzrok ode mnie.

– Jedno i drugie. Mamy drobne kłopoty rodzinne. Atmosfera nie jest groźna, ale wśród morojów krążą niepokojące pogłoski. Toczą się dyskusje na temat naszego aparatu bezpieczeństwa. Niektórzy są gotowi trenować sztuki walki. Inni zastanawiają się, czy strażnicy w ogóle muszą spać. – Przewróciła oczami. – I to są jedne z łagodniejszych sugestii.

No, no. Pomyślałam, że ta wizyta staje się coraz bardziej interesująca.

– Mam nadzieję, że poskromisz tych zapaleńców! – ryknął Nathan. – Nie będziemy brali udziału w walce u boku strażników. To absurd.

– Absurdem jest to – sprzeciwiła się Tatiana – że w kręgach królewskich wybuchają konflikty. Zamierzam je uciszyć – mówiła teraz wyniosłym tonem władczyni. – Jesteśmy przywódcami morojów. Musimy być dla nich przykładem. Przetrwamy, jeśli będziemy jednomyślni.

Obserwowałam ją z ciekawością. Co miała na myśli? Nie powiedziała, czy się zgadza z Nathanem w sprawie szkolenia morojów w walce. Wspomniała tylko o potrzebie zaprowadzenia pokoju. Jak zamierzała tego dokonać? Będzie zachęcała do zmian czy starała się im zapobiec? Po napaści na szkołę szeroko dyskutowano system bezpieczeństwa i królowa musiała wypowiedzieć się w tej kwestii.

– Masz twardy orzech do zgryzienia. – Adrian zdawał się nie rozumieć powagi problemu. – Jeśli potem będziesz miała ochotę zapalić, to zrobię wyjątek.

– Zadowolę się twoją jutrzejszą wizytą. Powinieneś się oficjalnie przywitać – odparła sucho. – A papierosy zostaw w domu. — Zerknęła na jego pusty kieliszek.

— Inne przyjemności również.

W jej oczach pojawił się stalowy błysk i chociaż ich spojrzenie zaraz złagodniało, poczułam niemal ulgę. To była lodowata Tatiana, którą znałam.

Adrian zasalutował.

— Przyjąłem do wiadomości.

Tatiana omiotła nas spojrzeniem.

— Życzę wam miłego wieczoru — rzuciła na pożegnanie.

Ukłoniliśmy się i królowa wyszła z jadalni. Usłyszałam szuranie i przyciszone głosy i uświadomiłam sobie, że przyszła tu z całą świtą, którą zostawiła w holu, żeby przywitać się z Adrianem.

Po wyjściu Tatiany w jadalni zapadła cisza. Czułam, że wszyscy jesteśmy zaskoczeni. W każdym razie nie musiałam już słuchać nieprzyjemnych komentarzy Adriana i jego ojca. Daniella podtrzymywała zdawkową rozmowę przy stole i pytała o moje zainteresowania. Dopiero teraz uświadomiłam sobie, że nie odezwała się słowem podczas wizyty królowej. Matka Adriana weszła do rodziny Iwaszkowów po ślubie z Nathanem. Może obecność Tatiany ją onieśmielała.

Kiedy wychodziliśmy, Daniella żegnała nas w uśmiechach, a Nathan poszedł do gabinetu.

— Musisz do nas częściej zaglądać — nakazała Adrianowi, przygładzając mu włosy mimo protestów. — Ty również jesteś mile widzianym gościem, Rose.

— Dziękuję — bąknęłam zaskoczona.

Przyjrzałam się jej, chcąc ocenić, czy kłamie, ale chyba mówiła szczerze. To nie miało sensu. Moroje nie pochwa-

74

lają poważnych związków z dampirami. Szczególnie ci z rodów królewskich. Nie wspominając o rodzinach królewskich spokrewnionych z władczynią. Zdążyłam się o tym przekonać na własnej skórze.

Adrian westchnął.

— Może kiedy jego nie będzie. Cholera. To mi coś przypomina. Ostatnim razem zostawiłem tutaj płaszcz. Chciałem wyjść jak najszybciej.

— Masz co najmniej pięćdziesiąt płaszczy — stwierdziłam.

— Zapytaj Torrie — poprosiła Daniella. — Na pewno wie, gdzie jest.

Adrian odszedł poszukać gosposi i zostawił mnie sam na sam z matką. Powinnam zachować się grzecznie i zagadnąć ją o coś konwencjonalnego, ale nie umiałam pohamować ciekawości.

— Kolacja była naprawdę świetna — pochwaliłam szczerze. — Mam nadzieję, że mnie źle nie zrozumiesz, ale... Odnoszę wrażenie, że nie przeszkadza ci mój związek z Adrianem.

Daniella skinęła głową z powagą.

— Słusznie.

— Tat.. — musiałam to powiedzieć. — Królowa Tatiana także nie miała nic przeciwko temu.

— To prawda.

Upewniłam się, czy szczęka nie opadła mi na podłogę.

— Ale... Ostatnio była na mnie wściekła z tego powodu. Powtarzała bez końca, że nigdy nie pozwoli nam być razem, ani tym bardziej wziąć ślubu. — Skrzywiłam się, przypominając sobie żart Adriana. — Sądziłam, że podzielacie jej opinię. Lord Iwaszkow na pewno tak myśli.

Nie możesz chcieć, żeby twój syn związał się z dampirzycą.

Uśmiech Danielli był miły, lecz pozbawiony wesołości.

— Planujesz zostać z nim na zawsze? Chcesz za niego wyjść i spędzić z nim życie?

To pytanie zupełnie mnie zaskoczyło.

— Ja... nie... To znaczy, nie chcę zranić Adriana, ale nigdy...

— Nie planowałaś wyjść za mąż? — Skinęła głową ze zrozumieniem. — Tak sądziłam. Wierz mi, wiem, że Adrian nie mówił poważnie. Nie dajmy się zwieść pozorom. Słyszałam o tobie, Rose... Wszyscy o tobie słyszeli. Podziwiam cię. I na podstawie tego, czego się dowiedziałam, zgaduję, że nie zrezygnujesz ze służby dla kariery pani domu.

— Masz rację — przyznałam.

— Wobec tego nie widzę problemu. Jesteście młodzi. Macie prawo się bawić i spełniać swoje zachcianki. Obie wiemy, że nie wyjdziesz za mąż, nawet gdybyś miała spotykać się z Adrianem do końca życia. Nathan może sobie mówić, co zechce, podobnie jak inni. Tak będzie. Taka jesteś. Dostrzegam to w twoich oczach. Tatiana także to zrozumiała i dlatego złagodniała. Będziesz walczyć. To twoja przyszłość. To znaczy, jeśli naprawdę zamierzasz poświęcić się służbie.

— Zamierzam.

Wpatrywałam się w nią ze zdumieniem. Była zadziwiającą kobietą. Pierwszą z rodziny królewskiej, która nie wszczynała awantury z powodu związku moroja i dampirzycy. Gdyby inni podzielali jej punkt widzenia, ułatwiliby życie wielu młodym. Poza tym miała rację. Nieważne, co myślał Nathan. Nic by się nie zmieniło, nawet gdyby pojawił się tu Dymitr. Adrian i ja nie spędzimy razem życia, ponieważ zawsze będę strażniczką. Nie interesował mnie styl jego życia. Poczułam się swobodniej, ale jednocześnie posmutniałam.

Zobaczyłam, że Adrian idzie do nas korytarzem. Daniella nachyliła się do mnie i ściszyła głos. Miała zatroskaną twarz.

— Rose? Mnie nie przeszkadza, że się spotykacie i dobrze bawicie, ale proszę, nie złam mu serca. Niech nie cierpi zbyt mocno, kiedy to się skończy.

Rozdział czwarty

Uznałam, że najlepiej zrobię, nie wspominając Adrianowi o rozmowie z jego matką. Nie trzeba było szczególnych zdolności, żeby zorientować się, że ojciec wyprowadza go z równowagi, ale akceptująca postawa Danielli nieco to łagodzi. Nie chciałam tego zepsuć zdradzając mu, że jego matka nie ma nic przeciwko naszemu związkowi, ponieważ uważa go za tymczasowy.

— Wybierasz się teraz do Lissy? — spytał, kiedy doszliśmy do mojego pokoju.

— Tak, przykro mi. Wiesz, takie dziewczyńskie sprawy. — Pod tym pojęciem rozumiałam włamanie do archiwum.

Adrian wydawał się lekko rozczarowany, ale wiedziałam, że nie będzie mnie do niczego zmuszał. Uśmiechnął się i objął mnie w pasie. Kiedy pochylił się, żeby mnie pocałować, poczułam, że ogarnia mnie ciepło. Oderwaliśmy się od siebie po kilku słodkich chwilach, a jego spojrzenie powiedziało mi, że nie przyszło mu to łatwo.

— Do zobaczenia — pożegnałam się.

Pocałował mnie jeszcze raz szybko i odszedł w kierunku swojego pokoju.

Natychmiast pobiegłam do Lissy. Wpatrywała się intensywnie w srebrną łyżeczkę. Wyczułam, co próbuje zrobić. Chciała napełnić ją mocą ducha, by każdy, kto weźmie ją do ręki, poczuł się weselszy. Zastanawiałam się, czy robi to ze względu na siebie, czy po prostu eksperymentuje. Nie zagłębiałam się jednak w jej myśli, żeby się tego dowiedzieć.

— Łyżeczka? — Rozbawił mnie ten wybór.

Lissa wzruszyła ramionami i odłożyła łyżeczkę.

— Niełatwo tu o srebro. Wzięłam, co miałam pod ręką.

— Dzięki tobie każda impreza będzie udana.

Uśmiechnęła się i oparła stopy na hebanowym stoliku do kawy stojącym na środku ciasnego saloniku. Za każdym razem, kiedy tu wchodziłam, przypominałam sobie lśniące czarne meble z mojego luksusowego więzienia w Rosji. Walczyłam z Dymitrem sztyletem, który własnoręcznie zrobiłam z nogi od krzesła w podobnym stylu.

— Skoro mowa o imprezach... Jak się udała kolacja?

— Poszło lepiej, niż się spodziewałam — przyznałam.

— Nie wiedziałam, że ojciec Adriana jest takim draniem. Mama okazała się w porządku. Nie przeszkadza jej, że się spotykamy.

— Poznałam ją. Jest miła... chociaż nie sądziłam, że wystarczająco miła, by pozwolić synowi na skandaliczny związek. Jej Wysokość pewnie się nie pojawiła? — Lissa żartowała i moja odpowiedź wprawiła ją w osłupienie.

— Owszem, pojawiła i... Nie było tak źle.

— Słucham? Powiedziałaś, że „nie było źle"?

— Wiem, wiem. To brzmi niemożliwie. Wpadła z krótką wizytą, żeby przywitać się z Adrianem, i zachowywała się tak, jakby nie przejęła się moim widokiem. — Przemilczałam, co Tatiana mówiła o morojach gotowych uczyć się sztuk walki. — Oczywiście, kto wie, do czego by doszło, gdyby została dłużej? Może znów stałaby się sobą. A wtedy potrzebowałabym całej zaczarowanej zastawy ze srebra, żeby nie zaatakować jej nożem.

Lissa jęknęła.

— Rose, nie możesz nawet tak żartować!

Wyszczerzyłam się w uśmiechu.

— Mówię to, co ty bałabyś się wyrazić.

Teraz i ona się uśmiechnęła.

— Już dawno tego nie słyszałam — przyznała miękko. Moja podróż do Rosji nadwerężyła naszą przyjaźń. Teraz zrozumiałam, jak wiele dla mnie znaczy.

Potem długo rozmawiałyśmy, plotkując o Adrianie i innych. Zauważyłam z ulgą, że Lissa uporała się z żalem do Christiana, lecz w miarę upływu godzin coraz bardziej niepokoiła się naszą nocną wyprawą z Mią.

— Wszystko będzie dobrze — zapewniłam, kiedy nadszedł czas. Szłyśmy przez dziedziniec pałacowy, ubrane w wygodne dżinsy i podkoszulki. Przyjemnie było lekceważyć godziny ciszy nocnej, która obowiązywała w szkole, lecz jasne promienie słońca nie sprzyjały tajnym misjom. — Zobaczysz, że pójdzie nam gładko.

Lissa zerknęła na mnie, ale się nie odezwała. Strażnicy byli filarami systemu bezpieczeństwa w naszym świecie, a my zamierzałyśmy się włamać do ich kwatery głównej. To nie mogło być łatwe.

Mia wyglądała na zdecydowaną i to dodało mi otuchy. Ubrała się na czarno. Prawda, że taki strój nie był maskujący w świetle dnia, ale cała wyprawa nagle wydała mi się bardziej przekonująca. Umierałam z ciekawości, co Mia i Christian robili razem. Lissa też wiele by dała, żeby się tego dowiedzieć, ale nie mogłyśmy pytać. Tymczasem Mia przedstawiła nam plan działania. Oceniłam, że mamy jakieś sześćdziesiąt pięć procent szans powodzenia. Lissa poczuła się nieswojo, ponieważ musiała zastosować czar wpływu, lecz działałyśmy zespołowo i nie mogła już się wycofać. Omówiłyśmy wszystkie szczegóły kilka razy i skierowałyśmy się do budynku straży. Byłam tam już wcześniej, kiedy Dymitr zaprowadził mnie do Wiktora uwięzionego w jednej z tutejszych cel. Nie miałam wtedy czasu dobrze rozejrzeć się po biurach. Na szczęście, jak zapewniała Mia, o tej porze nie kręciło się tam wielu strażników.

Na początek musiałyśmy minąć recepcję znajdującą się przy wejściu, jak w każdym budynku administracyjnym. Przy komputerze za biurkiem siedział czujny dampir w otoczeniu szafek i stolików. Pewnie nie miał o tej porze wiele roboty, lecz zachowywał się czujnie. Moją uwagę natychmiast przyciągnęły drzwi za jego plecami. Mia wyjaśniła, że kryły korytarz pełen sekretów straży. To tam znajdowały się archiwa i główne pomieszczenia biurowe. Zainstalowano również sprzęt monitorujący najbardziej narażone na niebezpieczeństwo rewiry dworu.

Czujny strażnik uśmiechnął się jednak do Mii.

— Nie za późno dla ciebie? Chyba nie przyszłaś teraz na lekcję?

Dziewczyna odwzajemniła uśmiech. To musiał być jeden ze strażników, z którymi się zaprzyjaźniła.

— Nie, mam gości i chciałam ich oprowadzić.

Dampir uniósł brew, spoglądając na mnie i Lissę. Potem skinął głową.

— Księżniczko Dragomir, strażniczko Hathaway.

Najwyraźniej byłyśmy powszechnie znane. Po raz pierwszy ktoś zwrócił się do mnie, tytułując mnie tak oficjalnie. Przeszedł mnie dreszcz i zaraz potem ogarnęło lekkie poczucie winy, że zdradzam tych, do których od niedawna się zaliczałam.

— To jest Don — przedstawiła go Mia. — Don, księżniczka chciałaby cię prosić o przysługę.

Zerknęła znacząco na Lissę.

Lissa wzięła głęboki oddech i w tej samej chwili poczułam przez więź podmuch magii wpływu, podczas gdy ona utkwiła wzrok w strażniku.

— Don — powiedziała stanowczo. — Daj nam klucze i podaj kody do archiwum na dole. Zadbaj też, żeby kamery zostały wyłączone.

Mężczyzna zmarszczył brwi.

— Dlaczego miałbym... — Lissa nie spuszczała z niego wzroku i już po chwili zauważyłam, że magia zaczyna działać. Jego twarz złagodniała, był gotów posłuchać mojej przyjaciółki, a ja westchnęłam z ulgą. Wiele osób było w stanie nie poddać się magii wpływu, szczególnie jeśli stosowali ją zwykli moroje. Zdolności Lissy wzmacniała moc ducha, ale i tak mógł znaleźć się ktoś, kto potrafiłby się jej oprzeć.

— Oczywiście. — Don przytaknął i wstał. Otworzył szufladę biurka i wręczył Mii pęk kluczy, które natychmiast oddała mnie. — Kod wejściowy to 4312578.

Powtórzyłam go sobie w myślach, strażnik tymczasem otworzył nam potężne drzwi. Ujrzałam korytarze rozbiegające się we wszystkich kierunkach. Mężczyzna wskazał na prawo.

— Tędy. Na końcu skręcicie w lewo, zejdziecie po schodach dwa piętra i odnajdziecie drzwi po prawej stronie.

Mia zerknęła na mnie, chcąc się upewnić, że zrozumiałam. Przytaknęłam skinieniem głowy, więc Lissa ponownie zwróciła się do strażnika.

— Teraz wyłącz monitoring i zaprowadź nas tam.

Don nie mógł się oprzeć jej żądaniu i ruszyły za nim, zostawiając mnie samą. Ta część planu zależała ode mnie. Pobiegłam korytarzem. Nocą było tu niewielu strażników, jednak mogłam na któregoś trafić, a nie umiałam zasłonić się magią.

Don udzielił szczegółowych instrukcji, a mimo to nie byłam przygotowana na widok, który ukazał mi się po wystukaniu kodu w drzwiach. Długie rzędy półek wypełnione aktami. Szuflady piętrzące się do sufitu. Słabe światło jarzeniowe i przejmująca cisza sprawiły, że ciarki przebiegły mi po plecach. W tym pomieszczeniu przechowywano wszystkie tajemnice straży z czasów przed wynalezieniem technologii cyfrowej. Bóg jeden wiedział, z jakiej epoki pochodziły te najwcześniejsze. Ze średniowiecza w Europie? Nagle opadły mnie wątpliwości. Miałam nikłe szanse znaleźć to, po co tu przyszłam.

Podeszłam do pierwszego regału po lewej i zobaczyłam z ulgą, że jest oznaczony jako AA1. Poniżej przeczytałam AA2. Szlag. Od AS dzieliło mnie przynajmniej kilkanaście rzędów. Doceniłam tę prostą metodę porządku alfabetycznego, lecz jednocześnie zrozumiałam, dlaczego regały ciągną się w nieskończoność. Do TS pozostało mi trzy czwarte drogi. Teczka więzienia Tarasow znalazła się dopiero w szufladzie z symbolem TA27. Na chwilę wstrzymałam oddech. Teczka była pękata, zawierała bogatą dokumentację. Przerzucałam kartki z zapisem historii więzienia i tras jego przemieszczania się. Odnalazłam nawet plany budynku w każdym nowym miejscu. Nie mogłam w to uwierzyć. Tyle szczegółów... A czego ja potrzebowałam? Co może mi się przydać? Odpowiedź przyszła szybko: wszystko. Zatrzasnęłam szufladę i wetknęłam teczkę pod pachę. W porządku. Pora wracać.

Obróciłam się na pięcie i pobiegłam do wyjścia. Teraz, kiedy zdobyłam potrzebne informacje, zaczęło mi się naprawdę śpieszyć. Byłam już prawie pod drzwiami, kiedy usłyszałam ciche kliknięcie. Otworzyły się. Stanęłam jak wryta, wpatrując się w nieznajomego dampira. On również zatrzymał się z zaskoczoną miną. Odetchnęłam z ulgą, ostatecznie mógł mnie przycisnąć do ściany i poddać przesłuchaniu.

— Jesteś Rose Hathaway — stwierdził po chwili.

Dobry Boże. Czy spotkam kogoś, kto nie będzie mnie tu znał?

Spięłam się, nie wiedząc, czego mogę się spodziewać, lecz odezwałam się normalnym tonem, jakby w naszym spotkaniu nie było nic dziwnego.

— Na to wygląda. A kim ty jesteś?

— Michaił Tanner — przedstawił się, wciąż jeszcze zdumiony. — Co tu robisz?

— Wyświadczam komuś przysługę — odparłam lekko, wskazując teczkę. — Dyżurny czegoś potrzebował.

— Kłamiesz — ocenił rzeczowo. — To ja mam dziś dyżur w archiwum. I to mnie by wysłano, gdyby ktoś czegoś potrzebował.

Szlag. Kto mówił, że najlepsze plany czasem zawodzą? I nagle przyszła mi do głowy dziwna myśl. Przyjrzałam się nieznajomemu: kręcone brązowe włosy, średni wzrost, blisko trzydziestki. Był naprawdę przystojny. Ale to nazwisko... Z czymś mi się kojarzyło...

— Panna Karp — przypomniałam sobie. — To ty... Byłeś związany z panną Karp.

Zesztywniał, mrużąc czujnie oczy.

— Co wiesz na ten temat?

Przełknęłam ślinę. Nie byłam pierwsza, ratując, a raczej próbując ratować Dymitra.

— Kochałeś ją. Postanowiłeś ją zabić, po tym jak... została przemieniona.

Panna Karp była kiedyś naszą nauczycielką. Ona również miała moc ducha, która jednak doprowadziła ją do szaleństwa. Zdecydowała się wówczas na jedyną rzecz, która mogła pomóc jej zachować zdrowe zmysły: przemieniła się w strzygę. Michaił był jej kochankiem i postanowił ocalić jej duszę: odszukać ją i zabić. Dotarło do mnie, że mam przed sobą bohatera romansu niemal tak dramatycznego jak mój.

— Nigdy jej nie odnalazłeś — dodałam miękko. — Czy tak?

Długo nie odpowiadał, wpatrując się we mnie z uwagą. Zastanawiałam się, o czym myślał. O niej? O swoim bólu? A może próbował mnie przejrzeć?

— Nie — odparł nareszcie. — Musiałem zrezygnować z poszukiwań. Strażnicy potrzebowali mnie bardziej.

Mówił spokojnie, charakterystycznym dla strażników opanowanym głosem, ale z jego oczu wyzierał smutek. Nie zdawał sobie sprawy, jak dobrze go rozumiałam. Zawahałam się, zanim postanowiłam wykorzystać jedyną szansę na uniknięcie aresztowania.

— Wiem... Wiem, że masz wszelkie powody, żeby mnie stąd wyprowadzić i postawić przed strażą. Powinieneś tak zrobić. Sama bym tak postąpiła. Chodzi o to, że... — Ponownie wskazałam teczkę, którą trzymałam pod pachą. — Próbuję zrobić to samo co ty. Chcę kogoś ocalić.

Milczał. Pewnie już odgadł, kogo miałam na myśli, i uznał, że „ocalić" znaczy „zabić". Skoro wiedział, kim jestem, musiał także znać mojego mentora. Związek mój i Dymitra był tajemnicą, ale skoro ujawniłam swoje zamiary, Michaił mógł się domyślić reszty.

— Nie uda ci się — powiedział w końcu. Tym razem jego głos lekko się załamał. — Próbowałem... Zrobiłem wszystko, żeby ją odnaleźć. Kiedy oni znikają... i nie chcą, by ich znaleziono... — Potrząsnął głową. — Jesteśmy bezsilni. Rozumiem, dlaczego chcesz to zrobić. Możesz mi wierzyć. Ale to niemożliwe. Nigdy go nie znajdziesz, jeśli nie będzie tego chciał.

Zastanawiałam się, ile mogę powiedzieć Michaiłowi, ile powinnam mu zdradzić. Pomyślałam jednak, że tylko on na całym świecie rozumiał, co przeszłam. Poza tym właściwie nie miałam wyboru.

— Znajdę go — zapewniłam. — On mnie szuka.

— Co takiego? — Strażnik uniósł brwi. — Skąd wiesz?

— Przysyła mi listy.

W jednej chwili zmienił się w nieustępliwego wojownika.

— Skoro o tym wiesz i możesz go odnaleźć, powinnaś poprosić o wsparcie i go zabić.

Zrobiło mi się słabo. Bałam się tego, co musiałam mu wyznać.

— Czy uwierzyłbyś mi, gdybym powiedziała, że jest sposób, żeby go ocalić?

— To znaczy zniszczyć.

Pokręciłam głową.

— Nie. Ocalić naprawdę. Jest sposób, by przywrócić go do życia.

— Nie — zaprzeczył szybko. — To niemożliwe.

— Może masz rację. A jednak znam kogoś, kto tego dokonał, odmienił strzygę.

W porządku, skłamałam. Nie znałam nikogo takiego, lecz nie chciałam teraz opowiadać wszystkich szczegółów.

— To niemożliwe — powtórzył Michaił. — Strzygi są martwe. Nieumarłe. Na jedno wychodzi.

— A jeśli istnieje szansa? — spytałam. — Jeśli można to zrobić? I panna Karp... Sonia... mogłaby na powrót stać się morojką? Jeśli znów moglibyście być razem?

Oznaczało to, że znów byłaby szalona, ale uznałam, że to problem techniczny, który można rozwiązać później.

Wydawało mi się, że minęła wieczność, zanim odpowiedział. Niepokoiłam się coraz bardziej. Lissa nie mogła utrzymywać czaru w nieskończoność. Obiecałam Mii, że wrócę jak najszybciej. Cały nasz plan będzie zrujnowany, jeśli mi się nie uda. Obserwowałam Michaiła i zauważyłam, że nie ma już obojętnej miny. Minęło tyle czasu, a on nadal kochał swoją Sonię.

— Jeśli mówisz prawdę, to chociaż nie wierzę w to, pomogę ci.

No nie. Nie taki był plan.

— Nie możesz — rzuciłam pośpiesznie. — Skompletowałam już całą załogę — kolejne kłamstewko. — Popsułbyś wszystko. Nie działam w pojedynkę — dodałam, przewidując, jaki będzie jego następny argument. — Jeśli naprawdę chcesz mnie wesprzeć i zyskać szansę na sprowadzenie jej, musisz mnie puścić.

— To nie może być prawda — powtórzył. Wyczułam jednak w jego głosie wątpliwość i postanowiłam zagrać na tej strunie.

— Jesteś gotów zaryzykować?

Milczenie. Zaczęłam się pocić. Michaił przymknął oczy i odetchnął głęboko. Potem odsunął się na bok i wskazał mi drzwi.

— Idź.

Poczułam taką ulgę, że omal nie oparłam się o ścianę. Natychmiast złapałam klamkę.

— Dziękuję. Bardzo ci dziękuję.

— Mogę mieć przez to kłopoty — dodał ze znużeniem.

— I wciąż nie wierzę, że to jest możliwe.

— Jednak masz nadzieję.

Nie musiał odpowiadać, widziałam to w jego oczach. Otworzyłam drzwi, ale jeszcze raz na niego spojrzałam. Michaił nie ukrywał już swojego smutku i cierpienia.

— Jeśli chcesz nam pomóc... jest pewien sposób.

W tej chwili odnalazłam kolejny fragment układanki, kolejną możliwość. Wyjaśniłam mu, czego potrzebuję, i zdziwiłam się, że tak szybko się zgodził. Zrozumiałam, że Michaił jest podobny do mnie. Oboje wiedzieliśmy, że nie można ożywić strzygi... ale chcieliśmy wierzyć, że to jest możliwe.

Wbiegłam po schodach. Nie zauważyłam Dona za biurkiem i zachodziłam w głowę, co Mia z nim zrobiła. Nie chciałam tego sprawdzać, więc wyskoczyłam na zewnątrz, na niewielki dziedziniec, gdzie się umówiłyśmy. Mia i Lissa chodziły w tę i z powrotem. Uwolniona od niepokoju otworzyłam się na przepływ uczuć przyjaciółki i zorientowałam się, że jest zdenerwowana.

— Dzięki Bogu! — zawołała na mój widok. — Sądziłyśmy, że cię złapali.

— Cóż... to długa historia. — Nie miałam zamiaru jej teraz opowiadać. — Mam wszystko, co trzeba. Właściwie o wiele więcej. Myślę, że nam się uda.

Mia posłała mi spojrzenie pełne rezerwy i żalu jednocześnie.

— Bardzo chciałabym wiedzieć, co zamierzacie.

Potrząsnęłam głową, idąc obok nich.

— Nie — odparłam. — Nie wydaje mi się, byś naprawdę tego chciała.

Rozdział piąty

Uznałam, że najlepiej będzie, jeśli tej nocy posiedzimy z Lissą nad dokumentami. Poszłyśmy do jej pokoju. Słuchała z mieszanymi uczuciami mojej relacji ze spotkania z Michaiłem — nie wspomniałam o tym Mii. Lissa była początkowo zaskoczona, ale potem ogarnął ją lęk na myśl, w co mogłam się wpakować. Rozczuliła ją też historia Michaiła i to, że oboje chcieliśmy ocalić tych, których kochaliśmy. Zastanawiała się, czy zrobiłaby to samo dla Christiana, i natychmiast przyznała, że tak. Nadal bardzo go kochała. Zaraz potem stwierdziła, że już nic do niego nie czuje, co uznałabym za irytujące, gdybym nie miała w tej chwili ważniejszych rzeczy na głowie.

— Co się stało? — spytała Lissa.

Westchnęłam głośno, nie zdając sobie z tego sprawy. Nie chciałam, by odkryła, że czytałam jej myśli, więc szybko pokazałam papiery rozłożone na łóżku.

— Staram się to ogarnąć.

90

Nie byłam daleka od prawdy. Plany więzienia okazały się bardzo skomplikowane. Cele zajmowały dwa piętra i były maleńkie, mogły pomieścić tylko jedną osobę. Nie wyczytałam w dokumentach, dlaczego tak je zaprojektowano, lecz powody wydawały się oczywiste. Abe twierdził, że powodem jest to, by więźniowie nie podjęli próby przemiany w strzygi. Gdybym tkwiła w zamknięciu latami, także odczuwałabym pokusę zamordowania współtowarzysza celi i ucieczki w postaci krwiożerczej bestii. Korytarze, na których umieszczono cele, znajdowały się pośrodku, otoczone kwaterami straży, biurami, „salami ćwiczeń", kuchnią i pomieszczeniami dla karmicieli. Zorientowałam się, jak przebiegają zmiany warty oraz posilanie się więźniów. Odprowadzano ich pojedynczo do karmicieli i zezwalano na spożycie niewielkich porcji krwi. To również miało swój cel: więźniowie powinni być słabi, a zarazem pozbawieni możliwości przemiany.

Zyskałam cenne informacje, chociaż nie sądziłam, że są nadal aktualne. Akta pochodziły sprzed pięciu lat. Uznałam, że więzienie zostało zaopatrzone w nowoczesny system monitoringu. Podejrzewałam, że nie zmienił się jedynie plan konstrukcji budynku.

— Jak pewnie się czujesz w wywieraniu wpływu na innych? — spytałam Lissę.

Mimo że nie umiała stworzyć obrączki uzdrawiającej o równie silnym działaniu jak pierścionek, który dała mi moja znajoma Oksana, zauważyłam, że ta zdołała złagodzić nieco moje mroczne uczucia. Lissa zrobiła leczniczą obrączkę również dla Adriana, lecz nie byłam pewna, czy mu pomagała. Do tej pory skutki uboczne działania mocy ducha tłumił używkami.

Lissa wzruszyła ramionami i przewróciła się na plecy. Była wykończona, ale starała się nie zasnąć ze względu na mnie.

— Robię pewne postępy. Chciałabym poznać Oksanę.

— Może się spotkacie któregoś dnia — odparłam wymijająco. Nie sądziłam, by Oksana kiedykolwiek opuściła Syberię. Uciekła razem ze swoim strażnikiem i wolała nie zwracać na siebie uwagi. Poza tym nie chciałam, by Lissa wybrała się do Rosji po tym, co tam przeszłam.

— Potrafisz używać innych czarów poza uzdrawianiem?

— Za chwilę sama odpowiedziałam sobie na to pytanie.

— Jasne. Łyżeczka.

Lissa skrzywiła się i po chwili ziewnęła.

— Chyba nie poszło mi najlepiej.

— Hmm.

— Hmm?

Spojrzałam na plan.

— Gdybyś potrafiła użyć swojego wdzięku jeszcze w paru sytuacjach, byłoby nam łatwiej. Inni muszą wierzyć, że to, co im pokażemy, jest prawdziwe.

Oczywiście skoro Wiktor — którego moc wpływu nie mogła się równać z tą, którą dysponowała Lissa — zdołał rzucić urok pożądania, Lissa mogła dokonać tego, o co poproszę. Musiała tylko trochę poćwiczyć. Rozumiała zasady, lecz nie umiała jeszcze uzyskać trwałych efektów. Jedyny problem polegał na tym, że skłaniałam ją do częstszego korzystania z mocy ducha. Nawet jeśli skutki uboczne nie wystąpią od razu, to będą prawdopodobnie nękały ją w przyszłości.

Lissa patrzyła na mnie z zaciekawieniem, ale kiedy zobaczyłam, że znowu ziewa, uznałam, że nie powinna się tym teraz przejmować. Obiecałam, że wyjaśnię jej wszystko nazajutrz. Nie upierała się, więc uściskałyśmy się na dobranoc i każda z nas położyła się w swoim łóżku. Nie mogłyśmy spać długo, więc trzeba było wykorzystać każdą chwilę. Zapowiadał się wielki dzień.

Na procesie Wiktora wystąpiłam w czarno-białym kostiumie przypominającym oficjalny uniform strażniczki. Na co dzień ubieraliśmy się normalnie, lecz przy specjalnych okazjach kazano nam wyglądać schludnie i profesjonalnie. Następnego ranka po nocnej eskapadzie po raz pierwszy na własnej skórze odczułam, jaka moda obowiązuje wśród strażników.

Wtedy, na sali rozpraw, nosiłam gotowy strój, który mi podarowano. Teraz dostałam oficjalny uniform uszyty na miarę specjalnie dla mnie: proste czarne spodnie, białą bluzkę zapinaną na guziki i idealnie skrojony czarny żakiet. Z całą pewnością nie spodziewano się, że będę w tym wyglądała seksownie, jednak materiał opinający brzuch i biodra dobrze wyglądał na mojej figurze. Obejrzałam się w lustrze z zadowoleniem i po chwili zastanowienia upięłam włosy w zgrabny kok, ukazujący znaki molnija na moim karku. Jeszcze miałam podrażnioną skórę, ale przynajmniej zdjęłam już bandaż. Wyglądałam bardzo... profesjonalnie. Nieoczekiwanie przypomniała mi się Sydney. Była alchemiczką — człowiekiem współpracującym z morojami i dampirami. Pomagała nam ukrywać się przed resztą świata. Ta dziewczyna miała wyczucie stylu, zawsze wyglądała tak, że mogłaby wystąpić na oficjalnym spotkaniu biznesowym. Zamierzałam wysłać jej aktówkę w prezencie świątecznym.

To była moja szansa na publiczne wystąpienie. Po egzaminie i zakończeniu szkoły czekał nas kolejny poważny krok na drodze do objęcia nowego stanowiska. Miałam wziąć udział w lunchu dla wszystkich nowicjuszy. Wiedzieliśmy, że pojawią się tam również moroje poszukujący nowych strażników. Ujawniono już nasze wyniki, a teraz mogli się z nami spotkać osobiście i zdecydować, kogo najchętniej widzieliby u swojego boku. Naturalnie większość gości należała do rodów królewskich, ale zapowiedziało się również kilka ważnych osobistości.

Nie obchodziło mnie popisywanie się w celu zwrócenia na siebie uwagi jakiejś ważnej rodziny. Chciałam być strażniczką Lissy. Mimo to musiałam zrobić dobre wrażenie. Niech wszyscy zrozumieją, że jestem odpowiednią kandydatką.

Razem weszłyśmy na salę balową. Było to jedyne wystarczająco duże pomieszczenie, w którym mogli nas zgromadzić, zwłaszcza że nowicjusze ze Świętego Władimira stanowili zaledwie część przybyłych. Wchodząc, ujrzałam czarno-białe morze dampirów wysłanych przez wszystkie szkoły Ameryki. Między nimi wyróżniały się plamki koloru — byli to wystrojeni arystokraci. Na ścianach lśniły akwarelowe murale. Lissa nie włożyła kreacji balowej, ale wyglądała elegancko w dopasowanej jedwabnej sukience.

Moroje z rodzin królewskich zachowywali się bardzo swobodnie, podczas gdy moi koledzy wyraźnie czuli się nieswojo. Ale nikomu to nie przeszkadzało. Nie my musieliśmy wypatrywać oczy; czekaliśmy, aż do nas podejdą. Każdy dampir dostał metalowy identyfikator z grawerowanym imieniem. Oszczędzono nam naklejek z napisami w rodzaju: „Cześć, jestem...". Identyfikatory miały ułatwić zadanie morojom, którzy chcieliby o coś zapytać.

Nie spodziewałam się, że podejdzie do mnie ktoś poza moimi przyjaciółmi, toteż od razu skierowałyśmy się z Lissą do bufetu i zajęłyśmy miejsca w kąciku, gdzie spokojnie mogłyśmy zajadać się kanapkami i kawiorem. Właściwie tylko Lissa wybrała kawior. Mnie za bardzo przypominał Rosję.

Oczywiście to Adrian wypatrzył nas pierwszy. Posłałam mu krzywy uśmieszek.

— Co ty tu robisz? Nie zasłużyłeś na strażnika.

Młody Iwaszkow nie miał sprecyzowanych planów na przyszłość, zakładano więc, że zamieszka na dworze królewskim. Nie potrzebował ochrony, chociaż gdyby zdecydował się wyruszyć w świat, byłaby mu niezbędna.

— To prawda, ale nie mogłem przepuścić takiej imprezy — odparł. Trzymał w ręku kieliszek szampana i już zaczęłam się zastanawiać, czy obrączka wykonana przez Lissę nie utraciła swojej mocy. Oczywiście jeden drink nie oznaczał katastrofy i jego lista obietnic przedzwiązkowych nie uwzględniała zaprzestania picia alkoholu. Przede wszystkim zależało mi na tym, żeby rzucił palenie. — Pewnie musisz się opędzać od rzeszy pełnych nadziei podopiecznych?

Pokręciłam głową.

— Kto chciałby na strażniczkę szaloną Rose Hathaway? Jedyną, która rzuca wszystko, jeśli najdzie ją ochota?

— Jest mnóstwo chętnych — odparł Adrian. — I ja do nich należę. Jesteś niezrównana w walce i pamiętaj:

wszyscy myślą, że wyruszyłaś z misją wymordowania bandy strzyg. Niektórzy uważają, że taki zapał równoważy narowistą osobowość.

– On ma rację. – Usłyszeliśmy czyjś głos. Podniosłam głowę i zobaczyłam Taszę Ozerę. Jej oszpeconą bliznami twarz, okoloną rozpuszczonymi włosami, rozjaśnił uśmiech. Wyglądała szczególnie pięknie... bardziej królewsko niż kiedykolwiek. Miała na sobie granatową spódnicę oraz koronkowy top. Włożyła nawet pantofle na wysokich obcasach i biżuterię. Z całą pewnością nie oglądałam jej jeszcze w tak galowym wydaniu.

Ucieszyłam się na widok Taszy. Nie wiedziałam, że przyjechała na dwór. Naszła mnie dziwna myśl.

– Czyżby wreszcie pozwolili ci mieć strażnika?

Przedstawiciele królewskich rodów dysponowali wieloma cichymi i uprzejmymi metodami okazywania innym, że znaleźli się w niełasce. Rodzina Ozerów została pozbawiona ochrony. Była to kara za to, czego dopuścili się rodzice Christiana. Uważałam, że to niesprawiedliwe. Mieli takie same prawa jak inni arystokraci.

Tasza kiwnęła głową.

– Chyba mają nadzieję, że to zamknie mi usta w sprawie organizowania treningów walki dla morojów. Próbują mnie przekupić.

– Ale ty się nie zgodzisz, prawda?

– Prawda. Za to zyskam partnera do ćwiczeń. – Jej uśmiech przygasł. Zauważyłam, że przygląda nam się niepewnie. – Mam nadzieję, że nie poczujecie się urażone, bo... poprosiłam o ciebie, Rose.

Wymieniłyśmy z Lissą niespokojne spojrzenia.

– Och! – Nie wiedziałam, co powiedzieć.

— Mam nadzieję, że przydzielą cię do opieki nad Lissą — dodała pośpiesznie Tasza. Wyraźnie poczuła się nieswojo. — Ale królowa niełatwo zmienia decyzje. Jeśli już postanowiła...

— W porządku — stwierdziłam. — Jeśli nie będę mogła zostać z Lissą, to wolałabym ciebie.

Mówiłam prawdę. Opieka nad Lissą była moim największym marzeniem, lecz gdyby mieli nas rozdzielić, wybrałabym Taszę. Nie miałam ochoty zajmować się jakimś snobem z królewskiego rodu. Oczywiście zdawałam sobie sprawę, że i na to mam niewielkie szanse. Ci, którzy mieli mi za złe niedawną ucieczkę, dopilnują, żebym nie poczuła, iż ktokolwiek idzie mi na rękę. I nawet jeśli Tasza dostanie nareszcie ochronę, nie przydzielą jej najlepszej strażniczki. Moja przyszłość pozostawała pod znakiem zapytania.

— Hej! — wykrzyknął Adrian, urażony, że nie wymieniłam go jako ulubionego kandydata na podopiecznego. Pokręciłam głową.

— Wiesz, że przydzielą mnie do ochrony nad kobietą. Poza tym musiałbyś najpierw zrobić coś ze swoim życiem, żeby zasłużyć na strażnika.

Żartowałam, ale zauważyłam, że lekko zmarszczył czoło. Zdaje się, że zraniłam jego uczucia. Za to Tasza patrzyła na mnie z ulgą.

— Tak się cieszę, że nie masz mi tego za złe. Tymczasem postaram się wam pomóc. — Przewróciła oczami. — Chociaż nie sądzę, by ktoś tutaj liczył się z moim zdaniem.

Uznałam, że nie warto dzielić się z nią wątpliwościami i podziękowałam za propozycję. W tej chwili dołączył do nas ktoś jeszcze: Daniella Iwaszkow.

— Adrian — skarciła syna z uśmiechem. — Nie możesz zatrzymywać Rose i Wasylissy tylko dla siebie. — Spojrzała na nas. — Królowa pragnie was widzieć.

Pięknie. Podniosłyśmy się z Lissą, ale Adrian pozostał na miejscu, wyraźnie nie mając ochoty na rozmowę z ciotką. Tasza podzielała jego uczucia. Na jej widok Daniella grzecznie skinęła głową. — Lady Ozera — powiedziała i odeszła, oczekując, że podążymy za nią. Pomyślałam z ironią, że Daniella mnie akceptowała, a zachowywała typową dla arystokratów wyniosłą postawę wobec Ozerów. Chyba nie była jednak aż tak miła, jak sądziła.

Na szczęście Tasza dawno uodporniła się na takie traktowanie.

— Bawcie się dobrze — rzuciła lekko i zerknęła na Adriana. — Jeszcze szampana?

— Lady Ozera — odparł z kurtuazją. — Pani i ja jesteśmy jednomyślni.

Przyglądałam im się chwilę. Dopiero teraz zwróciłam uwagę na biżuterię Taszy.

— Nosisz srebro? — spytałam.

Bezwiednie dotknęła naszyjnika z opali. Na palcach miała trzy pierścionki.

— Tak. Czemu pytasz?

— Może to dziwnie zabrzmi... a może nie, bo przecież zwykle dziwnie się zachowuję. Czy mogłabyś nam to wszystko pożyczyć?

Lissa natychmiast odgadła moje zamiary. Potrzebowałyśmy więcej zaczarowanych przedmiotów, a srebro już się nam kończyło. Tasza uniosła brwi, lecz jak większość moich przyjaciół miała zadziwiającą zdolność przechodzenia do porządku nad najdziwniejszymi z moich pomysłów.

— Jasne — odparła. — Czy możecie jednak trochę poczekać? Nie chcę zdejmować biżuterii w środku przyjęcia.

— Oczywiście.

— Odeślę ją wam do pokoju.

Podeszłyśmy z Lissą do Tatiany siedzącej w kręgu wielbicieli i pochlebców. Daniella musiała się pomylić, mówiąc, że królowa chciała widzieć nas obie. Żywo pamiętałam, jak na mnie wrzeszczała za to, że spotykam się z Adrianem. Nie dałam się zwieść jej uprzejmości podczas kolacji u Iwaszkowów. Nie uwierzyłam, że nagle zostaniemy najlepszymi przyjaciółkami.

Zaskoczyła mnie, rozpływając się w uśmiechu na nasz widok.

— Wasylissa. I Rosemarie. — Pokazała gestem, byśmy się zbliżyły, i otaczająca ją grupka się rozstąpiła.

Byłam czujna. Czy zamierza na mnie znowu krzyczeć w obecności tylu osób?

Jednak nie. Zawsze znajdowali się jacyś nowi arystokraci, których należało poznać, i Tatiana najpierw przedstawiła im Lissę. Wszyscy byli ciekawi księżniczki Dragomir. Mnie również przedstawiono, chociaż tym razem królowa była oszczędniejsza w pochwałach. Mimo to nie chciałam uwierzyć w jej łaskawość.

— Wasylisso — zaczęła Tatiana, kiedy już dopełniono formalności. — Sądzę, że powinnaś wkrótce odwiedzić Lehigh. Zaaranżujemy twój wyjazd w połowie przyszłego tygodnia. Pomyśleliśmy, że sprawimy ci miłą niespodziankę z okazji twoich urodzin. Oczywiście Serena i Grant będą ci towarzyszyć, ale pojedziesz w większej asyście. — Serena i Grant byli strażnikami, których królowa wyznaczyła, by zastępowali mnie i Dymitra. Nie zdziwiłam się, że mieli towarzyszyć Lissie w podróży. Nieoczekiwanie Tatiana dodała coś niesłychanego. — Możesz pojechać z nimi, jeśli chcesz, Rose. Nie wyobrażam sobie, żeby Wasylissa świętowała bez ciebie.

Lissa się rozpromieniła. Uniwersytet Lehigh był przynętą, która miała osłodzić jej życie na dworze. Moja przyjaciółka pragnęła się kształcić i królowa stworzyła jej taką możliwość. Perspektywa wizyty na uczelni uszczęśliwiła Lissę, zwłaszcza że mogła tam świętować osiemnaste urodziny razem ze mną. To wystarczyło, żeby oderwać ją od rozmyślań o Wiktorze i Christianie.

— Dziękuję, Wasza Wysokość. Będę zachwycona — powiedziałam.

Istniało duże prawdopodobieństwo, że nie zdążymy wrócić przed tym wyjazdem, jeśli mój plan odnalezienia Wiktora się powiedzie. Nie chciałam jednak psuć nastroju Lissie, tym bardziej że nie mogłam o tym napomknąć w gronie morojów. Poza tym byłam lekko oszołomiona zaproszeniem. Królowa nie odezwała się do mnie więcej i zajęła się rozmową z innymi gośćmi. Tego wieczora okazała mi jednak wiele uprzejmości, podobnie jak wcześniej w domu Iwaszkowów, co było diametralnie różne od jej dotychczasowego zachowania. Może nie zostaniemy najlepszymi przyjaciółkami, lecz przynajmniej przestała się nade mną pastwić. Pomyślałam, że Daniella mogła mieć słuszność.

Pochlebcy prześcigali się w komplementach, chcąc zrobić wrażenie na królowej. Szybko zrozumiałam, że nie mam tu nic do roboty. Rozejrzałam się po sali i wypatrzyłam kogoś, z kim musiałam porozmawiać. Odeszłam, wiedząc, że Lissa sobie poradzi.

— Eddie! — zawołałam, przecinając salę. — Nareszcie sami.

Eddie Castile, z którym przyjaźniłam się od dawna, uśmiechnął się na powitanie. On także był dampirem, wysokim, o wąskiej twarzy i uroczym chłopięcym spojrzeniu. Lissa miała nadzieję, że będę spotykała się z Eddiem, ale my się tylko przyjaźniliśmy. Jego najbliższym kumplem był Mason, fantastyczny chłopak. Świrował na moim punkcie, a potem zginął zamordowany przez strzygę. Po jego śmierci oboje z Eddiem opiekowaliśmy się sobą nawzajem. Eddie został porwany podczas napaści na Świętego Władimira i to doświadczenie zrobiło z niego poważnego, zdeterminowanego strażnika — chwilami zbyt poważnego. Wolałabym, żeby znajdował czas na rozrywki, i ucieszyłam się, widząc radość w jego orzechowych oczach.

— Pewnie każdy moroj na tej sali próbuje cię przekupić — przekomarzałam się z nim, choć po części tak było naprawdę. Obserwowałam Eddiego podczas przyjęcia. Bezustannie ktoś go zagadywał. Miał imponujące wyniki. Tragiczne wydarzenia z pewnością odcisnęły na nim piętno, lecz przetrwał, co dowodziło jego umiejętności. Na egzaminie dostał najwyższe noty. Co ważniejsze, nie był niespokojnym duchem tak jak ja. Doskonały kandydat na strażnika.

— Na to wygląda. — Roześmiał się. — Nie spodziewałem się tego.

— Jakiś ty skromny. Najbardziej rozrywany facet na sali.

— Nie mogę równać się z tobą.

— Jasne, czego dowodem jest kolejka chętnych. O ile wiem, tylko Tasza Ozera o mnie poprosiła. Plus, oczywiście, Lissa.

Eddie zmarszczył czoło w zamyśleniu.

— Mogło być gorzej.

— Będzie gorzej. Nie przydzielą mnie żadnej z nich.

Umilkliśmy, a mnie ogarnął niepokój. Chciałam prosić Eddiego o przysługę, lecz w tej chwili zrozumiałam, że to nie jest dobry pomysł. Chłopak stał na progu błyskotliwej kariery. Był lojalnym przyjacielem i z pewnością nie zawahałby się mi pomóc... Ale czułam, że nie mam prawa go o to prosić. Eddie okazał się jednak równie bystry jak Mia.

— Co się stało, Rose? — spytał z troską. Miał silnie rozwinięty instynkt opiekuńczy.

Potrząsnęłam głową. Nie mogłam mu tego zrobić.

— Nic.

— Rose — powtórzył z naciskiem.

Odwróciłam głowę, chcąc uniknąć jego wzroku.

— Nic ważnego, naprawdę. — Postanowiłam w duchu, że znajdę kogoś innego do pomocy.

Ku memu zaskoczeniu Eddie ujął mnie pod brodę i uniósł lekko moją głowę. Nie mogłam uciec spojrzeniem.

— Czego potrzebujesz?

Przyglądałam mu się dłuższą chwilę. Byłam samolubna, ryzykując życie i karierę najbliższych przyjaciół. Gdyby Christian nie zerwał z Lissą, jego również poprosiłabym o pomoc. Teraz został mi tylko Eddie.

— To coś... ekstremalnego.

Zachował powagę, tylko kąciki ust lekko uniosły mu się w uśmiechu.

— Wszystko, co robisz, jest ekstremalne, Rose.

— Tym razem jest gorzej. To... może ci zrujnować życie. Wpakowałabym cię w kłopoty. Nie mogę.

Uśmiech znikł.

— Nie szkodzi — rzucił zapalczywie. — Wystarczy, że mnie potrzebujesz. Nieważne, o co chodzi.

— Nic nie wiesz.

— Ufam ci.

— To nielegalne. Dopuściłbyś się zdrady.

To go nieco stropiło, ale trwał przy swoim.

— Bez znaczenia. Zrobię, co trzeba. Najważniejsze, że cię odzyskałem — dwukrotnie uratowałam Eddiemu życie i wiedziałam, że mówi poważnie. Czuł się wobec mnie zobowiązany. Poszedłby za mną w ogień, nie z miłości, ale z przyjaźni i poczucia lojalności.

— To nielegalne — powtórzyłam. — Konieczne będzie wymknięcie się z dworu jeszcze tej nocy. Nie wiem, kiedy wrócimy. — Musiałam założyć, że możemy nie wrócić nigdy. Jeśli natkniemy się na strażników więziennych... Cóż, nie cofną się przed ostatecznością, żeby spełnić swój obowiązek. Tak nas wyszkolono. Nie mogłam polegać wyłącznie na Lissie i mocy jej wpływu. Potrzebowałam drugiego wojownika.

— Powiedz tylko kiedy.

Eddie nie chciał wiedzieć więcej. Nie przedstawiłam mu całego planu, podałam tylko miejsce, w którym mieliśmy się spotkać, i poinformowałam, co ma zabrać ze sobą. Nie zadawał pytań. Obiecał, że przyjdzie. Rozstaliśmy się, kiedy podeszli do niego nowi moroje. Byłam pewna, że mnie nie zawiedzie. Starałam się odsunąć od siebie wyrzuty sumienia na myśl, że narażam na szwank całą jego przyszłość.

Zgodnie z obietnicą Eddie zjawił się późną nocą. Lissa również. „Noc" była w rzeczywistości „dniem w pełnym rozkwicie. Czułam taki sam niepokój jak wtedy, gdy wymknęłyśmy się z Mią. Słoneczne światło nie pozwalało nam się ukryć, lecz większość morojów spała teraz głębokim snem. Staraliśmy się przemknąć jak najciszej. Michaił miał na nas czekać przy garażach, wielkich blaszanych budynkach usadowionych na tyłach terenów dworskich. Na szczęście nie dostrzegłam tam nikogo.

Wśliznęliśmy się do garażu wskazanego nam zeszłej nocy przez strażnika. Odetchnęłam z ulgą, widząc, że mężczyzna jest sam. Przyjrzał się naszej „grupie ofensywnej" ze zdziwieniem, ale o nic nie pytał i nie ponawiał propozycji swojego udziału w wyprawie. Znów opadły mnie wyrzuty sumienia. Michaił był kolejną osobą, która dla mnie ryzykowała.

— Będzie wam ciasno — zauważył.

Zmusiłam się do uśmiechu.

— Jesteśmy przyjaciółmi.

Nie rozbawił go mój żart. Otworzył bagażnik czarnego Dodge'a Chargera. Rzeczywiście był niewielki. Michaił jeździł najnowszym modelem wozu, starszy miał większy bagażnik, ale straż dworską zaopatrywano wyłącznie w najnowocześniejszy sprzęt.

— Kiedy odjedziemy na bezpieczną odległość, zatrzymam się i pozwolę wam wyjść — obiecał.

— Damy radę — zapewniłam go. — Ruszajmy.

Wczołgaliśmy się we trójkę do bagażnika.

— O Boże — mruknęła Lissa. — Mam nadzieję, że nie cierpicie na klaustrofobię.

Czułam się jak podczas kiepskiej rozgrywki Twistera. Bagażnik był wystarczająco pojemny, żeby zmieścić w nim walizki, ale nie trzy osoby. Leżeliśmy ciasno obok siebie bez nadziei na odrobinę prywatnej przestrzeni. Nagle zrobiło się blisko i rodzinnie. Michaił stwierdził, że udało się nas jakoś upchnąć, i zamknął bagażnik. Pogrążyliśmy się w ciemnościach. Chwilę później usłyszeliśmy warkot silnika. Samochód ruszył.

— Jak długo tak będziemy jechali? — chciała wiedzieć Lissa. — Albo kiedy umrzemy zatruci dwutlenkiem węgla?

— Nawet nie opuściliśmy jeszcze terenów dworskich — odparłam.

Lissa westchnęła.

Zatrzymaliśmy się niedługo potem. Michaił musiał dotrzeć do bramy i gawędził z wartownikami. Powiedział mi wcześniej, że wymyśli jakiś powód nocnego wyjazdu, nie obawialiśmy się więc, że zaczną go wypytywać albo że przeszukają samochód. Na dworze panowała większa swoboda niż w naszej szkole. Pozwalano personelowi opuszczać jego teren. Kontrolowano jednak wszystkich, którzy tu wkraczali.

Minęła minuta. Zaniepokoiłam się, dlaczego wciąż stoimy. Kiedy wreszcie ruszyliśmy, wszyscy troje odetchnęliśmy z ulgą. Michaił przyśpieszył. Przejechaliśmy może półtora kilometra, a potem samochód się zatrzymał, zapewne na poboczu. Pokrywa bagażnika uniosła się i wyskoczyliśmy na zewnątrz. Jeszcze nigdy tak bardzo nie doceniałam świeżego powietrza. Usiadłam na miejscu pasażera obok Michaiła, a Lissa i Eddie zajęli miejsca z tyłu. Strażnik ruszył dalej bez słowa.

Na krótko opadły mnie wyrzuty sumienia wobec osób, które w to wciągnęłam, lecz wkrótce odpędziłam natrętne myśli. Za późno, by się martwić. Nie chciałam też dłużej obwiniać się, że nie zabrałam Adriana. Byłby dobrym sprzymierzeńcem, lecz nie mogłam go prosić o pomoc.

Oparłam się wygodniej i pogrążyłam w myślach o czekającym nas zadaniu. Podróż na lotnisko powinna zająć nam mniej więcej godzinę. Stamtąd odlecimy na Alaskę.

Rozdział szósty

Wiecie, czego potrzebujemy? Siedziałam w samolocie między Lissą a Eddiem i lecieliśmy z Seattle do Fairbanks. Tkwiłam pośrodku, ponieważ byłam najniższa i to ja znałam najwięcej szczegółów całego przedsięwzięcia.

— Nowego planu? — podsunęła Lissa.

— Cudu? — dorzucił Eddie.

Skarciłam ich wzrokiem. Od kiedy to stali się żartownisiami?

— Nie. Sprzętu. Musimy zaopatrzyć się w kilka fajnych gadżetów.

Stuknęłam palcem w plan więzienia, który trzymałam na kolanach przez większą część podróży. Michaił wysadził nas na niewielkim lotnisku oddalonym o godzinę jazdy od dworu. Złapaliśmy stamtąd lot do Filadelfii, skąd przesiedliśmy się do Seattle i potem na rejs do Fairbanks. Przypomniałam sobie swoją szaloną podróż powrotną z Syberii. Wtedy także miałam przesiadkę w Seattle. Zaczynałam nabierać przekonania, że to miasto jest bramą do wszystkich tajemniczych miejsc świata.

— Sądziłem, że będziemy zdani jedynie na siebie — zauważył Eddie.

Był poważnym strażnikiem, lecz w chwilach odprężenia odzywał się w nim czarny humor. Nie oznaczało to, że nie przejął się naszą misją, zwłaszcza że zdążył już poznać cel tej eskapady (kilka szczegółów zachowałam dla siebie). Wiedziałam, że kiedy tylko wylądujemy, Eddie będzie działał bez zarzutu. Oczywiście wstrząsnęła nim wiadomość, że zamierzamy uwolnić Wiktora Daszkowa. Nie powiedziałam mu jednak nic o Dymitrze ani o mocy ducha. Usłyszał jedynie, że Wiktor miał odegrać istotną rolę w dobrej sprawie. Eddie ufał mi tak bardzo, że zaakceptował plan bez zastrzeżeń i nie pytał o nic więcej. Zastanawiałam się, jak zareagowałby, gdyby znał całą prawdę.

— Musimy mieć przynajmniej GPS — wyjaśniłam. — Znamy tylko długość i szerokość geograficzną, a nie wiemy, jak tam dojechać.

— To nie powinno być trudne — wtrąciła Lissa, obracając w rękach bransoletkę. Otworzyła podręczny stoliczek i rozłożyła na nim biżuterię Taszy. — Jestem pewna, że nowoczesna technologia dotarła nawet na Alaskę.

Lissa także miała dobry humor, chociaż czułam, że jest niespokojna.

Nastrój Eddiego nieco przygasł.

— Mam nadzieję, że nie myślisz o broni.

— Nie. To wykluczone. Jeśli wszystko pójdzie zgodnie z planem, nikt nie zauważy, że w ogóle tam byliśmy.

— Walka była nieunikniona, lecz zakładałam, że nikt poważnie nie ucierpi.

Lissa westchnęła i wręczyła mi bransoletkę. Denerwowała się, bo powodzenie akcji zależało w dużej mierze od jej zdolności magicznych. Dosłownie.

— Nie wiem, czy to zadziała, ale może przynajmniej wzmocni twoją odporność.

Wsunęłam bransoletkę na rękę. Nic nie poczułam, lecz rzadko odbierałam energię zaczarowanych przedmiotów. Zostawiłam Adrianowi liścik, w którym wyjaśniłam, że wyrwałyśmy się z Lissą na „babski wypad", zanim otrzymam przydział, a ona wyjedzie do college'u. Podejrzewałam, że będzie urażony. Adrian rozumiał, że mamy swoje tajemnice, ale poczuje się zraniony, że nie zaprosiłyśmy go na szaloną wyprawę. Znał mnie wystarczająco dobrze, by wiedzieć, że najczęściej miałam jakieś ukryte motywy. Liczyłam na to, że opowie naszą historyjkę na dworze, kiedy zauważą, że zniknęłyśmy. Oczywiście nie unikniemy w ten sposób kłopotów, ale szalony weekend jest lepszy niż włamanie do więzienia. Zresztą moja sytuacja i tak wyglądała beznadziejnie. Martwiłam się tylko, że Adrian może odwiedzić mnie we śnie i zasypać pytaniami. Była to jedna z najciekawszych — i chwilami irytujących — możliwości osób władających żywiołem ducha. Lissa nie nauczyła się jeszcze przenikać do cudzych snów, lecz rozumiała już zasady tej sztuki. Zaczarowała bransoletkę, by Adrian nie mógł do mnie dotrzeć, kiedy zasnę.

Samolot podchodził do lądowania w Fairbanks. Wyjrzałam przez okno i zobaczyłam wysokie sosny pośród wielkiej zielonej przestrzeni. Odczytałam z myśli Lissy, że spodziewała się grubej warstwy lodu i śniegu, chociaż wiedziała, że panuje tu pełnia lata. Pobyt na Syberii nauczył mnie nieufności wobec stereotypów.

Opuściliśmy dwór w środku dnia i polecieliśmy na zachód. Zmiana strefy czasowej oznaczała, że przez cały czas będzie towarzyszyło nam słońce. Teraz, mimo że dochodziła już dwudziesta pierwsza, ujrzałam nad nami jasne błękitne niebo. Znaleźliśmy się na północy, która oferowała nam bezpieczeństwo. Nie wspomniałam o tym Lissie i Eddiemu, lecz zakładałam, że Dymitr wszędzie ma swoich szpiegów. W Akademii Świętego Władimira i na dworze byłam nietykalna, lecz jego listy nie pozostawiały wątpliwości, że tylko czeka, kiedy opuszczę strefę ochronną. Nie wiedziałam, jak daleko sięgają jego wpływy, ale nie zdziwiłabym się, gdyby ludzie obserwowali dwór w ciągu dnia. Mimo że ukryliśmy się w bagażniku, Dymitr mógł już deptać nam po piętach. Na szczęście słońce, które zatrzymywało więźniów, powinno nas chronić. Ryzyko groziło nam tylko przez kilka godzin nocnych i jeśli dobrze wykorzystamy czas, wkrótce opuścimy Alaskę. Co oczywiście miało również złe strony. Stracimy ochronę słoneczną.

Pierwsza przeszkoda pojawiła się po wylądowaniu, kiedy próbowaliśmy wynająć samochód. Eddie i ja mieliśmy po osiemnaście lat, lecz żadna z firm nie chciała ryzykować wypożyczenia wozu tak młodym klientom. Po trzeciej odmowie ogarnęła mnie złość. Kto by pomyślał, że utkniemy z tak idiotycznego powodu? Dopiero pracownica czwartej firmy odparła z wahaniem, że jakiś facet mieszkający półtora kilometra od lotniska może wynająć nam samochód, jeśli mamy karty kredytowe i damy wysoki zastaw.

Postanowiliśmy się tam przespacerować. Była ładna pogoda, chociaż czułam, że słońce zaczyna dawać się Lissie we znaki. Bud — właściciel Wypożyczalni Aut u Buda — nie był tak oporny, jak się obawialiśmy, i wypożyczył nam wóz za konkretną sumę. Zaraz potem wynajęliśmy pokój w skromnym motelu i jeszcze raz omówiliśmy plan działania.

Zdobyliśmy informację, że w więzieniu panuje porządek świata wampirów, czyli że właśnie teraz byli aktywni. Zamierzaliśmy zostać w hotelu do następnego ranka, kiedy dla morojów zapadnie noc, a tymczasem trochę się przespać. Lissa mogła popracować nad swoimi czarami. Nie powinniśmy mieć problemu z obroną w pokoju.

Adrian nie odwiedził mnie we śnie, co przyjęłam z wdzięcznością. Albo uwierzył w nasz babski wypad, albo powstrzymała go bransoletka Lissy. Rankiem obudziliśmy się niewyspani. Zmiana trybu życia na obowiązujący w świecie ludzi lekko nas oszałamiała.

Na śniadanie zjedliśmy pączki. Dawka cukru dodała nam energii i o dziesiątej zostawiliśmy Lissę w hotelu, żeby rozejrzeć się w okolicy. Kupiliśmy kilka drobiazgów, w tym GPS, w sklepie sportowym, a potem wypróbowaliśmy GPS na pustych wiejskich drogach, które prowadziły donikąd. Nareszcie system pokazał, że znajdujemy się w odległości półtora kilometra od więzienia. Zjechaliśmy na pobocze zakurzonej drogi i ruszyliśmy piechotą przez pole wysokiej trawy, które wydawało się ciągnąć w nieskończoność.

— Sądziłem, że Alaska jest porośnięta tundrą — powiedział Eddie, przeciskając się wśród wysokich łodyg. Znów mieliśmy nad sobą błękitne niebo bez chmur, które skryłyby słońce. Włożyłam letnią kurtkę, ale teraz zdjęłam ją i przewiązałam w pasie. Pociłam się jak mysz. Od czasu do czasu zrywał się lekki wiatr, który kładł trawy i rozwiewał mi włosy.

— Wygląda na to, że nie wszędzie. Może dalej na północy. Hej! To wygląda obiecująco.

Zatrzymaliśmy się przed wysokim ogrodzeniem z drutu oznakowanym wielką tablicą z napisem: WŁASNOŚĆ PRYWATNA. NIEUPOWAŻNIONYM WSTĘP WZBRONIONY. Litery były czerwone, pewnie dla podkreślenia surowości zakazu. Osobiście domalowałabym czaszkę ze skrzyżowanymi piszczelami dla większego efektu.

Oboje z Eddiem wpatrywaliśmy się w płot dłuższą chwilę i na koniec popatrzyliśmy na siebie z rezygnacją.

— Lissa uzdrowi wszystkie skaleczenia — mruknęłam z nadzieją.

Wspinaczka po drucie kolczastym jest wprawdzie możliwa, lecz mało przyjemna. Zarzucałam kurtkę na miejsca, gdzie sterczały druty, żeby nie poranić rąk, ale i tak podrapałam się i porwałam ubranie. Kiedy wreszcie stanęłam na górze, postanowiłam zeskoczyć. Skutki upadku wydały mi się lżejsze od schodzenia po drugiej stronie płotu. Eddie poszedł moim śladem i zaraz skrzywił się z bólu po zetknięciu z twardym podłożem.

Uszliśmy kawałek, kiedy daleko przed nami zarysowała się ciemna linia jakiegoś budynku. Jednocześnie upadliśmy na kolana i rozglądaliśmy się w poszukiwaniu wysokich traw, które by nas zasłoniły. Zgodnie z tym, co przeczytałam w dokumentacji więzienia, na zewnątrz zainstalowano kamery. Nie mogliśmy podejść bliżej. Na szczęście zaopatrzyłam nas również w porządną lornetkę.

Wybrałam doskonały sprzęt, który okazał się wart wysokiej ceny. Obserwując budynek, widziałam najdrobniejsze szczegóły. Więzienie zbudowali moroje. Jak większość ich projektów stanowił mieszaninę tradycji i nowoczesności. Mury wzniesiono z surowych szarych kamieni. Doskonale maskowały budynek, którego dach ledwo wystawał w górze. Dostrzegłam na wysokich murach kilka sylwetek — więc wystawiali również warty. To miejsce przypominało fortecę nie do zdobycia; nikt nie mógłby stąd uciec. Pomyślałam, że powinna stać na skalistym szczycie na tle czarnego nieba. Sielskie pole w promieniach słońca nie pasowało do charakteru budowli.

Podałam lornetkę Eddiemu. Zlustrował teren i pokazał coś po lewej stronie.

— Tam.

Mrużąc oczy, z trudem dojrzałam ciężarówkę, a może dużego SUV-a zmierzającego w kierunku więzienia. Zaraz znikł nam z oczu za budynkiem.

— To nasza jedyna szansa, żeby się dostać do środka — szepnęłam, przypominając sobie szczegóły planu więzienia. Nie przedostalibyśmy się po murach, nie moglismy też podejść bliżej niezauważeni. Musieliśmy wejść przez frontowe drzwi i w tym miejscu mój plan miał pewne luki.

Eddie opuścił lornetkę i spojrzał na mnie, strosząc brwi.

— Wiesz, że mówiłem poważnie. Ufam ci. Rozumiem, że masz ważny powód, by tam wejść. Ale zanim zaczniemy, chciałbym wiedzieć, czy naprawdę tego chcesz?

Zaśmiałam się głośno.

— Czy chcę? Nie. Po prostu muszę to zrobić.

Eddie skinął głową.

— To mi wystarczy.

Obserwowaliśmy więzienie, przesuwając się od czasu do czasu, by lepiej ocenić teren z różnych stron. Nie zauważyliśmy nic więcej, ale zyskaliśmy lepszy ogląd sytuacji.

Pół godziny później wróciliśmy do hotelu. Lissa siedziała po turecku na łóżku i pracowała nad urokami. Poczułam przez więź, że jest spokojna i zadowolona. Praca z duchem zwykle wprawiała ją w dobry nastrój — nawet jeśli później odczuwała skutki uboczne. Sądziła, że robi postępy.

— Adrian dzwonił do mnie już dwa razy — powiedziała na mój widok.

— Ale nie odebrałaś?

— Nie. Biedak.

Wzruszyłam ramionami.

— Tak będzie lepiej.

Lissa spochmurniała, kiedy streściliśmy jej przebieg oględzin. Uświadomiła sobie, że nieuchronnie zbliża się to, co zaplanowałyśmy. Przestraszyła się, a korzystanie z mocy ducha nadwątliło już jej odporność na stres. Po chwili poczułam jednak, że się z tym uporała. Zapewniła mnie, że jest gotowa i nie cofnie się mimo lęku, którym napawało ją spotkanie z Wiktorem Daszkowem.

Zjedliśmy lunch i kilka godzin później zaczęliśmy szykować się do wyjścia. W świecie ludzi zapadał wieczór, co dla wampirów oznaczało rychły koniec nocy. Musieliśmy działać. Lissa nerwowo rozdała nam zaczarowane przedmioty. Martwiła się, czy będą skuteczne. Eddie włożył swój nowy czarno-biały uniform, a Lissa i ja pozostałyśmy w normalnych ciuchach. Zmieniłyśmy tylko szczegóły: włosy Lissy przybrały mysi kolor — efekt szamponu koloryzującego, ja schowałam swoje pod rudą peruką z gęstymi lokami, która przypomniała mi fryzurę mojej matki. Zasiadłyśmy na tylnym siedzeniu auta i Eddie powiózł nas niczym rasowy szofer opuszczoną drogą, którą jechaliśmy poprzednio. Tym razem nie zaparkował na poboczu. Pojechaliśmy dalej, prosto w kierunku więzienia. Przed nami majaczyła budka wartownika. Nie odzywaliśmy się do siebie, ale w powietrzu wzbierały napięcie i lęk.

Nie dotarliśmy daleko. Musieliśmy zatrzymać się przed budką, w której czuwał pierwszy strażnik. Starałam się zachować spokój. Eddie opuścił szybę i poczekał, aż wartownik podejdzie.

— W jakiej sprawie? — spytał, nachylając się tak, że jego twarz znalazła się na linii naszego wzroku.

Eddie podał mu papiery z takim opanowaniem i pewnością siebie, jakby sytuacja była całkowicie normalna.

— Przywiozłem nowych karmicieli.

Akta, które wydobyłam z archiwum, zawierały różne formularze i dokumenty, między innymi wzory zamówień, także karmicieli. Sporządziliśmy kopię i wypełniliśmy ją odręcznym pismem.

— Nie powiadomiono mnie o dostawie. — Strażnik nie zachowywał się podejrzliwie, był raczej zaskoczony. Ponownie zerknął na kartkę. — To stary typ formularza.

Eddie wzruszył ramionami.

— Taki dostałem. Jestem tu nowy.

Mężczyzna skrzywił się w uśmiechu.

– Sądząc po wyglądzie, równie dobrze mógłbyś jeszcze chodzić do szkoły.

Teraz przeniósł wzrok na Lissę i na mnie. Mimowolnie się spięłam. Strażnik zmarszczył brwi. Lissa zaopatrzyła mnie w naszyjnik, a sama włożyła pierścionek nasączony zaklęciem, które miało przekonać wszystkich, że jesteśmy ludźmi. O wiele łatwiej byłoby ofiarować czarodziejskie przedmioty tym, których próbowałyśmy omamić, ale to było niemożliwe. Strażnik zamrugał, jakby nasz widok lekko go oszołomił. Wiedziałam, że jeśli czar okaże się skuteczny, nie poświęci nam drugiego spojrzenia. Niestety, Lissie nie poszło tak dobrze. Jej magia odmieniła wprawdzie nasz wygląd, lecz nie w takim stopniu, jak się spodziewałyśmy. To dlatego zadbałyśmy o inne fryzury: jeśli nie uwierzą, że jesteśmy ludźmi, przynajmniej nie rozpoznają nas od razu. Lissa przygotowała się także do użycia wpływu, chociaż miałyśmy nadzieję, że nie będzie musiała używać go wobec każdego, kogo spotkamy.

Minęło kilka sekund i strażnik odwrócił się od nas, stwierdziwszy, że jednak ma do czynienia z ludźmi. Odetchnęłam i rozprostowałam palce bezwiednie zaciśnięte w pięści.

– Chwileczkę. Muszę to zgłosić – powiedział do Eddiego.

Zauważyłam, że podchodzi do budki i bierze do ręki słuchawkę. Eddie zerknął na nas przez ramię. – Chyba nieźle nam idzie?

– Mieliśmy stary formularz – burknęłam.

– Nie dowiem się, czy mój czar działa – zauważył Eddie.

Lissa dała mu jeden z pierścionków Taszy, dzięki któremu miał wyglądać jak opalony, czarnowłosy dampir. Nie musiała odmieniać jego rasy, tylko lekko zmodyfikować wygląd. Podejrzewałam, że tak jak w naszym przypadku magia nie zadziałała dokładnie tak, jak sobie życzyliśmy, ale przynajmniej zamaskowała naszą tożsamość. Obie z Lissą byłyśmy odporne na działanie uroków — poza tym wiedziałyśmy, czego się spodziewać — nie umiałyśmy więc stwierdzić, jak inni postrzegają Eddiego.

— Jestem pewna, że tak — uspokoiła go Lissa.

W tej chwili powrócił strażnik.

— Mam was wpuścić. Sprawdzą wszystko na miejscu.

— Dzięki — rzucił lekko Eddie.

Wartownik zachowywał się tak, jakby nasz przyjazd był pomyłką jakiegoś urzędnika. Traktował nas jak służbista, lecz pomysł, że ktoś chciałby przemycić nielegalnych karmicieli do więzienia, wydawał mu się niedorzeczny, albo przynajmniej nieobciążony ryzykiem. Biedak.

Przed bramą przywitało nas dwóch strażników. Wysiedliśmy i poszliśmy za nimi do miejsca między murami a ścianą więzienia. Tereny okalające Akademię Świętego Władimira i dwór królowej były pielęgnowane, z mnóstwem roślin i drzew. Tutaj znaleźliśmy się na nagiej, zaniedbanej ziemi. Nie zauważyłam nawet trawy. Zastanawiałam się, czy to miejsce spacerowe dla więźniów. Czy w ogóle pozwalano im opuszczać cele? Zdziwiłam się, że nie ogrodzili się fosą.

Weszliśmy do środka, gdzie panował równie ponury nastrój. Widziałam cele w areszcie dworskim. Było tam sterylnie i zimno — tylko metal i puste ściany. Spodziewałam się zobaczyć coś podobnego. Nie wiem, kto zaprojektował więzienie Tarasow, ale nie zatroszczył się o jego nowoczesny wygląd. Przypominało lochy średniowiecznych rumuńskich zamków. Chropowate kamienne ściany biegły wzdłuż ponurego korytarza, przyprawiającego swoim wyglądem o dreszcze. W powietrzu wyczuwało się chłód i wilgoć. Tutejsi strażnicy pracowali w trudnych warunkach. Surowość wnętrza miała zapewne wpływać na stan ducha więźniów od chwili, w której przekraczali te mury. Pamiętałam jednak z planu budynku, że gdzieś tutaj znajdowały się również pomieszczenia dla pracowników. Miałam nadzieję, że są bardziej przytulne.

Idąc korytarzem, mijaliśmy kolejne kamery. Wystrój mógł być średniowieczny, ale monitoring mieli naprawdę najwyższej klasy. Co jakiś czas dobiegał nas łoskot zamykanych drzwi, poza tym panowała tu absolutna cisza, która mogła przestraszyć bardziej niż krzyki i jęki.

Zaprowadzono nas do kwatery straży, pomieszczenia równie smutnego jak reszta budynku, w którym jednak znajdowały się normalne sprzęty biurowe: biurko, komputer i tak dalej. Całość prezentowała się schludnie i nijako. Eskortujący nas mężczyźni wyjaśnili, że porozmawia z nami asystent naczelnika, bo jego zwierzchnik jeszcze śpi. Więc to tak. Podwładny pracował na nocnej zmianie. Pomyślałam, że przy odrobinie szczęścia będzie zmęczony i nieuważny, ale nie robiłam sobie wielkich nadziei. Strażnicy byli dobrze wytrenowani i nie pozwalali sobie na zaniedbania podczas służby.

— Theo Marx. — Asystent uścisnął dłoń Eddiego. Był dampirem niewiele starszym od nas. Może niedawno objął służbę.

— Larry Brown — przedstawił się Eddie. Wybraliśmy mu nieciekawe imię i nazwisko i wpisaliśmy je do dokumentów.

Theo nie odzywał się do Lissy ani do mnie, ale posłał nam to samo zdziwione spojrzenie, co pierwszy strażnik. Najwyraźniej magia Lissy zaczęła działać. Theo poprosił Eddiego o formularz.

— Wygląda inaczej — powiedział.

— Nie mam pojęcia dlaczego — odparł przepraszająco Eddie. — Jestem tu po raz pierwszy.

Theo westchnął, spoglądając na zegar.

— Naczelnik obejmie dyżur za kilka godzin. Musimy poczekać, aż dowie się, skąd ta pomyłka. Sommerfield zwykle działa rutynowo.

W kraju działało kilka instytucji gromadzących karmicieli — ludzi żyjących na marginesie społecznym, którzy chętnie godzili się żyć w wiecznym transie wywołanym endorfinami wydzielanymi przez wampiry. Sommerfield było nazwą jednej z takich instytucji mieszczącej się w Kansas City.

— Nie jestem jedynym nowym pracownikiem w firmie — wyjaśnił Eddie. — Może ktoś coś pomylił.

— Typowe! — prychnął Theo. — Równie dobrze możesz usiąść i poczekać. Napijesz się kawy?

— Kiedy zacznie się karmienie? — spytałam nagle, starając się przybrać rozmarzony wyraz twarzy. — Tak długo czekamy.

Lissa przyszła mi w sukurs.

— Obiecano nam, że dostaniemy działkę zaraz po przyjeździe.

Eddie przewrócił oczami.

— Cały czas tak smęcą.

— Wyobrażam sobie — odparł Theo. — Hmm. Karmicielki. — Drzwi gabinetu były uchylone. — Hej, Wes?! — zawołał. — Możesz tu przyjść?

Strażnik, który nas tu przyprowadził, wetknął głowę do środka.

— Tak?

Theo machnął ręką, pokazując na nas.

— Zaprowadź je do pomieszczeń dla karmicieli, bo strasznie trują. Mogą je wykorzystać, jeśli ktoś już nie śpi.

Wes przytaknął ruchem głowy i nas wyprowadził. Zdążyliśmy popatrzeć na siebie z Eddiem. Miał obojętną minę, ale wiedziałam, że się denerwuje. Musiałyśmy odnaleźć Wiktora i uwolnić go, a Eddie niechętnie posyłał nas w paszczę lwa.

Wes przeprowadził nas przez kolejne drzwi i stanowiska wartowników. Uświadomiłam sobie, że będziemy musiały sforsować te same przeszkody w drodze powrotnej. Zorientowałam się z planu budynku, że pokoje karmicieli znajdowały się po przeciwnej stronie więzienia. Zakładałam, że poprowadzą nas okrężną drogą, tymczasem szłyśmy przez sam środek, gdzie mieściły się cele. W przeciwieństwie do mnie Lissa nie przejrzała dokładnie planu i nie zdawała sobie sprawy, dokąd idziemy, dopóki nie odczytała tabliczki z ostrzeżeniem: UWAGA — WKRACZASZ NA TEREN DLA WIĘŹNIÓW (KRYMI-

NALISTÓW). Uznałam, że to dziwne. Czyż nie wszyscy więźniowie byli kryminalistami?

Ten korytarz odgradzały od reszty pomieszczeń ciężkie podwójne drzwi. Wes wystukał elektroniczny kod i dodatkowo posłużył się zwykłym kluczem. Lissa nie zawahała się, lecz wyczuwałam jej narastający niepokój na widok długiego korytarza pełnego cel z grubymi kratami. Sama też poczułam się nieswojo, ale Wes — choć nadal czujny — nie okazywał lęku. Pomyślałam, że przecież bez przerwy chodzi tą drogą. Znał system bezpieczeństwa. Więźniowie mogli być niebezpieczni, lecz on widywał ich każdego dnia.

Nieopatrznie zerknęłam w głąb kilu cel i serce omal nie przestało mi bić. Ciasne klitki były ciemne i ponure, jak wszystko tutaj, wyposażone w nagie, surowe sprzęty. Na szczęście większość więźniów spała, lecz kilka par oczu obserwowało nasz pochód. Nie odzywali się, ale ta cisza była przerażająca. Niektórzy wyglądali jak zwykli ludzie, których mija się na ulicy. Zastanawiałam się, co takiego zrobili, że wylądowali tutaj. Patrzyłam na ich smutne, pozbawione nadziei twarze. Dopiero po chwili zorientowałam się, że nie wszyscy byli morojami; znajdowały się tu także dampiry. Nie powinnam się dziwić, a jednak wytrąciło mnie to z równowagi. Cóż, przedstawiciele mojej rasy także zasługiwali czasem na karę.

Nie wszyscy więźniowie wyglądali niewinnie. Niektóre twarze pasowały do tego miejsca. Promieniowało z nich zło, wlepiali w nas złowieszcze spojrzenia, oceniali każdy szczegół, nie wiadomo po co. Czy wypatrywali czegoś, co pomogłoby im uciec? Przewiercali nas wzrokiem na wskroś? Może po prostu byli głodni? Nie wiedziałam, lecz poczułam wdzięczność dla milczących strażników rozstawionych wzdłuż korytarza. Cieszyłam się też, że nie widziałam tu Wiktora. Pewnie umieszczono go w innym miejscu. Nie mogłyśmy ryzykować, że rozpozna nas za wcześnie.

Kolejne podwójne drzwi pozwoliły nam opuścić to mroczne miejsce i znalazłyśmy się w pomieszczeniach dla karmicieli. One również przypominały średniowieczne lochy, zapewne ze względu na więźniów. Wnętrze przypominało jednak pokoje dla karmicieli w Akademii, było tylko nieco mniejsze. Kilka boksów zapewniało umiarkowaną prywatność. Za biurkiem siedział znudzony moroj. Próbował czytać książkę, ale wyglądał tak, jakby zasypiał. Zobaczyłam jedynego karmiciela, wychudzonego mężczyznę w średnim wieku. Siedział na krześle z nieobecnym uśmiechem i wpatrywał się w pustkę.

Moroj ożywił się na nasz widok. Wytrzeszczył oczy. Najwyraźniej stanowiliśmy najciekawszy widok tej nocy. Nie zawahał się, kiedy na nas spojrzał. Musiał być podatny na działanie wpływu, co przyjęłam z ulgą.

– O co chodzi?

– Przywieziono dwie nowe – odparł Wes.

– Nie składaliśmy zamówienia – zdziwił się moroj. – Poza tym nigdy nie dostajemy tak młodych. Zwykle przysyłają nam starszych ludzi.

– Mnie nie pytaj. – Wes wskazał nam krzesła i zamierzał odejść. Wyraźnie uważał, że eskortowanie karmicieli jest niegodną jego czynnością. – Marx chce, żeby tu zostały, dopóki Sullivan się nie obudzi. Na pewno przysłano je przez nieporozumienie, ale skarżą się, że nie dostały działki.

122

— Cudownie! — jęknął moroj. — Pora karmienia już za piętnaście minut, dam Bradleyowi odetchnąć. Jest tak naćpany, że nic nie zauważy.

Wes kiwnął głową.

— Zadzwonimy, kiedy sprawa się wyjaśni.

Strażnik wyszedł, a moroj z westchnieniem sięgnął po tabelę z porami karmienia. Odniosłam wrażenie, że oni wszyscy są zmęczeni służbą. Mogłam to zrozumieć. Więzienie było ponurym miejscem pracy. Nic dziwnego, że każdy chciał się stąd wyrwać.

— Kto przychodzi na karmienie za piętnaście minut? — spytałam.

Moroj poderwał głowę ze zdumieniem. Karmiciele nie zadają takich pytań.

— Co powiedziałaś?

Lissa wstała i zmusiła go, by nie odrywał od niej wzroku.

— Odpowiedz jej.

Zobaczyłam jego zamglone oczy. Naprawdę łatwo było nim manipulować.

— Rudolf Kaiser.

Nie znałyśmy tego nazwiska. Mógł tu zostać osadzony równie dobrze za masowe zbrodnie, jak i malwersacje.

— Kiedy przyjdzie Wiktor Daszkow? — spytała Lissa.

— Za dwie godziny.

— Zmień kolejność. Powiedz jego strażnikom, że robicie reorganizację i musi przyjść na miejsce Rudolfa.

Pusty wzrok moroja — w tej chwili strażnik przypominał na pół przytomnego Bradleya — wskazywały, że intensywnie myśli.

— Tak — powiedział w końcu.

123

— Takie zmiany są na porządku dziennym. Nikt nie będzie nic podejrzewał.

— Nie będzie podejrzewał — powtórzył monotonnym głosem.

— Zrób to — rozkazała Lissa. — Zadzwoń do nich i powiedz to. Masz patrzeć na mnie.

Posłuchał. Podniósł słuchawkę i przedstawił się jako Northwood. Ustalił nową kolejność i się rozłączył. Mogłyśmy już tylko czekać. Całe ciało bolało mnie z napięcia. Theo mówił, że mamy ponad godzinę, zanim jego szef obejmie służbę. Eddie miał w tym czasie nudzić się w towarzystwie strażnika i nie wzbudzać podejrzeń. Spokojnie, Rose. Dasz sobie radę.

Tymczasem Lissa rzuciła urok na Bradleya, za sprawą którego głęboko usnął. Nie chciałam żadnych świadków, nawet naćpanych. Obróciłam lekko kamerę w pokoju, by nie rejestrowała tego, co się tutaj wydarzy. Oczywiście będziemy musieli rozpracować przed wyjściem cały system monitoringu, lecz na razie nikt nie powinien nas oglądać.

Zajęłam miejsce w boksie, kiedy otworzyły się drzwi. Lissa nie ruszyła się z krzesła ustawionego naprzeciw biurka Northwooda. Tak miała go pod kontrolą. Pouczyłyśmy moroja, że to ja będę karmicielką. Znajdowałam się za ścianą, ale ujrzałam oczami Lissy, kto wszedł do pokoju: dwóch strażników i Wiktor Daszkow.

Lissa wpadła w panikę, zupełnie jak wtedy, gdy ujrzała go na sali sądowej. Czułam, jak szybko bije jej serce. Ręce jej drżały. Podczas procesu Wiktora uspokoiła się dopiero, kiedy został skazany. Dostał wyrok dożywocia i już nigdy nie mógł jej skrzywdzić.

Teraz zamierzałyśmy to zmienić.

Lissa starała się nie poddawać panice i koncentrowała się na Northwoodzie. Strażnicy, którzy przyprowadzili Daszkowa, zachowywali się sztywno i czujnie, gotowi w każdej chwili interweniować. Niepotrzebnie. Choroba nękająca Wiktora latami — z której na krótko uzdrowiła go Lissa — pogłębiała się. Brak ćwiczeń fizycznych i świeżego powietrza także zrobiły swoje, podobnie jak ograniczone porcje krwi, na które zezwalano więźniom. Wiktor był zakuty w kajdany z żelaznymi łańcuchami i uginał się pod ich ciężarem, prawie powłócząc nogami.

— Tam. — Nortwood pokazał na mnie. — To ta.

Strażnicy przeprowadzili więźnia obok Lissy, na którą ten ledwie zerknął. Pełen sukces. Użyła podwójnego czaru, kontrolowała Northwooda i jednocześnie była nierozpoznawalna dla Wiktora.

Strażnicy posadzili go na krześle obok mnie i odsunęli się, lecz nie spuszczali go z oczu. Jeden z nich zaczął rozmowę z Northwoodem na temat naszego młodego wieku i nieoczekiwanego przyjazdu. Jeśli kiedykolwiek znów wymyślę podobną eskapadę, to muszę poprosić Lissę, żeby nas postarzyła.

Wiktor nachylił się do mnie i otworzył usta. Picie krwi było dla wampirów czynnością tak naturalną jak oddychanie, automatycznie wykonywały określone ruchy, nie myśląc o tym, co robią. Miałam wrażenie, że Daszkow nawet mnie nie widzi.

A jednak... zobaczył mnie.

Znieruchomiał z szeroko otwartymi oczami. Królewskie rodziny morojów wyróżniały się pewnymi cechami. Jasne jadeitowe oczy występowały u Daszkowów i Dragomirów. Zobaczyłam, że z oczu Wiktora w jednej chwili zniknęła rezygnacja i pojawił się w nich błysk. Daszkow był piekielnie inteligentny. Jego wzrok przypominał teraz spojrzenia niektórych mijanych wcześniej więźniów. Nie rozumiał, co się dzieje. Czar Lissy mącił mu zmysły. Podpowiadały mu, że jestem człowiekiem... lecz iluzja nie była doskonała. Poza tym Wiktor posiadał wyjątkowo rozwiniętą zdolność wpływania na innych i potrafił oprzeć się cudzej magii wpływu. Zmysły Eddiego, Lissy i moje nie poddały się czarowi Lissy, ponieważ wiedzieliśmy, kim jesteśmy naprawdę. Wiktor doświadczał czegoś podobnego. Umysł mówił mu, że ma przed sobą człowieka, ale oczy widziały Rose Hathaway, nie pomogła nawet peruka. Kiedy utwierdził się w przekonaniu, że jego podejrzenia są słuszne, iluzja straciła moc.

Powoli na jego usta wypełzł zaintrygowany uśmieszek. Wiktor odsłonił kły.

— No, no. To może być najlepszy posiłek, jaki miałem w ustach — powiedział niemal bezgłośnie. Jego słowa zagłuszyła rozmowa strażników.

— Lepiej schowaj te zęby, bo będzie ostatni — mruknęłam równie cicho. — Jeśli jednak myślisz o ucieczce i chcesz jeszcze raz zobaczyć ten świat, zrób, co ci mówię.

Wyczytałam pytanie z jego oczu. Wzięłam głęboki oddech z obawy przed tym, co musiałam powiedzieć.

— Zaatakuj mnie.

Rozdział siódmy

Nie zębami – dodałam pośpiesznie. – Rzuć się na mnie. Użyj łańcuchów. Wymyśl coś.

Wiktor Daszkow nie był głupcem. Kto inny by się zawahał, zadawał pytania. On nie. Nie wiedział, co knuję, ale wyczuł szansę odzyskania wolności. Wiedział, że innej może już nie mieć... Przez większość życia knuł intrygi i obmyślał plany, toteż podjął wyzwanie w jednej chwili.

Uniósł ręce tak wysoko, jak to było możliwe, i rzucił się na mnie. Wyglądało to tak, jakby próbował mnie udusić łańcuchem. Natychmiast wydałam z siebie wrzask mrożący krew w żyłach. Strażnicy zareagowali błyskawicznie, chcąc powstrzymać oszalałego kryminalistę, który napadł na biedną dziewczynę. Wyczekałam odpowiedni moment i zaatakowałam ich. Nawet gdyby podejrzewali, że mogę być niebezpieczna, zyskałam przewagę wynikającą z zaskoczenia. Nie zdążyli nic zrobić. Omal poczułam się winna, że ich tak nabrałam.

Mój pierwszy cios okazał się wystarczająco mocny, by jeden ze strażników puścił Wiktora i uderzył o ścianę obok Lissy, która rozpaczliwie starała się nakazywać Northwoodowi absolutny spokój. Nie mogłyśmy pozwolić, by wezwał pomoc. Drugi strażnik miał nieco więcej czasu, by dojść do siebie, lecz się zawahał. Wykorzystałam fakt, że się odsłonił, i przyłożyłam mu solidnie. Zwarliśmy się w uścisku. Dampir był potężnie zbudowany i kiedy się zorientował, że stanowię zagrożenie, nie oszczędzał mnie. Cios prosto w bark przeszył mi ramię bólem. Odpłaciłam mu szybkim kopniakiem w brzuch. Tymczasem jego towarzysz już się pozbierał i ruszył na pomoc. Musiałam być szybsza nie tylko ze względu na siebie. Wiedziałam, że za chwilę na pewno wezwą wsparcie.

Chwyciłam pierwszego przeciwnika z brzegu i popchnęłam z całej siły na ścianę. Uderzył głową. Zachwiał się, a wtedy ponowiłam atak. W ostatniej chwili, bo jego partner był już przy mnie. Ten pierwszy upadł na ziemię bez przytomności. Na szczęście na treningach nauczono mnie różnicy między ogłuszeniem kogoś a pozbawieniem go życia. Ten strażnik będzie później odczuwał tylko ból głowy. W każdym razie żywiłam taką nadzieję. Większy problem stanowił dla mnie jego kolega, który przeszedł do ataku. Okrążaliśmy się wzajemnie, raz po raz wymierzając krótkie ciosy.

— Nie mogę go znokautować! — krzyknęłam do Lissy.

— Jest nam potrzebny. Zaczaruj go.

Odpowiedziała mi w myślach, przez więź. Potrafi wpłynąć na dwie osoby jednocześnie, ale zabierze jej to dużo energii. Czekała nas jeszcze długa droga i Lissa nie mogła ryzykować, że straci siły. Ogarnęła ją frustracja silniejsza od lęku.

— Northwood, idź spać! — warknęła. — Tam, na biurku. Jesteś wykończony i prześpisz wiele godzin.

Kątem oka dostrzegłam, jak Northwood uderza głową o biurko. Huknęło. Pomyślałam, że kiedy skończymy, wszyscy pracownicy więzienia będą dochodzić do siebie po wstrząsie mózgu. Znów natarłam na strażnika całym ciałem i starałam się go zepchnąć na linię wzroku Lissy. Poderwała się i mój przeciwnik zerknął na nią ze zdziwieniem. To jej wystarczyło.

— Stój!

Nie zareagował tak szybko jak Northwood, ale się zawahał. Widocznie był bardziej odporny.

— Przestań walczyć! — powtórzyła z naciskiem Lissa, skupiając na nim całą siłę woli.

Był silny, lecz nie mógł się oprzeć działaniu ducha. Ręce opadły mu na boki. Odsunęłam się o krok, żeby złapać oddech i poprawić perukę.

— Trudno będzie go zatrzymać dłużej — stwierdziła Lissa.

— Jak długo dasz radę: pięć minut czy pięć godzin?

— Pośrodku.

— W takim razie śpieszmy się. Zabierz mu klucz Wiktora.

Lissa zażądała od strażnika klucza do kajdan. Ten odparł, że ma je drugi dampir. Przeszukałam nieprzytomnego — dzięki Bogu oddychał — i znalazłam klucz. Teraz skierowałam całą uwagę na Wiktora. Podczas walki odsunął się na bok i obserwował nas w milczeniu, choć w myślach z pewnością snuł już wyrafinowane plany.

Stanęłam przed nim z groźną miną i pokazałam klucz.

– Zaraz cię rozkuję – oznajmiłam głosem jednocześnie słodkim i złowieszczym. – Zrobisz dokładnie to, co ci każę. Nie będziesz uciekał, próbował walczyć ani przeszkadzał.

– O? Czyżbyś i ty posługiwała się mocą wpływu, Rose? – spytał sucho.

– Nie muszę. – Rozpięłam kajdanki. – Mogę cię pozbawić przytomności równie łatwo jak tego tam i wyciągnąć cię stąd jak worek. Jest mi to obojętne.

Ciężkie kajdany i łańcuch upadły na podłogę. Wiktor nadal sprawiał wrażenie, jakby coś knuł, ale na razie delikatnie rozmasowywał nadgarstki. Zauważyłam pręgi i zadrapania na jego rękach. Ciężkie kajdany musiały dać mu się we znaki, jednak nie zrobiło mi się go żal. Nagle podniósł na nas wzrok.

– Wzruszające. – Zamyślił się. – Nigdy bym nie pomyślał, że akurat wy przybędziecie mnie ocalić... Z drugiej strony, któż lepiej nadaje się do tego zadania.

– Zachowaj te uwagi dla siebie, łajdaku! – warknęłam. – I nie używaj słowa „ocalić". Brzmi tak, jakbyś siedział za niewinność.

Wiktor uniósł brwi, jakby rzeczywiście był niewiniątkiem. Nie odpowiedział jednak, tylko wskazał głową Bradleya. Karmiciel przespał słodko całą walkę. Był tak naćpany, że czar rzucony przez Lissę pozbawił go przytomności.

– Dajcie mi go – zażądał Daszkow.

– Co takiego?! – wykrzyknęłam. – Nie ma na to czasu!

— A ja nie mam siły na wasze pomysły! — syknął Wiktor. Uprzejma maska znikła z jego twarzy, która nabrała teraz mściwego, pełnego rozpaczy wyrazu. — Więzienie to nie tylko kraty, Rose. Głodzą nas tutaj, skąpiąc pożywienia i krwi. Chcą, byśmy byli słabi. Spacery do pomieszczenia dla karmicieli to jedyna dostępna forma ćwiczeń, a i ona mocno mnie męczy. Chcę krwi, chyba że naprawdę zamierzacie mnie stąd wynieść!

Lissa mnie uprzedziła.

— Pośpiesz się.

Spojrzałam na nią ze zdumieniem. Miałam zamiar mu odmówić, lecz wyczułam, że przyjaciółka jest pod wrażeniem tego, co mówił Wiktor. Współczuła mu i... rozumiała. Oczywiście nienawidziła Daszkowa. Ale wiedziała, co znaczy konieczność przetrwania na niewielkich porcjach krwi.

Wiktor na szczęście się pośpieszył. Dopadł szyi karmiciela, zanim Lissa skończyła mówić. Bradley był oszołomiony, lecz ocknął się natychmiast, kiedy wampir zatopił kły w jego skórze. Po chwili zobaczyłam na jego twarzy wyraz błogości — skutek endorfin. Wiktor potrzebował niewiele krwi, żeby się wzmocnić, zauważyłam jednak, że oczy Bradleya rozszerzają się i zrozumiałam, że Daszkow nie zamierza zadowolić się małą porcją. W jednej chwili odciągnęłam go od nieszczęsnego karmiciela.

— Co ty wyprawiasz, do diabła?! — wrzasnęłam, potrząsając nim. Od dawna miałam ochotę to zrobić. — Sądziłeś, że pozwolę ci go wyssać i przemienić się w strzygę na naszych oczach?

— Nic z tych rzeczy. — Wiktor skrzywił się, bo mocno zacisnęłam palce na jego ramionach.

— Nie zamierzał go zabić — wtrąciła Lissa. — Na chwilę stracił kontrolę.

Zaspokoiwszy łaknienie krwi, Daszkow znów stał się uprzejmy.

— Ach, Wasylisso. Tyle w tobie empatii.

— Nie sądź mnie pochopnie — warknęła Lissa.

Skarciłam oboje wzrokiem.

— Musimy już iść — zwróciłam się do strażnika, który wciąż był pod działaniem uroku. — Zaprowadź nas do pokoju, z którego monitorują wszystkie wyjścia.

Nie zareagował, więc westchnęłam i spojrzałam wyczekująco na Lissę. Powtórzyła moje polecenie, a dampir natychmiast skierował się do drzwi. Po stoczonej walce nadal miałam podwyższony poziom adrenaliny we krwi. Myślałam tylko o tym, żeby nas stąd wyprowadzić. Wyczułam przez więź, że Lissa jest zdenerwowana. Usprawiedliwiła zachowanie Wiktora, ale starała się trzymać od niego z daleka. Zdaje się, że dopiero teraz dotarło do niej, kim jest Daszkow i co zamierzamy zrobić. Żałowałam, że nie mogę jej pocieszyć. Zostało nam mało czasu.

Szliśmy za strażnikiem — Lissa dowiedziała się, że ma na imię Giovanni — mijając korytarze i punkty zabezpieczeń. To była droga okrężna, więc nie musieliśmy mijać cel. Wstrzymywałam oddech ze strachu, że lada moment wpadniemy na kogoś. I bez tego musieliśmy pokonać wiele przeszkód. Do tej pory szczęście nam sprzyjało i nie natknęliśmy się na nikogo. Podejrzewałam, że zawdzięczamy to wczesnej porze oraz drodze biegnącej wokół ściśle strzeżonej strefy.

Lissa i Mia zmusiły wartownika na królewskim dworze, by wykasował wszelkie nagrania świadczące o naszej wizycie, ale nie widziałam, jak to zrobił. Teraz, kiedy Giovanni wprowadził nas do więziennego centrum monitoringu, westchnęłam z wrażenia. Ściany pokrywały ekrany emitujące obraz z kamer. Przed nimi ustawiono konsole ze skomplikowanym układem guzików i przełączników. Resztę umeblowania zajmowały komputery stojące na biurkach. Z tego miejsca można było obserwować każdy zakamarek więzienia: cele, korytarze, nawet biuro straży, gdzie Eddie nadal gawędził z Theo. W pokoju znajdowali się dwaj strażnicy i przestraszyłam się, że widzieli nas idących korytarzem. Po chwili zorientowałam się, że zaintrygowało ich co innego: kamera zwrócona na pustą ścianę. Obróciłam ją w pokoju karmicieli.

Jeden ze strażników tłumaczył właśnie, że powinni wysłać tam technika, ale nagle obaj podnieśli głowy i zobaczyli nas.

— Pomóż jej ich obezwładnić — rozkazała Giovanniemu Lissa.

Znowu się zawahał. Bardziej przydałby nam się „pomocnik" o słabszej woli, ale nie mogłyśmy tego wcześniej sprawdzić. W końcu jej usłuchał. Także tym razem zyskaliśmy przewagę, zaskakując wartowników. Byłam obca — co wzbudziło ich czujność — ale wyglądałam jak człowiek. Giovanni należał do ich współpracowników i nie spodziewali się ataku z jego strony.

Mimo wszystko niełatwo było ich obezwładnić. Pomogło mi wsparcie w osobie fachowca — Giovanni znał się na rzeczy. Szybko pozbawiliśmy przytomności pierwszego wartownika — Giovanni poddusił go tak, że dampir osunął się na podłogę. Drugi strażnik nie pozwalał nam się zbliżyć i zauważyłam, że raz po raz zerka na jedną ze ścian. Zobaczyłam tam gaśnicę, kontakt i okrągły srebrny guzik.

— To alarm! — wykrzyknął Wiktor, kiedy strażnik rzucił się w tamtą stronę.

Dopadliśmy go z Giovannim w ostatniej chwili, zanim zdążył ściągnąć przeciwko nam legion strażników. Silny cios w głowę jego również pobawił przytomności. Za każdym razem, kiedy obezwładniałam tu jakiegoś strażnika, ogarniały mnie wyrzuty sumienia i nasilające się mdłości. Strażnicy stali po stronie dobra i nie mogłam oprzeć się wrażeniu, że przesyca mnie zło.

Zostaliśmy sami. Lissa wiedziała, co trzeba zrobić.

— Giovanni, odłącz wszystkie kamery i wykasuj nagrania z ostatniej godziny.

Tym razem dampir wahał się dłużej. Lissa musiała się wysilić, żeby skłonić go do walki z towarzyszami. Wciąż go kontrolowała, lecz widziałam, że przychodzi jej to z większym trudem.

— Zrób to! — ryknął Wiktor, stając obok Lissy.

Wzdrygnęła się, ale kiedy Daszkow także skierował wzrok na Giovanniego, ten usłuchał rozkazu i zaczął naciskać kolejne guziki na konsoli. Moc Wiktora nie dorównywała zdolnościom Lissy, lecz w tej chwili bardzo jej pomógł.

Jeden po drugim monitory ciemniały. Giovanni wpisał jeszcze kilka poleceń dla komputera, żeby usunąć ostatnie nagrania. Na konsoli zamigały czerwone lampki sygnalizujące błędne polecenie, ale nikt go nie skorygował.

– Samo wykasowanie nic nie da. Mogą odtworzyć nagrania z twardego dysku – zauważył Wiktor.

– Musimy zaryzykować! – warknęłam z rozdrażnieniem. – Nie potrafię przeprogramować komputera.

Wiktor przewrócił oczami.

– Potrafisz za to niszczyć.

Nie od razu pojęłam, co ma na myśli. Nagle zrozumiałam. Westchnęłam, zrywając ze ściany gaśnicę, i tak długo waliłam nią w komputer, aż nie zostało z niego nic oprócz sterty metalowych i plastikowych części. Lissa krzywiła się przy każdym uderzeniu i bezustannie zerkała na drzwi.

– Mam nadzieję, że są dźwiękoszczelne – mruknęła.

– Wyglądają solidnie – odparłam stanowczo. – Pora na nas.

Lissa rozkazała Giovanniemu, by zaprowadził nas z powrotem do biura straży przy wyjściu z więzienia. Posłusznie ruszył labiryntem korytarzy, który pokonałyśmy wcześniej. Przy każdym przejściu wystukiwał odpowiedni kod i wsuwał kartę elektroniczną.

– Pewnie nie zdołasz skłonić Theo, by pozwolił nam wyjść? – spytałam.

Lissa zacisnęła wargi i potrząsnęła głową.

– Nie wiem, jak długo mogę kontrolować Giovanniego. Nigdy nie sterowałam kimś jak marionetką.

– Będzie dobrze – próbowałam przekonać nas obie. – Prawie nam się udało.

Czekała nas jednak jeszcze jedna walka. Po tym, jak pokonałam połowę strzyg w Rosji, nabrałam sporo wiary w siebie, jednak nie opuszczały mnie wyrzuty sumienia.

Poza tym nie dałabym rady, gdyby nagle wyszło na nas dziesięciu strażników.

Zgubiłam plan więzienia, lecz zorientowałam się, że Giovanni prowadzi nas przez obszar, na którym znajdowały się cele. Odczytałam kolejny znak nad głową: UWAGA: WKRACZASZ NA TEREN DLA WIĘŹNIÓW PSYCHIATRYCZNYCH.

— Psychiatrycznych? — zdumiałam się.

— Oczywiście — mruknął Wiktor. — Jak myślisz, gdzie odsyłają więźniów chorych psychicznie?

— Do szpitali — odparłam, gryząc się w język, żeby nie zacytować dowcipu o tym, że wszyscy więźniowie mają nie po kolei w głowie.

— Nie w każdym...

— Stać!

Lissa przystanęła gwałtownie przed drzwiami. Omal na nią nie wpadliśmy. Cofnęła się o kilka kroków.

— Co się stało? — spytałam.

Spojrzała na Giovanniego.

— Znajdź inną drogę do biura.

— Ta jest najkrótsza — sprzeciwił się.

Lissa powoli pokręciła głową.

— Nieważne. Znajdź inną, nie chcemy nikogo spotkać.

Strażnik zmarszczył brwi, ale czar wciąż działał. Zawrócił tak nagle, że musieliśmy podbiec, żeby za nim nadążyć.

— O co chodzi? — ponowiłam pytanie.

W głowie Lissy kłębiły się myśli, których nie umiałam odczytać. Skrzywiła się.

— Wyczułam aury ducha za tamtymi drzwiami.

— Co? Ile?

— Co najmniej dwie. Nie wiem, czy mnie wykryli. Gdyby nie Giovanni i brak czasu, musiałabym się zatrzymać.

— Kolejne osoby władające mocą ducha...

Lissa tak długo szukała morojów obdarzonych tą samą magią. Kto by pomyślał, że znajdziemy ich właśnie tutaj? A jednak... można się było tego spodziewać. Wiedziałyśmy, że moc ducha groziła obłędem. Niektórzy władający duchem mogli tu wylądować. Biorąc pod uwagę, ile miałyśmy kłopotu, żeby zdobyć informacje na temat więzienia, nie powinnyśmy się dziwić, że ich ukrywano. Wątpiłam, czy personel zdaje sobie sprawę, z kim ma do czynienia.

Wymieniłyśmy z Lissą krótkie spojrzenia. Miałam świadomość, jak bardzo zależy jej, żeby dowiedzieć się jak najwięcej, lecz czas nas gonił. Wiktor był aż nadto zainteresowany naszą krótką wymianą zdań, więc Lissa przesłała mi odpowiedź w myślach: Jestem pewna, że każdy obdarzony mocą ducha potrafi wyczuć moją magię. Nie możemy ryzykować, że zostaniemy rozpoznane, nawet przez kogoś, kto uchodzi za szaleńca.

Skinęłam głową ze zrozumieniem, odsuwając na bok ciekawość i żal. Będziemy musiały to odłożyć, powiedzmy, do następnej nieoficjalnej wizyty w więzieniu o wyrafinowanym systemie zabezpieczeń.

Dotarliśmy do biura Theo bez przeszkód, lecz przez całą drogę serce waliło mi jak oszalałe, a w głowie słyszałam naglące: Prędzej! Prędzej! Kiedy weszliśmy, Theo i Eddie rozmawiali o polityce dworu. Eddie zerwał się błyskawicznie i zaatakował strażnika. Poddusił Theo tak skutecznie, jak wcześniej zrobił to Giovanni. Poczułam ulgę — tym razem nie musiałam parać się brudną robotą. Niestety, Theo krzyknął, zanim upadł zemdlony na ziemię.

W jednej chwili do biura wpadło dwóch strażników, którzy nas eskortowali. Oboje z Eddiem ruszyliśmy do walki, a Lissa z Wiktorem zmusili do tego również Giovanniego. Niestety, wszystko się skomplikowało, kiedy Giovanni uwolnił się spod ich wpływu i zwrócił przeciwko nam. Co gorsza, podbiegł do ściany, gdzie znajdował się guzik alarmowy. Nie zdążyłam zareagować. Strażnik uderzył pięścią w przycisk i w tej samej chwili rozległ się ogłuszający dźwięk syreny.

— Szlag! — wrzasnęłam.

Lissa nie nadawała się do walki, nie wspominając o Wiktorze. Mieliśmy z Eddiem dwóch przeciwników i musieliśmy uporać się z nimi jak najszybciej. Wyeliminowaliśmy drugiego strażnika z eskorty i pozostał nam tylko Giovanni. Porządnie mi przyłożył — uderzyłam głową o ścianę. Nie straciłam przytomności, lecz cały świat zawirował mi przed oczami i przez chwilę widziałam tylko roztańczone czarno-białe plamy. Eddie nie próżnował. Natarł z furią na Giovanniego i go unieszkodliwił.

Eddie ujął mnie pod ramię i pomógł się pozbierać. Zaraz potem cała nasza czwórka wybiegła z biura. Zerknęłam na leżące ciała i jeszcze raz przeklęłam się w myślach. Nie miałam jednak czasu na wyrzuty sumienia. Musieliśmy zniknąć. Natychmiast. Za niecałą minutę mielibyśmy na karku cały personel więzienia.

Pędziliśmy do frontowych drzwi tylko po to, by odkryć, że zostały zamknięte od środka. Eddie zaklął i kazał nam czekać. Wrócił biegiem do biura i zabrał stamtąd karty elektroniczne. Widziałam, jak Giovanni kilkakrotnie używał ich w przejściach. Udało się. Wypadliśmy na zewnątrz i jak szaleni popędziliśmy w kierunku wynajętego wozu. Zdążyliśmy. Zarejestrowałam w myślach, że Wiktor przez cały czas dotrzymywał nam kroku i nie wtrącał swoich irytujących komentarzy.

Eddie nacisnął pedał gazu i ruszyliśmy w drogę powrotną. Siedziałam obok niego z przodu.

— Jestem pewna, że wartownik został powiadomiony — rzuciłam ostrzegawczo. Pierwotnie zakładaliśmy, że przepuści nas bez problemu, kiedy wyjaśnimy, że jednak zaszła pomyłka z dostawą.

— Wiem. — Eddie miał niewzruszoną minę. Rzeczywiście, wartownik stanął nam na drodze i machał rękami.

— Jest uzbrojony? — spytałam.

— Nie będę się zatrzymywał, żeby to sprawdzić. — Eddie dodał gazu i kiedy strażnik zorientował się, że chcemy przejechać, uskoczył w ostatniej chwili. Uderzyliśmy w drewniany szlaban i roztrzaskaliśmy go w drzazgi.

— Bud nie zwróci nam zastawu za samochód — stwierdziłam.

W tej chwili za nami rozległy się strzały. Eddie znowu zaklął, ale pędziliśmy z taką prędkością, że wkrótce przestaliśmy je słyszeć. Odetchnął głęboko.

— Mielibyśmy większe zmartwienie, gdyby trafili w koła albo w szybę.

— Wyślą za nami pościg — odezwał się z tyłu Wiktor. Zauważyłam, że Lissa odsunęła się od niego jak najdalej.

— Pewnie już wyjechali ciężarówkami.

— Nie sądzisz, że o tym pomyśleliśmy? — warknęłam wściekle.

Wiktor chciał pomóc, ale był ostatnią osobą, z którą chciałam w tej chwili rozmawiać. Odwróciłam się jednak i zobaczyłam dwie ciemne sylwetki wozów pędzących w ślad za nami. Zbliżały się niebezpiecznie, bez wątpienia nasz mały samochodzik nie miał szans z wielkimi SUV-ami strażników.

Zerknęłam na GPS.

— Wkrótce skręcamy — poinformowałam Eddiego, który i tak wiedział doskonale, co robić. Wcześniej zaplanowaliśmy ucieczkę po krętych wiejskich drogach. Na szczęście w tej okolicy było ich wiele. Eddie gwałtownie skręcił w lewo i zaraz potem w prawo. Spojrzałam w lusterko, pogoń nie dała się zmylić. Zniknęli nam z oczu dopiero po kilkunastu nieoczekiwanych zakrętach.

W samochodzie panowała pełna napięcia cisza. Wszyscy spodziewaliśmy się, że wkrótce nas znajdą. Nic takiego się nie wydarzyło. Wyprowadziliśmy ich w pole. Minęło chyba dziesięć minut, zanim przyjęłam do wiadomości fakt, że dopięliśmy swego.

— Zdaje się, że ich zgubiliśmy. — Eddie był równie zaskoczony jak ja. Wciąż miał zaniepokojony wyraz twarzy i mocno ściskał kierownicę.

— Zgubimy ich dopiero po wylocie z Fairbanks — sprostowałam. — Na pewno przeszukają miasto. Nie jest tak duże.

— Dokąd lecimy? — wtrącił się Wiktor. — Jeśli wolno mi zapytać.

Odwróciłam się i spojrzałam mu prosto w oczy.

— Ty nam powiesz. Wiem, że trudno ci w to uwierzyć, ale nie wyciągnęliśmy cię ze względu na miłe towarzystwo.

— Rzeczywiście, trudno mi uwierzyć.

Zmrużyłam oczy.

— Szukamy twojego brata. Roberta Doru.

Odnotowałam z satysfakcją, że go zaskoczyłam. Po chwili jednak zrobił chytrą minę.

— Oczywiście. Ma to związek z prośbą Abe'a Mazura, prawda? Powinienem był się domyślić, że nie przyjmie odmowy do wiadomości. Przyznaję, że nie podejrzewałem was o konszachty z nim.

Najwyraźniej nie podejrzewał również, że Abe i ja jesteśmy rodziną. Nie zamierzałam go o tym informować.

— To nieistotne — odparłam chłodno. — Po prostu wskaż nam drogę do Roberta. Gdzie on jest?

— Zapominasz o czymś, Rose — mruknął Wiktor. — Nie posiadasz mocy wpływu.

— Nie, ale mogę cię związać i wyrzucić na drogę, a następnie anonimowo powiadomić więzienie.

— Skąd mam wiedzieć, że tego nie zrobisz, kiedy wyjawię wam to, na czym wam zależy? — spytał. — Nie mam powodu ci ufać.

— Fakt. Na twoim miejscu nie ufałabym sobie za grosz. Ale jeśli wszystko pójdzie dobrze, to jest szansa, że cię wypuścimy — kłamałam. — Zaryzykujesz? Wiesz, że drugi raz nie trafi ci się taka okazja.

Nie miał na to riposty. Kolejny punkt dla mnie.

— Zatem — ciągnęłam — powiesz nam, gdzie on jest czy nie?

Nie umiałam czytać mu w myślach. Bez wątpienia gorączkowo szukał sposobu, żeby wykorzystać tę sytuację na swoją korzyść i być może uciec nam, zanim odnajdziemy Roberta. Ja bym tak zrobiła.

— Las Vegas — powiedział w końcu. — Musimy lecieć do Las Vegas.

ROZDZIAŁ ÓSMY

PO TYM JAK NAIGRAWAŁAM SIĘ z Abe'a z powodu jego upodobania do odludnych, mrocznych miejsc, powinnam się cieszyć perspektywą wizyty w Mieście Grzechu. Miałam jednak kilka wątpliwości. Po pierwsze, Las Vegas wydało mi się ostatnim miejscem, w którym mógłby się schronić na pół obłąkany odludek. Na podstawie strzępków informacji na jego temat zorientowałam się, że Robert Doru nie szukał z nikim kontaktu. Ruchliwe miasto pełne turystów nie nadawało się na zaciszną kryjówkę. Poza tym strzygi polowały głównie w wielkich aglomeracjach. Tłum. Życie nocne. Mało ograniczeń. W takich miejscach często ktoś ginął bez śladu — szczególnie jeśli prowadził nocny tryb życia.

Podejrzewałam, że Wiktor próbuje nas zmylić, lecz przysięgał, że mówi prawdę. Wobec braku innych wskazówek ostatecznie zdecydowaliśmy się polecieć do Las Vegas. Nie mieliśmy zresztą czasu na zastanowienie, bo strażnicy na pewno rozpoczęli już przeczesywanie Fairbanks. Czar rzucony przez Lissę miał wprawdzie uniemożliwić im rozpoznanie naszej trójki, lecz znali Wiktora. Musieliśmy opuścić Alaskę jak najszybciej.

Niestety, pojawił się mały problem.

— Wiktor nie ma dokumentów — zauważył Eddie. — Nie wpuszczą go do samolotu.

Miał rację. Rzeczy osobiste Daszkowa zostały w więzieniu. Mieliśmy pełne ręce roboty z rozbrajaniem kamer i walką ze strażnikami. Nie było czasu szukać papierów Daszkowa. Lissa spisała się zadziwiająco dobrze, ale użycie wpływu kosztowało ją sporo energii. Poza tym strażnicy na pewno będą obserwowali lotnisko.

Problem pomógł nam rozwiązać Bud z wypożyczalni samochodów. Nie był zachwycony zadrapaniami na karoserii auta po szaleńczej jeździe Eddiego, ale gotówka uciszyła jego gniewne komentarze na temat bandy dzieciaków. W pewnej chwili Wiktor pomyślał o innym wyjściu i podsunął je Budowi.

— Czy jest tu w okolicy prywatne lotnisko? Chcielibyśmy wynająć samolot.

— Jasne — odparł Bud. — Ale to nie jest tanie.

— Cena nie gra roli — wtrąciłam.

Mężczyzna popatrzył na nas podejrzliwie.

— Obrabowaliście bank?

Mieliśmy sporo pieniędzy. Lissa korzystała z funduszu powierniczego, który co miesiąc zapewniał jej okrągłą sumkę na wydatki, poza tym dysponowała kartą kredytową. Moja karta, finansowana przez Adriana, pozostała mi po wyprawie do Rosji. Nie chciałam korzystać z pieniędzy z pokaźnego konta, które wtedy dla mnie otworzył, lecz postanowiłam zatrzymać jedną kartę, tak na wszelki wypadek.

Sytuacja była wyjątkowa, więc zapłaciliśmy nią za prywatny lot. Pilot nie mógł nas zabrać do Las Vegas, ale zaproponował lądowanie w Seattle, skąd mógł nas zabrać dalej jego kolega. Kolejny lot. Więcej kosztów.

— Znowu Seattle. — Odezwałam się, kiedy siedzieliśmy na pokładzie. Niewielki samolot miał cztery fotele pasażerskie, po dwa skierowane przodem do siebie. Zajęłam miejsce obok Wiktora, a Eddie usiadł naprzeciwko niego. Uznaliśmy, że tak będzie najbezpieczniej.

— O co chodzi z Seattle? — zaciekawił się Eddie.

— Nieważne.

Małe prywatne samoloty nie są nawet w połowie tak szybkie jak duże maszyny pasażerskie. Lot zajął nam większą część dnia. Przez całą drogę wypytywałam Wiktora, co jego brat robi w Las Vegas i nareszcie uzyskałam odpowiedź. Prędzej czy później Wiktor musiał wyjawić prawdę, ale czerpał sadystyczną przyjemność z trzymania nas w niepewności.

— Robert nie mieszka w samym Las Vegas — wyjaśnił. — Kupił mały dom, właściwie chatkę, przy Red Rock Canyon, kilka mil za miastem.

Więc to tak. Nie spodziewałam się. Lissa zesztywniała na wieść o chatce, a ja natychmiast odebrałam jej niepokój. Po porwaniu Wiktor przetrzymywał ją w domku ukrytym w lesie. Tam ją torturował. Posłałam przyjaciółce najbardziej uspokajające spojrzenie, na jakie umiałam się zdobyć. W takich chwilach żałowałam, że więź nie działa w obie strony i nie mogę jej w ten sposób pocieszyć.

— Pojedziemy tam?

Wiktor prychnął.

— Oczywiście, że nie. Robert ceni sobie prywatność. Nie wpuści obcych do domu. Może jednak przyjechać do miasta na moją prośbę.

Lissa utkwiła we mnie wzrok.

Wiktor coś knuje. Miał wielu poplecznków. Może do nich zadzwonić, udając, że wzywa Roberta.

Niezauważenie kiwnęłam głową. Znów pożałowałam, że nie mogę odpowiedzieć jej w myślach. Nie mogliśmy zostawiać Wiktora samego nawet na chwilę, żeby nie wezwał pomocy. Poza tym pomysł spotkania w Las Vegas przypadł mi do gustu. Biorąc pod uwagę kontakty Daszkowa, łatwiej byłoby nam się bronić w wielkim mieście niż na odludziu.

— Chyba widzicie, że staram się być pomocny — ciągnął Daszkow. — Mam zatem prawo wiedzieć, czego chcecie od mojego brata. — Zerknął na Lissę. — Szukasz nauczyciela władającego mocą ducha? Musieliście przeprowadzić drobiazgowe śledztwo, skoro dowiedzieliście się o nim.

— Nie masz żadnych praw — odparowałam ostro. — I jeszcze jedno: zastanów się, kto był najbardziej pomocny. Bo nie możesz się z nami równać w tym względzie. Biorąc pod uwagę naszą więzienną akcję, masz sporo do nadrobienia.

W odpowiedzi zdobył się na słaby uśmiech.

Część lotu przebiegała nocą, co oznaczało, że w Las Vegas wylądujemy wczesnym rankiem. W świetle słońca byliśmy bezpieczni. Zaskoczył mnie widok zatłoczonego lotniska. Prywatne lądowisko w Seattle także przyjmowało wielu klientów, ale w Fairbanks było zupełnie pusto. Na lotnisku w Las Vegas małe prywatne odrzutowce stały jeden przy drugim. Wiele maszyn prezentowało się luksusowo. Nie powinnam się dziwić. Miasto stanowiło centrum rozrywki dla gwiazd i bogaczy. Wielu ich zapewne nie zniżało się do korzystania z lotów rejsowych. Widok sznura taksówek oszczędził nam konieczności poszukiwania wypożyczalni. Kiedy jednak kierowca zapytał, dokąd chcemy jechać, wszyscy milczeliśmy. Zwróciłam się do Wiktora.

— Do centrum miasta, tak? Na deptak?

— Tak — zgodził się. Był przekonany, że Robert umówi się z nieznajomymi w publicznym miejscu. Zabezpieczał sobie możliwość łatwego odwrotu.

— To długa ulica — zauważył taksówkarz. — Szukacie konkretnego miejsca czy mam was wysadzić gdziekolwiek?

Znowu umilkliśmy. Lissa spojrzała na mnie znacząco.

Godzina Czarownic?

Zastanowiłam się. Las Vegas było również ulubionym miejscem niektórych morojów. Jaskrawe słońce odstraszało strzygi, a pozbawione okien kasyna tworzyły przyjazną, zacienioną atmosferę.

Godzina Czarownic była hotelem i kasynem, o którym wszyscy słyszeliśmy. Odwiedzało ją wielu ludzi, ale właścicielem był moroj, który wyposażył budynek w liczne udogodnienia dla wampirów. Poza tym dysponował sporym oddziałem straży.

Strażnicy...

Potrząsnęłam głową, wskazując na Wiktora.

— Nie możemy go tam zabrać.

Spośród wszystkich hoteli w Las Vegas, Godzina Czarownic była ostatnim miejscem, w którym mogliśmy się spotkać. Wieści o ucieczce Wiktora obiegły już cały świat morojów. Nie mogliśmy paradować z Daszkowem w największym skupisku wampirów i ich strażników w mieście.

Taksówkarz, który przyglądał nam się w lusterku, zaczynał się niecierpliwić. Decyzję podjął Eddie.

— Jedźmy do Luxoru.

Oboje siedzieliśmy na tylnym siedzeniu, a między nami Wiktor. Wychyliłam się, żeby mu się przyjrzeć.

— Skąd taki pomysł?

— Będziemy dalej od Godziny Czarownic — wyjaśnił nieśmiało. — A poza tym zawsze chciałem tam się zatrzymać. Skoro już przylecieliśmy do Vegas, zamieszkajmy w piramidzie.

— Chyba nie rozumiem twojego toku myślenia — zauważyła cierpko Lissa.

— Do Luxoru — powiedziałam głośno.

Jechaliśmy w milczeniu, podziwiając ulice miasta. Nawet za dnia były pełne ludzi. Piękni i młodzi spacerowali ramię w ramię ze starszymi parami ze środkowej części Stanów, które najprawdopodobniej oszczędzały latami na taką wycieczkę. Mijaliśmy hotele i kasyna — gigantyczne budowle, jasno oświetlone i zapraszające gości.

Zatrzymaliśmy się wreszcie przed Luxorem. Eddie nie kłamał. Hotel wyglądał jak piramida. Wysiadłam i wpatrywałam się w niego z otwartymi ustami. Musiałam wyglądać jak oszołomiona turystka. Zapłaciłam taksówkarzowi i weszliśmy do środka. Nie wiedziałam, jak długo tu zostaniemy, ale z pewnością potrzebowaliśmy odpowiedniej bazy operacyjnej.

Nieoczekiwanie poczułam się tak, jakbym powróciła do nocnych klubów Sankt Petersburga i Nowosybirska. Wnętrze wypełniały migające światła i dym papierosowy. I jeszcze hałas. Ogłuszający hałas. Automaty do gier brzęczały i dźwięczały, żetony spadały i ludzie krzyczeli z rozczarowaniem lub zachwytem. Odgłosy rozmów wypełniały salę niczym brzęczenie pszczół. Skrzywiłam się. To był atak na moje wyczulone zmysły.

Podeszliśmy do recepcji hotelowej, w której pracownik nawet nie mrugnął na widok trojga nastolatków i starszego pana żądających wspólnego pokoju. Wyobrażałam sobie, że tutejszy personel widział już wszystko. Dostaliśmy pokój średnich rozmiarów z dwoma podwójnymi łóżkami i, szczęśliwym zrządzeniem losu, zachwycającym widokiem. Lissa stanęła w oknie, wpatrując się z podziwem w tłum na deptaku i sznur samochodów, ale ja od razu przeszłam do interesów.

— Dzwoń — poleciłam Wiktorowi. Rozłożył się wygodnie na łóżku, opierając głowę na splecionych dłoniach. Miał przy tym tak rozmarzoną minę, jakby naprawdę był na wakacjach. Przyglądając mu się uważnie, dostrzegłam, że jest zmęczony. Napił się krwi, lecz ucieczka i długa podróż wyczerpały go, a do tego przecież chorował.

Natychmiast sięgnął po słuchawkę hotelowego telefonu, ale pokręciłam głową.

— Daj mu swoją komórkę, Liss. Chcę mieć ten numer.

Lissa niechętnie podała mu aparat, jakby obawiała się, że Wiktor go zaczaruje. Spojrzał na mnie z anielską miną.

— Nie pozwolicie mi na chwilkę prywatności? Tak dawno nie gawędziłem z Robertem.

— Nie! — warknęłam, zaskoczona ostrością swojego głosu. Pomyślałam jednocześnie, że nie tylko Lissa cierpiała tego dnia z powodu mocy ducha.

Wiktor wzruszył ramionami i zaczął wystukiwać numer. Powiedział nam podczas lotu, że zna telefon do Roberta na pamięć, a ja musiałam mu uwierzyć, że nie dzwoni do kogoś innego. Miałam nadzieję, że Robert nie zmienił operatora. Bracia nie widzieli się od lat, ale Wiktor został uwięziony stosunkowo niedawno, a wcześniej pewnie kontaktował się z Robertem.

Czekaliśmy w napięciu. W chwilę później usłyszałam przez głośnik czyjś głos, ale nie rozróżniałam słów.

— Robercie — zaczął spokojnie Daszkow. — Mówi Wiktor.

Ktoś po drugiej stronie wydał z siebie serię okrzyków. Słyszałam zaledwie część rozmowy, ale zaintrygowała mnie. Najpierw Wiktor długo przekonywał brata, że naprawdę wyszedł z więzienia. Najwyraźniej Robert nie wycofał się całkowicie ze społeczności morojów, skoro miał takie informacje. Wiktor obiecał, że opowie mu o wszystkim ze szczegółami i poprosił o spotkanie w mieście.

Rozmowa przeciągała się. Odniosłam wrażenie, że Robert jest wylęknionym paranoikiem. Przypominał pannę Karp w zaawansowanym stadium obłędu spowodowanego mocą ducha. Lissa wciąż patrzyła przez okno, ale czułam, że i ona lęka się podobnego losu. Mnie również groziło szaleństwo, ponieważ przejmowałam jej negatywne emocje. Nagle stanęła mi przed oczami tabliczka zawieszona w korytarzu więzienia Tarasow: UWAGA — WKRACZASZ NA TEREN DLA WIĘŹNIÓW PSYCHIATRYCZNYCH.

Głos Wiktora brzmiał zaskakująco przymilnie. Przypomniał mi dawne czasy, zanim poznałyśmy szalone plany Daszkowa zmierzające do przejęcia władzy nad światem morojów. I nas traktował wówczas miło, był prawie członkiem rodziny Lissy. Pomyślałam z niepokojem, od jak dawna jest wyrachowany.

Nareszcie po dwudziestu minutach Wiktor przekonał Roberta do spotkania z nami. Zrozumiałam, że Daszkow nas nie okłamał, naprawdę rozmawiał ze swoim szalonym bratem. Umówili się na kolację w jednej z hotelowych restauracji.

— Kolacja? — spytałam, kiedy Wiktor odłożył słuchawkę. — Robert nie lęka się wychodzić po zmroku?

— Powiedzmy, że to późny obiad — odparł Daszkow. — Umówiłem się z nim na wpół do piątej. Słońce zachodzi dopiero o ósmej.

— Wpół do piątej? — nie wytrzymałam. — Dobry Boże. O tej porze podają pewnie kolacje dla seniorów.

Wiktor miał jednak rację, wybierając porę dnia. Z dala od bezpiecznej Alaski, na której występowały obecnie białe noce, zaczynałam już odczuwać presję wschodów i zachodów słońca, mimo że był środek lata. Niestety, nawet tak wczesna kolacja oznaczała, że musimy przeczekać bezczynnie kilka godzin.

Daszkow wyciągnął się na łóżku, zakładając ręce za głowę. Zachowywał się pozornie beztrosko, lecz podejrzewałam, że jest śmiertelnie zmęczony.

— Może spróbujesz szczęścia w kasynie? — zerknął na Lissę. — Moc ducha bywa pomocna w grze w karty. Nie muszę ci mówić, że potrafisz czytać w cudzych myślach.

Nie odpowiedziała.

— Nikt nie opuści pokoju — oznajmiłam.

Nie byłam zachwycona perspektywą przesiadywania razem, ale nie mogłam ryzykować. Wiktor na pewno wykorzystałby pierwszą okazję do ucieczki, a poza tym w ciemnych zakamarkach kasyna mogły czaić się strzygi.

Lissa zmyła szampon koloryzujący i usiadła przy oknie. Nadal nie zbliżała się do Wiktora. Usiadłam na drugim łóżku, krzyżując nogi, żeby zrobić miejsce Eddiemu, ale on stał pod ścianą, nie spuszczając oka z Wiktora. Wiedziałam, że może tak trwać godzinami. Wszyscy strażnicy przechodzili trening wytrzymałości. Eddie przybrał oficjalny, nieprzenikniony wyraz twarzy, lecz momentami przyłapywałam go na tym, że przygląda się Wiktorowi z ciekawością. Nie miał pojęcia, dlaczego uwolniliśmy Daszkowa, dopuścił się tej zdrady ze względu na mnie.

Minęło kilka godzin, kiedy rozległo się pukanie. Podskoczyłam.

Popatrzyliśmy na siebie z Eddiem, gotowi stanąć do walki w każdej chwili. Jednocześnie sięgnęliśmy po sztylety. Godzinę wcześniej zamówiliśmy lunch, który od razu nam przyniesiono. Robert nie mógł zjawić się tak szybko, poza tym nie znał numeru naszego pokoju. Nie czułam mdłości, co oznaczało, że to nie strzygi czekają za drzwiami. Porozumieliśmy się z Eddiem bez słów.

Pierwsza zareagowała jednak Lissa. Podniosła się z krzesła i zrobiła parę kroków.

— To Adrian.

— Co takiego?! — wykrzyknęłam. — Jesteś pewna?

Skinęła potakująco głową. Moroje obdarzeni mocą ducha zwykle widzieli tylko aury, ale potrafili również wyczuwać się nawzajem z bliskiej odległości. Tak samo było w więzieniu. Mimo to żadne z nas się nie poruszyło. Lissa spojrzała na mnie z powagą.

— On wie, że tu jestem — zauważyła. — Wyczuwa mnie.

Westchnęłam i zaciskając dłoń na rękojeści sztyletu podeszłam do drzwi. Wyjrzałam przez judasz. Na korytarzu stał Adrian z rozbawioną miną. Poza nim nie dostrzegłam nikogo. Upewniwszy się, że w kącie nie czają się strzygi, otworzyłam drzwi. Adrian rozpromienił się z radości na mój widok. Nachylił się i cmoknął mnie w policzek, zanim wszedł do środka.

— Chyba nie sądziliście, że wymkniecie się na imprezę beze mnie? Szczególnie, że wybraliście Vegas... — Nagle zamarł. Nastąpił jeden z tych rzadkich momentów, kiedy Adrian Iwaszkow dawał się zaskoczyć. Wyraźnie nie wierzył własnym oczom. — Czy zdajecie sobie sprawę — zaczął powoli — że Wiktor Daszkow siedzi obok na łóżku?

— Tak — odparłam. — Dla nas to również szokujące przeżycie.

Adrian oderwał wzrok od Wiktora, rozejrzał się po pokoju i dopiero teraz zauważył Eddiego. Dampir stał nieruchomo i wyglądał niemal jak mebel. Iwaszkow zwrócił się do mnie.

— Co tu się dzieje, do diabła?! Wszyscy go szukają!

Usłyszałam w myślach Lissę.

Równie dobrze możesz mu powiedzieć. Wiesz, że i tak nas nie zostawi.

Miała rację. Nie wiedziałam, jakim cudem Adrian nas znalazł, ale z pewnością nie zamierzał dać się spławić. Zerknęłam z wahaniem na Eddiego, który odgadł moje myśli.

— Damy radę — zapewnił. — Powiedz mu. Nie pozwolę, by cokolwiek się stało.

To mi dodało siły.

Mogę na niego wpłynąć, jeśli zaryzykuje jakieś głupstwo, dodała Lissa.

Westchnęłam.

— W porządku, niedługo wracamy.

Ujęłam Adriana pod ramię i wyprowadziłam z pokoju. Pękł od razu, kiedy znaleźliśmy się na korytarzu.

— Rose, co...

Potrząsnęłam głową. Zdążyłam się zorientować, że ściany hotelowe są cienkie i moi przyjaciele będą słyszeli każde nasze słowo. Weszliśmy do windy i zjechaliśmy do holu, gdzie panował największy hałas. Tutaj nikt nie mógł nas podsłuchać. Wypatrzyliśmy kącik na uboczu, gdzie Adrian dosłownie przyparł mnie do ściany. Był wściekły. Irytowała mnie czasem jego beztroska, lecz wolałam to, niż widzieć go wzburzonego. Obawiałam się, że moc ducha może jeszcze bardziej wytrącić go z równowagi.

— Zostawiasz mi wiadomość, że urywacie się na ostatnią weekendową imprezę, a tymczasem znajduję cię w jednym pomieszczeniu z kryminalistą? Cały dwór mówi tylko o nim. Czy ten facet nie próbował cię zabić?

Odpowiedziałam pytaniem na pytanie.

— Jak nas znalazłeś?

— Dzięki karcie kredytowej — wyjaśnił. — Tylko czekałem, kiedy jej użyjesz.

Wytrzeszczyłam oczy.

— Obiecałeś, że nie będziesz mnie szpiegował! — To Adrian założył mi konto i podarował karty kredytowe. Wiedziałam, że będzie dostawał raporty z banku, ale uwierzyłam mu, kiedy obiecał, że nie naruszy mojej prywatności.

— Dotrzymałem obietnicy w czasie, kiedy wyjechałaś do Rosji. Ale to jest inna sytuacja. Śledziłem wszystkie operacje i kiedy wynajęłaś samolot, dowiedziałem się, dokąd się wybieracie.

Teraz zrozumiałam, jakim cudem zjawił się tu tak szybko. Od razu wsiadł do samolotu. Przyleciał bezpośrednim lotem rejsowym, czyli znacznie szybciej niż my, zmuszeni do przesiadek.

— Nie mógłbym zrezygnować z Vegas — ciągnął Adrian. — Postanowiłem zrobić ci niespodziankę i przyłączyć się do zabawy.

Przypomniałam sobie, że zapłaciłam kartą także za pokój, co znacznie ułatwiło mu sprawę. Nikt inny nie miał dostępu do naszych kont bankowych, ale łatwość, z jaką Adrian nas odnalazł, zdenerwowała mnie.

— Nie powinieneś był przyjeżdżać — warknęłam. — Jesteśmy razem, ale musisz szanować pewne granice. To nie twoja sprawa.

— Przecież nie przeczytałem twojego pamiętnika! Chciałem odnaleźć swoją dziewczynę i... — Adrian musiał być naprawdę wytrącony z równowagi, skoro jego umysł dopiero teraz zaczynał kojarzyć fakty. — O Boże. Rose, proszę, powiedz, że to nie wy włamaliście się do więzienia. Szukają dwóch ludzkich dziewczyn i dampira. Opis nie pasuje...! — jęknął. — To wy, prawda? Jakimś cudem włamaliście się do najlepiej strzeżonego więzienia. Razem z Eddiem.

— Widać nie było tak dobrze strzeżone — zauważyłam z przekąsem.

— Rose! Ten facet próbował zniszczyć wam życie. Dlaczego go uwolniłyście?

— Bo... — zawahałam się. Jak miałam to wyjaśnić Adrianowi? Jak wytłumaczyć coś, co w naszej rzeczywistości wydawało się niemożliwością? — Wiktor posiada informacje, których potrzebujemy. Właściwie zna kogoś, do kogo usiłujemy dotrzeć. Tylko w ten sposób mogłyśmy osiągnąć cel.

— Co takiego może wiedzieć, na miłość boską?! Przełknęłam ślinę. Włamywałam się do więzień i gniazd strzyg, a bałam się wyjawić prawdę Adrianowi.

— Możliwe, że istnieje sposób, by przywrócić strzygi do dawnego życia. Wiktor... zna kogoś, kto być może potrafi tego dokonać.

Minęło kilka długich sekund. Adrian wpatrywał się we mnie ze zdumieniem. Wokół nas było gwarno, ale miałam wrażenie, że cały świat znieruchomiał i pogrążył się w ciszy.

— Rose, to niemożliwe.

— Istnieje takie ryzyko.

— Gdyby był jakiś sposób, wiedzielibyśmy.

— To jeszcze jedna z tajemnic żywiołu ducha. Dopiero zaczynamy je poznawać.

— Co nie oznacza, że... Ach, rozumiem. — W ciemnozielonych oczach pojawił się błysk. Tym razem była to wściekłość. — Chodzi o niego, prawda? Podjęłaś ostatnią szaleńczą próbę odzyskania Dymitra.

— Nie tylko jego — odparłam wymijająco. — Możemy ocalić wszystkie strzygi.

— Sądziłem, że to koniec! — wykrzyknął Adrian. Mówił tak głośno, że kilka osób przy automatach zręcznościowych popatrzyło na nas. — Tak powiedziałaś. Zapewniałaś, że uporałaś się z dawnymi uczuciami i możesz już być ze mną.

— Mówiłam prawdę. — Zaskoczyła mnie rozpaczliwa nuta w moim głosie. — Dowiedziałam się o tym dopiero teraz. Musiałam spróbować.

— Zastanawiałaś się, do czego to doprowadzi? Co będzie, jeśli ten szalony plan się powiedzie? Dokonasz cudu i przywrócisz Dymitrowi duszę, a potem rzucisz mnie ot tak. — Adrian pstryknął palcami.

— Nie wiem — powiedziałam cicho. — Nie wybiegam myślami naprzód. Jest mi z tobą dobrze. Naprawdę. Ale nie mogłam tego zlekceważyć.

— Oczywiście. — Adrian wzniósł oczy do nieba. — Sny, ciągle sny. Poruszam się w nich. Żyję nimi. Ciągle się łudzę. Zadziwiające, że zachowałem jeszcze jakiś kontakt z rzeczywistością. — Zaniepokoił mnie ton jego głosu. Rozpoznałam ten stan zamroczenia, w którym czasem pogrążał się na skutek działania ducha. Adrian odwrócił się ode mnie z westchnieniem. — Muszę się napić.

Współczułam mu, ale teraz mnie wkurzył.

— Świetnie. To załatwi wszystkie problemy. Cieszę się, że w tym szalonym świecie masz kilka solidnych punktów oparcia.

Popatrzył na mnie tak, że musiałam odwrócić głowę. Rzadko spoglądał w ten sposób, ale za każdym razem z tego spojrzenia biła niezwykła moc.

— Czego ode mnie oczekujesz? — spytał.

— Mógłbyś... mógłbyś... — O Boże. — Skoro już tu jesteś, mógłbyś nam pomóc. Ten moroj, z którym mamy się spotkać, także jest obdarzony mocą ducha.

Adrian nie zdradził swoich myśli, lecz odniosłam wrażenie, że go zaintrygowałam.

— Tak, tylko tego pragnę. Pomóc mojej dziewczynie w odzyskaniu dawnego chłopaka. — Znowu odwrócił głowę i usłyszałam, jak mruczy pod nosem. — Potrzebuję podwójnego drinka.

— Wpół do piątej! — zawołałam za nim. — Spotykamy się o wpół do piątej.

Nie odpowiedział, zniknął w tłumie.

Wróciłam do pokoju w ponurym nastroju, którego nie próbowałam ukryć. Lissa i Eddie mieli dość rozumu, żeby o nic nie pytać, ale Wiktor, oczywiście, nie zamierzał się hamować.

— Jak to? Pan Iwaszkow nie dołączy do nas? A tak się cieszyłem na jego towarzystwo.

— Zamknij się. — Założyłam ręce na piersi i oparłam się o ścianę obok Eddiego. — Nie odzywaj się, kiedy cię nie pytają.

Kolejne godziny ciągnęły się w nieskończoność. Sądziłam, że Adrian zadzwoni do mnie lada chwila i niechętnie zgodzi się nam pomóc. Gdyby coś poszło nie tak, mógłby nas wesprzeć mocą wpływu, nawet jeśli nie równał się w tej mierze z Lissą. Przecież... na pewno kochał mnie tak bardzo, że przybędzie mi na pomoc? Nie zostawi mnie samej? „Jesteś idiotką, Rose — usłyszałam w myślach mój własny głos. — Adrian nie ma powodów, by ci pomagać. Ciągle go ranisz. Tak jak raniłaś Masona".

Kwadrans po czwartej Eddie spojrzał na mnie.

— Powinniśmy poszukać stolika.

— Tak. — Byłam niespokojna i przygnębiona. Nie miałam ochoty czekać w tym pokoju ani chwili dłużej, walcząc z mrocznymi uczuciami. Wiktor podniósł się z łóżka i przeciągnął, jak po relaksującej drzemce. Mogłabym przysiąc, że głęboko w jego oczach dostrzegłam błysk podniecenia. Wiktor był związany ze swoim przyrodnim bratem. Co prawda nie widziałam, by do tej pory okazał komuś lojalność czy miłość, ale kto wie? Może naprawdę kochał Roberta.

Utworzyliśmy coś w rodzaju eskorty: szłam na przedzie, Eddie z tyłu, a między nami dwoje morojów. Otworzyłam drzwi i stanęłam oko w oko z Adrianem. Wyciągnął rękę, jakby właśnie miał zapukać. Uniósł brwi.

— O, cześć — powiedział ze standardowo obojętną miną. Wyczułam jednak napięcie w jego głosie. Wiedziałam, że niechętnie tu przyszedł. Dostrzegłam to w lekko zaciśniętych szczękach i niespokojnym spojrzeniu. Mimo to dobrze się maskował i byłam mu za to wdzięczna. Najważniejsze, że wrócił. Tylko to miało znaczenie, postanowiłam więc zignorować zapach alkoholu i dymu papierosowego. — Słyszałem, że wybieracie się na imprezę. Mogę się przyłączyć?

Posłałam mu słaby, wdzięczny uśmiech.

— Jasne.

Nasza pięcioosobowa grupka skierowała się do windy.

— Miałem dobrą passę w pokerze — dodał Adrian. — Lepiej, żeby to było tego warte.

— Nie mogę ci nic obiecać — powiedziałam. Winda się otworzyła. — Sądzę jednak, że zapowiada się pamiętny wieczór.

Weszliśmy do środka i pojechaliśmy na spotkanie z Robertem Doru. Naprzeciw jedynej szansie ocalenia Dymitra.

Rozdział dziewiąty

Nietrudno było zauważyć Roberta Doru. Nie dlatego, że przypominał Wiktora. Nawet nie z powodu napięcia między nim a bratem, które wyczuwało się w powietrzu. Ujrzałam go oczami Lissy, która natychmiast wyczuła obecność innego moroja obdarzonego mocą ducha. Złota aura jaśniała w kącie sali restauracyjnej niczym gwiazda. Lissę zaskoczył ten widok i się potknęła. Tak rzadko spotykała podobnych sobie, że nie zdążyła przywyknąć. Moja przyjaciółka potrafiła „wyłączyć" postrzeganie aury, lecz zanim zrobiła to tym razem, dostrzegła, że złote światło spowijające Roberta było rozedrgane i niestabilne. Gdzieniegdzie pobłyskiwały w nim iskierki innych barw. Zastanawiała się przez chwilę, czy tak wyglądają oznaki szaleństwa.

Robert się rozpromienił, kiedy Wiktor podszedł do jego stolika. Nie uścisnęli się jednak na powitanie. Wiktor po prostu usiadł obok brata, podczas gdy my zatrzymaliśmy się niepewnie. Sytuacja była naprawdę dziwna.

Ostatecznie jednak przybyliśmy tu na spotkanie, więc po kilku sekundach dołączyliśmy do nich.

— Wiktor — mruknął Robert i szeroko otworzył oczy.

Przyjrzałam mu się. Wykazywał pewne podobieństwo do rodziny Daszkowów, ale miał brązowe, nie zielone oczy. Bawił się serwetką.

— Nie mogę w to uwierzyć... Tak długo cię nie widziałem... — dodał po chwili.

Wiktor odezwał się łagodnie, jakby rozmawiał z dzieckiem.

— Wiem, Robercie. Ja także za tobą tęskniłem.

— Naprawdę? Mógłbyś zamieszkać ze mną...

Miałam ochotę głośno parsknąć, słysząc tę niedorzeczność, lecz powstrzymała mnie desperacja w głosie Roberta. Nagle zrobiło mi się go żal. Milczałam, obserwując to dramatyczne spotkanie.

— Ukryję cię. Będzie wspaniale. Tylko my dwaj.

Wiktor się zawahał. Nie był głupcem. Mimo moich wymijających odpowiedzi podczas lotu, wiedział, że nie pozwolimy mu pozostać na wolności.

— Sam nie wiem — powiedział cicho. — Nie wiem.

W tej chwili podszedł kelner, wyrywając nas z lekkiego oszołomienia. Wszyscy zamówiliśmy coś do picia. Adrian poprosił o dżin z tonikiem, kelner nie zgłosił zastrzeżeń. Ciekawe, czy Adrian wyglądał na starszego, czy też użył wpływu. Tak czy owak nie byłam zachwycona. Alkohol stępiał moc ducha. Sporo ryzykowaliśmy i wolałabym, żeby Adrian był w pełni przytomny i sprawny. Skoro jednak napił się już wcześniej, nie miało to wielkiego znaczenia.

Robert zauważył nas dopiero, kiedy kelner odszedł. Przemknął wzrokiem po Eddiem, przyjrzał się bystro Lissie i Adrianowi i zatrzymał spojrzenie na mnie. Zesztywniałam, bo nie lubię być taksowana wzrokiem. Na koniec znów popatrzył na brata.

— Kogo przywiozłeś, Wiktorze? — Robert wciąż wydawał się nieco rozkojarzony, lecz dostrzegłam w jego oczach podejrzliwość. Strach i paranoja. — Kim są te dzieci? Dwoje z nich posiada moc ducha, a... — znów przeniósł wzrok na mnie. Zorientowałam się, że czyta moją aurę. — Ona nosi pocałunek cienia.

Zaskoczył mnie, używając tego określenia. Potem przypomniałam sobie, co mówił Mark, mąż Oksany. Robert był niegdyś połączony więzią z dampirem. Kiedy tamten zmarł, Robert przestał panować nad postępami choroby psychicznej.

— To przyjaciele — skłamał gładko Wiktor. — Chcieliby z tobą porozmawiać i zadać ci kilka pytań.

Robert zmarszczył czoło.

— Kłamiesz. Widzę to. Nie uważają cię za przyjaciela. Są spięci. Traktują cię z rezerwą.

Wiktor nie próbował zaprzeczać.

— Potrzebują twojej pomocy. Obiecałem im, że się zgodzisz. Tylko dzięki temu mogliśmy się spotkać.

— Nie powinieneś składać obietnic w moim imieniu.

Serwetka była już w strzępach. Miałam ochotę podać Robertowi swoją.

— Czy nie chciałeś się ze mną zobaczyć? — Wiktor znalazł dobry argument. Mówił ciepło, jego uśmiech był niemal szczery.

Robert wyraźnie się stropił. Znów przypominał dziecko. Zaczęłam wątpić, czy rzeczywiście odmienił niegdyś strzygę.

Zyskał chwilę na zastanowienie, bo właśnie podano nam zamówione napoje. Do tej pory nie zajrzeliśmy do karty dań, co wyraźnie poirytowało kelnera. Odszedł, a ja otworzyłam menu, z którego i tak nie byłam w stanie nic odczytać.

Wiktor przedstawił nas teraz Robertowi, grzecznie i oficjalnie. Pobyt w więzieniu nie pozbawił go dobrego wychowania. Był arystokratą w każdym calu.

Wiktor wymienił tylko nasze imiona. Robert, który nadal marszczył brwi, odwrócił się i wpatrzył w przestrzeń pomiędzy mną a Lissą. Adrian mówił mi kiedyś, że kiedy jesteśmy razem, naszą więź można dostrzec w obu aurach.

— Więź... Prawie już zapomniałem, jakie to uczucie... ale Alden... Nigdy nie zapomnę Aldena... — odezwał się Robert z nieobecnym, rozmarzonym spojrzeniem.

— Przykro mi — wtrąciłam zaskoczona, że ogarnęło mnie szczere współczucie. Zamierzałam poddać Roberta surowemu przesłuchaniu. — Mogę sobie tylko wyobrazić, co czułeś po jego stracie...

Rozmarzenie znikło bez śladu. Robert wpił we mnie twardy wzrok.

— Nie. Nie potrafisz sobie tego wyobrazić. Zupełnie. Teraz... teraz masz cały wszechświat zmysłów dostępny tylko dla ciebie. Zostało ci dane głębokie zrozumienie drugiej osoby, niedostępne dla innych. Gdybyś to straciła... gdyby ci to odebrano... pragnęłabyś tylko umrzeć.

Noo. Robert z pewnością potrafił zepsuć nastrój. Zamilkliśmy, czekając na kelnera jak na wybawienie. Kiedy wreszcie się zjawił, próbowaliśmy zamówić coś do jedzenia. Tylko Robert nic nie chciał. W restauracji serwowano kuchnię azjatycką, zamówiłam więc pierwszą potrawę na liście dań: krokiety.

Potem Wiktor zwrócił się do Roberta ze stanowczością, na którą nie było mnie stać.

— Pomożesz im? Odpowiesz na pytania?

Odniosłam wrażenie, że Wiktor naciskał brata nie po to, by odwdzięczyć się nam za ratunek, ale by poznać nasze tajemnice. Taką już miał naturę.

Robert westchnął. Zauważyłam, że kiedy patrzył na Wiktora, na jego twarzy malowało się oddanie i niemal bałwochwalczy podziw. Pewnie nie potrafił odmówić bratu. Był idealnym kandydatem na jedną z marionetek Wiktora. Powinnam się cieszyć, że Robert miał problemy z równowagą emocjonalną. Gdyby panował nad swoją mocą, jego brat wykorzystałby go do swoich celów bez najmniejszych skrupułów. Nie porwałby Lissy.

— Co chcecie wiedzieć? — spytał Robert z ociąganiem. Wbijał we mnie wzrok, chyba wyczuł, kto przewodzi grupie.

Zerknęłam na przyjaciół w nadziei, że mnie wesprą. Nic takiego się nie stało. Lissa i Adrian nie pochwalali moich zamierzeń, a Eddie wciąż nie wiedział, co jest grane. Przełknęłam ślinę i skoncentrowałam się na Robercie.

— Słyszeliśmy, że kiedyś ocaliłeś strzygę. Podobno udało ci się przywrócić jego lub ją do pierwotnego stanu.

Po obojętnej twarzy Wiktora przemknęło zaskoczenie. Nie spodziewał się czegoś takiego.

— Kto ci o tym powiedział? — chciał wiedzieć.

— Pewne małżeństwo, które spotkałam w Rosji. Nazywają się Mark i Oksana.

— Mark i Oksana. — Robert znów uciekł gdzieś spojrzeniem. Chyba często mu się to zdarzało. Miał słaby kontakt z rzeczywistością. — Nie wiedziałem, że nadal są razem.

— Tak. Doskonale im się układa. Czy to prawda? Ocaliłeś go? Czy to jest możliwe?

Moroj zwlekał z każdą odpowiedzią.

— Ją.

— Słucham?

— To była kobieta. Uwolniłem ją.

Zaparło mi dech, nie śmiałam uwierzyć w jego słowa.

— Kłamiesz — wtrącił ostro Adrian.

Robert popatrzył na niego z rozbawieniem i pogardą zarazem.

— Kimże jesteś, że zarzucasz mi kłamstwo? Skąd znasz prawdę? Nadużywasz swojej mocy, szargasz nią tak bardzo, że już dawno powinieneś utracić zdolności magiczne. Te wszystkie krzywdy, jakie sobie wyrządzasz... to ci nie pomaga, prawda? Duch wciąż cię karze... wkrótce przestaniesz odróżniać rzeczywistość od snów...

Słowa Roberta mocno wstrząsnęły Adrianem, lecz nie dawał za wygraną.

— Nie potrzebuję fizycznych dowodów, żeby przejrzeć twoje kłamstwo. Próbujesz nam wmówić niemożliwe rzeczy. Nie ma sposobu, by ocalić strzygę. Odchodzą raz na zawsze. Są martwi. Nieumarli.

— To, co umiera, nie zawsze pozostaje martwe. — Robert nie mówił już do Adriana. Patrzył na mnie. Zadrżałam.

— Jak? Jak tego dokonałeś?

— Sztyletem. Została zabita sztyletem i w ten sposób przywrócona do życia.

— Rozumiem — odparłam. — Jednak to kłamstwo. Zabiłam mnóstwo strzyg, posługując się sztyletem, i możesz mi wierzyć, że nadal są martwe.

— Nie chodzi o zwykły sztylet. — Palce Roberta tańczyły po krawędzi kieliszka. — Tamten był szczególny.

— Sztylet napełniony mocą ducha — wtrąciła nieoczekiwanie Lissa.

Robert popatrzył na nią z uśmiechem, od którego przeszedł mnie dreszcz.

— Tak. Mądra z ciebie dziewczyna. Mądra i delikatna. Delikatna i dobra. Widzę to w twojej aurze.

Odwróciłam wzrok, nie panowałam nad myślami. Sztylet napełniony mocą ducha. Srebrne sztylety były zwykle napełniane magią czterech żywiołów: ziemi, powietrza, wody i ognia. Taki zastrzyk życia unicestwiał nieumarłą siłę witalną strzyg. Niedawno odkryłyśmy, że można napełniać przedmioty także mocą ducha, ale nie przyszło nam do głowy, by użyć również sztyletów. A przecież duch uzdrawiał. Z jego pomocą Lissa przywołała mnie do życia. Czy dzięki połączeniu tej mocy z magią pozostałych żywiołów można unicestwić mrok spowijający strzygi i przywrócić im dusze?

Ucieszyłam się, kiedy podano nam jedzenie, bo wciąż nie umiałam opanować myśli. Teraz mogłam się przez chwilę skupić na posiłku.

— Czy to naprawdę takie proste? — spytałam w końcu. Robert żachnął się.

— To wcale nie jest proste.

— Ale mówiłeś... Powiedziałeś, że potrzebujemy sztyletu napełnionego mocą ducha. To nim należy zabić strzygę... — Właściwie nie zabić. Ale nie zamierzałam teraz czepiać się słówek.

Moroj znów się uśmiechnął.

— Nie ty. Ty nie możesz tego zrobić.

— Więc kto...! — wykrzyknęłam. To było nie do przyjęcia. — Nie. Nie.

— Noszący pocałunek cienia nie posiadają daru życia. Mają go tylko błogosławieni duchem — wyjaśnił. — Pytanie brzmi: kto cię wyręczy? Delikatna Dziewczyna czy Pijak? — Przeniósł wzrok z Lissy na Adriana. — Stawiam na Delikatną Dziewczynę.

To wystarczyło, żeby mnie wyrwać z oszołomienia. Robert właśnie zburzył cały mój plan, zniszczył nierealne marzenie o ocaleniu Dymitra.

— Nie — powtórzyłam. — Nawet gdyby to było możliwe, a nie jestem pewna, czy ci wierzę. Ona tego nie zrobi. Nie pozwolę jej.

Równie nieoczekiwanie, jak przed chwilą Robert, Lissa zwróciła się do mnie przepełniona gniewem.

— Od kiedy to decydujesz, co mogę, a czego nie?

— Nie przypominam sobie, byś odbyła trening sztuk walki i uczyła się posługiwać ostrzem przeciwko strzygom — odparłam z równą mocą, starając się zachować spokój. — Uderzyłaś raz Reeda i miałaś dosyć.

Kiedy Avery Lazar próbowała zapanować nad umysłem Lissy, kazała swemu bratu noszącemu pocałunek cienia, by ją zabił. Pomagałam w walce Lissie, która ostatecznie znokautowała Reeda. To był spektakularny wyczyn, po którym długo dochodziła do siebie.

— Jednak udało mi się wtedy! — zawołała.

— Liss, jeden cios to nie to samo co zabicie strzygi. Nie myślisz o tym, że najpierw musiałabyś się do niej zbliżyć. Sądzisz, że coś zdołasz zdziałać, zanim bestia zatopi kły w twojej szyi? Nie.

— Nauczę się. — Jej determinacja była godna podziwu, lecz technikę walki ze strzygami opracowywano od dziesiątek pokoleń strażników, a i tak wciąż ginęliśmy w tych konfrontacjach.

Adrian i Eddie przysłuchiwali się nam z zakłopotaniem, ale Wiktor i Robert byli zaintrygowani i dobrze się bawili. Nie podobało mi się to. Nie przyjechaliśmy tutaj dla ich rozrywki.

Spróbowałam porzucić niebezpieczny temat i zwróciłam się do Roberta.

— Jeśli moc ducha przywraca strzygę do życia, to będzie ona nosiła pocałunek cienia...

Avery postradała zmysły między innymi dlatego, że połączyła ją więź z dwiema osobami. To było ponad jej siły i stopniowo pogrążała się w mroku i szaleństwie.

Robert patrzył w przestrzeń rozmarzonym wzrokiem.

— Więź powstaje, kiedy ktoś umiera, a jego dusza przenosi się do świata zmarłych. Jeśli uda się go sprowadzić, zostaje naznaczony pocałunkiem cienia. To znak śmierci. — Nagle spojrzał na mnie. — Ty go nosisz.

Wytrzymałam jego spojrzenie, mimo że przebiegły mnie ciarki.

— Strzygi są martwe. Ocalenie którejś oznacza, że jej dusza także zostaje sprowadzona ze świata zmarłych.

— Nie — spierał się Robert. — Dusze strzyg nie przenoszą się do innego świata. Pozostają między światami. To jest złe, nienaturalne. Czyni z nich bestie. Zabicie lub ocalenie strzygi odsyła jej duszę do naturalnego stanu. Nie tworzy więzi.

— W takim razie nie ma niebezpieczeństwa — wtrąciła Lissa.

— Poza takim, że strzyga cię zabije — zauważyłam.

— Rose...

— Później o tym porozmawiamy. — Popatrzyłam na nią hardo.

Przez chwilę mierzyłyśmy się wzrokiem, a potem Lissa zwróciła się do Roberta. Wyczułam w niej upór, który wcale mi się nie podobał.

— Jak zaczarowałeś sztylet? — spytała. — Wciąż się uczę.

Chciałam ją skarcić, ale się powstrzymałam. Może Robert się myli i wystarczy sam sztylet napełniony magią. On uważał, że ocalić strzygę może tylko osoba dysponująca mocą ducha, ponieważ on sam tego dokonał. Rzekomo. Poza tym wolałam, by Lissa zajęła się magią, a nie walką. Jeśli przekona się, że nie potrafi zaczarować sztyletu, to zrezygnuje.

Robert popatrzył na mnie i na Eddiego.

— Jedno z was na pewno ma przy sobie sztylet. Pokażę wam, jak to się robi.

— Nie możecie wyciągać broni w miejscu publicznym — sprzeciwił się Adrian. Miał rację.

— Nie chcemy zwracać uwagi ludzi.

— Fakt — przytaknął Eddie.

— Możemy potem pójść do naszego pokoju — zaproponował Wiktor.

Miał przy tym uprzejmy i opanowany wyraz twarzy. Patrzyłam na niego z nadzieją, że zrozumie, iż mu nie ufam. Lissa była podekscytowana, ale ona również się zawahała. Nie miała ochoty znaleźć się z nimi w jednym pokoju. Przekonałyśmy się kiedyś, jak daleko Wiktor może się posunąć, żeby zrealizować swoje plany. Namówił własną córkę, by przemieniła się w strzygę i pomogła mu uciec z więzienia. Teraz mógł mieć podobny plan...

— Więc to tak... — Patrzyłam na niego szeroko otwartymi oczami.

— Jak? — Nie zrozumiał.

— To dlatego przemieniłeś Nathalie. Sądziłeś... wiedziałeś o wszystkim. O tym, co zrobił Robert. Chciałeś wykorzystać ją jako strzygę, a potem przywrócić do życia.

Blada twarz Wiktora pobielała jeszcze bardziej. W jednej chwili postarzał się na naszych oczach. Stracił gdzieś swój drwiący uśmieszek i odwrócił wzrok.

— Nathalie odeszła dawno temu — powiedział chłodno. — Nie mówmy o niej.

Próbowaliśmy coś zjeść, ale straciłam apetyt. Obie z Lissą myślałyśmy o tym samym. Wiktor dopuścił się wielu grzechów, lecz fakt, że namówił córkę do przemiany w strzygę, wydawał się najbardziej odrażający. Uważałam go za potwora. I nagle musiałam przewartościować opinię. Skoro wiedział, że może ją ocalić, to, co zrobił, pozostało okrutnym czynem, ale nie haniebnym. Wiktor bez wątpienia był zły. Jednak wierzył, że uratuje córkę, a więc ufał Robertowi. Nadal nie dopuszczałam myśli, że mogłabym pozwolić Lissie zbliżyć się do strzygi, lecz ta niewiarygodna opowieść napełniła mnie nadzieją. Musiałam dowiedzieć się więcej.

— Możemy przejść do pokoju — powiedziałam w końcu. — Ale nie na długo.

Zwracałam się do Wiktora i Roberta. Robert chyba znów odpłynął i pogrążył się w swoim świecie, lecz Wiktor kiwnął głową.

Zerknęłam pośpiesznie na Eddiego — i on skinął. Zdawał sobie sprawę z ryzyka związanego z zaproszeniem obu braci do zamkniętego pomieszczenia. Teraz dał mi do zrozumienia, że będzie nad wyraz czujny. Widziałam, że i bez tego bacznie wszystko obserwował.

Kiedy kolacja dobiegła końca, oboje z Eddiem byliśmy napięci do granic możliwości. On szedł u boku Roberta, ja zostawałam w tyle z Wiktorem. Zadbaliśmy o to, by Lissa i Adrian znaleźli się pomiędzy braćmi. Wszyscy trzymaliśmy się blisko, lecz i tak trudno było nam przejść przez zatłoczone kasyno. Ludzie zastępowali nam drogę, obchodzili nas, wpadali na nas... Panował chaos. Dwukrotnie musieliśmy się rozdzielić z powodu gapowatych turystów. Od windy dzieliła nas już niewielka odległość, ale nadal obawiałam się, że Wiktor i Robert lada chwila znikną nam w tłumie.

— Musimy wydostać się z tłumu! — krzyknęłam do Eddiego.

Znów tylko skinął głową i nieoczekiwanie gwałtownie skręcił w lewo. Popchnęłam Wiktora w tym samym kierunku, a Lissa i Adrian rozstąpili się, żeby dotrzymać nam kroku. Nie wiedziałam, co zamierza Eddie, do chwili, kiedy ujrzałam korytarz z napisem: WYJŚCIE EWAKUACYJNE. Zrobiło się znacznie ciszej.

— Myślę, że znajdziemy tu schody — wyjaśnił Eddie.

— Bystrzak z ciebie. — Uśmiechnęłam się do niego.

Kolejny zakręt ukazał pomieszczenie dla sprzątaczek po prawej i drzwi z rysunkiem schodów na wprost. Drzwiami mogliśmy się dostać albo na zewnątrz, albo na górę.

— Super. — Ucieszyłam się.

— Macie pokój na dziesiątym piętrze — przypomniał Adrian. Odezwał się po raz pierwszy od dłuższej chwili.

— Nie ma nic lepszego od małego treningu... Szlag! — Stanęłam przed drzwiami. Umieszczono na nich znak ostrzegawczy informujący, że otwarcie uruchomi alarm.

— Mamy problem.

— Przepraszam — powiedział Eddie, jakby był za to odpowiedzialny.

— Nie twoja wina — odparłam. — Zawracamy.

Musieliśmy jednak przedrzeć się przez tłum. Pomyślałam z nadzieją, że Wiktor i Robert zmęczyli się wystarczająco, by nie próbować ucieczki. Nie byli już młodzi, a poza tym Daszkow nie czuł się dobrze.

Lissa była tak spięta, że nie zauważyła, co się dzieje, ale spojrzenie Adriana mówiło, że uważa to wszystko za stratę czasu. Oczywiście był przekonany, że w ogóle nie warto nawet rozmawiać z Robertem. Ale zdziwiłam się, że mimo to postanowił pójść z nami. Spodziewałam się, że zostanie w kasynie, paląc kolejne papierosy i pijąc drinki.

Eddie, który szedł na przedzie, zrobił kilka kroków w kierunku kasyna znajdującego się na końcu korytarza. I wtedy to poczułam.

— Stój! — wrzasnęłam.

Zareagował błyskawicznie, raptownie zatrzymując się w wąskim przejściu. Wywołał tym małe zamieszanie. Wiktor wpadł na niego, a potem Lissa wpadła na Wiktora. Eddie instynktownie sięgnął po sztylet. Swój trzymałam już w dłoni. Wyciągnęłam go natychmiast, kiedy poczułam mdłości.

Drogę do kasyna zagrodziły nam strzygi.

Rozdział dziesiąty

Jedna z nich... jeden z nich...

— Nie... — szepnęłam, rzucając się na pierwszą z brzegu... kobietę. Otoczyły nas we trzy.

Eddie także zaatakował. Oboje staraliśmy się osłaniać morojów za plecami. Nie musieliśmy im nic mówić. Na widok strzyg cofnęli się instynktownie. Eddie skoncentrował się na walce, a oni byli zbyt przestraszeni, by zauważyć to, co dostrzegłam w jednej chwili.

Dymitr tam był.

„To niemożliwe" — powtarzałam sobie w myślach. Ostrzegał mnie. Odgrażał się w każdym liście, że dopadnie mnie, kiedy tylko opuszczę chroniony teren. Nie lekceważyłam tego, a jednak... To spotkanie było ogromnym ciosem.

Minęły trzy miesiące, lecz w jednej chwili powróciły do mnie żywe wspomnienia. To, jak Dymitr mnie więził. Jak jego usta — tak ciepłe, mimo że ciało miał zimne — całowały mnie. Dotyk jego kłów napierających na moją skórę i słodka błogość, która mnie wtedy ogarniała...

Wyglądał jak wtedy: kredowobiała skóra i czerwone obwódki wokół źrenic, miękkie brązowe włosy sięgające podbródka i piękne rysy twarzy. Miał nawet na sobie skórzany kowbojski płaszcz. Musiał kupić nowy, bo poprzedni porwał się podczas naszej walki na moście. Ciekawe, skąd je brał?

— Wynoście się! — krzyknęłam do morojów, jednocześnie zatapiając ostrze sztyletu w sercu kobiety. Zamieszanie spowodowane nieoczekiwanym spotkaniem wytrąciło ją z równowagi. Ułatwiło mi atak, a strzyga nie spodziewała się, że jestem tak szybka. Zabiłam tak wiele z nich właśnie dzięki temu, że mnie nie doceniały.

Eddie nie miał tyle szczęścia co ja. Potknął się, kiedy Wiktor na niego wpadł. W jednej chwili druga ze strzyg, mężczyzna, wymierzył mu potężny cios, posyłając go na ścianę. Na szczęście często miewaliśmy podobne sytuacje i Eddie poradził sobie koncertowo. Otrząsnął się po uderzeniu i — ponieważ moroje się wycofali — zaatakował przeciwnika z impetem.

A ja? Nie spuszczałam wzroku z Dymitra.

Przekroczyłam ciało strzygi, nawet na nią nie patrząc. Dymitr do tej pory nie brał udziału w walce. Posłał naprzód swoje sługi. Znałam go dobrze i podejrzewałam, że nie zdziwił się, iż tak szybko pokonałam jedną z nich oraz że Eddie właśnie przypiera do muru drugą. Wątpiłam, by Dymitr troszczył się o ich życie. Odwlekali tylko konfrontację ze mną.

— Uprzedzałem cię — zaczął, patrząc na mnie przenikliwie i zarazem z rozbawieniem. Śledził każdy mój ruch, oboje nieświadomie robiliśmy podobne gesty, czekając na dogodny moment do ataku. — Uprzedzałem, że cię znajdę.

— Tak. — Próbowałam nie zwracać uwagi na odgłosy walki Eddiego ze strzygą. Uznałam, że da sobie radę. Wiedziałam, na co go stać. — Mam to na papierze.

Po wargach Dymitra przemknął cień uśmiechu. Przez chwilę widziałam jego kły, które wzbudziły we mnie jednocześnie tęsknotę i wstręt. Natychmiast odpędziłam te uczucia. Kiedyś zawahałam się podczas konfrontacji z Dymitrem i prawie kosztowało mnie to życie. Nie chciałam powtórki z rozrywki, a adrenalina pulsująca w moich żyłach świadczyła o tym, że znów znalazłam się w sytuacji najwyższego zagrożenia.

Zaatakował, lecz uniknęłam ciosu — jakbym przewidziała jego ruch. Na tym polegał nasz problem. Znaliśmy się zbyt dobrze, na przestrzał. Oczywiście nie mogłam się równać z Dymitrem. Nawet kiedy żył, był bardziej doświadczony ode mnie, a po przemianie w strzygę zyskał większą siłę i refleks.

— Znowu to zrobiłaś. — Wciąż się uśmiechał. — Lekkomyślnie zrezygnowałaś z ochrony. Trzeba było nie opuszczać dworu. Nie mogłem uwierzyć, kiedy doniesiono mi o twoim wyjeździe.

Nie odezwałam się, wyprowadziłam błyskawiczny cios sztyletem. Oczywiście Dymitr przejrzał moje zamiary i zdołał się wycofać. Nie zdziwiło mnie, że ma swoich szpiegów — na pewno obserwowali mnie nawet w ciągu dnia. Dymitr kontrolował teraz siatkę strzyg i ludzi, która zdawała mu raporty ze wszystkiego, co działo się na królewskim dworze. Intrygowało mnie co innego: Jakim cudem wszedł do hotelu w środku dnia? Nawet jeśli pomagali mu ludzie i znaleźli mnie, sprawdziwszy operacje dokonane moją kartą kredytową, tak jak robił to Adrian, musiał czekać do zapadnięcia zmroku.

Nagle zrozumiałam, w czym rzecz. Strzygi urządzały czasem takie dzienne akcje. Przemieszczały się ciężarówkami i furgonetkami o zaciemnionych szybach i korzystały z podziemnych parkingów. Moroje zatrzymujący się w Godzinie Czarownic także zaglądali do kasyna dzięki ukrytym tunelom miejskim łączącym niektóre budynki. Dymitr musiał się dowiedzieć o ich istnieniu. Skoro postanowił mnie dopaść, na pewno sprawdził wszystkie możliwości. Nikt nie wiedział lepiej ode mnie, jak pomysłowy bywał w podobnych sytuacjach.

Teraz próbował mnie zagadać.

— Najdziwniejsze jest to — ciągnął — że nie przyjechałaś sama. Ciągniesz ze sobą morojów. Zawsze wystawiałaś się na niebezpieczeństwo, ale nie sądziłem, że narazisz również przyjaciół.

Uświadomiłam sobie coś. Słyszałam przyciszone odgłosy dobiegające z kasyna i walczącego Eddiego, ale poza tym panowała absolutna cisza. Czegoś tu brakowało. Na przykład alarmu we frontowych drzwiach.

— Lissa! — wrzasnęłam. — Wynoście się stąd! Wyprowadź ich!

Miałam nadzieję, że zrozumie. Wszyscy moroje powinni się zorientować. Drzwi prowadziły na piętra oraz na zewnątrz. Słońce jeszcze nie zaszło. Mogli bez obaw uruchomić alarm. Może nawet wystraszyliby tym strzygi. Najważniejsze, że uratowaliby się w ten sposób.

Skupiłam się na odbiorze uczuć i myśli Lissy. Zamarła. Sparaliżowało ją. Nagle spostrzegła, z kim walczę,

178

i przeżyła szok. Wiedziała, że Dymitr przemienił się w strzygę, lecz jego widok... Nie mogła go znieść. Rozumiałam ją doskonale. Choć przeszłam przez to wszystko na Syberii, pojawienie się Dymitra także mnie wytrąciło z równowagi. Dla Lissy było to jednak miażdżące przeżycie. Wmurowało ją.

Błyskawicznie oceniłam sytuację. W walce ze strzygą każda sekunda zwłoki mogła oznaczać śmierć. Dymitr nie przestawał do mnie mówić i chociaż nie spuszczałam go z oka, udało mu się mnie zmylić. Chwycił mnie za nadgarstki tak boleśnie, że wypuściłam z ręki sztylet.

Zbliżył swoją twarz do mojej, tak że prawie stykaliśmy się czołami.

— Roza... — mruknął. Czułam na skórze jego ciepły, słodki oddech. Powinien cuchnąć zgnilizną i śmiercią, ale tak nie było. — Dlaczego to robisz? Czemu wszystko utrudniasz? Mogliśmy spędzić razem wieczność...

Serce łomotało mi w piersi. Bałam się, przeraziła mnie myśl o śmierci, która nastąpi lada chwila. Jednocześnie wypełnił mnie głęboki żal, że go stracę. Patrzyłam na jego twarz, słuchałam znajomego akcentu w głosie, który nadal brzmiał tak miękko jak aksamit... Miałam złamane serce. Dlaczego? Dlaczego właśnie nam to się przytrafiło? Czemu wszechświat obszedł się z nami tak okrutnie?

Zdobyłam się na ostatni wysiłek i odegnałam myśl, że nie mam przed sobą Dymitra. Byliśmy teraz drapieżnikiem i zdobyczą. Mogłam zostać pożarta.

— Przykro mi — rzuciłam przez zaciśnięte zęby, bezskutecznie usiłując wyrwać się z jego uścisku. — Moje plany na wieczność nie uwzględniają dołączenia do mafii nieumarłych.

— Wiem. — Mogłabym przysiąc, że usłyszałam w jego głosie smutek, lecz wyraz twarzy Dymitra przekonał mnie, że to sobie wyobraziłam. — Wieczność bez ciebie będzie taka samotna...

Naraz moje uszy rozdarł przenikliwy pisk. Oboje drgnęliśmy. Dźwięk alarmu stanowiący ostrzeżenie dla ludzi był nie do zniesienia dla naszych wrażliwych uszu. Ale ulżyło mi. Otworzyli wyjście przeciwpożarowe. Nareszcie. Zdołali wydostać się z pułapki. Poczułam, że Lissa wyszła na ciepłe promienie słońca, a w tej samej chwili kły Dymitra sięgnęły mojej szyi. Zrozumiałam, że zaraz wyssie ze mnie życie po ostatnią kroplę.

Miałam nadzieję, że alarm go zaskoczy, ale on pozostał opanowany. Szarpnęłam się, jeszcze raz próbując zawalczyć o życie, lecz na próżno. A jednak czegoś nie przewidział. Nieoczekiwanie ostrze sztyletu Eddiego zagłębiło się w jego boku.

Dymitr zawył z bólu. Puścił mnie i zwrócił się przeciwko Eddiemu. Dampir nawet nie mrugnął. Jeśli widok Dymitra wytrącił go z równowagi, nie okazał tego. Sądzę, że Eddie nie widział w nim dawnego strażnika. Walczył ze strzygą. Tak nas wyszkolono. Walczyliśmy z bestiami, nie osobami.

Dymitr na chwilę spuścił mnie z oczu. Pragnął, bym umierała powoli, a Eddie mu przeszkadzał. Musiał się go pozbyć, żeby dalej ciągnąć swoją okrutną grę.

Teraz obaj wykonywali śmiertelny taniec, jak przed chwilą Dymitr i ja. Niestety, Eddie nie znał przeciwnika tak dobrze. Nie uniknął jego ciosu i pozwolił przygwoździć się do ściany. Dymitr chwycił go za ramiona, zamierzając roztrzaskać mu czaszkę o mur, lecz Eddie zdołał się uchylić i uderzył weń plecami. Zabolało, ale żył. Wszystko wydarzyło się w ułamku sekundy. Nagle zobaczyłam całą tę sytuację inaczej. Kiedy Dymitr nachylił się nade mną, pokonałam impuls, by widzieć w nim dawnego ukochanego. Byłam ofiarą, miałam zginąć, więc za wszelką cenę musiałam się obronić.

Teraz widziałam, jak Dymitr walczy z kimś innym. Eddie zamierzył się na niego srebrnym sztyletem, a ja... przestałam myśleć obiektywnie. Przypomniałam sobie, po co tu przybyłam. Co powiedział Robert.

Byłam słaba. Przysięgałam sobie, że jeśli Dymitr znów targnie się na moje życie, a ja nie będę umiała go ocalić, to się nie zawaham. Zabiję go. Teraz miałam szansę. Razem z Eddiem zdołalibyśmy go pokonać. Uwolnić jego duszę od zła. Kiedyś tego właśnie chciał.

A jednak... niecałe pół godziny temu obudziła się we mnie nadzieja. To prawda, że sposób przywrócenia strzydze duszy wydawał się szalony, jednak Wiktor w niego uwierzył. Skoro ktoś taki jak on dał się przekonać...

Nie mogłam tego zrobić. Nie pozwolę, by Dymitr ginął. Jeszcze nie teraz.

Rzuciłam się na niego ze sztyletem. Srebrne ostrze raniło go w głowę. Dymitr ryknął, obracając się gwałtownie i odepchnął mnie, jednocześnie osłaniając się przed Eddiem. Walczył zaciekle, lecz broń Eddiego nieubłaganie zbliżała się do jego serca. Spojrzałam w oczy przyjaciela — były niewzruszone.

Dymitr musiał koncentrować się na nas obojgu i w pewnej chwili — krótszej niż tchnienie — ujrzałam, jak Eddie gotuje się do ciosu. Tym razem mogło się udać. Jednym płynnym ruchem zaatakowałam Dymitra i rozcięłam mu twarz ostrzem. Jednocześnie odepchnęłam ramię Eddiego. To była piękna twarz. Za nic nie chciałam jej okaleczyć, lecz wiedziałam, że blizny znikną. Osłaniając się przed Dymitrem, popychałam Eddiego w kierunku drzwi przeciwpożarowych, nad którymi wciąż dźwięczał sygnał alarmowy. Dampir nie zrozumiał, co chcę zrobić, i na chwilę utknęliśmy w przejściu. Ja starałam się wyprowadzić przyjaciela na zewnątrz, a on chciał wrócić po Dymitra. Tymczasem sytuacja się zmieniła. Straciliśmy przewagę i Eddie ryzykował, że popchnie mnie prosto na strzygę. Uczono nas, że to zabronione.

Dymitr błyskawicznie wykorzystał okazję. Chwycił mnie za ramię i pociągnął. Jednocześnie Eddie szarpnął z drugiej strony. Krzyknęłam z bólu. Miałam uczucie, że za chwilę mnie rozerwą. Dymitr był dużo silniejszy, zdołałam się zaprzeć nogami i w ten sposób pomóc Eddiemu. Miałam wrażenie, że wszystko dzieje się w spowolnionym tempie. Jakbyśmy tkwili w miodzie. Kiedy tylko robiłam krok naprzód, Dymitr odciągał mnie w swoją stronę.

Mimo to stopniowo odzyskiwaliśmy przewagę i z ogromnym trudem zbliżaliśmy się do drzwi. Chwilę później usłyszałam tupot nóg i głosy.

— Ochrona hotelowa — mruknął Eddie.

— Szlag! — zaklęłam.

— Nie uda wam się! — syknął Dymitr. Trzymał mnie teraz obiema rękami. Szala znów przechylała się na jego stronę.

— Czyżby? Zaraz będziemy tu mieli cały oddział gwardii Luxoru.

— Czyli całą stertę ludzkich ciał — rzucił lekceważąco.

Do korytarza wbiegli ludzie. Nie jestem pewna, co zobaczyli. Faceta, który napadł na parę nastolatków? Krzyczeli do nas, byśmy się odsunęli i pozwolili im działać. Zignorowaliśmy te polecenia, pochłonięci walką. Zdaje się, że rzucili się na Dymitra. Wciąż mnie trzymał, lecz zwolnił nieco uścisk i Eddie zdołał mnie oswobodzić. Nie obejrzeliśmy się nawet, mimo że ochrona kazała nam się zatrzymać.

Nie tylko oni krzyczeli. Zanim pchnęłam drzwi, usłyszałam, że Dymitr mnie woła. Śmiał się.

— To nie koniec, Roza. Naprawdę myślisz, że jest takie miejsce na świecie, w którym bym cię nie odnalazł?!

Już to słyszałam. Tę samą groźbę.

Usiłowałam odpędzić strach. Wypadliśmy z Eddiem na zewnątrz i wciągnęliśmy do płuc zapylone pustynne powietrze. Słońce nadal wisiało na niebie, mimo że zapadał już wczesny wieczór. Znajdowaliśmy się na parkingu hotelowym. Nie kręciło się tu wielu ludzi, więc nie mogliśmy się ukryć w tłumie. Porozumieliśmy się bez słów i popędziliśmy na zatłoczony deptak. Byliśmy zwinniejsi i szybsi od pracowników ochrony i wiedzieliśmy, że nigdy nas nie złapią.

Udało się. Nie widziałam, jak liczny był pościg. Uznałam, że pracownicy hotelowi skupili się na wysokim napastniku. Już nas nie wołano i nareszcie, przed hotelem New York, New York, pozwoliliśmy sobie nieco zwolnić. Wciąż nie mówiąc do siebie ani słowa, weszliśmy do środka. Hol nie był tak przestronny jak w Luxorze, za to tłoczyło się tu więcej ludzi. Bez trudu wmieszaliśmy się w tłum i poszukaliśmy ustronnego miejsca pod ścianą, w odległej części kasyna.

Ucieczka zmęczyła nas i teraz odpoczywaliśmy, łapiąc oddech. Zorientowałam się, że sprawa jest poważna, kiedy Eddie zwrócił się do mnie z gniewem. Zazwyczaj był wzorem spokoju i opanowania. A przynajmniej od czasu pierwszej konfrontacji ze strzygami w zeszłym roku. Eddie zmężniał od tamtej pory, był gotów podjąć każde wyzwanie.

— Co to było, do diabła?! — wykrzyknął. — Puściłaś go wolno!

Usiłowałam spojrzeć mu twardo w oczy, ale tego dnia nie mogłam się z nim równać.

— Nie widziałeś, jak cięłam go po twarzy?

— Mogłem przebić mu serce! Przeszkodziłaś mi!

— Ochrona się zbliżała. Nie mieliśmy czasu. Musieliśmy uciekać. Zobaczyliby, że zamordowaliśmy człowieka.

— Teraz to bez znaczenia. Żaden nie przeżył, żeby zdać raport. — Eddie nie dawał się przekonać. Widziałam, że stara się opanować. — Dymitr zostawił trupy. Wiesz o tym. Ci ludzie zginęli, bo nie pozwoliłaś mi go zabić.

Zwiesiłam głowę, uświadamiając sobie, że ma rację. To się powinno było skończyć. Nie policzyłam pracowników ochrony. Ilu zginęło? Chociaż to już nie miało znaczenia. Ważne jest tylko to, że niewinni ludzie stracili życie. Przeze mnie.

Milczałam, więc Eddie ciągnął ze złością.

— Jak to możliwe, że właśnie ty zapomniałaś lekcji? Wiem, że był kiedyś twoim instruktorem. Ale już nie jest sobą. Powtarzano nam to do znudzenia. Nie wahaj się. Nie myśl o nim jak o kimś, kogo znałaś.

— Ja go kocham! — wypaliłam bez zastanowienia.

Eddie nie miał o tym pojęcia. Niewiele osób wiedziało o moim związku z Dymitrem i o tym, co wydarzyło się na Syberii.

— Co? — wykrzyknął. Jego wściekłość przerodziła się w szok.

— Dymitr... jest dla mnie kimś więcej...

Eddie wpatrywał się we mnie przez kilka sekund.

— Był — powiedział w końcu.

— Słucham?

— Był dla ciebie kimś więcej. Kochałaś go kiedyś. — Już się otrząsnął. Znów stał się twardym strażnikiem pozbawionym współczucia. — Przykro mi, ale to już przeszłość, cokolwiek was łączyło. Musisz o tym pamiętać. Ten, którego kochałaś, odszedł. Widzieliśmy kogoś innego.

Powoli pokręciłam głową.

— Ja... wiem. Wiem, że to nie jest on. Przemienił się w potwora, ale wciąż możemy go ocalić... Jeśli zrobimy to, co mówi Robert...

Eddie wybałuszył oczy.

— Więc to jest ten twój plan? Rose, to śmieszne! Przecież w to nie wierzysz. Strzygi są martwe. Stracone dla nas. Robert i Wiktor próbowali wam wmówić oczywiste bzdury.

Teraz to ja byłam zdziwiona.

— To co tu robisz? Czemu wciąż jesteś z nami?

Chłopak wyrzucił ramiona w górę w geście rozpaczy.

— Bo jesteś moją przyjaciółką. Towarzyszyłem ci od początku... włamałem się do więzienia, słuchałem tego szaleńca... Wiedziałem, że mnie potrzebujesz. Wszyscy mnie potrzebowaliście. Sądziłem, że masz słuszny powód, by uwolnić Wiktora, a po wszystkim odstawisz go za kraty. Wziąłem udział w szaleństwie, ale ty tak nie myślisz. Zawsze znajdujesz przekonujące powody dla swoich przedsięwzięć. — Westchnął. — Tym razem jednak przekroczyłaś granicę. Puściłaś wolno strzygę, kierując się złudzeniami. To dziesięć razy gorsze niż porwanie Wiktora. Sto razy gorsze. Każdy kolejny dzień, w którym Dymitr chodzi po świecie, oznacza, że będą ginąć ludzie.

Oparłam się plecami o ścianę i zamknęłam oczy. Zrobiło mi się niedobrze. Eddie miał rację. Spaprałam sprawę. Obiecywałam sobie, że zabiję Dymitra, jeśli spotkam go, zanim wypróbuję sposób Roberta. Powinnam to była skończyć tego dnia... i nawaliłam. Znowu.

Otworzyłam oczy i wyprostowałam się. Musiałam natychmiast się czymś zająć, zanim wybuchnę płaczem na środku kasyna.

— Trzeba odnaleźć resztę. Zostali bez ochrony.

Była to jedyna rzecz, która mogła uciszyć Eddiego. Zareagował instynktownie. Miał obowiązek chronić morojów.

— Potrafisz określić, gdzie jest Lissa?

Przez cały czas utrzymywałam łączność z Lissą, bo musiałam wiedzieć, czy żyje i czy nic jej nie jest. Nie skupiałam się jednak na szczegółach. Teraz się skoncentrowałam.

— Jest w MGM.

Widziałam ten gigantyczny hotel, ale nie zorientowałam się, że Lissa tam jest. Poczułam, że chowa się między ludźmi tak jak my, przestraszona, ale cała i zdrowa. Wolałabym, żeby moroje zostali na słońcu, lecz instynktownie zaprowadziła ich do budynku.

Nie rozmawialiśmy już z Eddiem o Dymitrze. Niebo przybrało brzoskwiniowy kolor, lecz nadal było tu bezpiecznie. O wiele bezpieczniej niż na korytarzach Luxoru. Byłam pewna, że bez trudu odnajdę Lissę, więc bez wahania poprowadziłam Eddiego przez zakręty hotelowych korytarzy. Słowo daję, te budowle tworzyły prawdziwe labirynty. Na końcu zobaczyliśmy Lissę i Adriana obok rzędu automatów zręcznościowych. Adrian palił papierosa. Lissa zauważyła mnie i podbiegła z otwartymi ramionami.

— Mój Boże. Tak się bałam. Nie wiedziałam, co wam się stało. To frustrujące, że więź działa tylko w jedną stronę.

Zmusiłam się do uśmiechu.

— Nic nam nie jest.

— Z wyjątkiem kilku zadrapań — zauważył Adrian, podchodząc bliżej. Nie miałam co do tego wątpliwości. W ferworze walki nie zwraca się uwagi na rany i ból. Dopiero później zaczynasz zdawać sobie sprawę, na co naraziłaś swoje ciało.

Byłam tak uszczęśliwiona spotkaniem z Lissą, że dopiero Eddie coś mi uświadomił.

— A gdzie Wiktor i Robert?

Lissa spochmurniała, nawet Adrian spojrzał na nas ponuro.

— Szlag — mruknęłam. Nie musieli niczego mówić.

Lissa skinęła głową, patrząc mi prosto w oczy z niepokojem.

— Zgubiliśmy ich.

ROZDZIAŁ JEDENASTY

PIĘKNIE, SZKODA GADAĆ.
Długo ustalaliśmy, co robić dalej. Rozważaliśmy różne pomysły poszukiwania Roberta i Wiktora, ale w końcu odrzuciliśmy wszystkie. Robert miał telefon komórkowy, lecz nie dysponowaliśmy specjalistycznym sprzętem CIA, który pozwoliłby nam go namierzyć. Nawet jeśli jego adres znajdował się w książce telefonicznej, to Wiktor na pewno odradził bratu powrót do domu. Adrian i Lissa potrafili rozpoznać w tłumie złotą aurę ducha, jednak nie mogliśmy przecież włóczyć się po mieście w nadziei, że ich spotkamy.

Dwaj uciekinierzy przepadli bez śladu. Nie mieliśmy tu nic do roboty. Ostatecznie uznaliśmy, że pora wracać na dwór królewski i przyjąć karę. Nawaliliśmy, a właściwie to ja nawaliłam.

Słońce chyliło się ku zachodowi, a skoro nie mieliśmy już pod opieką znanego kryminalisty, postanowiliśmy udać się do Godziny Czarownic i zaplanować podróż.

Lissa i ja mogłyśmy tam zostać rozpoznane, lecz dwie dziewczyny na gigancie nie należały do tej samej kategorii co zbiegli zdrajcy. Poza tym woleliśmy schronić się w towarzystwie strażników niż ryzykować kolejne starcie ze strzygami w Vegas.

Godzina Czarownic nie różniła się od innych miejsc tego typu — kasyno wyglądało tak samo jak wszystkie, jeśli nie wiedziało się, czego szukać. Ludzie byli zbyt pochłonięci rozrywkami, by zauważać innych gości, jednakowo wysokich, smukłych i bladych. A dampiry? Wyglądaliśmy jak ludzie. Tylko wyczulone zmysły morojów i dampirów pozwalały nam rozpoznawać się nawzajem.

W tłumie rozbawionych i rozgadanych klientów przewijali się strażnicy. Wobec wciąż malejącej liczby dampirów w służbie morojów niewielu pracowało w hotelu na pełnym etacie. Na szczęście bogaci i wpływowi arystokraci podróżowali z ochroną. Widziałam podnieconych morojów przy automatach i ruletce, którym towarzyszyli milczący opiekunowie, bacznie obserwując salę. Ta czujność gwarantowała, że żadna strzyga się tu nie wedrze.

— Co teraz?! — Lissa usiłowała przekrzyczeć hałas. Od chwili podjęcia decyzji nie odzywaliśmy się do siebie. Przystanęliśmy przy stole do blackjacka w samym środku kasyna.

Westchnęłam. Byłam w podłym nastroju, nawet bez ubocznych skutków działania mocy ducha. „Zgubiłam Wiktora, straciłam go" — w myślach bez przerwy robiłam sobie wyrzuty.

— Poszukamy recepcji i zamówimy bilety na samolot — odparłam. — Jeśli będziemy musieli długo czekać, to warto wynająć pokój.

Adrian z zaciekawieniem rozglądał się po sali. Zatrzymał wzrok na jednym z wielu barów.

— Nie zaszkodzi, jeśli się trochę rozerwiemy.

Wkurzył mnie.

— To jedyne, co ci przychodzi na myśl po tym, co przeszliśmy?

Przeniósł na mnie rozmarzony wzrok i zmarszczył czoło.

— Mają tu kamery. Ktoś może cię rozpoznać. Lepiej zadbać o dowód, że byłaś w kasynie, a nie na Alasce.

— Racja — przyznałam. Zblazowana mina Adriana maskowała niepokój. Najpierw dowiedział się, po co przyleciałam do Vegas, a potem natknął się na strzygi, a wśród nich Dymitra. To nie było łatwe doświadczenie.

— Chociaż i tak nie mamy alibi na czas, gdy dokonano porwania.

— Nikt nie skojarzy faktów, o ile Wiktor się tu nie pokaże — zauważył z goryczą. — Co dowodzi ich naiwności.

— Pomagałyśmy w ujęciu Wiktora — wtrąciła Lissa.

— Nikomu nie przyjdzie do głowy, że byłyśmy tak szalone, by go uwolnić.

Milczący do tej pory Eddie posłał mi spojrzenie pełne wyrzutu.

— Więc postanowione — zdecydował Adrian. — Niech ktoś dokona rezerwacji. Idę na drinka, a potem spróbuję szczęścia w grze. Zasłużyłem na wygraną.

— Kupię bilety — zaoferowała się Lissa, patrząc na tabliczkę wskazującą drogę na basen, do toalety i recepcji.

— Pójdę z tobą — oświadczył Eddie. Teraz to on dla odmiany unikał mojego wzroku.

— W porządku. — Założyłam ręce na piersi. — Daj znać, kiedy wszystko załatwisz, znajdziemy cię — powiedziałam jeszcze do Lissy.

Kiedy tylko Adrian poczuł się wolny, natychmiast skierował się do baru. Poszłam za nim.

— Tom Collins — zażądał od barmana. Miał w głowie encyklopedię drinków i próbował jednego po drugim. Nigdy nie widziałam, by zamówił to samo dwa razy.

— Przyprawić? — spytał barman. Miał nieskazitelnie białą koszulę i czarny krawat. Nie był starszy ode mnie. Adrian się skrzywił.

— Nie.

Chłopak wzruszył ramionami i zajął się przygotowaniem drinka. „Przyprawa" w slangu morojów oznaczała krew. Zauważyłam dwie pary drzwi za barem, które zapewne prowadziły do pomieszczeń dla karmicieli. Rozejrzałam się wokół. Kilku roześmianych morojów trzymało w rękach szklanki z czerwonawym płynem. Niektórym smakował alkohol z domieszką krwi. Większość — między innymi Adrian — brała ją „wyłącznie prosto ze źródła". Pewnie miała wtedy inny smak.

Obok Adriana stanął moroj w starszym wieku. Zerknął na mnie i kiwnął głową z aprobatą.

— Dobry wybór — zwrócił się do Adriana. — Liczy się tylko młodość. — Pił czerwone wino albo czystą krew. Wskazał głową klientów przy barze. — Większość jest zdecydowanie przechodzona.

Popatrzyłam w tym kierunku, chociaż spodziewałam się, kogo zobaczę. Między ludźmi i morojami krążyły kobiety dampiry w eleganckich jedwabnych i aksamitnych sukniach, które niewiele pozostawiały wyobraźni.

Większość tych kobiet była starsza ode mnie. Młodsze miały zmęczone spojrzenia, chociaż śmiały się głośno i perliście. Dziwki krwi. Spojrzałam groźnie na moroja.

— Nie waż się tak o nich mówić, bo rozbiję ci ten kieliszek na twarzy.

Facet wytrzeszczył oczy i zerknął na Adriana.

— Krewka.

— Nawet sobie nie wyobrażasz, jak bardzo — odparł Adrian. W tej chwili barman wrócił z Tomem Collinsem.

— Miała zły dzień.

Stary dureń więcej na mnie nie spojrzał. Nie potraktował mojej groźby poważnie, a szkoda.

— Wszyscy mamy dzisiaj zły dzień. Słyszałeś wiadomości?

Adrian wciąż miał rozluźniony i rozbawiony wyraz twarzy. Sączył drinka, lecz zauważyłam, że lekko zesztywniał.

— Jakie wiadomości?

— O Wiktorze Daszkowie. Wiesz, tym, który porwał Dragomirównę i knuł przeciwko królowej. Zbiegł.

Adrian uniósł brwi.

— Zbiegł? To niedorzeczne. Słyszałem, że więzienie jest bardzo dobrze strzeżone.

— A jednak. Nikt nie wie, jak to się stało. Podobno pomagali mu ludzie... Dziwna historia.

— Dlaczego dziwna? — wymknęło mi się pytanie.

Adrian objął mnie ramieniem, co odebrałam jako prośbę, bym się nie wtrącała. Nie wiedziałam, czy tak powinna się zachowywać dziwka krwi, czy może bał się, że jednak przyłożę morojowi.

– Słyszałem o zeznaniach jednego ze strażników więziennych. Twierdził, że ktoś nim zawładnął. Podobno był oszołomiony i niewiele pamięta. Wygodne. Opowiadali mi o tym moroje, którzy pomagają w śledztwie.

Adrian parsknął śmiechem i upił spory łyk alkoholu.

– To rzeczywiście wygodne tłumaczenie. Pewnie wziął łapówkę. Wiktor jest nadziany. Sądzę, że sprawa jest prosta.

Usłyszałam miękką, przyjemną nutę w jego głosie i zorientowałam się, że ten drugi moroj uśmiecha się głupkowato. Adrian użył czaru wpływu.

– Na pewno masz rację.

– Powiedz o tym swoim kolegom – podsunął Iwaszkow. – O łapówce.

Moroj gorliwie pokiwał głową.

– Powiem.

Adrian nie spuszczał z niego wzroku jeszcze przez chwilę, a potem wrócił do swojego Toma Collinsa. Stary wkrótce doszedł do siebie, lecz wiedziałam, że zapamięta polecenie. Adrian dopił drinka i odstawił pustą szklankę na ladę. Miał zamiar coś powiedzieć, ale w tej chwili zauważył coś na sali. Moroj także to zobaczył, więc odwróciłam się, chcąc się przekonać, co ich tak poruszyło.

Jęknęłam. Kobiety. Oczywiście. W pierwszej chwili pomyślałam, że są dampirzycami, bo to moja rasa robiła najwięcej zamieszania wśród mężczyzn. Przyjrzałam im się jednak i odkryłam, że to morojki. Tancerki, mówiąc dokładniej. Miały podobne krótkie sukienki wyszywane cekinami i biżuterię w kolorach miedzi i błękitu... W ich włosach lśniły pióra i kryształy. Dziewczyny szły roześmiane w tłumie gapiów. Wyglądały pięknie i bardzo seksownie, inaczej niż przedstawicielki mojej rasy.

Nie byłam zaskoczona. Wiedziałam, że moroje chętnie oglądali się za dampirzycami, bo sama do nich należałam. Naturalnie jednak pociągały ich kobiety morojki. Dzięki temu ich rasa przetrwała i chociaż moroje romansowali z dampirzycami, niemal zawsze żenili się na koniec ze swoimi kobietami.

Tancerki były wysokie i pełne wdzięku. Zmierzały zapewne na scenę. Mogłam sobie wyobrazić, jak spektakularne będzie to widowisko. Chętnie bym je obejrzała. Zdałam sobie sprawę, że Adrian gapi się na dziewczyny rozanielonym wzrokiem. Szturchnęłam go w bok.

— Hej!

Ostatnia tancerka zniknęła w tłumie — kierowała się w stronę tabliczki z napisem: TEATR. Tak jak podejrzewałam. Adrian łypnął na mnie z szelmowskim uśmiechem.

— Chyba mogę sobie popatrzeć. — Poklepał mnie po ramieniu.

Jego sąsiad przytaknął skinieniem głowy.

— Może i ja obejrzę dzisiejsze przedstawienie. — Zakołysał kieliszkiem w powietrzu. — Ta sprawa z Daszkowem i Dragomirami... Żal mi biednego Erica. Był porządnym facetem.

Spojrzałam na niego z niedowierzaniem.

— Znałeś ojca Lis... Erica Dragomira?

— Oczywiście. — Pokazał barmanowi, żeby nalał mu kolejnego drinka. — Od lat zarządzam tym kasynem. Eric bywał u nas częstym gościem. Możesz mi wierzyć, że potrafił docenić nasze dziewczęta.

— Kłamiesz — wycedziłam lodowato. — Uwielbiał swoją żonę.

Znałam rodziców Lissy. Byłam dużo młodsza, lecz widziałam, jak bardzo się kochali.

— Nie twierdzę, że robił coś złego. Ale czasem można sobie popatrzeć, jak zauważył twój chłopak. Wszyscy wiedzieli, że książę Dragomir lubi zaszaleć, szczególnie w damskim towarzystwie. — Moroj westchnął i uniósł kieliszek. — Cholerna szkoda, że zginął. Mam nadzieję, że złapią tego drania Daszkowa i córeczka Erica będzie bezpieczna.

Nie chciałam słuchać tych insynuacji i ucieszyłam się, że Lissy nie ma w pobliżu. Poczułam się jednak nieswojo, bo niedawno dowiedziałyśmy się, że jej brat, Andre, także chętnie bywał na imprezach i łamał dziewczęce serca. Czyżby to była rodzinna ułomność? Andre zachowywał się skandalicznie, lecz istnieje wielka różnica między wybrykami nastolatka a postępkami dorosłego mężczyzny. Niechętnie to przyznawałam, ale nawet zakochani po uszy oglądali się za innymi dziewczynami i nikogo w ten sposób nie zdradzali. Adrian był na to żywym dowodem. Mimo wszystko Lissie nie spodobałaby się wiadomość, że jej tata był flirciarzem. Już i tak zadręczała się postępowaniem brata. Nie chciałam niszczyć wyidealizowanego wizerunku jej rodziców.

Posłałam Adrianowi znaczące spojrzenie. Niech wie, że jeszcze chwila, a nauczę tego starego głupca szacunku. Poza tym Lissa mogła się pojawić lada moment. Adrian, jak zwykle bardziej czujny, niż mogłoby się wydawać, uśmiechnął się w odpowiedzi.

— Więc jak, złotko, spróbujemy szczęścia w grze? Coś mi mówi, że pobijesz wszelkie rekordy, jak zawsze.

Skarciłam go wzrokiem.

— Miło z twojej strony.

Mrugnął do mnie i wstał.

— Miło się rozmawiało — rzucił na odchodnym do sąsiada.

— Z tobą również — odwzajemnił się tamten. Magia wpływu wyraźnie przestawała na niego działać. — Powinieneś ją lepiej ubierać.

— Nie jestem zainteresowany ubieraniem! — odkrzyknął Adrian, odciągając mnie.

— Uważaj! — wycedziłam. — Może to ty skończysz z pokaleczoną twarzą.

— Gram swoją rolę, mała dampirzyco. Dbam o to, żebyś trzymała się z dala od kłopotów. — Przystanęliśmy przed salą do gry w pokera i Adrian zmierzył mnie wzrokiem od stóp do głowy. — Miał jednak rację co do twojego stroju.

Zazgrzytałam zębami.

— Nie mogę uwierzyć, że wygadywał takie rzeczy o ojcu Lissy.

— Wszyscy plotkują, akurat ty powinnaś dobrze o tym wiedzieć. Nie oszczędzają nawet zmarłych. Poza tym ta rozmowa na coś się jednak przydała. Na pewno rozważali możliwość, że strażnik został przekupiony. Jeśli ten gość zacznie o tym rozpowiadać, nikomu nie przyjdzie do głowy podejrzewać najniebezpieczniejszej strażniczki na świecie.

— Możliwe.

Zmusiłam się do spokoju. Jestem choleryczką, a mroczne uczucia, które odbierałam od Lissy, zrobiły swoje w ciągu ostatniej doby. Zmieniłam temat, starając się sterować na bezpieczniejsze wody.

— Zachowujesz się całkiem miło, biorąc pod uwagę, jak bardzo się wściekłeś.

— Nie jestem zadowolony z obrotu spraw, jednak przemyślałem to i owo — odparł Adrian.

— O. Oświecisz mnie?

— Nie teraz. Porozmawiamy o tym później. Mamy ważniejsze sprawy na głowie.

— Czyli zatarcie śladów przestępstwa i ucieczkę z miasta, zanim dopadną nas strzygi?

— Nie. Chcę zarobić trochę kasy.

— Oszalałeś? — Nie powinnam była prosić Adriana o tę przysługę. — Niedawno uciekaliśmy przed zgrają krwiożerczych bestii, a ty mówisz o hazardzie?

— Skoro żyjemy, to znaczy, że tak nam było sądzone — upierał się. — Poza tym mamy czas.

— Nie potrzebujesz pieniędzy.

— Będę ich potrzebował, jeśli ojciec mnie wydziedziczy. Poza tym chcę się zabawić.

Wkrótce zrozumiałam, że „zabawa" polegała na oszustwie, jeśli tak można nazwać wspomaganie się mocą ducha. Wiązała się z niezwykłymi zdolnościami umysłu. Adrian potrafił czytać w cudzych myślach. Wiktor miał rację. Adrian wygłupiał się i zamawiał kolejne drinki, lecz zauważyłam, że bacznie obserwuje pozostałych graczy. Był ostrożny, nie mówił niczego głośno, ale raz po raz zdradzał go wyraz twarzy: pewny siebie, pełen wątpliwości lub zirytowany. Blefował i używał magii wpływu.

— Zaraz wracam — poinformowałam, czując, że Lissa mnie wzywa.

Adrian pomachał mi na pożegnanie. Nie martwiłam się o jego bezpieczeństwo, bo na sali było kilku strażników. Obawiałam się tylko, że kierownictwo kasyna zauważy jego matactwa i wyrzucą nas wszystkich. Moroje obdarzeni mocą ducha potrafili wywierać przemożny wpływ na innych, lecz tę zdolność posiadały do pewnego stopnia wszystkie wampiry. Akurat w kasynach zwracano na to szczególną uwagę.

Recepcja znajdowała się obok sali pokerowej, więc szybko znalazłam Lissę i Eddiego.

— Co się dzieje? — spytałam, kiedy odchodziliśmy.

— Zarezerwowałam lot na jutro rano — wyjaśniła Lissa i zawahała się. — Moglibyśmy lecieć nocą, ale...

Nie musiała kończyć. Po tym, co dzisiaj przeżyliśmy, żadne z nas nie chciało ryzykować kolejnego spotkania ze strzygami. Na lotnisko dojechalibyśmy wprawdzie taksówką, lecz i tak musielibyśmy przejść kawałek w ciemnościach.

Potrząsnęłam głową i zaprowadziłam ich do sali pokerowej.

— Dobrze zrobiłaś. Mamy czas... Chcesz wynająć pokój i trochę się przespać?

— Nie. — Lissa się wzdrygnęła. Czułam jej strach. — Wolę zostać w tłumie. Poza tym boję się własnych snów...

Adrian zachowywał się tak, jakby nie przejmował się niebezpieczeństwem, za to Lissę wciąż prześladowały twarze strzyg, szczególnie Dymitra.

— Dobrze — spróbowałam ją pocieszyć. — Zaznanie tutejszego nocnego życia pomoże nam przestawić się na porządek dnia na dworze. Poza tym zobaczysz, jak Adrian zostanie wyrzucony z kasyna.

Miałam rację. Lissę zaintrygowały oszustwa Adriana i w końcu postanowiła spróbować tego samego. Nie byłam tym zachwycona. Poprosiłam, by przynajmniej wybrała bezpieczniejszą grę. Przy okazji opowiedziałam jej, jaką myśl Adrian podrzucił morojowi spotkanemu przy barze. Pominęłam jednak fragment dotyczący jej ojca. Jakimś cudem noc upłynęła bez niespodzianek — strzygi trzymały się z daleka, a Adrian nie został wyrzucony — w dodatku kilka osób rozpoznało Lissę, co mogło uwiarygodnić nasze alibi. Eddie nie odezwał się do mnie ani słowem.

Rankiem opuściliśmy hotel. Mieliśmy ponure myśli z powodu ucieczki Wiktora, lecz pobyt w kasynie trochę poprawił nam nastrój. Przynajmniej do czasu, kiedy dotarliśmy na lotnisko. W kasynie podawano jedynie wieści ze świata morojów. W poczekalni lotniska, chcąc nie chcąc, zerkaliśmy na wszechobecne telewizory.

Najważniejszym wydarzeniem tej nocy okazała się masakra w Luxorze. Policja była bezsilna. Większość pracowników ochrony została zamordowana, ktoś przetrącił im karki. Nie znaleziono innych ciał. Odgadłam, że Dymitr wytaszczył swoich na słońce, które spaliło ich na popiół. Sam zapewne wymknął się, nie zostawiając świadków. Nawet kamery nic nie zarejestrowały. Nie zdziwiło mnie to. Skoro udało mi się zniszczyć monitoring w więzieniu, Dymitr bez trudu uporał się z hotelowym systemem zabezpieczeń.

Od razu poczuliśmy się gorzej. Prawie nie rozmawialiśmy. Nie próbowałam odczytać nastroju Lissy, bo jej przygnębienie mogło mnie tylko zdołować jeszcze bardziej.

Polecieliśmy bezpośrednio do Filadelfii, gdzie mieliśmy przesiadkę — samolot stamtąd lądował na lotnisku położonym niedaleko królewskiego dworu. Nie wiedzieliśmy, jak nas tam przywitają, ale... to było nasze najmniejsze zmartwienie.

Lecieliśmy w ciągu dnia, więc strzygi nie mogły nam zagrażać na pokładzie samolotu. Nie miałam już pod opieką zbiegłego więźnia i pozwoliłam sobie na drzemkę. Potrzebowałam snu. Czuwałam od początku tej wyprawy.

Przyśniło mi się, że pozwoliłam uciec jednemu z najgroźniejszych przestępców i zginęli ludzie. Nie winiłam moich przyjaciół. Cała odpowiedzialność spoczywała na mnie.

ROZDZIAŁ DWUNASTY

MOJE OBAWY POTWIERDZIŁY SIĘ, kiedy wreszcie dotarliśmy na dwór. Oczywiście nie tylko ja miałam kłopoty. Lissa została wezwana przed surowe oblicze królowej, ale wiedziałam, że nie zostanie ukarana. W przeciwieństwie do mnie i Eddiego. Ukończyliśmy szkołę, więc odpowiadaliśmy teraz przed radą strażników, co oznaczało, że potraktują nas jak niesubordynowanych pracowników. Tylko Adrian uniknął konsekwencji. On jeden mógł robić, co chciał.

Na szczęście nie ukarano mnie surowo. Poza tym co miałam do stracenia? Pozostawiono mi niewielką nadzieję na to, że przydzielą mnie do opieki nad Lissą i do tej pory tylko Tasza poprosiła, bym została jej strażniczką. Szalony weekend w Vegas — bo taki podaliśmy powód naszego zniknięcia — nie mógł jej zniechęcić. Niestety, Eddie miał poważniejszy problem. Część morojów, którzy wcześniej o niego prosili, się wycofała. Pozostało wprawdzie kilku chętnych i Eddie wciąż miał widoki na dobrą pracę, lecz i tak czułam się winna. Eddie nie pisnął słowa o tym, co zrobiliśmy, ale kiedy na mnie patrzył, widziałam w jego oczach potępienie. Często się spotykaliśmy. Okazało się, że strażnicy opracowali specjalny system dyscyplinarny.

— Postąpiliście tak nieodpowiedzialnie, że równie dobrze moglibyśmy was odesłać z powrotem do szkoły. Do diabła, nawet do podstawówki!

Kazano nam się stawić w biurze straży, gdzie musieliśmy wysłuchiwać wrzasków Hansa Crofta, kapitana straży królewskiej, decydującego o przydziale zadań. Był wampirem po pięćdziesiątce o sumiastych szpakowatych wąsach, i skończonym palantem. Zawsze spowijały go smugi dymu papierosowego. Oboje z Eddiem siedzieliśmy potulnie, podczas gdy Hans chodził wokół nas z rękami założonymi z tyłu.

— Naraziliście życie ostatniej Dragomirówny, nie wspominając o chłopcu Iwaszkowów. Co zrobiłaby królowa na wieść o śmierci ciotecznego wnuka? Jakby tego było mało, wybraliście sobie idealną porę na wygłupy! Zachciało wam się imprez akurat wtedy, kiedy porywacz księżniczki wydostał się na wolność. Zakładam, że nawet o tym nie słyszeliście, pochłonięci grą na automatach i używaniem fałszywych dowodów tożsamości.

Skrzywiłam się na wzmiankę o Wiktorze, chociaż powinnam się cieszyć, że nie kojarzono nas z jego ucieczką. Hans odczytał moją reakcję jako wyrzuty sumienia.

— Może i otrzymaliście dyplomy — ciągnął. — Ale to nie znaczy, że jesteście niezwyciężeni.

Przeprawa z Croftem przypomniała mi czasy, kiedy wróciłyśmy z Lissą do Akademii Świętego Władimira i postawiono nam te same zarzuty: o beztroską ucieczkę i narażanie jej życia. Tym razem nie mogłam liczyć, że Dymitr stanie w mojej obronie. Wspomnienie o nim ścisnęło mnie za gardło, znów zobaczyłam jego poważną, piękną twarz, intensywne i żarliwe spojrzenie brązowych oczu, kiedy wstawiał się za mną, przekonując, że jestem tego warta.

Nie. Nie będzie już Dymitra. Tylko ja i Eddie musieliśmy ponieść konsekwencje naszych działań.

— Ty... — Hans wskazał kościstym palcem Eddiego. — Może będziesz miał szczęście i obejdzie się bez poważniejszej kary. Oczywiście ten wybryk znajdzie odzwierciedlenie w twoich aktach. Schrzaniłeś szansę na przydział do świata elity. Żaden ze strażników cię nie poprze. Zapewne skończysz samotnie u boku kogoś mało znaczącego.

Wysoko postawieni członkowie rodów królewskich mieli więcej niż jednego opiekuna, co znacznie ułatwiało ich ochronę. Według Hansa Eddie miał służyć komuś niższemu rangą — co oznaczało więcej obowiązków i większe ryzyko. Zerknęłam na przyjaciela i ujrzałam znajomy, zdeterminowany wyraz jego twarzy, który świadczył o tym, że Eddie jest gotów podjąć się najtrudniejszego zadania i samotnie strzec rodziny morojów. Nawet dziesięciu rodzin. Wiedziałam, że nie zawahałby się walczyć w pojedynkę z całą zgrają strzyg.

— A ty... — Podniosłam głowę, bo Hans mówił teraz do mnie. — Będziesz miała szczęście, jeśli w ogóle przydzielą ci pracę.

Jak zwykle palnęłam coś bez zastanowienia. Powinnam zachować milczenie, tak jak Eddie.

— Oczywiście, że będę miała pracę. Tasza Ozera o mnie prosiła. Poza tym jest za mało strażników, żeby ze mnie zrezygnować.

Hans uśmiechnął się gorzko.

— To prawda, że są braki kadrowe, ale jest mnóstwo innych zadań, niekoniecznie związanych z ochroną morojów. Na przykład praca biurowa albo pilnowanie bramy.

Zamarłam. Croft właśnie zagroził mi pracą za biurkiem. Wyobrażałam sobie, że w najgorszym razie powierzą mi opiekę nad kimś przypadkowym, kogo nie znam i zapewne znienawidzę. Ale we wszystkich możliwych scenariuszach widziałam siebie w akcji. Musiałam działać. Walczyć i chronić.

To był cios. Hans miał rację. Strażników potrzebowano również w administracji. Fakt, że liczba takich stanowisk została mocno ograniczona — byliśmy zbyt cenni — jednak ktoś musiał wykonywać tę pracę. Myśl, że to mogłam być ja, wydała mi się okrutna. Miałabym godzinami tkwić za biurkiem? Przypomniałam sobie strażników więziennych z Tarasowa. Nasze życie uwzględniało wiele niewdzięcznych, acz koniecznych zadań.

Dopiero w tej chwili uświadomiłam sobie powagę sytuacji. Ogarnął mnie lęk. Z chwilą ukończenia szkoły przyjęłam tytuł strażniczki, ale czy naprawdę rozumiałam jego znaczenie? Czemu w swojej naiwności nie myślałam o konsekwencjach? Czasy szkolne się skończyły i nikt mnie nie ukarze zostawaniem po lekcjach. Rozpoczęłam prawdziwe życie. Życie pełne ryzyka.

Zdaje się, że zdradziłam swoje uczucia, bo Hans posłał mi okrutny uśmiech.

— Tak, tak. Potrafimy sobie poradzić z niesubordynacją. Na szczęście dla ciebie jeszcze nie postanowiono o twojej przyszłości. Tymczasem będziesz bardzo zajęta. Mamy tu mnóstwo pracy dla was obojga. Te „zajęcia" okazały się zwykłą pracą fizyczną. Szczerze mówiąc, kara nie różniła się od zwykłej szkolnej kozy. Byłam pewna, że wymyślono ją na nasz użytek. Harowaliśmy z Eddiem po dwanaście godzin dziennie, wygrzebując kamienie i piach z nowego dziedzińca, który miał powstać przed zabudowaniami królewskiego dworu. Czasem kazano nam sprzątać i myć podłogi. Taką pracę wykonywali zwykle moroje, ale teraz zapewne wyjechali na wakacje.

Najgorsze nastąpiło, kiedy Hans kazał nam porządkować stosy dokumentów. Dopiero teraz doceniłam w pełni komputerowe bazy danych. I naprawdę zaczęłam martwić się o własną przyszłość. Przypomniałam sobie pierwszą rozmowę z Croftem, kiedy zagroził, że tak może wyglądać moje życie i że nigdy nie stanę się strażniczką Lissy ani żadnego innego moroja. Podczas kilkuletniego treningu wpajano nam podstawową zasadę: Oni są na pierwszym miejscu. Jeśli okaże się, że naprawdę zmarnowałam karierę, to będę musiała zmienić mantrę: A jest na pierwszym miejscu. Potem B, C, D...

Praca nie pozwalała mi się widywać z Lissą, a dyżurni strażnicy w tym szacownym przybytku dokładali wszelkich starań, by utrudnić mi wszystko jeszcze bardziej. Byłam sfrustrowana. Wiedziałam, co się dzieje z przyjaciółką dzięki naszej szczególnej więzi, lecz chciałam z nią porozmawiać. Chciałam porozmawiać z kimkolwiek. Adrian także nie próbował się ze mną kontaktować, nawet w snach. Nie wiedziałam, jak się czuje. Po Las Vegas nie mieliśmy okazji pomówić. Pracowałam wprawdzie z Eddiem, ale nie odzywał się do mnie. Długie godziny upływały mi na rozmyślaniach pełnych poczucia winy. Możecie mi wierzyć, miałam wiele powodów, by się zadręczać. Mieszkańcy królewskiego dworu nie zwracali uwagi na szeregowych pracowników. W budynkach i na zewnątrz traktowano mnie jak powietrze. Najważniejszym tematem był Wiktor. Niebezpieczny Wiktor Daszkow, który grasował na wolności. Jak to się mogło stać? Czyżby posiadał tajemniczą moc? Obawiano się go, niektórzy powtarzali nawet, że lada moment Daszkow wtargnie na dwór i pozabija wszystkich we śnie. Nie obalono teorii przekupstwa, dzięki czemu nadal nikt nas nie podejrzewał. Niestety, wielu morojów zaczęło się obawiać, że także w ich otoczeniu znajdują się zdrajcy. Kto jeszcze pracował dla Wiktora Daszkowa? Może jego szpiedzy krążyli po dworze królewskim, knując okrutne intrygi? Wiedziałam, że te historie są wyssane z palca, ale to nie miało znaczenia. Wszystkie powstawały dlatego, że Wiktor Daszkow przebywał na wolności. Tylko ja — i moi przyjaciele — wiedzieliśmy, że byłam za to odpowiedzialna.

Wyjazd do Las Vegas zapewnił nam wprawdzie alibi, lecz jednocześnie sprawił, że nas potępiano. Moroje oburzali się, że narażaliśmy księżniczkę Dragomir w czasie, gdy jej największy wróg wydostał się na wolność. Dzięki Bogu, powtarzano, że królowa nas ochroniła, zanim Wiktor odnalazł Lissę. Nasz wypad wywołał także inne spekulacje dotyczące mojej osoby.

— Nie dziwi mnie postępowanie Wasylissy... — Usłyszałam słowa jakiejś kobiety za plecami. Pracowałam właśnie na zewnątrz, a ona z grupką znajomych szła w kierunku pomieszczeń karmicieli i nawet mnie nie zauważyła. — Już raz uciekła, prawda? Dragomirowie zawsze wpadali na szalone pomysły. Kiedy złapią tego Daszkowa, księżniczka natychmiast wyskoczy na kolejną imprezę.

— Mylisz się — sprzeciwiła się jej koleżanka. — To rozsądna dziewczyna. Wszystkiemu winna ta dampirzyca, która nie odstępuje Wasylissy na krok. Ta Hathaway. Słyszałam, że uciekła do Vegas z Adrianem Iwaszkowem, bo chcieli zostać kochankami. Ludzie królowej zapobiegli temu w ostatniej chwili. Tatiana jest wściekła, szczególnie po tym, co oświadczyła Hathaway, że nic jej nie rozdzieli z Adrianem.

Nooo. To było szokujące. Oczywiście wolałam, by podejrzewano mnie i Adriana o romans, niż oskarżano o pomoc zbiegowi, ale... Jakim cudem wpadli na coś takiego? Miałam nadzieję, że plotka o mojej rzekomej ucieczce z Adrianem nie dotarła do Tatiany. Z pewnością zniszczyłaby jej niespodziewaną przychylność wobec mnie.

Pierwsze od dłuższego czasu spotkanie towarzyskie zaskoczyło mnie. Właśnie przekopywałam rabatę i pociłam się przy tym jak mysz. Dla morojów zapadała noc, co oznaczało, że dla ludzi panował upalny słoneczny dzień. Jedyną pociechą był wspaniały widok na okazałą dworską cerkiew.

Spędzałam sporo czasu w szkolnej kaplicy, ale tutaj rzadko zaglądałam do świątyni oddalonej od głównych budynków dworu.

Moroje należeli dawniej do rosyjskiego kościoła prawosławnego. Tutejsza cerkiew przypominała mi te oglądane w Rosji, choć nie dorównywała im majestatem. Zbudowano ją z pięknego czerwonego kamienia, wysokie wieże były zwieńczone zielonymi kopułami, na których lśniły złote krzyże.

Granice rozległego terenu przykościelnego wyznaczały dwa ogrody. W jednym z nich właśnie pracowaliśmy. Tuż obok wznosił się jeden z najważniejszych pomników na dworze: imponujący posąg starożytnej królowej morojów, dziesięciokrotnie wyższy ode mnie. Naprzeciwko stała równie potężna statua króla. Nie pamiętałam ich imion, ale z pewnością uczyłam się o nich na lekcjach historii. Byli wizjonerami i dokonali niezwykłych przemian w świecie morojów.

Kątem oka zauważyłam, że ktoś idzie w moim kierunku. Pomyślałam, że to Hans za chwilę powierzy mi kolejną znienawidzoną robotę. Obejrzałam się i zobaczyłam Christiana. Zaskoczył mnie.

— No nie — zaczęłam. — Będziesz miał kłopoty, jeśli ktoś zobaczy, że ze mną rozmawiasz.

Christian wzruszył ramionami i usiadł na niewykończonym kamiennym murze.

— Wątpię. To ty będziesz miała kłopoty, chociaż nie sądzę, by twoja sytuacja mogła się jeszcze pogorszyć.

— Fakt — mruknęłam.

Ozera zamilkł i przyglądał się, jak przerzucam jedną łopatę ziemi za drugą.

— Dobra — odezwał się w końcu. — Powiedz, jak i dlaczego to zrobiliście.

— Co?

— Dobrze wiesz. Pytam o waszą małą przygodę.

— Wsiedliśmy do samolotu i polecieliśmy do Las Vegas. Dlaczego? Hmm. Zastanówmy się. — Otarłam pot z czoła. — Bo nie ma lepszego miejsca, gdzie oferują nielegalne rozrywki, a barmani nie pytają o wiek.

Christian żachnął się.

— Nie wmawiaj mi głupot, Rose. Nie polecieliście do Vegas.

— Mamy na potwierdzenie bilety samolotowe i rachunki z hotelu, nie wspominając o tym, że księżniczka Dragomir była widziana przy automatach do gier.

Skupiłam się na pracy. Czułam, że Christian mi nie wierzy.

— Wiedziałem, że to wasze dzieło, kiedy usłyszałem o trzech osobach, które włamały się do więzienia. Nie nabierzesz mnie.

Eddie stał niedaleko i teraz rozejrzał się wokół z niepokojem. Zrobiłam to samo. Desperacko chciałam z kimś porozmawiać, ale nie za taką cenę. Ktoś mógł nas podsłuchać. Gdyby sprawa się wydała, obowiązkowe roboty w ogrodzie byłyby przyjemnością w porównaniu z karą za tak poważne przestępstwo. Nikt się nie kręcił w pobliżu, ale i tak zniżyłam głos, przybierając minę niewiniątka.

— Słyszałam, że to byli ludzie wynajęci przez Wiktora.

— Wiedziałam, że wielu morojów i strażników jest zwolennikami tej teorii. Kolejnym popularnym pomysłem było: „Myślę, że on się przemienił w strzygę".

— Jasne... — Christian mi nie uwierzył, rzecz jasna. Zbyt dobrze mnie znał. — A ja słyszałem, że jeden ze strażników nie może sobie przypomnieć, dlaczego zaatakował swoich. Przysięga, że ktoś nim zawładnął. Ktoś taki potrafiłby sprawić, że inni zaczynają widzieć ludzi, mimów, nawet kangury...

Nie odważyłam się na niego spojrzeć. Wbiłam szpadel głęboko w ziemię i odetchnęłam głęboko, żeby nie zareagować złością.

— Zrobiła to, bo sądzi, że można przywrócić strzygę do dawnego życia.

Poderwałam głowę i popatrzyłam na Eddiego z niedowierzaniem.

— Co ty wygadujesz?!

— Mówię prawdę — odparował, nie przerywając pracy.

— Jest naszym przyjacielem. Myślisz, że na nas doniesie?

Nie, zbuntowany Christian Ozera nie mógłby nas zdradzić. Co nie znaczyło, że Eddie miał prawo chlapać ozorem. Im więcej osób zna tajemnicę, tym większe ryzyko, że zostanie ona ujawniona.

Nie zdziwiła mnie odpowiedź Christiana. Wszyscy tak reagowali.

— Co takiego? To niemożliwe. Każdy to wie.

— Z wyjątkiem brata Wiktora Daszkowa — wyjaśnił Eddie.

— Przestaniesz wreszcie?! — krzyknęłam.

— Powiesz mu albo ja to zrobię.

Westchnęłam. Bladoniebieskie oczy Christiana świdrowały nas. Chłopak był wstrząśnięty. Jak większość moich przyjaciół on również miewał najdziksze pomysły, ale ten wydał mu się wyjątkowym szaleństwem.

— Sądziłem, że Wiktor jest jedynakiem — powiedział.

Potrząsnęłam głową.

— Nie. Jego ojciec miał romans i Wiktor ma przyrodniego brata. Nazywa się Robert i posiada moc ducha.

— Tylko ty — zaczął Christian. — Tylko ty mogłaś zdobyć takie informacje.

Zignorowałam tę sarkastyczną uwagę. Christian najwyraźniej znów był sobą.

— Robert twierdzi, że uzdrowił strzygę... zabił nieumarłą część jej duszy i tym samym sprowadził tę strzygę z powrotem do życia.

— Nawet moc ducha nie może sprawić wszystkiego, Rose. Ty powróciłaś ze świata zmarłych, ale strzygi są stracone.

— Nie znamy wszystkich możliwości ducha — zauważyłam. — Wiele pozostaje tajemnicą.

— Znamy historię świętego Władimira. Gdyby potrafił ocalić strzygę, sądzisz, że by tego nie dokonał? Przecież to byłby prawdziwy cud. Opowiadano by o nim legendy — spierał się Christian.

— Może tak, a może nie — poprawiłam kucyk, odtwarzając w myślach rozmowę z Robertem po raz setny. — Może Wład na to nie wpadł. To nie takie proste.

— Taa — zgodził się Eddie. — Mocny argument.

— Hej — uciszyłam go. — Wiem, że się na mnie wściekasz, ale rozmawiamy z Christianem, nie musisz silić się na kąśliwe uwagi.

— No nie wiem — wtrącił się Ozera. — Tak poważna sprawa wymaga co najmniej dwóch prześmiewców. Wytłumacz mi więc, jak się robi takie cuda jak uleczenie strzygi.

Westchnęłam.

— Nasyca się sztylet mocą ducha oraz pozostałych czterech żywiołów.

Magia ducha wciąż stanowiła nowość także dla Christiana.

– Nie pomyślałem o tym. Moc ducha mogłaby sporo zmienić... Nie sądzę jednak, by cios takim sztyletem potrafił ożywić strzygę.

– No właśnie, sam cios nie wystarczy. Robert twierdzi, że ja nie mogę tego zrobić. Musiałabym posiadać moc ducha.

Zapadło milczenie. Christianowi wyraźnie odebrało mowę. Pozbierał się jednak.

– Nie znamy wielu osób obdarzonych tą mocą. A już na pewno nikogo, kto mógłby zaatakować strzygę.

– Znamy dwie takie osoby. – Zmarszczyłam czoło, bo przypomniałam sobie Oksanę mieszkającą na Syberii oraz Avery zamkniętą... Gdzie? W szpitalu? W miejscu takim jak Tarasow? – Nie, cztery. Właściwie pięć, licząc Roberta. Ale masz rację, żadne z nich nie mogłoby tego zrobić.

– To bez znaczenia, ponieważ rozmawiamy o rzeczy niemożliwej – wtrącił Eddie.

– Nie wiadomo! – Z niepokojem usłyszałam desperację w moim głosie. – Robert w to wierzy. Wiktor także. – Zawahałam się. – Nawet Lissa.

– I zamierza spróbować. – Christian błyskawicznie odgadł prawdę. – Ponieważ zrobiłaby dla ciebie wszystko.

– Nie może.

– Bo brakuje jej umiejętności czy jej na to nie pozwolisz?

– Jedno i drugie! – krzyknęłam. – Nie dopuszczę jej w pobliże strzygi. I tak już... – jęknęłam. Za nic nie chciałam ujawniać, co odkryłam w czasie, kiedy nas rozdzielono. – Zdobyła sztylet i usiłuje go zaczarować. Dzięki Bogu, bezskutecznie.

— Gdyby to było możliwe... — Christian mówił powoli. — Cały nasz świat wyglądałby inaczej. Gdyby nauczyła się...

— Co? Nie! — Tak bardzo zależało mi, żeby przekonać Christiana, a teraz tego żałowałam. Szczęście w nieszczęściu, że żaden z moich przyjaciół nie wierzył w ocalenie strzyg. Nikomu też nie przyszło do głowy, że Lissa mogłaby stanąć do walki. — Lissa nie jest wojowniczką. Podobnie jak żaden z morojów obdarzonych mocą ducha. Dopóki nie znajdziemy kogoś takiego, wolałabym... — skrzywiłam się. — Wolałabym, żeby Dymitr zginął.

Eddie przerwał pracę i cisnął łopatę na ziemię.

— Co ty powiesz? Nigdy bym nie pomyślał.

Nie podejrzewałam go o taki sarkazm.

Obróciłam się na pięcie i ruszyłam na niego, zaciskając pięści.

— Dłużej tego nie wytrzymam! Przepraszam. Nie wiem, co jeszcze powiedzieć. Wiem, że nawaliłam. Pozwoliłam uciec Dymitrowi. Pozwoliłam uciec Wiktorowi.

— Pozwoliłaś uciec Wiktorowi? — przestraszył się Christian.

Zignorowałam go i dalej wrzeszczałam na Eddiego.

— Popełniłam błąd. Okazałam słabość. Wiem, że nie tego nas uczono. Oboje wiemy. Ale nie chciałam tego. Musisz to rozumieć, jeśli naprawdę jesteś moim przyjacielem. Gdybym mogła cofnąć czas... — Przełknęłam ślinę, czując podejrzane pieczenie pod powiekami. — Nie zrobiłabym tego. Przysięgam, że nie pozwoliłabym mu uciec, Eddie.

Dampir miał nieprzenikniony wyraz twarzy.

213

— Wierzę ci. Jestem twoim przyjacielem i rozumiem... Wiem, że nie zrobiłaś tego specjalnie.

Odetchnęłam z ulgą. Nie sądziłam, że tak bardzo zależy mi na jego szacunku i przyjaźni. Spojrzałam na swoje ręce. Wciąż zaciskałam je w pięści. Rozprostowałam palce, nie mogąc uwierzyć, że aż tak mnie poniosło.

— Dziękuję. Dziękuję bardzo.

— Co to za krzyki?

Obróciliśmy się i zobaczyliśmy Hansa idącego w naszą stronę. Był wkurzony. Christian nie wiadomo kiedy rozpłynął się w powietrzu. I dobrze.

— To nie czas na pogaduszki! — ryknął strażnik. — Została wam jeszcze godzina. Jeśli nie możecie się skupić, może trzeba was rozdzielić. — Skinął na Eddiego. — Idziemy. Znalazłem ci trochę papierkowej roboty.

Odprowadziłam Eddiego współczującym spojrzeniem, chociaż ucieszyłam się, że to nie ja będę ślęczeć nad aktami.

Wróciłam do pracy, ale nie mogłam przestać rozmyślać o tym, co dręczyło mnie przez cały tydzień. Nie okłamałam Eddiego. Pragnęłam, by marzenie o ocaleniu Dymitra okazało się realne. Niczego nie pragnęłam bardziej, lecz nie mogłam narażać życia Lissy. Nie powinnam była się wahać. Miałam szansę zabić Dymitra. Wówczas nie stracilibyśmy Wiktora, a Lissa nie zastanawiałaby się teraz nad wcieleniem w życie rewelacji Roberta.

Myśl o Lissie kazała mi nawiązać z nią kontakt. Była w swoim pokoju, pakowała się przed jutrzejszym wyjazdem do Lehigh. Oczywiście nie mogłam już marzyć o tym, by pozwolono mi jej towarzyszyć. W całym tym zamieszaniu zapomniano także o jej urodzinach, które przypadały podczas tego weekendu. Byłam rozgoryczona, że nie możemy świętować razem. Zajrzałam do jej myśli. Lissę dręczył niepokój. Podskoczyła, kiedy rozległo się pukanie do drzwi.

Nie miała pojęcia, kto mógłby ją odwiedzić o tej porze, i zachłysnęła się na widok Christiana. Byłam równie zaskoczona. Chwilami nadal czułam się jak mieszkanka szkolnego internatu, w którym panowały — przynajmniej teoretycznie — surowe zasady: chłopcy nie mogli odwiedzać dziewczyn w ich pokojach i na odwrót. Ale opuściliśmy szkołę. Oficjalnie byliśmy dorośli. Zorientowałam się, że Christian postanowił pójść do Lissy po rozmowie ze mną.

Nie mogłam się nadziwić, jak bardzo oboje zdenerwowali się tym spotkaniem. Lissa była wzburzona, rozpoznałam jej gniew, żal i zmieszanie.

— Co tu robisz? — spytała ostro.

Christian ledwie panował nad emocjami.

— Chciałbym z tobą porozmawiać.

— Już późno — odparła sztywno. — Poza tym ostatnio nieszczególnie miałeś ochotę na pogawędki.

— Chcę pogadać o Wiktorze i Robercie.

Moja przyjaciółka w jednej chwili zapomniała o urażonych uczuciach. Rozejrzała się z niepokojem po korytarzu i gestem zaprosiła Christiana do pokoju.

— Skąd wiesz? — syknęła, zamykając szybko drzwi.

— Właśnie widziałem się z Rose.

— Jakim cudem? Mnie się to nie udało. — Lissa także była sfrustrowana, że nas rozdzielono.

Christian wzruszył ramionami. Trzymał się od Lissy na dystans. Oboje założyli ręce na piersi w obronnym geście, chociaż pewnie nie zdawali sobie sprawy, że zachowują się jednakowo.

– Zakradłem się do obozu pracy. Każą jej godzinami kopać ziemię.

Lissa się skrzywiła. Nie miała pojęcia, na czym polega moja kara.

– Biedna Rose.

– Radzi sobie. Jak zawsze. – Christian zerknął na sofę, gdzie leżała otwarta walizka, a w niej srebrny sztylet na jedwabnej bluzce. – Ciekawy drobiazg, zapewne bardzo przydatny w college'u.

Dziewczyna natychmiast zatrzasnęła wieko.

– Nie twój interes.

– Naprawdę w to wierzysz? – zignorował jej komentarz. Postąpił krok naprzód, zapominając, że postanowił trzymać się z daleka. Mimo zdenerwowania Lissa natychmiast stała się świadoma jego bliskości, zapachu.

– Sądzisz, że potrafiłabyś ocalić strzygę?

Otrząsnęła się i pokręciła głową.

– Nie wiem. Naprawdę. Ale czuję... czuję, że powinnam spróbować. Chcę przynajmniej sprawdzić, co może zdziałać sztylet napełniony mocą ducha. Niczym nie ryzykuję.

– Rose twierdzi co innego.

Lissa uśmiechnęła się do niego smutno, ale zaraz się zmitygowała.

– Rose chce mnie trzymać z daleka od tego problemu, ale przecież niczego nie pragnie bardziej niż ocalić Dymitra.

– Powiedz mi prawdę. – Christian utkwił w niej palące spojrzenie. – Myślisz, że masz szansę ugodzić strzygę?

216

— Nie — przyznała. — Ledwo sobie poradziłam w walce na pięści. Jednak naprawdę powinnam spróbować. Chcę się nauczyć władać sztyletem.

Ozera rozważał jej odpowiedź.

— Wyjeżdżasz do Lehigh jutro rano? — Wskazał gestem walizkę.

Lissa skinęła głową.

— A Rose nie bierze udziału w tej wycieczce?

— To oczywiste.

— Czy królowa proponowała, byś zaprosiła kogoś innego?

— Tak — potwierdziła Lissa. — Sugerowała Adriana. Ale marnie z nim i nie wiem, czy chcę jego towarzystwa.

Christian wydawał się zadowolony z jej odpowiedzi.

— W takim razie zaproś mnie.

Moje biedactwa. Ciekawe, czy coś mogło nimi wstrząsnąć jeszcze bardziej tego dnia.

— Niby dlaczego miałabym cię zapraszać, do cholery?! — wykrzyknęła Lissa. Znów ogarnął ją gniew. Czuła się nieswojo, kiedy przeklinała.

— Ponieważ — Christian był całkowicie spokojny — mogę cię nauczyć walczyć ze strzygami.

ROZDZIAŁ TRZYNASTY

NIEDOCZEKANIE – mruknęłam na głos.

– Nie możesz – powiedziała Lissa z takim samym niedowierzaniem. – Wiem, że uczysz się posługiwać ogniem, ale nie masz pojęcia o sztyletowaniu.

Christian miał butną minę.

– Mam, chociaż niewielkie. I mogę nauczyć się więcej. Mia zaprzyjaźniła się z tutejszymi strażnikami, którzy trenują ją w sztukach walki. Przekazała mi co nieco.

To, że Mia i Christian uczyli się razem, nie poprawiło nastawienia Lissy.

– Jesteś tu zaledwie od tygodnia! A mówisz tak, jakbyś ćwiczył latami u mistrza.

– To lepsze niż nic – odparł Christian. – Od kogo zamierzałaś się uczyć? Od Rose?

Gniew i zdumienie Lissy nieco przygasły.

– Nie – przyznała. – Rose nie może się nawet o tym dowiedzieć. Zabroniłaby mi.

Oczywiście. Nawet teraz, choć nie wolno mi się było zbliżać do Liss, chciałam wtargnąć do jej pokoju i położyć kres tym mrzonkom.

— Więc jestem twoją jedyną szansą — stwierdził sucho Christian. — Posłuchaj... nie najlepiej nam się ostatnio układa, lecz to bez znaczenia, jeśli chcesz się uczyć. Powiedz Tatianie, że zaprosiłaś mnie do Lehigh. Nie będzie zachwycona, ale nie odmówi ci. W wolnym czasie przekażę ci, czego się nauczyłem. Po powrocie możemy zwrócić się do Mii i jej przyjaciół.

Lissa zmarszczyła czoło.

— Gdyby Rose wiedziała...

— Dlatego proponuję zacząć z dala od dworu. Nie będzie mogła nam przeszkodzić.

Na litość boską. Już ja bym im pokazała, jak się walczy. Na początek rozkwasiłabym nos Christiana.

— Co będzie, kiedy wrócimy? — spytała Lissa. — Rose się dowie. To nieuniknione.

Chłopak wzruszył ramionami.

— Jeśli nadal będą ją zmuszać do pracy na polu, nie zdoła nic zrobić. Dowie się, lecz nic z tego nie wyniknie. Będzie bezsilna.

— To za mało — westchnęła Lissa. — Rose miała rację. Nie mogę oczekiwać, że w ciągu kilku tygodni opanuję sztukę, którą ona trenowała od lat.

Tygodni? Więc tak to sobie obmyśliła?

— Musisz spróbować — powiedział niemal łagodnie.

Niemal.

— Dlaczego tak się angażujesz? — Lissa nabrała podejrzeń. — Zależy ci na ocaleniu Dymitra? Wiem, że go lubiłeś, ale nie masz takiej motywacji jak Rose.

— Dymitr był w porządku — skwitował Christian. — Jeśli jest sposób, by przywrócić go do życia... będę zachwycony. Ale nie tylko o to chodzi. Nie tylko o niego. Skoro strzygi mogą do nas wrócić, w naszym świecie nastąpi rewolucja. Oczywiście walka ogniem, po tym jak strzygi zaczęły nas dziesiątkować, sprawia mi dużą przyjemność, lecz moglibyśmy powstrzymać tę rzeź. Może masz w ręku klucz do ocalenia. Nas wszystkich.

Lissa zaniemówiła. Oszołomiło ją zaangażowanie Christiana, nadzieja, z jaką przemawiał. To było... poruszające.

Ozera wykorzystał jej milczenie.

— Potrzebujesz wsparcia. Postarałbym się zminimalizować ryzyko, że zginiesz w tej walce. Znam cię i wiem, że nie zrezygnujesz mimo sprzeciwu Rose.

Moja przyjaciółka rozważała sytuację. Przysłuchiwałam się jej myślom i wcale nie spodobał mi się kierunek, w jakim płyną.

— Wyjeżdżamy o szóstej — oznajmiła na koniec. — Możemy się spotkać na dole o piątej trzydzieści?

Tatiana nie będzie uszczęśliwiona zaproszeniem Christiana, ale Lissa wiedziała, że szybko ją przekona.

Chłopak skinął głową.

— Przyjdę.

Byłam oburzona. Lissa zamierzała uczyć się walki sztyletem — za moimi plecami! — i Christian miał jej w tym pomagać. Tych dwoje warczało na siebie od chwili rozstania. Powinno mi pochlebiać, że pogodzili się niejako przeze mnie, ale tak nie było. Wkurzyli mnie.

Rozważałam swoje możliwości. Budynki, w których mieszkałyśmy z Lissą, nie były tak dobrze strzeżone jak szkolne dormitoria, jednak personel uprzedzono, żeby powiadamiać biuro straży, gdyby przyszła mi ochota na spotkania towarzyskie. Hans poinformował mnie również, żebym trzymała się z dala od Lissy do odwołania. Przez chwilę rozważałam zaryzykowanie, że strażnik wyciągnie mnie za kołnierz z pokoju przyjaciółki, ale na szczęście wpadłam na lepszy pomysł. Było późno, lecz nie za późno. Wyszłam na korytarz i zapukałam do sąsiedniego pokoju. Miałam nadzieję, że nikogo nie obudzę. Otworzyła mi dampirzyca mniej więcej w moim wieku, ona także właśnie ukończyła szkołę. Nie miałam swojej komórki, a tego dnia zauważyłam, że dziewczyna rozmawia przez telefon.

— Cześć — przywitała mnie ze zrozumiałym zdziwieniem.

— Cześć, czy mogłabym wysłać esemesa z twojej komórki?

Nie chciałam rozmawiać przez jej telefon, poza tym Lissa mogła się rozłączyć na dźwięk mojego głosu. Dampirzyca wzruszyła ramionami i poszła do pokoju. Po chwili wróciła z komórką. Pamiętałam numer Lissy i szybko wysłałam jej wiadomość następującej treści:

Wiem, co zamierzasz zrobić i to jest ZŁY pomysł.
Skopię wam tyłki, kiedy was dopadnę.

Oddałam telefon właścicielce.

— Dzięki. Dasz mi znać, jeśli przyjdzie odpowiedź?

Obiecała, że tak, ale nie spodziewałam się wiadomości zwrotnej. Przyszła inną drogą.

Natychmiast przeniosłam się z powrotem do umysłu Lissy. Musiałam zobaczyć, jak zareaguje na esemesa.

Christian już wyszedł, kiedy odczytała wiadomość z ponurym uśmiechem. Wiedziała, że jestem przy niej.

„Przykro mi, Rose – odezwała się do mnie w myślach. – Muszę zaryzykować. Tak postanowiłam".

Tej nocy przewracałam się na łóżku, nie mogąc zasnąć ze złości na Lissę i Christiana. Nie zdawałam sobie sprawy, że śpię, dopóki nie pojawił się Adrian. Zrozumiałam, że zmęczenie fizyczne wzięło górę nad niepokojem.

– Las Vegas? – zdziwiłam się.

Adrian zawsze wybierał scenerię snów, w których mnie odwiedzał. Tego wieczoru staliśmy na deptaku, niedaleko miejsca, w którym oboje z Eddiem spotkaliśmy jego i Lissę. Ciemności rozświetlały jaskrawe światła hotelowych neonów, jednak panowała tu niezwykła cisza. Adrian nie wprowadził do snu tłumów i samochodów. Znajdowaliśmy się w widmowym mieście.

Uśmiechał się, oparty o słup reklamowy obwieszony plakatami informującymi o koncertach i usługach biur ochrony.

– Cóż, nie mieliśmy okazji nacieszyć się tym miastem.

– Fakt – przystanęłam w niewielkiej odległości z rękami założonymi na piersi. Miałam na sobie dżinsy i podkoszulek oraz nazar. Najwyraźniej Adrian zrezygnował tej nocy z wystrojenia mnie, za co byłam mu wdzięczna. Mógł wybrać dla mnie kostium jednej z tancerek paradujących w cekinach i piórach.

– Sądziłam, że mnie unikasz. – Adrian zachowywał się miło w Godzinie Czarownic, ale nie byłam pewna, czy wciąż jesteśmy razem.

Prychnął.

— Nie ja o tym zdecydowałem, mała dampirzyco. Strażnicy dokładają wszelkich starań, byś pozostawała samotna. Do pewnego stopnia.

— Christian jednak zdołał się prześliznąć i mnie odwiedzić — odparłam w nadziei, że uniknę tematu, który z pewnością chodził po głowie Adrianowi: że ryzykowałam nasze życie, by ocalić dawnego chłopaka. — Zamierza uczyć Lissę, jak posługiwać się sztyletem.

Oczekiwałam, że Adrian będzie równie oburzony jak ja, ale zareagował obojętnie.

— Nic dziwnego, że Lissa próbuje. Nie sądziłem jednak, że Ozera uwierzy w tę szaloną teorię.

— Szaleństwo jest w jego stylu... Pomysł spodobał im się tak bardzo, że zapomnieli o wrogości.

Adrian przechylił głowę i kosmyki włosów opadły mu na oczy. Niebieski neon z drzewami palmowymi rozświetlił jego twarz. Spojrzał na mnie znacząco.

— Daj spokój, oboje wiemy, dlaczego on to robi.

— Bo sądzi, że prowadzenie zajęć pozalekcyjnych dla Jill i Mii zrobiło z niego instruktora?

— Bo zyskał pretekst, żeby zbliżyć się do Lissy, zachowując pozory dystansu. W ten sposób nadal czuje się twardzielem.

Przesunęłam się nieco, bo światło gigantycznej reklamy automatów do gry raziło mnie w oczy.

— To śmieszne. — Szczególnie podejrzenie, że Christian próbuje być twardzielem.

— Mężczyźni robią wiele śmiesznych rzeczy z miłości. — Adrian sięgnął do kieszeni i wyjął paczkę papierosów. — Czy wiesz, jak wielką mam ochotę teraz zapalić? Ale będę cierpiał. Wszystko dla ciebie, Rose.

— Nie udawaj romantyka — ostrzegłam, skrywając uśmiech. — Nie mamy na to czasu, nie wtedy, kiedy moja najlepsza przyjaciółka zamierza polować na strzygi.

— Niby jak miałaby go odnaleźć? To raczej trudne zadanie. — Adrian nie musiał tłumaczyć, kogo ma na myśli.

— Racja — przyznałam.

— Poza tym i tak nie potrafi zaczarować sztyletu. Dopóki się tego nie nauczy, jej braki w sztuce kung fu i tak nie mają znaczenia.

— Strażnicy nie ćwiczą kung fu. Skąd wiedziałeś o sztylecie?

— Lissa kilkakrotnie prosiła mnie o pomoc — wyjaśnił.

— Hm. Nie wiedziałam.

— Byłaś zajęta. Nawet nie pomyślałaś o biednym porzuconym chłopaku.

Miałam tyle pracy, że rzadko zaglądałam do Lissy, sprawdzałam tylko, czy nic jej nie jest.

— Chętnie zabrałabym cię ze sobą do biura.

Bałam się, że Adrian jest na mnie wściekły po wydarzeniach w Vegas, tymczasem zachowywał się swobodnie i beztrosko. Może zbyt beztrosko. Chciałam go skłonić, by skoncentrował się na problemie.

— Jak oceniasz postępy Lissy? Jak szybko może jej się udać?

Adrian bawił się papierosami i miałam ochotę zaproponować mu, by wreszcie zapalił. Przecież o tym marzył.

— Nie potrafię tego ocenić. Nie zajmowałem się magią ducha w ten sposób. Lissa łączy ją z mocą innych żywiołów, co utrudnia zadanie.

— Czy to znaczy, że jednak jej pomagasz? — spytałam podejrzliwie.

Pokręcił głową z rozbawieniem.

— A jak myślisz?

Zawahałam się.

— No... nie wiem. Pomagałeś jej zwykle w pracy z mocą ducha, ale gdybyś przyłożył rękę do tej sprawy, to...

— Pomagałbym jednocześnie Dymitrowi?

Kiwnęłam głową, bo nie odważyłam się powiedzieć nic więcej.

— Nie — przyznał się w końcu. — Nie pomagam jej dlatego, że nie mam o tym pojęcia.

Odetchnęłam z ulgą.

— Bardzo cię przepraszam — powiedziałam. — Za wszystko. Że cię okłamywałam. Źle postąpiłam. Nie rozumiem tylko, dlaczego jesteś dla mnie taki miły.

— Powinienem być podły? — Mrugnął. — Wolałabyś to?

— Nie! Oczywiście, że nie. Ale byłeś na mnie wściekły, kiedy przyjechałeś do Vegas i dowiedziałeś się, co jest grane. Sądziłam... Sama nie wiem. Myślałam, że mnie znienawidziłeś.

Adrian przestał się uśmiechać. Podszedł i położył mi ręce na ramionach. Ciemnozielone oczy patrzyły na mnie z powagą.

— Rose, nie ma takiej rzeczy, za którą mógłbym cię znienawidzić.

— A to, że próbuję wskrzesić dawnego chłopaka?

Nie odsunął się i nawet we śnie owionął mnie zapach jego skóry i wody toaletowej.

— Będę z tobą szczery. Gdyby Bielikow chodził dziś żywy po świecie, miałbym z tym problem. Nie chcę myśleć, co by się z nami stało, gdyby... Nie warto tracić czasu na gdybanie. Jego nie ma.

— A ja... wciąż chciałabym, żeby nam się udało — przyznałam cicho. — I próbowałabym, nawet gdyby on wrócił. Po prostu trudno mi pogodzić się ze stratą kogoś bliskiego.

— Wiem. Zrobiłaś to wszystko z miłości. Postąpiłaś głupio, ale taka jest miłość. Masz pojęcie, do czego byłbym zdolny dla ciebie? Żebyś była bezpieczna?

— Adrian...

Nie potrafiłam spojrzeć mu w oczy. Nagle poczułam się niegodna. Tak łatwo było go nie docenić. Mogłam tylko oprzeć głowę na jego piersi i pozwolić, by objął mnie ramionami.

— Przepraszam.

— Przepraszaj za kłamstwa — powiedział, całując mnie w czoło. — Ale nigdy za to, że go kochałaś. Będziesz musiała pozwolić odejść tej części ciebie, lecz to ona sprawiła, że jesteś tym, kim jesteś.

Pozwolić odejść tej części mnie...

Adrian miał rację, nawet jeśli bałam się do tego przyznać. Podjęłam próbę. Zaryzykowałam, żeby ocalić Dymitra. Nie udało się. Lissa nie zdoła zaczarować sztyletu. Najwyższy czas, bym zaczęła myśleć o Dymitrze tak jak wszyscy. On jest martwy, a ja powinnam żyć dalej.

— Szlag — mruknęłam pod nosem.

— O co chodzi? — spytał Adrian.

— Nie podoba mi się, kiedy przemawiasz tak rozsądnie. To moja rola.

— Rose... — Adrian silił się na powagę. — Znalazłbym wiele określeń, żeby ciebie opisać: seksowna, atrakcyjna, najwyższa półka... Z całą pewnością nie użyłbym jednak słowa „rozsądna".

Parsknęłam śmiechem.

— Przyjmijmy, że moja rola polega na umiarkowanym szaleństwie.

Zastanawiał się chwilę.

— Może być.

Przywarłam do jego ust. W naszym związku wiele stało pod znakiem zapytania, ale pocałunki były wolne od niepewności. Całowaliśmy się we śnie, ale uczucie wydawało się bardzo realne. Ogarnęło nas pożądanie, moje ciało przeniknął przyjemny dreszcz. Adrian objął mnie w pasie i przyciągnął bliżej do siebie. Uświadomiłam sobie, że już czas, bym uwierzyła we własne słowa. Życie naprawdę toczyło się dalej. Dymitr odszedł, a mnie łączyło coś z Adrianem, mogliśmy być razem, przynajmniej do czasu, kiedy obejmę służbę. Pod warunkiem, że w ogóle dostanę pracę, bo jeśli Hans nadal będzie trzymał mnie za biurkiem, a Adrian nie postara się o jakieś zajęcie, zostaniemy razem na wieki.

Całowaliśmy się długo, przywierając do siebie coraz mocniej. W pewnej chwili jednak się odsunęłam. Czy seks uprawiany we śnie należy traktować poważnie? Nie byłam tego pewna i nie zamierzałam sprawdzać. Jeszcze nie teraz.

Adrian zrozumiał.

— Znajdź mnie, kiedy dadzą ci wolne.

— Mam nadzieję, że już niedługo — odparłam. — Kara nie może trwać wiecznie.

Spojrzał na mnie sceptycznie, ale nic nie powiedział. Pozwolił, by nasz sen się rozwiał. Wróciłam do swojego łóżka i śniłam własne sny.

Jedynym powodem, dla którego nie przeszkodziłam w spotkaniu Lissy i Christiana następnego ranka, była praca. Hans wezwał mnie wcześniej niż zwykle. Tego dnia miałam ślęczeć nad papierami w podziemiach — cóż za ironia — i mogłam śledzić poczynania przyjaciół tylko z daleka. Pocieszyłam się, że posiadam podzielną uwagę, skoro potrafię porządkować dokumenty i szpiegować innych jednocześnie.

Musiałam jednak zawiesić obserwację.

— Nie spodziewałem się znów ciebie tutaj spotkać — usłyszałam nad głową.

Natychmiast opuściłam Lissę i spojrzałam w górę. Przede mną stał Michaił. Po licznych komplikacjach związanych z osobą Wiktora niemal zapomniałam, że to on umożliwił nam „ucieczkę". Odłożyłam akta i uśmiechnęłam się słabo.

— Tak, niezbadane są wyroki losu. Teraz wręcz kazano mi tu przyjść.

— Ach tak. Słyszałem, że masz poważne kłopoty.

Skrzywiłam się.

— Jakbym nie wiedziała. — Rozejrzałam się, chociaż wiedziałam, że jesteśmy sami. — Ale ty nie miałeś przez nas problemów, prawda?

Strażnik potrząsnął głową.

— Nikt się nie domyślił.

— To dobrze. — Przynajmniej jedna osoba wyszła z tego bez szwanku. Nie zniosłabym dodatkowego poczucia winy.

Michaił przyklęknął, by móc spojrzeć mi prosto w oczy. Oparł dłonie na moim stoliku.

— Udało się? Warto było ryzykować?

— To trudne pytanie.

Uniósł brwi.

— Wydarzyło się także wiele złego. Ale odkryliśmy to, czego szukaliśmy. Tak sądzę.

Wstrzymał oddech.

— Potrafiłabyś ożywić strzygę?

— Chyba tak. Jeśli nasz informator mówił prawdę. Tylko że... to nie jest łatwe zadanie. Właściwie graniczy z niemożliwością.

— Mów.

Zawahałam się. Michaił nam pomógł, lecz nie był zaufaną osobą. A jednak widziałam w jego oczach udrękę, nawet teraz. Ból po stracie ukochanej nie opuszczał go. Pewnie zawsze będzie cierpiał. Czy skrzywdziłabym go bardziej, mówiąc, czego się dowiedziałam? Może nie powinnam go ranić nową nadzieją?

Ostatecznie postanowiłam mu powiedzieć. Nawet jeśli komuś to powtórzy — a nie sądziłam, by to zrobił — z pewnością go wyśmieją. Nikt w to nie uwierzy. Ryzykowałabym, wspominając o Wiktorze i Robercie, ale przecież nie musiałam. Michaił nie był Christianem, nie przyszło mu na myśl, że wielkie włamanie do więzienia było dziełem nastolatków, którym pomógł w ucieczce. Nie, Michaił nie zastanawiał się nad sprawami, które nie miały związku z jego ukochaną Sonią.

— Może tego dokonać tylko osoba posiadająca moc ducha — wyjaśniłam. — Jeśli przebije strzygę sztyletem napełnionym duchem.

— Moc ducha... — Większość morojów i dampirów nie zdawała sobie sprawy z istnienia tego żywiołu, lecz Michaił wiedział. — Sonia ją posiadała. Wiem, że dzięki temu można oczarować każdego, ale przysięgam, tego nie potrzebowała. Była piękna.

Michaił posmutniał, jak zawsze, gdy wspominał pannę Karp. Właściwie nigdy nie widziałam go w radosnym nastroju. Pomyślałam, że gdyby się czasem uśmiechał, byłby naprawdę przystojnym mężczyzną. Strażnik zawstydził się tą romantyczną nutą w swoim głosie i przybrał bardziej oficjalny ton.

— Który z posiadaczy mocy ducha mógłby zaatakować strzygę?

— Żaden — odparłam beznamiętnie. — Znam tylko Lissę Dragomir i Adriana Iwaszkowa, no może jeszcze Avery Lazar. — Postanowiłam nie mieszać w to Oksany i Roberta. — Żadne z nich nie potrafi walczyć, przecież wiesz. Poza tym Adrian nie jest nawet zainteresowany sprawą.

Michaił był bystry, natychmiast wychwycił, co trzeba.

— Ale Lissa jest zainteresowana?

— Tak — przyznałam. — Musiałaby jednak trenować latami. Jeśli nie dłużej. Poza tym jest ostatnia z rodu. Nie wolno jej ryzykować.

Zauważyłam, że dotarła do niego prawda tych słów i naraz ogarnęło mnie współczucie dla jego cierpienia i rozczarowania. Podobnie jak ja uwierzył, że jeszcze może odzyskać utraconą miłość. Przed chwilą potwierdziłam, że to jest możliwe... Ale tak nie było. Pożałowałam, że to wszystko nie okazało się blagą.

Michaił westchnął i wstał.

— Cóż... doceniam twoje wysiłki. Przykro mi, że zostałaś ukarana.

Wzruszyłam ramionami.

— W porządku. I tak było warto.

— Mam nadzieję — zaczął z wahaniem. — Mam nadzieję, że to się wkrótce skończy i nie wpłynie na nic.

— Co masz na myśli? — spytałam szybko, bo nie podobał mi się ton jego głosu.

— No wiesz... strażnicy, którzy okazali nieposłuszeństwo, czasem długo odczuwają konsekwencje swoich błędów.

— Ach, to... — Więc miał na myśli ślęczenie za biurkiem. Obawiałam się tego najbardziej, ale starałam się to ukrywać. — Jestem pewna, że Hans tylko mnie straszy. Przecież nie skaże mnie na dożywotnie roboty tylko dlatego, że uciekłam i...

Urwałam, widząc spojrzenie Michaiła. Słyszałam, że dawno temu wyruszył na poszukiwanie panny Karp, lecz nie zastanawiałam się nad szczegółami. A przecież nikt mu nie pomagał. Musiał wyruszyć w pojedynkę i złamać zasady. Nie odnalazł jej i wrócił skruszony. Nagle zrozumiałam, że miał z tego powodu poważne problemy.

— Czy ty... — Przełknęłam ślinę. — To dlatego wciąż pracujesz w archiwum?

Michaił nie odpowiedział. Zerknął z uśmiechem na papiery leżące przede mną. — F jest przed L — poinformował, a potem odwrócił się i odszedł.

— Szlag! — zaklęłam, patrząc na swoją pracę.

Michaił miał rację. Jednak nie potrafiłam dobrze wykonywać dwóch czynności jednocześnie. Mimo to, kiedy tylko zostałam sama, natychmiast powróciłam do Lissy. Musiałam sprawdzić, co robi. I nie miałam ochoty rozmyślać o tym, że moje ostatnie wybryki zostaną potraktowane z większą surowością niż to, co zrobił Michaił. Nie chciałam myśleć, że spotka mnie podobna albo nawet gorsza kara.

Lissa i Christian byli w hotelu niedaleko miasteczka studenckiego Lehigh. Środek nocy dla wampirów oznaczał wieczór dla ludzi. Lissa miała więc rozpocząć wizytę na uczelni dopiero następnego ranka. Do tego czasu powinna pozostać w hotelu i przestawić się na ludzki porządek dnia.

Jej nowi opiekunowie, Serena i Grant, także tam byli. Dodatkowo Tatiana przydzieliła Lissie jeszcze trzech strażników. Nie sprzeciwiła się wyjazdowi Christiana, co nasunęło mi myśl, że królowa nie jest jednak taką jędzą, na jaką wygląda. Razem z nimi pojechała Priscilla Voda, najbliższa powierniczka Tatiany, którą obie z Lissą lubiłyśmy. Dwóch dodatkowych strażników miało chronić właśnie ją, trzeci towarzyszył Christianowi. Wspólnie zjedli kolację i rozeszli się do pokoi. Serena dzieliła sypialnię z Lissą, podczas gdy Grant trzymał wartę pod drzwiami. Oceniłam sytuację z prawdziwym bólem. Para współpracujących strażników — do czegoś takiego mnie przygotowywano. Sądziłam, że tak będzie wyglądało moje życie u boku Lissy.

Serena wyglądała na wzorową opiekunkę. Czujna, choć niemal niewidoczna. Lissa wieszała właśnie ubrania w szafie, kiedy rozległo się pukanie. Serena zareagowała błyskawicznie. Podeszła do drzwi ze sztyletem w dłoni i wyjrzała przez wizjer. Musiałam to docenić, chociaż w duchu byłam przekonana, że nikt nie może chronić mojej przyjaciółki lepiej ode mnie.

— Cofnij się — poleciła Lissie.

Po chwili rozluźniła się nieco i otworzyła drzwi. Na korytarzu stał Grant, a obok niego Christian.

— Chciał się z tobą zobaczyć — powiedział dampir, jakby to było coś podejrzanego.

Lissa skinęła głową.

— Um, tak. Wejdź, proszę.

Christian przekroczył próg, a Grant się cofnął. Ozera patrzył przy tym znacząco na Lissę, wskazując Serenę ruchem głowy.

— Czy mogłabyś zostawić nas samych? — Lissa poczerwieniała, wypowiadając te słowa. — To znaczy... chcemy... mamy coś do omówienia.

Serena przyjęła komunikat prawie obojętnie, ale było jasne, co myśli. Nie wierzyła, że tych dwoje poprzestanie na rozmowie. Moroje zwykle nie plotkowali, lecz Lissa była znana i jej życie miłosne budziło zainteresowanie. Serena musiała wiedzieć, że Christian i Lissa spotykali się, a potem zerwali. Teraz sądziła, że znowu są razem, zwłaszcza że Lissa zaprosiła go na tę wycieczkę.

Strażniczka rozejrzała się czujnie po pokoju. W relacjach morojów i ich opiekunów najtrudniej było zachować równowagę między prywatnością a bezpieczeństwem. Pobyt w hotelu jeszcze bardziej komplikował sprawę. Gdyby mogły funkcjonować zgodnie z porządkiem doby wampirów i wszyscy spaliby w ciągu dnia, Serena bez wątpienia wyszłaby na korytarz do Granta.

Ale na zewnątrz panował mrok. Nie mogła polegać wyłącznie na tym, że okna pokoju są na wysokości piątego piętra. Wysokość nie stanowiła przeszkody dla strzyg. Serena nie chciała zostawiać nowej podopiecznej.

Apartament Lissy składał się z obszernego salonu i miejsca do pracy oraz sypialni, do której prowadziły szerokie oszklone drzwi. Strażniczka wskazała je ruchem głowy.

— Mogłabym tam zaczekać? — Sprytnie to wymyśliła. Zapewniała im prywatność, ale pozostawała w pobliżu. Nagle uświadomiła sobie jednak implikacje tego wyboru i spłonęła rumieńcem. — To znaczy... Chyba że wy chcielibyście tam pójść, wtedy ja...

— Nie. — Lissa czuła coraz większe zażenowanie. — To dobry pomysł. Zostaniemy tutaj. Chcemy tylko pogadać.

Nie byłam pewna, kto lepiej na tym wychodził: Serena czy Christian. Strażniczka kiwnęła głową i znikła w sypialni z książką, co obudziło we mnie wspomnienie o Dymitrze. Zamknęła za sobą drzwi. Lissa nie wiedziała, czy nie będzie ich słyszała, więc na wszelki wypadek włączyła telewizor.

— Boże, to było żałosne! — jęknęła.

Christian oparł się o ścianę, jak gdyby nigdy nic. Nie przywiązywał wagi do konwenansów, ale przebrał się do kolacji i nadal miał na sobie elegancki strój. Dobrze wyglądał.

— Dlaczego?

— Ona myśli, że my... Uważa, że... No, wiesz.

— I co z tego?

Lissa przewróciła oczami.

— Jesteś facetem. Tobie nie zależy.

— Przecież byliśmy razem. Poza tym lepiej, żeby tak myślała.

Powiedział, że kiedyś się kochali, i Lissa nagle poczuła, jak ogarnia ją złość, wstyd i tęsknota, ale nie dała tego po sobie poznać.

— W porządku. Miejmy to już za sobą. Czeka nas długi dzień i nie ma co liczyć na porządny sen. Od czego zaczynamy? Mam wziąć sztylet?

— Na razie nie będzie ci potrzebny. Przećwiczmy kilka podstawowych ruchów samoobrony. — Wyprostował się i przeszedł na środek pokoju, usunąwszy stamtąd stolik.

Słowo daję, gdyby nie okoliczności, obserwacja tych dwojga usiłujących walczyć byłaby prawdziwą rozrywka.

— Dobrze — zaczął Christian. — Wiesz już, jak wymierzać ciosy.

— Co? Wcale nie wiem!

Chłopak zmarszczył czoło.

— Znokautowałaś Reeda Lazara. Rose wspominała o tym setki razy. Jeszcze nigdy nie była tak dumna.

— Raz w życiu uderzyłam jedną osobę — podkreśliła Lissa. — Poza tym Rose udzielała mi wskazówek. Nie wiem, czy potrafiłabym to powtórzyć.

Christian skinął głową — był rozczarowany, ale nie brakiem umiejętności partnerki. Miał niecierpliwą naturę, która pchała go do działania. Mimo to opanował się i okazał wiele cierpliwości Lissie, objaśniając jej podstawy sztuki wymierzania ciosów. Zauważyłam, że wiele nauczył się ode mnie.

Był pilnym uczniem. Czy dorównywał strażnikom? Nie. Dzieliło ich wiele poziomów. A Lissa? Była bystra i kompetentna, lecz z pewnością nie została stworzona do walki, niezależnie od tego, jak bardzo chciała mi pomóc. Załatwiła Reeda w pięknym stylu, ale to nie jej żywioł. Na szczęście Christian zaczął od stosowania prostych uników i obserwacji przeciwnika. Lissa, początkująca w tej dziedzinie, radziła sobie obiecująco. I chociaż Christian nie był fachowym instruktorem, zawsze uważałam, że moc ducha obdarza swoich wybrańców niezwykłym instynktem, pozwalającym przewidzieć działanie drugiej strony. Wątpiłam jednak, czy przydałoby się to w konfrontacji ze strzygami.

Tymczasem Christian przeszedł do ataku i sprawy od razu przybrały gorszy obrót.

Delikatna uzdrowicielska natura Lissy kłóciła się z czynieniem krzywdy komukolwiek. Lissa obawiała się zaatakować, żeby nie zranić Christiana. Kiedy ten zorientował się w sytuacji, zareagował gwałtownie.

— No, dalej! Nie powstrzymuj się!

— Nic takiego nie robię — broniła się Lissa i wymierzyła mu cios w pierś, którego nawet nie poczuł.

Ozera przeczesał palcami włosy.

— Właśnie że tak! Widziałem, że mocniej pukasz do drzwi.

— To śmieszne.

— W dodatku — rzucił — nie celujesz w twarz.

— Nie chcę cię oszpecić!

— Spokojna głowa, nie dasz rady — mruknął. — Ale zawsze możesz mnie potem uzdrowić.

Bawiło mnie to ich przekomarzanie, lecz nie podobało mi się, że Christian tak beztrosko zachęca Lissę do korzystania z mocy ducha. Wciąż jeszcze miałam wyrzuty sumienia, że kazałam jej to zrobić podczas włamania do więzienia. To nadużycie, którego skutki będzie długo odczuwała.

Nieoczekiwanie Christian chwycił ją za nadgarstek i przyciągnął do siebie. Zgiął jej palce drugą ręką i w spowolnionym tempie zademonstrował, jak powinna go uderzyć. Koncentrował się na technice i ruchu, więc pięść Lissy ledwo go musnęła.

— Widzisz? Łukiem w górę. Skoncentruj się na ruchu, w ten sposób nie zrobisz mi krzywdy.

— To nie takie proste...

Urwała i nagle oboje zdali sobie sprawę z sytuacji. Znaleźli się bardzo blisko siebie, jego palce nadal zaciskały się wokół jej nadgarstka. Lissę przeszedł dreszcz. Christian otworzył szeroko oczy i nagle wciągnął głęboko powietrze. Mogłabym się założyć, że poczuł to samo co Lissa.

Otrząsnął się jednak, puścił jej rękę i odsunął się.

— Cóż — rzucił szorstko, jeszcze nieco oszołomiony bliskością jej ciała. — Rozumiem, że nie traktujesz tego poważnie. Nie zamierzasz pomóc Rose.

Dopiął swego. Erotyczne napięcie, które nie znalazło ujścia, zamieniło się w gniew. Lissa zacisnęła pięść i kompletnie zaskoczyła Christiana, wymierzając mu solidny cios prosto w twarz. Nie zrobiła tego z równym wdziękiem, z jakim pokonała Reeda, ale odniosła skutek. Niestety, sama straciła równowagę i poleciała na Christiana.

Oboje upadli na podłogę, przewracając po drodze stolik i lampę. Lampa zahaczyła o krawędź stołu i się rozbiła. Lissa leżała na Christianie. Natychmiast bezwiednie ją objął i jeśli wcześniej znajdowali się blisko siebie, teraz już nic ich nie dzieliło. Patrzyli sobie w oczy. Serce Lissy biło jak szalone. Znów między nimi iskrzyło i cały jej świat skoncentrował się na jego wargach. Obie zastanawiałyśmy się potem, czy doszłoby do pocałunku, gdyby w tej chwili do pokoju nie wtargnęła Serena.

Strażniczka zareagowała błyskawicznie. Ułożyła się do skoku, ściskając w ręku srebrny sztylet. Była gotowa zmierzyć się z armią strzyg. I nagle zamarła w bezruchu. Na podłodze rozgrywała się scena, która musiała jej się skojarzyć z miłosnym interludium. Nie pasowało tylko kilka szczegółów — rozbita lampa i czerwony ślad na policzku Christiana. Wszyscy poczuli się zażenowani i Serena przez chwilę nie wiedziała, co z sobą zrobić.

— O... — wyjąkała. — Przepraszam.

Lissa zaczerwieniła się ze wstydu i oskarżyła się w duchu, że dała się ponieść emocjom wywołanym bliskością Christiana. Była na niego wściekła. Zerwała się natychmiast i usiłowała wyjaśnić sytuację. Nikt nie powinien nawet pomyśleć, że coś ich łączy.

— To... nie to co myślisz — zaczęła, starając się nie patrzeć na Christiana, który także się podniósł z udręczoną miną. — Walczyliśmy. To znaczy ćwiczyliśmy razem. Chcę się nauczyć bronić przed strzygami i atakować. Także posługiwać się sztyletem. Christian próbuje mi w tym pomóc, to wszystko. — Jej pośpieszne tłumaczenia przypomniały mi urocze paplanie Jill.

Serena wyraźnie się odprężyła. Była profesjonalistką i doskonale potrafiła zachować obojętną minę, ale widziałam, że jest ubawiona.

— Cóż — chrząknęła. — Zdaje się, że nie idzie wam najlepiej.

Christian poczuł się urażony tą uwagą. Dotknął skaleczenia na twarzy.

— Nieprawda. Sam ją tego nauczyłem.

W oczach strażniczki pojawił się błysk powagi.

— Wygląda mi to na szczęśliwy przypadek. — Zawahała się, jakby rozważała poważną decyzję. — Słuchajcie, jeśli naprawdę chcecie walczyć, to musicie rozpocząć poważną naukę. Pokażę wam, jak to się robi.

Wykluczone.

Niewiele brakowało, bym uciekła z dworu i przyjechała autostopem do Lehigh. Miałam ochotę pokazać im, jak się wymierza ciosy — obierając za cel Serenę — ale w tej chwili coś sprowadziło mnie z powrotem do rzeczywistości. To był Hans.

Na usta cisnęło mi się ironiczne powitanie, lecz nie dał mi dojść do słowa.

— Zostaw te papiery i chodź ze mną. Zostałaś wezwana.

— Słucham? — Tego się nie spodziewałam. — Przez kogo?

Strażnik miał ponurą minę.

— Królowa chce cię widzieć.

Rozdział czternasty

Ostatnim RAZEM, KIEDY TATIANA chciała na mnie nawrzeszczeć, wezwała mnie do prywatnego pokoju. Dziwnie się wtedy czułam, jakby zaprosiła mnie na podwieczorek — tylko że na podwieczorkach rzadko słyszy się wrzaski. Spodziewałam się, że teraz będzie podobnie... dopóki nie zorientowałam się, że prowadzą mnie do głównego budynku administracyjnego, w którym miały miejsce wszystkie ważne narady i spotkania rządowe. Szlag. Sprawa musiała być poważniejsza, niż sądziłam.

Rzeczywiście, kiedy wreszcie wprowadzono mnie do sali, w której czekała Tatiana... Stanęłam przy drzwiach. Nie mogłam się zmusić, żeby wejść głębiej. Poruszyłam się dopiero, kiedy poczułam na ramieniu rękę jednego ze strażników, który lekko mnie popchnął. W środku zgromadził się tłum.

Nie wiedziałam, w której dokładnie sali się znalazłam. Na dworze królewskim była oczywiście komnata tronowa, ale wydawało mi się, że to nie jest to miejsce. Panował tu jednak iście królewski przepych. Złote kandelabry oświetlały ściany pokryte drewnianą boazerią w kwieciste ornamenty. Światło świec odbijało się w metalowych ozdobach. Wszystko wokół lśniło i przez chwilę miałam wrażenie, że znalazłam się na scenie teatralnej. Może nie pomyliłam się tak bardzo. Dopiero teraz zorientowałam się, gdzie jestem. Osoby obecne na sali wyraźnie dzieliły się na dwie grupy. Dwunastu morojów zasiadało przy długim stole ustawionym na podium, zapewne dla podkreślenia ich ważności. Tatiana zajmowała miejsce pośrodku, po jednej stronie miała sześcioro, a po drugiej pięcioro arystokratów. W drugiej części sali stały rzędami krzesła — eleganckie, wyściełane satynowymi poduszkami. Tam również zasiadali moroje. Publiczność.

Wokół Tatiany zgromadzili się najznakomitsi przedstawiciele świata wampirów. Byli to w większości starsi moroje o arystokratycznych rysach. Jedenastu przedstawicieli rodów królewskich. Lissa, która wprawdzie niedługo miała osiemnaste urodziny, nie otrzymała jeszcze miejsca pośród nich. Zauważyłam, że ktoś reprezentuje Priscillę Vodę. Stałam więc przed Radą składającą się z książąt i księżniczek świata morojów. Najstarsi przedstawiciele każdego rodu pretendowali do tytułu królewskiego i byli doradcami Tatiany. Zdarzało się, że seniorzy przekazywali to stanowisko młodszemu i bardziej kompetentnemu krewniakowi, ale nawet najmłodsi spośród członków rady mieli ponad czterdzieści pięć lat. Rada wybierała króla lub królową, którzy sprawowali potem rządy do śmierci lub przejścia na emeryturę. W rzadkich przypadkach rodziny królewskie jednoczyły się i zmuszały władcę do abdykacji.

Książęta i księżniczki zasiadający w Radzie mieli również swoich doradców w radach rodzinnych. Rozglądając się po sali, dostrzegłam członków rodzin królewskich siedzących obok siebie: Iwaszkowów, Lazarów, Badiców... Ostatnie rzędy zajmowali obserwatorzy. Tasza i Adrian usiedli razem. Wiedziałam, że żadne z nich nie należy do Rady ani kręgów rodzinnych doradców. Mimo to ich widok sprawił mi ulgę.

Pozostałam przy drzwiach i przestępowałam nerwowo z nogi na nogę, zastanawiając się, co jest grane. Ktoś widać uznał, że nie zostałam dostatecznie upokorzona i za chwilę udzielą mi nagany w obecności najważniejszych przedstawicieli świata morojów. Wspaniale, nie ma co.

Nieznany mi moroj o siwiejących włosach okrążył stół i odchrząknął. W jednej chwili ucichły wszystkie rozmowy. Na sali zapadła cisza.

— Ogłaszam otwarcie posiedzenia Królewskiej Rady Morojów — obwieścił. — Spotkaniu przewodniczy Jej Wysokość Tatiana Marina Iwaszkow. — Mężczyzna skłonił się lekko królowej i dyskretnie wycofał się pod ścianę, gdzie stali rzędem strażnicy niczym dodatkowe dekoracje.

Tatiana zawsze wyglądała wytwornie na przyjęciach, w których zdarzało mi się uczestniczyć, ale przy tej oficjalnej okazji prezentowała się iście po królewsku. Miała na sobie jedwabną granatową suknię z długimi rękawami, a na starannej fryzurze lśniącą koronę wysadzaną niebieskimi i białymi kamieniami. Gdybym uczestniczyła w wyborach królowej piękności, uznałabym, że są to zwykłe kryształy górskie, jednak nie wątpiłam ani przez chwilę, że oglądam prawdziwe szafiry i diamenty.

— Dziękuję — powiedziała dźwięcznym królewskim tonem, który roznosił się po całej sali. — Będziemy kontynuować naszą wczorajszą dyskusję.

Zaraz... Co takiego? Więc wczoraj także dyskutowali o mnie? Bezwiednie skrzyżowałam ręce na piersi w obronnym geście i natychmiast je opuściłam. Nie chciałam wydać im się słaba, cokolwiek miałam usłyszeć.

— Wysłuchamy oświadczenia nowo mianowanej strażniczki — surowy wzrok Tatiany spoczął na mnie. Jednocześnie skierowały się na mnie spojrzenia wszystkich obecnych. — Rosemarie Hathaway, podejdź, proszę.

Zbliżyłam się. Starałam się iść pewnym krokiem, z uniesioną głową. Nie wiedziałam, gdzie się zatrzymać i wybrałam środek sali, miejsce naprzeciwko Tatiany. Szkoda, że mnie nie uprzedzono, że będę występować publicznie, włożyłabym oficjalny czarno-biały uniform. Nieważne, nie okażę lęku, nawet w dżinsach i podkoszulku. Skłoniłam się lekko i spojrzałam prosto w oczy królowej, przygotowując się na najgorsze.

— Proszę podać swoje imię i nazwisko.

Przecież już mnie przedstawiła.

— Rosemarie Hathaway — powiedziałam posłusznie.

— Ile pani ma lat?

— Osiemnaście.

— Kiedy dokładnie osiągnęła pani pełnoletność?

— Kilka miesięcy temu.

Tatiana odczekała chwilę dla efektu, jakby to była ważna informacja.

— Panno Hathaway, rozumiemy, że właśnie wtedy odeszła pani z Akademii Świętego Władimira. Czy to prawda?

Więc o to im chodziło? Nie o naszą eskapadę do Vegas?

— Tak — poprzestałam na potwierdzeniu.

Boże. Chyba nie wspomni teraz o Dymitrze? Nie sądziłam, by wiedziała, co nas łączyło, ale nie miałam pewności.

— Pojechała pani do Rosji, by polować na strzygi.

— Tak.

— Był to akt osobistej zemsty za atak na Świętego Władimira?

— Eee... tak.

Nikt się nie odezwał, ale moja odpowiedź wywołała poruszenie na sali. Moroje wiercili się na krzesłach i zerkali na sąsiadów. Strzygi zawsze budziły lęk, a ktoś, kto dobrowolnie ich poszukiwał, postępował niezrozumiale. Zdziwiłam się, bo Tatiana wydawała się zadowolona. Czyżby zamierzała wykorzystać tę informację przeciwko mnie?

— Możemy więc założyć — ciągnęła — że należy pani do zwolenników wojny ofensywnej ze strzygami?

— Tak.

— Okrutna napaść na szkołę wzbudziła wiele kontrowersji. Nie jest pani jedyna pośród dampirów, którzy pragnęli odwetu... choć z pewnością jest pani najmłodsza.

Nie słyszałam o innych, lecz poznałam w Rosji kilku dampirów polujących na własną rękę. Skoro Tatiana postanowiła przyjąć takie wytłumaczenie mojego wyjazdu, w porządku. Mogłam się na to zgodzić.

— Otrzymaliśmy raporty od strażników i alchemików w Rosji, którzy potwierdzili pani sukcesy. — Po raz pierwszy usłyszałam, że ktoś mówi publicznie o alchemikach, ale ostatecznie byłam na zgromadzeniu Rady.

— Czy może mi pani powiedzieć, ile zabiła strzyg?

— Ja.. — Patrzyłam na nią w osłupieniu. — Nie jestem pewna, Wasza Wysokość. Co najmniej... — liczyłam w myślach — siedem.

Mogło być ich więcej. Ona również tak myślała.

— Sądzę, że skromnie zaniżyła pani swoje osiągnięcia. Tak twierdzą nasze źródła — zauważyła łaskawie.

— W każdym razie jest to duże osiągnięcie. Czy zabijała pani w pojedynkę?

— Czasami tak. Ale miewałam też pomocników. Inne dampiry, z którymi współpracowałam. — Właściwie korzystałam również z pomocy strzygi, lecz nie zamierzałam o tym wspominać.

— Czy byli to pani rówieśnicy?

— Tak.

Tatiana umilkła i, jakby na dany znak, pałeczkę przejęła kobieta siedząca obok niej. Zdaje się, że była to księżna Conta.

— Kiedy zabiła pani pierwszą strzygę?

Zmarszczyłam czoło.

— W grudniu ubiegłego roku.

— Miała pani wówczas siedemnaście lat?

— Tak.

— Czy działała pani w pojedynkę?

— Właściwie tak. Choć przyjaciele mnie osłaniali. — Miałam nadzieję, że nie zażądają teraz szczegółów. Pierwszą strzygę zabiłam, kiedy zginął Mason. Wspomnienie o nim dręczyło mnie niemal w równym stopniu co myśli o Dymitrze.

Ale księżna Conta zadowoliła się tą odpowiedzią. Ona i pozostali, którzy wkrótce także zaczęli zadawać mi pytania, interesowali się przede wszystkim moimi walkami. Przyjęli do wiadomości, że pomagały mi inne dampiry, jednak nie pytali o wsparcie morojów. Chwalili mnie za posłuszeństwo, co uznałam za żenujące, i wspominali o osiągnięciach — o moich nadzwyczajnych sukcesach podczas treningów, o tym że byłam najlepszą uczennicą, zanim uciekłyśmy z Lissą w drugiej klasie, i jak szybko nadrobiłam zaległości, by znów zająć pierwsze miejsce wśród kolegów (w każdym razie w dziedzinie walki). Opowiadano o tym, jak dzielnie chroniłam Lissę, gdziekolwiek byłyśmy, i nareszcie wspomniano o moim wyjątkowym popisie na egzaminach końcowych.

— Dziękuję, strażniczko Hathaway. Jest pani wolna.

Ton Tatiany nie pozostawiał wątpliwości. Miałam wyjść. Skwapliwie skorzystałam z pozwolenia, ukłoniłam się szybko i ruszyłam do drzwi. Po drodze zerknęłam na Taszę i Adriana. Wychodząc, usłyszałam dźwięczny głos królowej:

— To zamyka naszą dzisiejszą sesję. Ciąg dalszy nastąpi jutro.

Nie zdziwiłam się, kiedy Adrian dogonił mnie kilka minut później. Hans nie wspominał, że mam wrócić do pracy, więc uznałam, że dał mi wolne.

— Dobra... — Ujęłam Adriana za rękę. — Oświeć mnie swoją wiedzą na temat polityki królewskiej. Co jest grane?

— Nie mam pojęcia. Jestem ostatnią osobą, która mogłaby coś wiedzieć o polityce — odparł. — Nie bywam na zebraniach Rady. Tasza odnalazła mnie w ostatniej chwili i kazała przyjść. Chyba dowiedziała się, że cię wezwano, ale sama była zaskoczona.

Umilkliśmy, a ja zorientowałam się, że prowadzę go w stronę budynku mieszczącego restauracje i sklepy. Nagle zgłodniałam.

— Odniosłam wrażenie, że trafiłam w sam środek dyskusji. Tatiana wspomniała o poprzednim zebraniu.

— Było zamknięte. Jutro podobnie. Nikt nie wie, o czym rozmawiają.

— To dlaczego teraz zaproszono publiczność? — Uważałam, że Tatiana i Rada postępują niesprawiedliwie, samowolnie decydując, co ujawnić, a czego nie. Wszyscy mieli prawo do informacji.

Adrian zmarszczył brwi.

— Myślę, że wkrótce przeprowadzą głosowanie, które odbędzie się publicznie. Jeśli twoje oświadczenie jest z jakichś powodów istotne dla sprawy, Rada zadbała o to, by wysłuchali go wszyscy moroje. Dzięki temu zrozumieją jej decyzję — urwał. — Ale co ja mogę o tym wiedzieć? Nie jestem politykiem.

— Rozumiem, że decyzja już zapadła — mruknęłam.

— Więc po co ta szopka z głosowaniem? I co ja niby mam wspólnego z rządem?

Adrian otworzył drzwi do małej kafejki, w której serwowano lekkie przekąski — burgery i kanapki. Zazwyczaj jadał w wytwornych restauracjach, ale wybrał to miejsce ze względu na mnie. Nie zawsze lubię się pokazywać ani pamiętać o tym, że spotykam się z arystokratą należącym do elity. Doceniłam to, że Adrian dbał o mój komfort.

Mimo wszystko nasze pojawienie się wzbudziło zaciekawione spojrzenia i szepty wśród personelu. W szkole często o nas plotkowano, a tutaj stanowiliśmy prawdziwą sensację. Na królewskim dworze wszyscy martwili się o reputację i mieszane związki utrzymywano w tajemnicy. Fakt, że zachowywaliśmy się tak otwarcie – biorąc pod uwagę koneksje Adriana – uważano za skandaliczny i szokujący, i nie zawsze to ukrywano. Słyszałam już różne komentarze pod swoim adresem. Jakaś kobieta nazwała mnie bezwstydnicą. Inna zastanawiała się głośno, dlaczego Tatiana po prostu się ze mną nie rozprawi.

Szczęśliwie tutaj poprzestali na gapieniu się. Usiedliśmy przy stoliku, a ja zorientowałam się, że Adrian nad czymś rozmyśla.

– Może będą głosowali twoją kandydaturę na strażniczkę Lissy.

Tak mnie zaskoczył, że nie mogłam wykrztusić słowa. W tym czasie podeszła kelnerka. Wyjąkałam zamówienie i wybałuszyłam oczy na Adriana.

– Mówisz serio? – Właściwie... omawiano tam moje umiejętności. Może rzeczywiście... Tylko... – Nie. Rada nie zbierałaby się z powodu jednej strażniczki – odparłam bez nadziei.

Adrian wzruszył ramionami.

– Racja. Ale tu nie chodzi o zwykłą strażniczkę. A Lissa jest ostatnią przedstawicielką rodu. Wszyscy – także moja ciotka — okazują jej szczególne zainteresowanie. Jeśli przydzielą jej do opieki kogoś tak... — posłałam mu ostrzegawcze spojrzenie — ...tak kontrowersyjną osobę, niektórzy mogą się zdenerwować.

— I dlatego to mnie poproszono, bym przedstawiła swoje osiągnięcia. Miałam ich osobiście przekonać, że się do tego nadaję — nawet wypowiadając te słowa, wciąż nie ośmielałam się wierzyć, że to możliwe. Wydawało się zbyt piękne. — Po prostu nie mogę sobie tego wyobrazić. Mam poważne kłopoty ze zwierzchnikami.

— Sam nie wiem — zastanawiał się Adrian. — Kto wie? Może uznali, że wypad do Las Vegas był dziecinnym wybrykiem? — Wychwyciłam gorycz w jego głosie. — Mówiłem ci, że ciocia Tatiana zmieniła o tobie zdanie. Może chce, byś opiekowała się Lissą, ale najpierw musiała urządzić przedstawienie, żeby przekonać resztę.

Ta myśl mnie zaintrygowała.

— Jeśli wyjadę z Lissą, co będzie z tobą? Staniesz się szanowanym obywatelem i wrócisz do college'u?

— Nie wiem. — Adrian upił łyk drinka, a w zielonych oczach pojawiło się zamyślenie. — Możliwe.

Tego również się nie spodziewałam. Przypomniała mi się rozmowa z jego matką. Co jeśli zostanę strażniczką Lissy, a Adrian wyjedzie z nami na cztery lata? Byłam pewna, że Daniella oczekiwała, że rozstaniemy się jeszcze tego roku. Podzielałam jej przekonanie. Zaskoczyło mnie, że poczułam ulgę na myśl o innym scenariuszu. Zawsze będę z bólem opłakiwała Dymitra, lecz chciałam, by Adrian był blisko mnie.

Uśmiechnęłam się do niego i położyłam rękę na jego dłoni.

— Nie wiedziałabym, co z tobą robić, gdybyś stał się szanowanym obywatelem.

Uniósł moją dłoń i pocałował.

— Mam parę pomysłów — zapewnił.

Nie wiem, czy to jego słowa, czy dotyk ust sprawił, że przeszedł mnie dreszcz. Miałam zapytać o te pomysły, lecz ktoś nam przerwał... Znowu Hans.

— Hathaway — zaczął, unosząc brew. — Ty i ja mamy różne zdania na temat znaczenia słowa „kara".

Punkt dla niego. W moim pojęciu kara oznaczała takie drobnostki jak lanie czy głodówka. Z pewnością nie ślęczenie w biurze.

— Nie powiedziałeś, że mam wrócić po spotkaniu z królową — odparłam.

Posłał mi oburzone spojrzenie.

— Nie wspomniałem też, że możesz się umawiać na randki. Idziemy. Wracasz do archiwum.

— A lunch?

— Zjesz za parę godzin, tak jak wszyscy.

Starałam się powściągnąć gniew. Nie trzymali mnie wprawdzie o chlebie i wodzie, ale jedzenie było okropne. W tej chwili kelnerka przyniosła nam zamówione dania. Chwyciłam kanapkę, zanim kobieta zdążyła postawić tacę, i owinęłam ją serwetką.

— Mogę to wziąć?

— Jeśli zdążysz zjeść po drodze — rzucił sceptycznie, bo archiwum mieściło się niedaleko. Hans wyraźnie nie doceniał moich możliwości.

Miał niezadowoloną minę, kiedy cmoknęłam Adriana na pożegnanie, sugerując spojrzeniem, że wrócimy do przerwanej rozmowy. Moroj uśmiechnął się do mnie szeroko, ale Hans nie zamierzał dłużej czekać. Zgodnie z zapowiedzią połknęłam kanapkę, zanim weszliśmy do budynku straży, i potem przez pół godziny walczyłam z mdłościami.

W świecie ludzi Lissa właśnie jadła obiad. Wróciłam do ciężkiej harówki, ale ucieszyłam się, czując, że jest w dobrym nastroju. Spędziła cały dzień na zwiedzaniu uczelni, która spełniła wszystkie jej oczekiwania. Była zachwycona. Podobały jej się piękne budynki, teren wokół szkoły, internat... a najbardziej lista zajęć. Przejrzała katalog i nagle otworzył się przed nią cały świat przedmiotów, o których nawet nie mogła marzyć u Świętego Władimira. Chciała spróbować wszystkiego.

Żałowała, że mnie tam nie ma, lecz jednocześnie była podniecona myślą o urodzinach. Priscilla podarowała jej elegancką biżuterię i obiecała uroczystą kolację. Lissa, która inaczej wyobrażała sobie swoje święto, była jednak przejęta myślą o wymarzonej osiemnastce. Poza tym niedługo miała rozpocząć studia na tej fantastycznej uczelni.

Przyznaję, poczułam ukłucie zazdrości. Adrian podsunął mi piękną teorię o powodach, dla których zostałam wezwana na posiedzenie Rady, lecz obie z Lissą wiedziałyśmy, że mam nikłe szanse na to, by jej towarzyszyć w Lehigh. Usłyszałam małostkowy głos w głowie, który nie potrafił zrozumieć, jak Lissa może się cieszyć, zważywszy na okoliczności. Tak, wiem, to było dziecinne z mojej strony.

Porzuciłam te dąsy, bo orszak mojej przyjaciółki zakończył zwiedzanie i powrócił do hotelu. Priscilla oświadczyła, że wszyscy mają godzinę wolnego przed

251

kolacją i Lissa postanowiła wykorzystać ten czas na trening z Christianem. Mój wisielczy nastrój natychmiast przerodził się w gniew.

Zrobiło się jeszcze gorzej, kiedy dowiedziałam się, że Serena poinformowała Granta o ćwiczeniach samoobrony podopiecznych. Strażnik uznał, że warto im pomóc. Pięknie, Lissie dostało się dwoje postępowych strażników. Czemu nie mogli jej przydzielić konserwatystów, którzy przestraszyliby się na samą myśl o morojach pragnących walczyć ze strzygami? Siedziałam bezradnie, usiłując zaakceptować sytuację. Lissa i Christian mieli teraz dwóch instruktorów. Nie tylko zyskali szansę, by nauczyć się więcej, Serena i Grant mogli również demonstrować im różne techniki. Urządzili pokaz walki, podczas którego objaśniali każdy ruch, a Lissa i Christian obserwowali ich z zaangażowaniem.

Na szczęście (no, nie dla Lissy), obie coś dostrzegłyśmy. Strażnicy nie znali prawdziwych powodów nagłego zainteresowania Lissy sztuką walki. Nie mieli pojęcia − bo niby skąd? − że zamierzała zapolować na strzygę i przebić ją sztyletem w wątpliwej nadziei na jej zmartwychwstanie. Sądzili, że chciała opanować kilka podstawowych technik samoobrony, i uznali, że to rozsądny plan.

Grant i Serena kazali ćwiczyć obu morojom w parze. Podejrzewałam, że mieli ku temu kilka powodów. Po pierwsze, Lissa i Christian nie mogli zrobić sobie krzywdy na tym etapie nauki. Po drugie, strażnicy dobrze się bawili, obserwując ich nieporadne ruchy.

Za to Lissa i Christian nie byli ubawieni. Wciąż istniało między nimi napięcie wywołane podnieceniem i złością i żadne nie miało ochoty na bliski kontakt. Serena i Grant zakazali im ciosów w twarz, lecz nawet proste uniki wiązały się z dotykiem, ocieraniem się o siebie i muśnięciami palców w ferworze walki. Strażnicy kazali im również na przemian odgrywać rolę strzyg, dzięki czemu Lissa i Christian mogli ćwiczyć techniki ataku.

Kiedy Christian (jako strzyga) rzucił się na Lissę i przyparł ją do ściany, nieoczekiwanie poczuła, że nie ma ochoty z nim walczyć. Stał bardzo blisko i trzymał ją za ramiona. Owionął ją jego zapach i nagle zamarzyła o pocałunku.

— Lepiej powróćmy do technik obrony. — Grant przerwał jej zdradzieckie fantazje. Zrobił to jednak z obawy, że mogą wyrządzić sobie krzywdę. Nie przyszło mu do głowy, co naprawdę dzieje się głowach podopiecznych.

Minęła dobra chwila, zanim Lissa i Christian zrozumieli jego polecenie i z trudem oderwali się od siebie. Oboje usiedli na kanapie, unikając swojego wzroku. Tymczasem strażnicy prezentowali techniki stosowania uników. Para morojów widziała popis już tak wiele razy, że mogłoby powtórzyć ruchy strażników z zamkniętymi oczami. To było frustrujące.

Lissa była zbyt uprzejma, by przerwać pokaz, ale po piętnastu minutach, kiedy Serena i Grant niestrudzenie demonstrowali, jak zablokować cios ramieniem i zrobić unik, Christian nie wytrzymał.

— A jak przebija się strzygę sztyletem?

Serena znieruchomiała.

— Powiedziałeś sztyletem?

Grant zachichotał, on nie wydawał się wstrząśnięty pytaniem.

— Tego na pewno nie musicie się uczyć. Powinniście skupić się na ucieczce, nie na ataku.

Lissa i Christian wymienili niepewne spojrzenia.

— Pomagałem już w zabijaniu strzyg — zauważył Christian. — Używałem magii ognia podczas napaści na szkołę. Chcesz powiedzieć, że źle postąpiłem? Nie powinienem był?

Teraz Serena i Grant popatrzyli po sobie. Ha, pomyślałam. Jednak nie są tak postępowi, jak sądziłam. Zgodzili się jedynie na pokaz techniki samoobrony.

— Oczywiście, że postąpiłeś słusznie — przyznał w końcu Grant. — Dokonałeś zadziwiających rzeczy. I gdyby zdarzyła ci się podobna sytuacja, jasne, że nie powinieneś być bezbronny. Ale po co ci sztylet, skoro władasz ogniem? Jeśli jeszcze kiedyś będziesz zmuszony walczyć ze strzygą, to masz swoją broń. Potrafisz z niej korzystać i ona zapewni ci bezpieczeństwo.

— A ja? — wtrąciła Lissa. — Nie dysponuję taką magią.

— Ty nigdy nie znajdziesz się w sytuacji zagrożenia — rzuciła zapalczywie Serena. — Nie pozwolimy na to.

— Poza tym — dodał z uśmiechem Grant — nie rozdajemy sztyletów przy lada okazji.

Dałabym wszystko, żeby teraz zajrzeli do walizki Lissy.

Moja przyjaciółka przygryzła wargi. Wciąż unikała wzroku Christiana z obawy, że zdradzi swoje zamiary. Nie taki mieli plan. Tymczasem Christian nie dawał za wygraną.

— Nie moglibyście nam przynajmniej tego pokazać? — przekonująco odgrywał ekscytację zakazanym owocem. — Czy to jest trudne? Wydaje się, że wystarczy tylko dobrze wycelować.

Grant prychnął.

— Nie. Trzeba umieć coś więcej.

Lissa pochyliła się do przodu i klasnęła.

— Nie musicie nas tego uczyć. Wystarczy, że nam pokażecie, jak to się robi.

— Otóż to. — Christian poprawił się niespokojnie na kanapie. Niechcący otarł się o Lissę i oboje odskoczyli od siebie jak oparzeni.

— To nie zabawa — podkreślił Grant. Sięgnął jednak do kieszeni płaszcza i wyciągnął sztylet. Serena wpatrywała się w niego z niedowierzaniem.

— Co chcesz robić? — spytała. — Pokażesz to na mnie?

Strażnik znów zachichotał i rozejrzał się bystro po pokoju.

— Oczywiście, że nie. O, mamy dobry obiekt.

Podszedł do małego fotela, na którym leżała ozdobna poduszka. Podniósł ją i ocenił szerokość. Poduszka była gruba i wypełniona twardym materiałem. Grant poprosił Lissę gestem, by wstała, i podał jej sztylet, wprawiając wszystkich w zdumienie.

Potem stanął w rozkroku, chwycił mocno poduszkę i odsunął ją jak najdalej od siebie.

— No, dalej — polecił Lissie. — Wyceluj i wbij sztylet.

— Oszalałeś? — nie wytrzymała Serena.

— Spokojnie — odparł. — Priscilla Voda może sobie pozwolić na drobny wydatek. Chcę coś udowodnić. Uderz.

Lissa wahała się krótko. Nagle ogarnęło ją niezwykłe podniecenie. Wiedziałam, że naprawdę chciała się tego nauczyć, lecz zaniepokoiła mnie jej zapalczywość. Zacisnęła zęby, podchodząc bliżej, i niezdarnie spróbowała przebić poduszkę. Była ostrożna – bała się, że rani Granta – ale niepotrzebnie. Nawet go nie musnęła, bo sztylet zaledwie rozciął materiał. Lissa próbowała kilkakrotnie powtarzać cios, lecz nie osiągnęła wiele.

– To wszystko, na co cię stać? – Christian nie byłby sobą, gdyby powstrzymał się od komentarza.

Lissa zgromiła go wzrokiem.

– Proszę, pokaż, co sam potrafisz.

Ironiczny uśmieszek spełzł z jego warg. Christian wstał i obejrzał poduszkę, przymierzając się do ciosu. Lissa zerknęła na strażników. Byli rozbawieni. Nawet Serena wyglądała na odprężoną. Udowodnili, że mają rację. Walka sztyletem nie była łatwym zadaniem. Ucieszyłam się i strażnicy zyskali w moich oczach.

Christian nareszcie zaatakował. Przebił materiał, ale nie zdołał rozpruć poduszki. Grant nawet nie drgnął. Po kilku bezowocnych próbach Ozera usiadł i oddał sztylet. Zabawnie było patrzeć, jak buńczuczna postawa Christiana nieco się załamała. Nawet Lissę to rozśmieszyło, chociaż była sfrustrowana własną nieudaną próbą.

– Wypełnienie jest za twarde – poskarżył się Christian.

Grant podał sztylet Serenie.

– Myślisz, że łatwiej jest wbić sztylet w ciało strzygi? Pomyśl o mięśniach i żebrach.

Strażnik znów stanął w rozkroku, a Serena zaatakowała bez wahania. Ostrze przebiło poduszkę i zatrzymało się kilka centymetrów od piersi Granta. Puszyste kłębki materiału opadły na podłogę. Kobieta wyszarpnęła sztylet i oddała koledze, jakby to była najprostsza rzecz na świecie.

Christian i Lissa wybałuszyli oczy.

— Pozwólcie mi spróbować jeszcze raz — poprosił chłopak.

Do czasu kiedy Priscilla zawołała ich na kolację, w pokoju nie została ani jedna cała poduszka. Zdziwi się, kiedy wystawią jej rachunek za szkody. Lissa i Christian ponawiali daremne próby, a strażnicy przyglądali się temu z wyższością. Udowodnili, że mają rację. Posługiwanie się sztyletem nie jest łatwym zadaniem.

Lissa zaczynała rozumieć. Uświadomiła sobie, że znajomość zasad nie wystarczy. Oczywiście pamiętała, co jej mówiłam, jak wycelować ostrze, żeby ominąć żebra i tak dalej. Teraz dotarło do niej, że taka walka wymaga siły fizycznej. Serena, choć drobnej budowy, poświęciła lata na budowanie mięśni i mogła przebić dosłownie wszystko. Godzinna lekcja nie mogła się równać latom treningu. Lissa szepnęła o tym Christianowi w drodze na kolację.

— Tak szybko się poddajesz? — odparł szeptem, kiedy siedzieli na tylnym fotelu SUV-a. Towarzyszyli im Grant, Serena i trzeci strażnik, ale byli pogrążeni w rozmowie.

— Nie! — syknęła Lissa. — Jednak musiałabym dużo ćwiczyć.

— Zamierzasz podnosić ciężary?

— Ja... sama nie wiem.

Tamci dalej rozmawiali, lecz Lissa nie chciała ryzykować, że ich usłyszą. Przysunęła się do Christiana i natychmiast poczuła, jak silnie działa na nią jego bliskość.

Przełknęła ślinę i usiłowała zachować obojętną minę.

— Brakuje mi siły. To fizycznie niemożliwe.

— Więc się poddajesz.

— Hej! Tobie też nie udało się przebić poduszki.

Christian zaczerwienił się lekko.

— Prawie przebiłem tę zieloną.

— Bo prawie nic w niej nie było.

— Muszę tylko trochę poćwiczyć.

— Ty nic nie musisz! — odgryzła się, próbując nie podnosić głosu. — Nie będziesz walczył. To moje zadanie.

— No wiesz... — Jego oczy lśniły jak bladoniebieskie diamenty. — Chyba zwariowałaś, jeśli myślisz, że zaryzykowałbym...

Nagle urwał, przygryzając wargę, jakby bał się, że nie zapanuje nad słowami. Lissa wpatrywała się w niego. Jednocześnie pomyślałyśmy, co chciał powiedzieć. Na jakie ryzyko nie mógł sobie pozwolić? Narażenie Lissy na niebezpieczeństwo? Uznałam, że o to chodzi.

Christian umilkł, lecz zdradzał go wyraz twarzy. Widziałam oczami Lissy, jak nie może oderwać od niej wzroku, a jednocześnie próbuje ukrywać uczucia. Na koniec odsunął się jak najdalej.

— W porządku. Rób, co chcesz. Nie zależy mi.

Nie odezwali się więcej do siebie, a ponieważ zbliżała się pora mojego lunchu, powróciłam do swojej rzeczywistości — tylko po to, by usłyszeć, że Hans każe mi dalej pracować.

— Jak to? Przecież jest pora lunchu. Nie możesz mnie głodzić! — wykrzyknęłam. — To akt okrucieństwa. Może przynajmniej rzucisz mi okruszki.

— Już jadłaś. Połknęłaś kanapkę i stwierdziłaś, że to twój lunch. Słowo się rzekło. Wracaj do pracy.

Uderzyłam pięściami w stos papierów leżących na biurku.

— Może przynajmniej dasz mi inne zadanie? Mogę pomalować budynek albo nosić kamienie.

— Nic z tego. — Kąciki jego ust uniosły się w uśmiechu. — Mamy mnóstwo roboty papierkowej.

— Jak długo to potrwa? Kiedy skończy się moja kara?

Hans wzruszył ramionami.

— Kiedy dostanę rozkaz.

Odszedł, a ja oparłam się o krzesło i powstrzymałam się, żeby nie wywrócić stołu. Ulżyłoby mi, ale potem musiałabym robić wszystko od początku. Westchnęłam i pochyliłam się nad aktami.

Kiedy znów zajrzałam do Lissy, jadła kolację. Oficjalnie było to jej święto, lecz w praktyce musiała prowadzić nudną rozmowę z Priscillą. Nie tak miały wyglądać jej urodziny. Postanowiłam, że wynagrodzę jej to, kiedy odzyskam wolność. Wyprawimy prawdziwe przyjęcie i podaruję Lissie wspaniałe skórzane buty.

Chętnie zajrzałabym w myśli Christiana, ale ponieważ było to niemożliwe, wróciłam do siebie i odtwarzałam w głowie rozmowę z Adrianem. Czy moja kara nareszcie się skończy? Czy Rada zdecyduje, żeby połączyć mnie z Lissą mimo surowych reguł, jakie obowiązywały strażników?

Moje myśli krążyły w kółko niczym chomik w kołowrotku. Mnóstwo pracy. Brak postępów. Tymczasem kolacja dobiegła końca i zanim się obejrzałam, grupka towarzysząca Lissie wstała i skierowała się do wyjścia z restauracji. Na zewnątrz zrobiło się ciemno i Lissę znów zaskoczyła zmiana organizacji doby. W szkole albo na królewskim dworze byłby teraz środek dnia, a oni wracali do hotelu, żeby położyć się spać. No, może nie od razu. Nie miałam złudzeń, że Lissa i Christian skorzystają z pierwszej okazji, żeby poćwiczyć rozpruwanie poduszek. Zależało mi, żeby się pogodzili, ale czułam, że tylko rozdzieleni będą bezpieczni.

A może się myliłam?

Pobyt w restauracji przeciągnął się i teraz, kiedy wyszli na parking, nie było na nim żywej duszy. Samochód stał nieco dalej od głównego wyjścia, lecz strażnicy celowo zaparkowali obok latarni.

Tylko że światło zgasło. Ktoś rozbił lampę.

Grant i strażnik Priscilli błyskawicznie ocenili sytuację. Szkolono nas we wnikliwej obserwacji wszelkich niepokojących szczegółów. Dostrzegaliśmy nawet najmniejsze zmiany. W jednej chwili obaj wyciągnęli sztylety i zasłonili sobą morojów. Serena i strażnik przydzielony do ochrony Christiana dołączyli do nich po kilku sekundach. Tego również nas uczono. Zachowajcie czujność. Reagujcie natychmiast. Obserwujcie.

Byli szybcy. Każde z nich. Ale nie miało to znaczenia.

Nagle otoczyły ich strzygi.

Nie byłam pewna, skąd się pojawiły. Może ukryły się za samochodami stojącymi na obrzeżach parkingu. Pewnie lepiej zorientowałabym się w sytuacji, gdybym była na miejscu. Patrzyłam jednak oczami Lissy, a strażnicy starali się ją osłonić za wszelką cenę. Lissa nie miała pojęcia, jakim cudem zostali nagle zaatakowani. Chyba nie do końca zdawała sobie sprawę z tego, co się działo. Ochroniarze bezustannie ją przesuwali w trosce o bezpieczeństwo, bo blade twarze z czerwonymi obwódkami wokół źrenic nadciągały zewsząd. Dziewczyna była oszołomiona i przestraszona.

Wkrótce rozpoczęła się walka i padły pierwsze ofiary. Serena, równie szybka i silna jak w pokoju hotelowym, przebiła serce strzygi. Inna strzyga, kobieta, rzuciła się w odwecie na strażnika Priscilli i skręciła mu kark. Lissa poczuła, że Christian obejmuje ją ramieniem i przyciska do SUV-a, osłaniając własnym ciałem. Pozostali strażnicy uformowali pierścień ochronny wokół nich, ale jednocześnie musieli odpierać ataki wroga. Ginęli jeden po drugim.

Strzygi podchodziły coraz bliżej. Nie była to wina niekompetencji dampirów. Strzygi zaatakowały całą zgrają. Jedna z nich rozszarpała gardło Granta. Serena uderzyła mocno o asfalt i leżała tam w bezruchu twarzą do ziemi. Najstraszniejsze było to, że bestie nie zamierzały oszczędzić morojów. Lissa — przyciśnięta do samochodu tak mocno, że niemal wtapiała się w metal — patrzyła z przerażeniem, jak napastnik błyskawicznie dopadł szyi Priscilli i łapczywie wypijał z niej krew. Morojka nie miała nawet czasu zareagować. Przynajmniej nie cierpiała. Endorfiny złagodziły ból, podczas gdy życie uciekało z niej wraz ze strużką krwi.

Lissa już się nie bała, jej umysł przekroczył granicę wytrzymałości. Była w szoku. Otępiała. Wiedziała z zimną nieubłaganą pewnością, że nadchodzi śmierć i pogodziła się z nią. Odnalazła dłoń Christiana, uścisnęła ją lekko i popatrzyła na niego. Poczuła ulgę na myśl, że ostatnie, co widzi w życiu, to jego krystalicznobłękitne oczy. Sądząc po wyrazie twarzy, Christian podzielał jej zdanie. W jego wzroku dostrzegłam ciepło i miłość oraz... Całkowite, absolutne zdziwienie.

Wybałuszył oczy, wpatrując się w coś za plecami Lissy. W tej samej chwili ktoś chwycił ją za ramię i gwałtownie obrócił. „Teraz — szepnął głos w jej głowie. — Teraz umrę".

Nagle zrozumiała zaskoczenie Christiana.

Stanęła twarzą w twarz z Dymitrem.

Podobnie jak ja miała wrażenie, że to on i zarazem ktoś zupełnie obcy. Przypominał Dymitra pod wieloma względami... Jednak nie poznawała go. Chciała coś powiedzieć, cokolwiek. Słowa uformowały się w jej ustach, lecz nie mogła ich wydobyć.

Nagle poczuła za plecami falę gorąca. Oślepiający blask rozjarzył blade rysy Dymitra. Nie musiałyśmy patrzeć. Obie wiedziałyśmy, że Christian utworzył magiczną kulę ognia. Zareagował z lęku o Lissę lub na skutek szoku wywołanego spotkaniem z Dymitrem, który skrzywił się lekko, ale już po chwili okrutny uśmiech wypełzł na jego wargi. Ręka zaciskająca się na ramieniu Lissy objęła jej szyję.

— Zgaś to — rzucił Dymitr. — Zgaś albo ona zginie.

Lissa odzyskała głos, chociaż z trudem łapała powietrze.

— Nie słuchaj go — wydyszała. — I tak nas zabije.

Ogień zgasł. Twarz Dymitra na powrót pogrążyła się w mroku. Christian nie odważył się zaryzykować, choć Lissa miała rację. Zresztą teraz to było bez znaczenia.

— Właściwie — ciągnął Dymitr uprzejmym tonem — wolałbym zachować was przy życiu. Przynajmniej przez jakiś czas.

Poczułam, że Lissa marszczy czoło. Nie zdziwiłabym się, gdyby Christian zrobił to samo. Był równie zaskoczony. Nie zdobył się nawet na ironiczny komentarz.

— Dlaczego? — zadał oczywiste pytanie.

W oczach Dymitra rozjarzył się blask.

— Jesteście mi potrzebni jako przynęta dla Rose.

Rozdział piętnasty

ZERWAŁAM SIĘ, CHCIAŁAM natychmiast biec do Lehigh. Uczelnia znajdowała się wiele mil stąd, ale spanikowana w pierwszej chwili w ogóle o tym nie pomyślałam. Uderzenie serca później dotarło do mnie, że nie dam rady. Wypadłam z pokoju i nagle zatęskniłam za Albertą. Widziałam ją w akcji w Akademii Świętego Władimira. Ta kobieta poradziłaby sobie w każdej sytuacji. Poznałyśmy się na tyle, że nie zadawałaby zbędnych pytań, natychmiast wyruszyłaby z odsieczą. Dworscy strażnicy byli dla mnie obcy. Zastanawiałam się gorączkowo, do kogo się zwrócić. Do Hansa? Nie znosił mnie. Nie uwierzyłby, w przeciwieństwie do Alberty czy mojej matki. Biegłam pustym korytarzem i nagle mnie olśniło. Przekonam ich. Zabiorę ze sobą, kogo się da. Muszę zgromadzić pomoc dla Lissy i Christiana.

„Tylko ty możesz im pomóc — syknął głos w mojej głowie. — To ciebie chce Dymitr".

Odpędziłam tę myśl i wybiegając zza zakrętu, wpadłam na kogoś.

Krzyknęłam, bo uderzyłam twarzą w czyjąś pierś. Spojrzałam w górę. Michaił. Powinnam się ucieszyć, ale byłam półprzytomna ze strachu, adrenalina robiła swoje. Szarpnęłam go za rękaw i pociągnęłam w kierunku schodów.

— Szybko! Musimy zorganizować pomoc!

Strażnik nie ruszył się z miejsca, nawet nie drgnął. Zmarszczył czoło i przyglądał mi się ze spokojem.

— Co ty pleciesz?

— Lissa! Lissa i Christian! Porwały ich strzygi... właściwie Dymitr. Możemy ich jeszcze odnaleźć, ale musimy się pośpieszyć.

Michaił nic nie rozumiał.

— Rose... od jak dawna siedzisz w piwnicy?

Nie miałam czasu na wyjaśnienia. Zostawiłam go i popędziłam schodami na piętro, gdzie mieściły się biura straży. Po chwili usłyszałam, że biegnie za mną. Otworzyłam drzwi do kwatery głównej przygotowana na to, że ktoś mnie przepędzi za samowolne porzucenie pracy... Nikt nie zwrócił na mnie uwagi.

W biurze panował chaos. Strażnicy biegali jak oparzeni, ktoś dzwonił, wszyscy mówili podniesionymi głosami. Zrozumiałam, że już wiedzą.

— Hans! — wrzasnęłam, przepychając się w tłumie. Stał w drugim końcu pokoju, właśnie skończył rozmawiać przez komórkę. — Hans, wiem gdzie oni są. Wiem, dokąd strzygi zabrały Lissę i Christiana.

— Hathaway! Nie mam czasu na twoje... — nagle urwał. — Łączy was więź.

Zdumiałam się. Spodziewałam się, że mnie odprawi i będę musiała go długo przekonywać. Potwierdziłam szybkim skinieniem głowy.

— Widziałam to. Widziałam, co się stało. — Zmarszczyłam brwi. — Jak się dowiedzieliście?

— Od Sereny — odparł ponuro.

— Serena nie żyje...

Hans potrząsnął głową.

— Żyła jeszcze, kiedy do nas zadzwoniła, ale było z nią kiepsko. Przekazała nam wiadomość ostatkiem sił. Wysłaliśmy po nią alchemików. Mają posprzątać...

Spróbowałam odtworzyć w myślach przebieg wydarzeń. Serena uderzyła całym ciałem o asfalt. Nie ruszała się, więc pomyślałam, że stało się najgorsze. Jeśli jednak żyła, trudno nawet wyobrazić sobie wysiłek, jaki podjęła, by wyciągnąć telefon zakrwawionymi dłońmi...

„Proszę, proszę, spraw, by ona żyła" — modliłam się w duchu, sama nie wiem do kogo.

— Idziemy — rzucił Hans. — Będziesz nam potrzebna. Formujemy oddziały.

Kolejny raz mnie zaskoczył. Nie sądziłam, że zdecyduje się mnie zabrać. Poczułam do niego szacunek. Zachowywał się jak palant, ale był prawdziwym dowódcą. Dostrzegł szansę i natychmiast ją wykorzystał. Obrócił się na pięcie i wybiegł, a za nim kilku strażników. Usiłowałam dotrzymać im kroku. Kątem oka zobaczyłam, że Michaił idzie z nami.

— Zdecydowaliście się ich ratować — powiedziałam do Hansa. — To... rzadkość.

Chyba nie powinnam była tego mówić. Nie chciałam, by zmienił zdanie. Zazwyczaj nie próbowano od-

266

bijać jeńców porwanych przez strzygi. Uznawano ich za zmarłych. Po napaści na Akademię także próbowaliśmy ratować porwanych, ale decyzję podjęto po długich naradach.

Hans obrzucił mnie surowym spojrzeniem.

— Księżniczka Dragomir jest tylko jedna.

Lissa była dla mnie najważniejszą osobą na świecie. Teraz uświadomiłam sobie, jak cenna jest także dla morojów. Nie traktowano jej po prostu jako jednej z porwanych przez strzygi. Pozostała ostatnią przedstawicielką swojego rodu należącego do dwunastu prastarych rodów królewskich. Gdyby zginęła, nie ucierpiałaby jedynie tradycja. Oznaczałoby to prawdziwą klęskę, znak, że strzygi ich zwyciężyły. Dla niej strażnicy gotowi byli zaryzykować akcję ratunkową.

Okazało się, że musieli zaryzykować o wiele więcej. Kiedy dobiegliśmy do garaży, w których stały dworskie pojazdy, ujrzałam niezwykłą liczbę strażników, a także morojów. Kilkoro rozpoznałam. Była Tasza Ozera oraz inni, także władający magią ognia. Wszyscy zdążyli się już przekonać, jak cenna jest ich pomoc w walce. Nagle znikły wszelkie kontrowersje dotyczące morojów pragnących walczyć ze strzygami. Wezwano ich natychmiast. Zmierzyłyśmy się z Taszą wzrokiem. Była poważna i skupiona. Nie mówiła nic do mnie. Nie musiała.

Hans wykrzykiwał rozkazy, dzieląc podwładnych na oddziały i samochody. Zdobyłam się na nieludzką samokontrolę i cierpliwie czekałam na swój przydział. Normalnie nie wytrzymałabym i zażądała, by od razu powiedział mi, co mam robić. Zapewniałam się jednak, że strażnik w końcu się do mnie zwróci. Na pewno miał dla mnie zadanie. Musiałam tylko poczekać.

Wykazałam się nadzwyczajną cierpliwością także wobec Lissy. Opuściłam ją w chwili, kiedy Dymitr uprowadził ją i Christiana. Jeszcze nie mogłam do niej wrócić. Nie zniosłabym teraz widoku przyjaciół i... Dymitra. Wiedziałam, że będę musiała wniknąć do świadomości Lissy, żeby poprowadzić strażników, ale na razie wstrzymywałam się. Moja przyjaciółka żyła i tylko to miało teraz znaczenie.

Byłam kłębkiem nerwów i kiedy ktoś znienacka dotknął mojego ramienia, o mało nie rzuciłam się na niego ze sztyletem.

— Adrian... — odetchnęłam. — Co ty tu robisz?

Patrzył na mnie bez słowa, a potem pogłaskał mnie delikatnie po policzku. Tylko kilka razy widziałam tak poważny i smutny wyraz jego twarzy. Teraz też mi się nie spodobał. Adrian należał do nielicznych osób, które zawsze powinny się uśmiechać.

— Wiedziałem, gdzie cię szukać, kiedy tylko powiedziano mi, co się stało.

Potrząsnęłam głową.

— To się wydarzyło... Sama nie wiem, dziesięć minut temu? — straciłam poczucie czasu. — Jakim cudem dowiedzieliście się tak szybko?

— Wiadomość przekazano przez dworskie radio. Mają tu błyskawiczny system alarmowy. Królowa przebywa już pod ścisłą ochroną.

— Co? Dlaczego? — Wkurzyłam się. Tatiana nie była w niebezpieczeństwie. — Po co marnować na nią siły? — Strażnik stojący obok nas skarcił mnie wzrokiem.

Adrian wzruszył ramionami.

– Atak strzyg w stosunkowo niewielkiej odległości od dworu. Potraktowano to jako poważne zagrożenie. Stosunkowo. Lehigh było położone o półtorej godziny drogi stąd. Strażnicy czekali w nieustannej gotowości, ale z każdą mijającą sekundą czułam, że powinni ruszać się szybciej. Gdyby Adrian się nie pojawił, na pewno straciłabym cierpliwość i kazałabym Hansowi się pośpieszyć.

– To był Dymitr – powiedziałam cicho. Nie byłam pewna, czy przekazać tę rewelację innym. – To on ich uprowadził. Chce mnie w ten sposób zwabić.

Adrian sposępniał.

– Rose, nie możesz... – nie dokończył, ale wiedziałam, co chciał powiedzieć.

– Nie mam wyboru! – wykrzyknęłam. – Muszę tam jechać. Ona jest moją najlepszą przyjaciółką i tylko ja mogę ich do niej zaprowadzić.

– To pułapka.

– Wiem. On także zdaje sobie sprawę z tego, że wiem.

– Co zrobisz? – Znów wiedziałam, co przemilczał. Popatrzyłam na sztylet, który bezwiednie wyciągnęłam. – To, co będzie trzeba. Muszę... Muszę go zabić.

– To dobrze. – Na twarzy Adriana malowała się ulga.

– Cieszę się.

Z jakiegoś powodu nagle mnie wkurzył.

– Boże! – warknęłam. – Tak ci zależy, żeby usunąć konkurencję?

Adrian zachował spokój.

– Nie. Po prostu wiem, że dopóki on żyje... no, w pewnym sensie... ty będziesz w niebezpieczeństwie. To nie do zniesienia. Nie mogę ścierpieć myśli, że twoje życie jest zagrożone. Bo jest, Rose. Nie będziesz bezpieczna, dopóki on nie odejdzie. Nie mogę... Nie mogę pozwolić, by coś ci się stało.

Mój gniew ulotnił się równie szybko, jak się pojawił.

— Och, Adrian, tak mi przykro...

Pozwoliłam, by mnie przytulił. Oparłam głowę na jego piersi i poczułam bicie jego serca, miękkość koszuli. Na krótką chwilę ogarnął mnie spokój. Zapragnęłam znaleźć w nim ukojenie, nie czuć tego dławiącego lęku o Lissę, lęku przed Dymitrem. I nagle coś sobie uświadomiłam. Zmartwiałam. Tej nocy stracę jedno z nich. Jeśli uda nam się odbić Lissę, to zginie Dymitr. Jeśli to on przeżyje, na zawsze stracę przyjaciółkę. Ta historia nie miała szczęśliwego zakończenia, nic nie uchroni mojego serca, które rozpadnie się na kawałeczki.

Adrian musnął mnie ustami w czoło i nachylił się do moich warg.

— Bądź ostrożna, Rose. Cokolwiek się zdarzy, proszę, bądź ostrożna. Nie mogę cię stracić.

Nie wiedziałam, jak zareagować na to wyznanie. Mój umysł i serce były pełne mieszanych uczuć, nie umiałam myśleć spójnie. Wspięłam się na palce i pocałowałam go w usta. To była noc śmierci — tej, która już nadeszła, i tej, która miała nadejść. Jeszcze nigdy się tak nie całowaliśmy. Tak intensywnie. Poczułam, że żyję i chciałam, by tak zostało. Chciałam sprowadzić Lissę i wrócić w ramiona Adriana, do jego ust i do tego życia...

— Hathaway! Dobry Boże, mam cię oblać zimną wodą?

W jednej chwili oderwałam się od Adriana i zobaczyłam wściekły wzrok Hansa. Większość SUV-ów była już pełna. Nadeszła moja kolej. Pożegnałam się wzrokiem z Adrianem, który zmusił się do uśmiechu. Chyba starał się być dzielny.

— Uważaj na siebie — powtórzył. — Sprowadź ich tutaj i wróć do mnie.

Skinęłam krótko głową i podążyłam za zniecierpliwionym Hansem do samochodu. Wśliznęłam się na tylne siedzenie i nagle opanowało mnie straszne uczucie *déjà vu*. Powróciła do mnie tamta scena, kiedy Wiktor porwał Lissę. Wtedy również jechałam jej na ratunek czarnym SUV-em, pomagając strażnikom odnaleźć jej ślad. Tylko że wtedy obok mnie siedział Dymitr — cudowny, dzielny Dymitr, jakiego znałam dawno temu. Te wspomnienia były tak żywe, że mogłam odtworzyć teraz każdy szczegół: jak zatknął kosmyk włosów za ucho, jak groźnie płonęły jego brązowe oczy, a on naciskał pedał gazu, żeby jak najszybciej dowieźć nas do Lissy. Był zdecydowany, gotowy zrobić to, co do niego należało.

Ten Dymitr — strzyga — także wiedział, czego chce. Ale nie wróżyło to nic dobrego.

— Potrafisz to zrobić? — spytał Hans siedzący z przodu. Czyjaś ręka delikatnie uścisnęła moje ramię i zobaczyłam ze zdziwieniem, że obok siedzi Tasza. Nie zauważyłam jej do tej pory. — Liczymy na ciebie.

Potwierdziłam kiwnięciem głowy. Chciałam zasłużyć na jego szacunek. Zgodnie ze zwyczajem strażników zachowałam obojętną minę, nakazując sobie zapomnieć o dwóch Dymitrach. Nie chciałam teraz pamiętać, że tamtej nocy, kiedy wyruszyliśmy na poszukiwanie Lissy, Wiktor rzucił na nas urok pożądania...

— Jedziemy w kierunku Lehigh — poinformowałam spokojnie. Byłam w każdym calu strażniczką. — Poprowadzę was, kiedy się zbliżymy.

Jechaliśmy najwyżej jakieś dwadzieścia minut, kiedy poczułam, że grupa Lissy się zatrzymała. Dymitr musiał znaleźć kryjówkę w pobliżu uczelni, co dawało nadzieję, że znajdziemy ich szybciej, niż gdyby wciąż uciekali. Oczywiście musiałam również pamiętać, że Dymitr chce, bym go odnalazła. Wiedząc, że strażnicy nie potrzebują jeszcze moich wskazówek, zajrzałam do umysłu Lissy, żeby zorientować się w sytuacji.

Lissa i Christian byli cali i zdrowi. Popychano ich tylko i nakazywano posłuszeństwo. Strzygi uwięziły ich w jakimś opuszczonym magazynie. Widziałam grubą warstwę kurzu pokrywającą niezidentyfikowane przedmioty na chwiejnych regałach. Zdaje się, że to były narzędzia, papiery i kartony. Jednym źródłem światła w pomieszczeniu była nieosłonięta żarówka, która nadawała wnętrzu nieprzyjazny, obskurny wygląd.

Lissa i Christian siedzieli wyprostowani na drewnianych krzesłach z prostym oparciem. Ręce związano im z tyłu linami. Kolejne *déjà vu*. Ubiegłej zimy i ja siedziałam przywiązana do krzesła. Porwały nas strzygi. Poiły się krwią Eddiego. Wtedy zginął Mason...

„Nie. Nie wspominaj nawet o tym, Rose. Lissa i Christian żyją. Jeszcze nic im się nie stało. I nic się nie stanie".

Lissa nie wybiegała myślami poza tę sytuację, ale udało mi się odtworzyć drogę, którą ich tu sprowadzili. Opuszczony magazyn był idealną kryjówką dla strzyg i ich jeńców.

Dostrzegłam cztery bestie, lecz Lissa widziała tylko jedną. Dymitra. Rozumiałam jej reakcję. Mnie samej trudno było oglądać go jako strzygę. Przywykłam do tej myśli, bo spędziłam z nim dużo czasu. Mimo to chwilami nie mogłam uwierzyć w to, co widzę. Lissa nie była przygotowana i wciąż nie mogła wyjść z szoku.

Tego dnia Dymitr rozpuścił włosy, które sięgały podbródka. Zawsze mi się to podobało. Chodził szybko w tę i z powrotem, a poły jego długiego kowbojskiego płaszcza powiewały z każdym krokiem. Przeważnie stawał tyłem do Lissy i Christiana, co wprawiało ją w jeszcze większe pomieszanie. Nie widząc jego twarzy, mogła niemal uwierzyć, że to Dymitr, jakiego znała. Kłócił się z trzema strzygami, był tak wzburzony, że w powietrzu czuło się jego niepokój.

— Jeśli strażnicy naprawdę tu jadą, to powinniśmy wystawić wartę na zewnątrz — warknęła jedna ze strzyg, wysoka kobieta o rudych włosach. Dawniej musiała być morojką. Jej ton sugerował, że nie wierzy w przybycie odsieczy.

— Jadą — odparł cicho Dymitr, a jego cudowny akcent przyprawił mnie o ból serca. — Wiem, że tak jest.

— To wypuść mnie, żebym mogła coś zrobić! — parsknęła ruda. — Nie musimy wszyscy niańczyć tych dwojga.

W jej głosie była pogarda, nawet szyderstwo. Nie zdziwiłam się. Cały świat wampirów wiedział, że moroje nie są zdolni do walki, a Lissa i Christian byli mocno związani.

— Nie znacie ich — sprzeciwił się Dymitr. — Są niebezpieczni. Nie jestem pewien, czy nie uwolnią się z więzów.

— Bzdura!

Jednym płynnym ruchem Dymitr wymierzył jej cios na odlew. Słaniając się, strzyga cofnęła się parę kroków. W jej ślepiach zapłonęły furia i szok. Dymitr podjął swój spacer, jakby nic się nie stało.

— Zostaniesz tutaj i będziesz ich pilnowała tak długo, jak będę tego wymagał, jasne? — Patrzyła na niego ze wściekłością i złapała się za policzek, ale się nie odezwała. Dymitr omiótł wzrokiem pozostałych. — Wy też zostajecie. Jeśli strażnicy wtargną do środka, to będziecie tu bardziej potrzebni.

— Skąd wiesz? — warknął inny strzyga o czarnych włosach. Wcześniej chyba był człowiekiem. — Skąd wiesz, że przyjdą?

Bestie miały niezwykle wrażliwy słuch, lecz Lissie udało się skorzystać z ich kłótni i odezwać się do Christiana.

— Możesz spalić moje więzy? — mruknęła niemal niedosłyszalnie. — Zrobiłeś tak z Rose.

Christian zastanawiał się chwilę. Kiedy zostaliśmy schwytani, uwolnił mnie właśnie w ten sposób. Bolało jak diabli, ogień pozostawił blizny na moich dłoniach i nadgarstkach.

— Zorientują się — szepnął w odpowiedzi. Rozmowa umilkła, bo Dymitr zatrzymał się gwałtownie i obrócił w stronę Lissy.

Przestraszona wciągnęła powietrze. Dymitr podszedł w mgnieniu oka, ukląkł przed nią i zajrzał głęboko w oczy. Wzdrygnęła się, nie mogła nad tym zapanować. Nigdy nie znalazła się tak blisko strzygi, co gorsza tą strzygą był Dymitr. Czerwone obwódki wokół źrenic paliły jej twarz. Obnażone kły mogły wbić się w jej skórę w każdej chwili.

Dymitr chwycił Lissę za kark i przechylił jej głowę. Wbił palce w skórę. Nie zranił jej, ale z pewnością pozostawił ślad. O ile to miało jakieś znaczenie.

— Wiem, że strażnicy tu przyjdą, bo Rose nas obserwuje — powiedział, patrząc Lissie w oczy. — Prawda, Rose? Rozluźnił nieco uścisk i przesunął palcami po szyi Lissy. Zrobił to tak delikatnie... Wiedziałam jednak, że w każdej chwili może skręcić jej kark.

Przez krótką chwilę miałam wrażenie, że to na mnie patrzy. Zagląda mi w duszę. Niemal poczułam, jak gładzi mnie po szyi. Wiedziałam, że to niemożliwe. Więź łączyła mnie i Lissę. Nikt nie mógł mnie zobaczyć. Mimo to poczułam, że kontaktuje się tylko ze mną. Lissa znikła.

— Jesteś tam, Rose...? — Na jego wargach igrał bezlitosny uśmiech. — Nie opuścisz ich. Nie jesteś też głupia i przybędziesz ze wsparciem. Kiedyś popełniłaś ten błąd, ale już go nie powtórzysz.

Wyskoczyłam z umysłu Lissy, bo nie mogłam znieść jego wzroku... Tak na mnie patrzył. Nie wiem, czy i ja się bałam, czy przejęłam strach przyjaciółki, ale moje ciało dygotało. Nakazałam sobie spokój i próbowałam uciszyć rozszalałe serce. Obejrzałam się na boki z obawą, że ktoś to zauważył, ale strażnicy omawiali taktykę działania. Widziała tylko Tasza. Chłodne niebieskie oczy patrzyły na mnie badawczo, miała zatroskaną minę.

— Co zobaczyłaś?

Pokręciłam głową, nie mogłam na nią spojrzeć.

— To koszmar — mruknęłam. — Właśnie spełniają się moje najgorsze koszmary.

Rozdział szesnasty

Nie wiedziałam dokładnie, ile strzyg zwerbował Dymitr. Obserwowałam je oczami Lissy, która była oszołomiona i przerażona. Zdawaliśmy sobie sprawę, że się nas spodziewają. Skoro nie mogliśmy działać przez zaskoczenie, musieliśmy postawić na przewagę liczebną. Hans zabrał więc ze sobą większość strażników. Dwór królewski był dodatkowo zabezpieczony magicznymi osłonami, ale nie mogliśmy zupełnie pozbawić go ochrony.

Teraz przydali się świeżo upieczeni strażnicy. Większość miała pozostać na dworze, podczas gdy starzy wyjadacze wyruszyli na polowanie. Nasz oddział liczył około czterdziestu osób. Stanowiliśmy zaskakująco dużą grupę, podobnie jak strzygi, gdy decydowały się polować wspólnie. Strażnicy działają zazwyczaj w parach, rzadziej w trójkach, gdy mają rozkaz chronić rodziny morojów. Czterdziestu wojowników mogło śmiało rozpocząć bitwę równą tej, która wywiązała się podczas napaści na Akademię.

Wiedząc, że nie uda nam się podejść bestii pod osłoną zmroku, Hans zatrzymał konwój w pewnej odległości od magazynu, gdzie przyczaiły się strzygi. Budynek stał przy bocznej drodze biegnącej od autostrady. Przejeżdżały tędy głównie samochody ciężarowe i dostawcze, ale nocą wszystkie fabryki zamykano. Wysiadłam i wciągnęłam do płuc ciepłe wieczorne powietrze. Było przesycone wilgocią, nic przyjemnego, zwłaszcza że dodatkowo dławił mnie strach.

Przy drodze nie czułam mdłości. Zrozumiałam, że Dymitr nie wysłał zwiadowców, co oznaczało, że w jakimś stopniu zdołamy zaskoczyć napastników. W tej chwili podszedł do mnie Hans, więc musiałam przekazać mu jak najbardziej precyzyjne informacje.

— Potrafisz odnaleźć Wasylissę? — upewnił się.

Przytaknęłam ruchem głowy.

— Kiedy tylko znajdę się w środku, doprowadzi mnie do niej nasza więź.

Strażnik odwrócił się. Patrzył w noc i samochody pędzące po autostradzie.

— Jeśli wystawili warty na zewnątrz, to wyczują z daleka, że się zbliżamy. — Światła przejeżdżającego auta ukazały jego skupioną twarz. — Mówiłaś, że strzygi podzieliły się na trzy grupy?

— Tak sądzę. Część waruje przy Lissie i Christianie, a część pozostała na zewnątrz — urwałam, próbując przejrzeć strategię Dymitra. Dobrze go znałam i wiedziałam, że zachowa ostrożność. — Ostatnia grupa znajduje się w budynku, przed wejściem do magazynu.

Nie byłam pewna tej informacji, ale nie wspomniałam o tym Hansowi. Zdałam się na instynkt. Założyłam, że Dymitr przyjął taktykę, którą i ja bym wybrała w podobnej sytuacji. Poza tym uznałam, że Hans powinien przygotować się na bitwę z trzema oddziałami strzyg. Posłuchał mnie.

— Wyruszymy w trzech grupach. Poprowadzisz tych, którzy mają odbić jeńców. Drugi oddział początkowo pójdzie z wami, ale potem się rozdzielicie. Będą starali się zatrzymać wroga, co ułatwi wam zadanie.

Zabrzmiało to tak... po wojskowemu. Strategia. Jeńcy. W dodatku miałam dowodzić oddziałem. Rozumiałam decyzję Hansa — tylko ja mogłam ich doprowadzić do Lissy — ale zazwyczaj korzystano wyłącznie z moich informacji i kazano trzymać się na uboczu. Witamy w szeregach strażników, Rose.

W szkole ćwiczyliśmy najróżniejsze scenariusze starć ze strzygami, jakie przychodziły do głowy naszym instruktorom. Jednak teraz, gdy zatrzymaliśmy się przed opuszczonym budynkiem, zrozumiałam, że trening nie ma wiele wspólnego z prawdziwą akcją. To była gra, która nie mogła się równać konfrontacji w realnym świecie. Poczułam się przytłoczona ciężarem odpowiedzialności. Urodziłam się, by zostać strażniczką, szkoliłam się do tej roli przez całe życie. Moje lęki nie miały znaczenia. „Oni są na pierwszym miejscu". Nadszedł czas, by tego dowieść.

— Co robimy, skoro nie możemy się podkraść niezauważeni? — spytałam Hansa. Miał rację, że strzygi wyczują nas z daleka.

Uśmiechnął się niemal szelmowsko, a potem objaśnił swój plan, jednocześnie dzieląc nas na trzy grupy. Wybrał śmiały, brawurowy wręcz atak. Pasowało mi to.

Zaczęło się. Obserwator z zewnątrz pomyślałby, że ruszamy na samobójczą misję. Może miałby rację, ale nikt się nad tym nie zastanawiał. Strażnicy nie pozwoliliby zginąć ostatniej z Dragomirów. A ja nie opuściłabym Lissy, nawet gdyby Dragomirowie stanowili milionową rzeszę.

Nie mogliśmy wykorzystać elementu zaskoczenia, więc Hans zdecydował się na otwarty atak. Nasza grupa wsiadła do ośmiu SUV-ów i popędziliśmy naprzód z niedozwoloną prędkością. Zajęliśmy całą szerokość jezdni, zakładając, że o tej porze drogi będą puste. Prowadziły dwa SUV-y jadące obok siebie, za nimi w dwóch rzędach były po trzy wozy.

Zatrzymaliśmy się z piskiem opon przy wejściu do magazynu i błyskawicznie wyskoczyliśmy z pojazdów. Teraz pojawiła się szansa, żeby zaskoczyć bestie szybkim wściekłym atakiem.

Do pewnego stopnia nam się to udało. Zauważyły, że nadjeżdżamy, ale nie zostawiliśmy im czasu na reakcję. Oczywiście przegrupowały się błyskawicznie — strzygi mają niesamowity refleks i morderczą siłę — i odparowały atak. Pozostawiliśmy je „grupie zewnętrznej", czyli strażnikom, których zadaniem było zatrzymanie przeciwnika, podczas gdy dwie pozostałe grupy weszły do budynku. W tamtym oddziale walczyli również moroje władający magią ognia. Nie mogli wejść do środka, bo podpaliliby magazyn.

Pobiegliśmy naprzód, lecz od razu napotkaliśmy przeszkodę: kilka strzyg wymknęło się naszej szarży. Z wyćwiczoną determinacją zwalczyłam mdłości, które towarzyszyły mi zawsze w obecności bestii. Hans dał mi wyraźny rozkaz. Miałam biec przed siebie, o ile nie zostanę bezpośrednio zaatakowana. On sam i drugi strażnik osłaniali mnie na wszelki wypadek. Mój dowódca postanowił, że nic nie może mnie spowalniać w drodze do Lissy i Christiana. Przedarliśmy się do środka. Korytarz był pełen strzyg. Miałam rację, zakładając, że Dymitr ustawi dodatkowe zabezpieczenia. W ciasnej przestrzeni bestie uformowały szpaler, coś jak szyjka butelki, i w pierwszej chwili zapanował chaos. Lissa znajdowała się gdzieś w pobliżu. Niemal czułam, jak mnie woła. Nie mogłam się doczekać, kiedy otworzy się dla mnie przejście. Moja grupa czekała z tyłu, aż oddział osłaniający rozegra walkę. Widziałam padające dampiry i strzygi i starałam się nie angażować. Najpierw walcz, potem przyjdzie czas opłakiwania poległych. Lissa i Christian. To na nich musiałam się teraz skoncentrować.

— Tędy. — Hans pociągnął mnie za ramię.

Wreszcie mogliśmy się przedrzeć. Strzygi wciąż się nie poddawały, ale strażnicy nie dawali im chwili wytchnienia. Wykorzystaliśmy okazję i popędziliśmy korytarzem, który w pewnej chwili otworzył się na szeroką pustą przestrzeń. Znaleźliśmy się w centrum magazynu. Po towarach, które tu przechowywano, pozostały tylko porozrzucane szczątki.

Spojrzałam na drzwi i nie potrzebowałam już więzi, żeby wiedzieć, gdzie jest Lissa. Wejścia pilnowały trzy strzygi. Więc to tak. Dymitr utworzył poczwórną ochronę. Pomyliłam się o jedną tarczę. Ale nie miało to znaczenia. Wciąż stanowiliśmy dziesięcioosobowy oddział. Strzygi zawarczały, obnażając kły. Gotowały się do odparcia ataku. Na niewypowiedziany znak połowa naszych rzuciła się na bestie. Pozostali natarli na drzwi. Byłam całkowicie skoncentrowana na Lissie i Christianie, ale gdzieś z tyłu głowy pozostawała mi jedna myśl. Dymitr. Nie widziałam go od chwili rozpoczęcia szarży. Musiałam obserwować każdy ruch przeciwnika i nie mogłam zajrzeć do umysłu Lissy, żeby sprawdzić, co się dzieje za drzwiami. Mimo to byłam pewna, że Dymitr czeka właśnie tam. Wiedział, że przyjdę. Był gotowy. Jedno z nich zginie tej nocy. Lissa albo Dymitr. Nie potrzebowałam już osłony. Hans wyciągnął sztylet przeciwko pierwszej strzydze czatującej przy drzwiach. Wyskoczył przede mnie i rzucił się w wir walki. Pozostali poszli za jego przykładem. Wdarliśmy się do pomieszczenia. Sądziłam, że chaos zapanował po wejściu do magazynu, ale dopiero teraz rozpętało się prawdziwe piekło. Wszyscy — strażnicy i strzygi — ledwo mieścili się w ciasnej przestrzeni. Walczyliśmy jedno przy drugim. Strzyga, którą Dymitr wcześniej uderzył, rzuciła się na mnie. Zareagowałam instynktownie i ledwo zarejestrowałam fakt, że przebiłam jej serce. Wokół mnie rozlegały się krzyki, padali martwi, ale ja szukałam tylko trzech osób: Lissy, Christiana i Dymitra.

Odnalazłam go w końcu. Stał pod przeciwległą ścianą razem z moimi przyjaciółmi. Nikt go nie atakował. Założył ręce na piersi jak król, obserwujący z daleka bitwę swoich żołnierzy. Utkwił we mnie wzrok — rozbawiony, wyczekujący. Teraz to się skończy. Oboje to wiedzieliśmy. Przepychałam się w tłumie walczących, wymierzając ciosy strzygom. Koledzy pomagali mi, usuwając z drogi napastników. Wkrótce zostawiłam ich za sobą, skoncentrowana na jednym celu. To wszystko, cała bitwa prowadziła do tej jednej chwili: ostatecznego pojedynku między mną a Dymitrem.

— Jesteś piękna w walce — powiedział. Lodowaty głos dobiegł moich uszu pośród bitewnych okrzyków. — Niczym anioł zemsty przynoszący sprawiedliwość.

— Zabawne. — Poprawiłam uścisk na rękojeści sztyletu. — Właśnie po to przychodzę.

— Anioły upadają, Rose.

Prawie go dosięgnęłam. W tej samej chwili poczułam piekący ból przez więź łączącą mnie z Lissą. Nikt jej nie zaatakował, ale kątem oka dostrzegłam, że oswobodziła ręce. Zrozumiałam. Christian spełnił jej prośbę i przepalił sznur krępujący nadgarstki. Widziałam, jak Lissa rozplątuje w pośpiechu więzy Christiana i natychmiast zwróciłam się przeciwko Dymitrowi. Skoro Lissa i Christian byli już wolni, mogą spróbować ucieczki. Wystarczy, że usuniemy z drogi strzygi. Jeśli je usuniemy.

— Zadałeś sobie wiele trudu, żeby mnie tu ściągnąć — powiedziałam. — Będzie wiele ofiar — twoich i moich.

Wzruszył ramionami z obojętną miną. Byłam coraz bliżej. Przede mną jakiś strażnik walczył ze strzygą o łysej czaszce. Brak włosów nie prezentował się dobrze w połączeniu z kredowobiałą skórą. Ominęłam ich.

— To bez znaczenia — odparł Dymitr. Zesztywniał. — Oni się nie liczą. Jeśli giną, to znaczy, że nie zasługiwali na życie.

— Drapieżnik i zdobycz — mruknęłam, przypominając sobie, co mówił, kiedy mnie więził.

Staliśmy naprzeciw siebie. Już nic nas nie dzieliło. Walczyliśmy już ze sobą, ale zawsze mieliśmy duże pole manewru, mogliśmy planować każdy ruch. Teraz pozostało nam niewiele miejsca. Nie była to dla mnie korzystna sytuacja. Strzygi są silniejsze fizycznie niż dampiry; wolna przestrzeń pomaga nam w starciu z bestiami, dając większe możliwości stosowania uników.

Jeszcze nic się nie działo. Dymitr grał na zwłokę, czekał, aż wykonam pierwszy ruch. Przyjmował obronną pozycję, osłaniając klatkę piersiową. Mogłabym go zranić sztyletem, ale oddałby cios ze zbyt dużą siłą. Postanowiłam czekać.

— Oni wszyscy giną przez ciebie — powiedział. — Mogłaś pozwolić, żebym cię przebudził... Gdybyś zgodziła się zostać ze mną... nie doszłoby do tego. Mieszkalibyśmy w Rosji, trzymałbym cię w ramionach i twoi przyjaciele byliby bezpieczni. Nie musieli ginąć. To twoja wina.

— A ludzie, których musiałabym zabijać w Rosji? — mruknęłam.

Dymitr przestąpił z nogi na nogę. Czy udałoby mi się dobrze wycelować?

— Oni nie byliby bezpieczni, gdybym...

Usłyszałam trzask z lewej strony. Christian, który miał już wolne ręce, natarł krzesłem na strzygę walczącą z jakimś strażnikiem. Otrząsnęła się tylko i odrzuciła go jak muchę. Chłopak uderzył o ścianę i osunął się na podłogę. Był oszołomiony. Bezwiednie zerknęłam w tę stronę i zobaczyłam, że Lissa już do niego podbiegła. Pomocy! Trzymała w dłoni sztylet. Nie miałam pojęcia, skąd go wytrzasnęła. Może zabrała broń któremuś z martwych strażników. Albo przez cały czas miała go ze sobą, a bestie nie wpadły na to, żeby ją przeszukać. Nikomu nie przyszłoby do głowy, że morojka jest uzbrojona.

— Przestańcie! Trzymajcie się od tego z daleka! — wrzasnęłam i przeniosłam wzrok na Dymitra. Chwila nieuwagi sporo mnie kosztowała. Dymitr zaatakował, lecz bezwiednie udało mi się zrobić unik. Celował w moją szyję i uniknęłam ciosu tylko dlatego, że zabrakło mu precyzji. Chwycił mnie za ramię i pchnął niemal tak daleko, jak upadł wcześniej Christian. W przeciwieństwie do przyjaciela miałam jednak za sobą wieloletni trening i poradziłam sobie. Nie straciłam równowagi, zachwiałam się lekko i natychmiast przyjęłam pozycję do walki.

Mogłam tylko mieć nadzieję, że Christian i Lissa mnie posłuchają i powstrzymają się przed jakimś głupstwem. Musiałam skupić się na Dymitrze, w przeciwnym razie zabije mnie. A moja śmierć niechybnie pociągnęłaby za sobą śmierć Lissy i Christiana. Podczas natarcia odniosłam niejasne wrażenie, że przewyższaliśmy bestie liczebnie, chociaż taka przewaga nie zawsze miała znaczenie. Liczyłam na to, że moi towarzysze szybko uporają się ze strzygami i pozwolą mi dokończyć dzieła.

Dymitr parsknął śmiechem, widząc mój niezdarny unik.

— Byłbym pod wrażeniem, gdybyś zdobyła się na coś więcej niż popisy dziesięciolatka. Co do twoich przyjaciół... Cóż, nie są wiele lepsi.

— Zobaczymy, co powiesz, kiedy cię dopadnę — wycedziłam.

Spróbowałam go zmylić, ale błyskawicznie przejrzał moje zamiary. Poruszał się zwinnie jak tancerz.

— Nie uda ci się, Rose. Jeszcze tego nie rozumiesz? Nie widzisz? Nie możesz mnie pokonać. Nigdy mnie nie zabijesz. Nawet gdybyś miała okazję, zawahałabyś się. Znowu.

To była nieprawda i on o tym nie wiedział. Popełnił błąd, porywając Lissę. Jej obecność podniosła stawkę. Dymitr zagrażał jej życiu i to mi wystarczyło. Wiedziałam, że tym razem się nie zawaham.

Zmęczyło go to czekanie. Nagle rzucił się na mnie i ponownie sięgnął mojej szyi. I znów się wywinęłam kosztem uderzenia w bark. Chwycił mnie jednak za ramię i teraz przytrzymał. Jednym ruchem przyciągnął mnie do siebie, w czerwonych oczach lśnił triumf. Dopiął swego. Teraz mógł mnie zabić.

Najwyraźniej Dymitr nie był jedyną strzygą, która pragnęła mojej śmierci. Zobaczyłam bestię przeciskającą się w naszą stronę. Ona również sięgała po mnie. Dymitr, obnażając kły, posłał jej spojrzenie pełne wściekłości i nienawiści.

— Jest moja! — syknął i wymierzył intruzowi niespodziewany cios.

To była ta chwila. Zwrócony w kierunku strzygi Dymitr rozluźnił nieco uścisk. Niewielka odległość, która mi nie sprzyjała, stała się teraz takim samym zagrożeniem dla niego. Byłam tuż przy jego sercu i miałam w dłoni sztylet.

Nie potrafię stwierdzić, jak długo to trwało. Chwilami wydaje mi się, że zaledwie jedno uderzenie serca, a czasem myślę, że czas wokół nas przestał płynąć. Cały świat się zatrzymał.

Skierowałam sztylet prosto w jego pierś i kiedy Dymitr znów na mnie spojrzał, wiedziałam, że tym razem spodziewa się śmierci z mojej ręki. Nie wahałam się. To się działo naprawdę. Wzięłam zamach i... Sztylet wypadł mi z dłoni.

Coś uderzyło mnie z prawej strony i odepchnęło z dużą siłą. Potknęłam się i omal nie wpadłam na walczących. Próbowałam zachować czujność, ale nie zwracałam uwagi na tę stronę. Strzygi i strażnicy zmagali się po lewej. Po prawej stronie była ściana, a przed nią... Christian i Lissa.

To oni mnie odepchnęli.

Dymitr był równie zdumiony jak ja. Zdziwił się jeszcze bardziej, gdy Lissa podbiegła do niego ze sztyletem. Niczym błyskawica uderzyła mnie myśl, którą starannie ukrywała przede mną przez cały dzień: Zdołała napełnić swój sztylet mocą ducha. To dlatego tak pilnie ćwiczyła pod okiem Sereny i Granta. Wiedziała, że posiada niezbędne narzędzie, i to dodało jej siły. Chciała użyć tego sztyletu. Ukryła przede mną tę informację.

W tej chwili nie miało to już żadnego znaczenia. Zaczarowała sztylet, ale nie mogła zbliżyć się do Dymitra. On także zdawał sobie z tego sprawę i jego zaskoczenie szybko przerodziło się w zachwyt i rozbawienie. Patrzył na nią jak na urocze dziecko. Lissa poruszała się niezdarnie. Nie była dość szybka. I zabrakło jej siły.

— Nie! — krzyknęłam, biegnąc do nich, chociaż wiedziałam, że nie zdążę.

Zatrzymała mnie ściana ognia. Cofnęłam się w ostatniej chwili. Płomienie wystrzeliły z podłogi i utworzyły pierścień wokół Dymitra. Nie mogłam się przedrzeć. Zorientowałam się, że to sprawka Christiana.

— Przestań! — Nie wiedziałam, czy rzucić się na niego czy skoczyć w ogień. — Spalisz nas wszystkim żywcem!

Ozera panował nad ogniem — wyćwiczył tę umiejętność — lecz pomieszczenie było za małe i płomienie zagrażały obu stronom. Nawet strzygi zaczęły się cofać. Płomienie podpełzały coraz bliżej Dymitra, zaciskały się wokół niego jak pętla. Usłyszałam jego krzyk, widziałam, że cierpi. Ogień lizał długi płaszcz, dym dławił go w gardle. Instynkt podpowiadał mi, że muszę to przerwać, ale... właściwie po co? Przybyłam tu, by go zabić. Równie dobrze mógł zginąć z cudzej ręki.

I wtedy zobaczyłam, że Lissa się nie poddała. Dymitr był pochłonięty gaszeniem ognia. Zaczęłam krzyczeć... Na niego, na nią... trudno powiedzieć. Lissa włożyła rękę w płomienie. Znowu poczuła ból, przeszywający, jak wtedy gdy Christian przepalił jej więzy. Zlekceważyła go i posuwała się coraz dalej. Miała dobrą pozycję. Wycelowała ostrze prosto w serce.

Ugodziła go.

W pewnym sensie.

Podobnie jak podczas treningu z poduszką, teraz także zabrakło jej siły, by głębiej wepchnąć sztylet. Czułam, jak dziewczyna zbiera się w sobie, gromadzi resztki sił. Włożyła całą swoją energię w ten cios i uderzyła ponownie, ściskając rękojeść obiema dłońmi. Ostrze weszło głębiej, lecz nie dość głęboko. Nieudana próba mogła ją kosztować życie. W normalnej sytuacji. Tę jednak trudno tak nazwać. Dymitr był bezbronny, płomienie powoli go pochłaniały. Szarpnął się, co osłabiło cios sztyletem. Lissa skrzywiła się i ponowiła próbę, wbijając ostrze głębiej.

Za słabo.

Dopiero teraz się otrząsnęłam. Musiałam to przerwać. Jeśli Lissa się nie cofnie, to zginie w płomieniach. Brakowało jej doświadczenia. Pozostały dwa wyjścia: albo sama przebiję serce Dymitra, albo pozwolę, by strawił go ogień. Podbiegłam do nich. Lissa zauważyła mój ruch kątem oka.

Nie! Sama to zrobię!

To zabrzmiało jak rozkaz i poczułam jednocześnie, jak oddziela mnie od nich niewidoczna ściana. Stanęłam jak wryta. Nigdy wcześniej Lissa nie użyła na mnie wpływu. Otrząsnęłam się błyskawicznie. Lissę zbyt absorbowała walka z Dymitrem, by zatrzymać mnie całą mocą. Poza tym byłam odporna na działanie magii.

Lissa zyskała niewielką przewagę i błyskawicznie podjęła decyzję. Miała ostatnią szansę.

Nie zważając na piekący ból, jeszcze raz przedarła się przez płomienie i wepchnęła sztylet głęboko w serce Dymitra. Zrobiła to niezdarnie, zabrakło jej precyzji wyszkolonego strażnika. Ale dokonała tego. Przebiła serce. W tej samej chwili poczułam cudowny przepływ magii przez więź, znajome uczucie, które zawsze towarzyszyło uzdrawianiu.

Tylko że... tym razem to uczucie było sto razy silniejsze. Nigdy jeszcze nie doświadczyłam takiej mocy. Oszołomiła mnie bardziej niż wcześniejsze zaklęcia. Miałam wrażenie, że nerwy mi eksplodowały, jakby uderzył mnie piorun.

Wokół Lissy rozbłysło białe światło, potężniejsze niż płomienie. Jakby ktoś wrzucił słońce do ciemnego pomieszczenia. Krzyknęłam, instynktownie zakrywając oczy, i się cofnęłam. Zorientowałam się po odgłosach wokół mnie, że wszyscy zareagowali podobnie. Przez krótką chwilę miałam wrażenie, że nasza więź została zerwana. Nie czułam Lissy, jej bólu ani magii. Między nami wirowała pozbawiona kolorów pustka przypominająca białe światło, które zalało magazyn. Moc, która emanowała z Lissy, osłabiła, niemal unicestwiła naszą więź.

I nagle światło zgasło. Nie ciemniało powoli, znikło w mgnieniu oka. Jakby ktoś przełączył kontakt. W pomieszczeniu zapadła cisza, słychać było tylko jęki i niewyraźne pomruki. Światło musiało oślepić strzygi. Omal nie oślepiło mnie. Przed oczami tańczyły mi gwiazdy. Nie mogłam skoncentrować wzroku, jakby magia przepaliła mi oczy.

Zmrużyłam powieki i dopiero wtedy zobaczyłam niewyraźne kształty. Ogień zgasł, pozostały po nim tylko czarne smugi na ścianach i suficie. Spodziewałam się, że spowodował większe szkody. Nie miałam czasu, żeby rozmyślać nad tym cudem, bo na moich oczach dział się kolejny.

Tylko to nie był cud. To była bajka.

Lissa i Dymitr upadli na ziemię w popalonych, porwanych ubraniach. Piękną skórę Lissy znaczyły ślady poparzeń. Najgorzej wyglądały dłonie i nadgarstki. Widziałam krew tam, gdzie ogień przepalił skórę. O ile dobrze zapamiętałam z kursu ratownictwa medycznego, Lissa miała poparzenia trzeciego stopnia. Wydawało mi się jednak, że nie czuje bólu. Mogła poruszać rękami.

Głaskała Dymitra po głowie.

Na pół siedząc, nachylała się nad nim. Dymitr leżał na podłodze z głową opartą na kolanach Lissy, a ona raz po raz gładziła palcami jego włosy — uspokajała go, jak uspokaja się dziecko lub zwierzę. Jej twarz, mimo ran zadanych przez ogień, promieniowała pięknem i współczuciem. Dymitr nazwał mnie aniołem zemsty. Ona była aniołem łaski. Pochylała się nad nim, szepcząc łagodnie niezrozumiałe słowa.

Sądząc po strzępach, jakie pozostały z jego ubrania i niedawnym widoku żarłocznych płomieni, spodziewałam się, że zostanie po nim tylko na pół zwęglony szkielet. Jednak kiedy uniósł głowę i po raz pierwszy zobaczyłam jego twarz, zorientowałam się, że nic mu się nie stało. Nie miał ran, jego skóra pozostała nietknięta, ciepła i opalona jak tamtego dnia, kiedy się poznaliśmy. Widziałam jego oczy tylko przez krótką chwilę, zanim ukrył twarz, wtulając ją w kolana Lissy, ale byłam pewna, że zobaczyłam brąz, głębię, w którą zapadałam tak wiele razy. Czerwone obwódki wokół źrenic znikły bez śladu.

Dymitr... nie był już strzygą.

Szlochał.

Rozdział siedemnasty

Wydawało się, że wszyscy wstrzymali oddech. Ale nawet wobec cudu strażnicy — oraz strzygi — nie stracili czujności. Natychmiast podjęli przerwaną walkę, nacierali na siebie z oślepiającą furią. Dampiry miały teraz przewagę i ci, którzy nie musieli walczyć z niedobitkami strzyg, natychmiast ruszyli na pomoc Lissie, żeby odciągnąć ją od Dymitra. Ku ich zaskoczeniu Lissa stawiła opór. Nie chciała się od niego oderwać. Chroniła go jak matka, walczyła o niego.

Dymitr także przywarł do niej, ale strażnicy okazali się silniejsi. Rozdzielono ich. Słyszałam, jak krzyczą do siebie, niepewni, czy powinni go zabić. Nie mieliby z tym trudności. Dymitr był całkowicie bezbronny. Ledwo trzymał się na nogach, kiedy postawili go siłą.

To mnie otrzeźwiło. Do tej pory wpatrywałam się w tę scenę jak ogłuszona. Teraz skoczyłam naprzód, choć nie do końca wiedziałam do kogo: Lissy czy Dymitra.

— Nie! Stójcie! — wrzasnęłam, widząc sztylety w rękach strażników. — Mylicie się! On już nie jest strzygą! Przyjrzyjcie mu się!

Lissa i Christian mi wtórowali. Ktoś chwycił mnie i odciągnął, krzycząc, że mam pozwolić im działać. Nie namyślałam się, tylko obróciłam gwałtownie i wymierzyłam mu cios prosto w twarz. Dopiero wtedy zorientowałam się, że zaatakowałam Hansa. Zachwiał się lekko, ale był bardziej zaskoczony niż urażony. Niestety, zwróciłam na siebie uwagę pozostałych strażników i natychmiast mnie opadli. Nie miałam szans. Było ich wielu, a nie mogłam przecież bronić się tak, jak w walce ze strzygami.

Kiedy mnie wyprowadzali, zauważyłam, że Lissa i Dymitr już opuścili magazyn. Pytałam, dokąd ich zabrano, krzyczałam, że muszę ich zobaczyć, ale nikt mnie nie słuchał. Wyciągnęli mnie na zewnątrz korytarzem zasłanym martwymi ciałami. Były to w większości strzygi, lecz rozpoznałam również kilku strażników dworskich. Skrzywiłam się, chociaż nie znałam ich dobrze. Bitwa dobiegła końca, zwyciężyliśmy, ale ponieśliśmy wielkie straty. Ci, którzy przetrwali, musieli teraz posprzątać. Nie zdziwiłabym się, gdyby wezwali alchemików, tymczasem nie zaprzątałam sobie tym głowy.

— Gdzie jest Lissa? — powtarzałam uparcie, kiedy wepchnięto mnie do jednego z SUV-ów. Po obu stronach usiedli strażnicy. Nie znałam żadnego z nich. — Gdzie Dymitr?

— Księżniczka została przewieziona w bezpieczne miejsce — rzucił cierpko jeden. Patrzyli prosto przed siebie i zrozumiałam, że nie powiedzą mi ani słowa o Dymitrze. Dla nich mógł równie dobrze nie istnieć.

— Gdzie jest Dymitr? — podniosłam głos w nadziei, że jednak mi odpowiedzą. — Jest z Lissą?

Nareszcie.

— Oczywiście, że nie — odparł ten sam strażnik.

— Ale on... żyje? — To było najtrudniejsze pytanie, jakie zadałam w życiu, lecz musiałam wiedzieć. Nie chciałam się do tego przyznać, ale na miejscu Hansa nie oczekiwałabym cudów. Unicestwiłabym wszystko, co mogło stanowić zagrożenie.

— Tak — powiedział w końcu kierowca. — On... To... nadal żyje.

Nie udało mi się nic więcej z nich wyciągnąć, mimo że upierałam się i żądałam, by natychmiast pozwolili mi wysiąść. Byłam naprawdę uciążliwa, ale zachowywali godną podziwu cierpliwość. Pewnie nawet nie wiedzieli, co się stało. Wszystko wydarzyło się tak szybko. Dostali rozkaz, żeby wyprowadzić mnie z budynku.

Miałam nadzieję, że dołączy do nas ktoś, kogo znałam, ale tak się nie stało. Dosiadło się tylko kilku nieznajomych strażników. Nie widziałam nigdzie Christiana ani Taszy. Nie dostrzegłam nawet Hansa. Właściwie nie powinno mnie to dziwić. Na pewno trzymał się z daleka od moich pięści.

Kiedy wreszcie ruszyliśmy, dałam za wygraną i oparłam się na wygodnym siedzeniu. Za nami jechały pozostałe SUV-y, lecz nie wiedziałam, czy moi przyjaciele siedzieli w którymś z nich.

Więź między mną a Lissą wciąż była nikła. Po pierwszym szoku, kiedy przestałam odczuwać cokolwiek, dotarło do mnie tylko, że ona żyje i że nadal jesteśmy połączone. Nic więcej. Moja przyjaciółka przepuściła przez siebie tak potężny strumień mocy, że nasza więź mogła się tymczasowo przepalić. Kilkakrotnie próbowałam przenieść się do jej umysłu, lecz poruszałam się po omacku, jak ktoś, kogo oślepiło światło. Pocieszałam się, że to wkrótce minie. Chciałam zobaczyć jej oczami, co się stało.

Nie, nie zobaczyć. Musiałam to wiedzieć i kropka. Wciąż jeszcze nie otrząsnęłam się z szoku i dopiero długa jazda powrotna pozwoliła mi uporządkować fakty. Zależało mi przede wszystkim na informacjach o Dymitrze, ale najpierw musiałam odtworzyć wszystko od początku.

Po pierwsze, Lissa napełniła magią sztylet i ukryła to przede mną. Kiedy to zrobiła? Przed wyjazdem do college'u? W Lehigh? Może po porwaniu? Zresztą nie miało to znaczenia.

Po drugie, mimo nieudanych prób z poduszką wbiła ostrze w serce Dymitra. Nie było to łatwe zadanie, ale Christian pomógł jej, rozniecając ogień. Skrzywiłam się na myśl o poparzeniach na skórze przyjaciółki. Czułam jej ból, zanim nasza więź została przerwana, widziałam jej rany. Adrian nie był mistrzem w sztuce uzdrawiania, lecz miałam nadzieję, że uleczy blizny Lissy.

Trzeci i najważniejszy fakt... Czy jednak to był fakt? Lissa ugodziła Dymitra sztyletem, używając magii uzdrawiania... a potem? To było pytanie. Co się stało, poza tym, że poczułam nuklearną eksplozję magii? Czy naprawdę widziałam to, co mi się wydawało?

Dymitr... się zmienił.

Nie był już strzygą. Czułam to, chociaż widziałam go zaledwie przez moment. Wiedziałam, że tak jest. Z jego twarzy znikły charakterystyczne cechy bestii. Lissa zrobiła wszystko, co zgodnie z zapewnieniem Roberta miało przywrócić strzygę do życia. Widziałam moc jej magii... Mogłam uwierzyć, że wszystko jest możliwe. Powrócił do mnie obraz Dymitra wtulonego w Lissę, łzy płynące po jego policzkach. Nigdy nie widziałam go w takim stanie. Był bezbronny. Strzygi nie płaczą. Nagle serce mi się ścisnęło i zamrugałam gwałtownie, żeby się nie rozpłakać. Rozejrzałam się szybko, powracając do rzeczywistości. Niebo jaśniało. Zbliżał się wschód słońca. Towarzyszący mi strażnicy mieli zmęczone twarze, ale w ich oczach wciąż nie gasła czujność. Straciłam poczucie czasu, tylko wewnętrzny zegar informował, że jedziemy już długo. Powinniśmy znajdować się niedaleko dworu.

Ostrożnie spróbowałam przeniknąć do Lissy. Nasza więź była żywa, lecz wciąż osłabiona. Poczułam coś w rodzaju migotania, jakby gasła i ożywała, próbując się ustabilizować. Uspokoiłam się trochę i odetchnęłam z ulgą. Ta niezwykła więź uformowała się między nami wiele lat temu, wciąż pamiętałam, jak dziwne było to doznanie. Niemal nierealne. Potem zaakceptowałam je jako część swojego życia i teraz brakowało mi jej jak niezbędnego składnika.

Rozejrzałam się oczami Lissy po wnętrzu SUV-a, którym jechała. Miałam nadzieję zobaczyć tam Dymitra. Nie wystarczała mi krótka chwila w magazynie. Musiałam ujrzeć go jeszcze raz, zobaczyć ten cud, który naprawdę się wydarzył. Chciałam chłonąć jego twarz, patrzeć na niego takiego, jakim był dawniej. Na Dymitra, którego kochałam.

Ale nie było go przy Lissie. Zobaczyłam obok niej Christiana. Chłopak zerknął na nią, kiedy się poruszyła.

Spała i wciąż była lekko zamroczona. To dlatego, poza potężnym wydatkiem energii, nie mogłam nawiązać pełnego kontaktu z przyjaciółką. Raz po raz obraz się zamazywał, ale mogłam śledzić wszystko, co się działo.

— Jak się czujesz? — spytał Christian. Jego głos i wzrok były pełne miłości. Lissa nie mogła tego nie zauważyć. Ale wciąż jeszcze nie rejestrowała wszystkiego w pełni przytomnie.

— Zmęczona. Wyczerpana. Jak... sama nie wiem. Jakby miotał mną huragan albo przejechał samochód. Pomyśl o czymś strasznym, a zrozumiesz, jak się czuję.

Uśmiechnął się lekko i delikatnie dotknął jej policzka. Odbierałam Lissę coraz lepiej i nagle poczułam ból poparzeń. Christian ostrożnie przesunął palcem blisko rany.

— Strasznie wyglądam? — spytała Lissa. — Mam zniekształconą twarz? Jak kosmitka?

— Nie. — Roześmiał się. — Nie jest tak źle. Jesteś piękna jak zawsze. Wiele trzeba, by to zmienić.

Uporczywy ból kazał jej myśleć, że jest gorzej, niż Christian przyznaje, ale komplement i sposób, w jaki mówił, uspokoiły ją. Przez chwilę widziała tylko jego twarz w promieniach wschodzącego słońca.

I nagle sobie przypomniała.

— Dymitr! Muszę go zobaczyć!

W samochodzie znajdowali się strażnicy i Lissa zwróciła się teraz do nich. Żaden nie zamierzał jednak opowiedzieć jej, co się stało.

— Dlaczego nie mogę go zobaczyć? Czemu go zabraliście? — pytała i w końcu to Christian jej odpowiedział.

— Uważają, że jest niebezpieczny.

— Nieprawda. On... Potrzebuje mnie. Bardzo cierpi.
Christian wybałuszył oczy. Widziałam, że przestraszył się nie na żarty.

— Ale ty chyba nie... Nie związałaś się z nim, prawda?
Odgadłam, co mu chodziło po głowie. Przypomniał sobie, jak niebezpieczne okazało się wiązanie z kilkoma osobami w przypadku Avery. Nie słyszał, co mówił Robert o duszach powracających ze świata umarłych i o tym, że powracające strzygi nie nawiązują więzi.

Lissa powoli pokręciła głową.

— Nie... Po prostu to wiem. Kiedy... go uzdrowiłam, coś się między nami nawiązało, czułam to. Zrobiłam coś... Nie potrafię tego wytłumaczyć. — Bezradnie przesunęła ręką po włosach. Nie umiała opowiadać o magii. Teraz poczułam, jak bardzo jest zmęczona. — Jakbym przeprowadziła operację na jego duszy — wyjąkała na koniec.

— Uważają, że jest niebezpieczny — powtórzył łagodnie Christian.

— Nieprawda! — Lissa rozejrzała się po twarzach strażników, ale wszyscy odwracali wzrok. — Już nie jest strzygą.

— Księżniczko — zaczął z wahaniem któryś z dampirów. — Nikt nie wie, co tam się stało. Nie mamy pewności...

— Ale ja jestem pewna! — odparła zbyt głośno. Zabrzmiało to po królewsku, władczo. — Ja to wiem. Ocaliłam go. Sprowadziłam z powrotem. Czuję każdą cząstką siebie, że przestał być strzygą!

Strażnicy milczeli w napięciu. Byli zdezorientowani, jakże mogło być inaczej? Nic podobnego nie wydarzyło się w przeszłości.

— Ćśśś... — Christian położył rękę na jej dłoni. — Nic nie zrobisz, dopóki nie znajdziemy się na dworze. Jesteś obolała i zmęczona... To widać.

Lissa wiedziała, że on ma rację. Była wyczerpana. Nadużyła swojej magii. Jednocześnie to, co zrobiła dla Dymitra, połączyło ich ze sobą. Nie była to więź magiczna, lecz psychiczny związek. Traktowała go teraz jak dziecko, chciała go chronić i troszczyć się o niego.

— Muszę go zobaczyć — oświadczyła.

Ona? A ja?

— Zobaczysz go — zapewnił Christian, lecz wyczułam, że nie jest pewien tego, co mówi. — A na razie postaraj się odpocząć.

— Nie mogę. — Lissa stłumiła ziewnięcie.

Uśmiechnął się lekko i objął ją ramieniem, przyciągając do siebie tak blisko, jak pozwalały im pasy bezpieczeństwa.

— Spróbuj — poprosił.

Lissa oparła głowę na jego piersi, czerpiąc ukojenie z jego bliskości. Wciąż martwiła się o Dymitra, ale zmęczenie wzięło górę. Wkrótce zasnęła w objęciach Christiana i ledwo usłyszała, jak mruknął:

— Wszystkiego najlepszego.

Dwadzieścia minut później nasz konwój wjechał na teren dworu. Sądziłam, że od razu pozwolą mi odejść, ale strażnicy marudzili przy wysiadaniu. Zorientowałam się, że czekają na instrukcje, o czym nikt jakoś nie kwapił się mnie poinformować. Na koniec pojawił się Hans.

— Nie. — Położył mi rękę na ramieniu. Zamierzałam natychmiast pobiec... właściwie nie wiem dokąd. Do Dymitra. — Wstrzymaj się.

— Muszę go zobaczyć! — Szarpnęłam się, lecz Hans nie zamierzał ustąpić. Powinien być zmęczony, tej nocy zabił więcej strzyg niż ja. — Powiedz mi, gdzie on jest.

Zaskoczył mnie odpowiedzią.

— W areszcie. Daleko poza twoim zasięgiem. Nikt nie ma do niego dostępu. Wiem, że był twoim nauczycielem, ale na razie powinien pozostać w odosobnieniu.

Chwilę to trwało, zanim mój skołowany mózg przyswoił sobie tę informację. Burzliwa noc i emocje zrobiły swoje.

— On nie jest niebezpieczny. — Przypomniałam sobie, co mówił Christian. — Przestał być strzygą.

— Jak możesz być tego pewna?

To samo pytanie zadawali Lissie. Nie potrafiłam odpowiedzieć. Miałyśmy pewność, bo zadałyśmy sobie niewiarygodny trud, by dowiedzieć się, jak odmienić strzygę, a potem widziałyśmy eksplozję magii. Czy to nie był wystarczający dowód? Nie wystarczył im widok Dymitra?

Odpowiedziałam tak jak Lissa.

— Po prostu wiem.

Hans pokręcił głową. Dopiero teraz zobaczyłam, jak bardzo jest zmęczony.

— Nikt nie wie, co naprawdę dzieje się z Bielikowem. Ci z nas, którzy tam byli... nie mam pojęcia, co o tym myśleć. Jeszcze niedawno przewodził zgrai strzyg, a teraz spokojnie wystawia się na światło słoneczne. Nie wiemy, kim on jest.

— Dampirem.

— Trzeba go zbadać — ciągnął, ignorując moją uwagę. — Tymczasem Bielikow powinien pozostać pod kluczem.

Badanie? Nie podobało mi się to. Traktowali Dymitra jak królika doświadczalnego. Omal nie zaczęłam krzyczeć na Hansa. Ale ugryzłam się w język.

— W takim razie chcę zobaczyć Lissę.

— Zabrano ją do kliniki. Jest w kiepskiej formie. Nie wpuszczą cię tam — dodał, uprzedzając moją następną prośbę. — Połowa strażników wymaga pomocy medycznej. W klinice panuje spore zamieszanie. Nie możesz im przeszkadzać.

— To co mam ze sobą zrobić?

— Prześpij się. — Spojrzał na mnie surowo. — Nadal uważam, że jesteś niezdyscyplinowana, ale po tym, co dziś widziałem... Ujmę to tak. Potrafisz walczyć. Potrzebujemy cię, nie tylko do papierkowej roboty. A teraz zadbaj o siebie.

Hans wyraźnie dał mi do zrozumienia, że to koniec dyskusji. Strażnicy krzątali się i nikt nie zwracał na mnie uwagi. Zapomnieli, ile sprawiłam wszystkim kłopotu? Więc nie musiałam już wracać do sterty akt, ale co miałam robić? Hans oszalał. Przecież nie zasnę. Muszę coś zrobić. Chciałam zobaczyć się z Dymitrem, ale nie wiedziałam, dokąd go zabrano. Pewnie zamknęli go w tym samym areszcie, w którym przebywał Wiktor, a ja nie miałam tam wstępu. Pragnęłam porozmawiać z Lissą, lecz i ona była poza moim zasięgiem. Poczułam się bezradna. Potrzebowałam pomocy kogoś wpływowego.

Adrian!

Tylko on mógł coś załatwić. Miał odpowiednie koneksje. Był leserem, lecz królowa darzyła go miłością. Nie chciałam się z tym pogodzić, ale może rzeczywiście powinnam poczekać na rozmowę z Dymitrem. Adrian mógł mnie jednak wprowadzić do kliniki. Musiałam zobaczyć Lissę. Nasza więź wciąż była nadwątlona, a tylko od niej mogłam dowiedzieć się więcej o Dymitrze. Poza tym chciałam się przekonać, że jest cała i zdrowa.

Portier budynku, w którym znajdował się pokój Adriana, poinformował mnie, że przed chwilą wyszedł do kliniki. O ironio! Mogłam się tego spodziewać. Adrian także potrafił uzdrawiać, na pewno wyrwano go ze snu i wezwano do rannych.

— Byłaś tam? — Odchodziłam już, ale portier mnie zatrzymał.

— Jak to? — sądziłam, że pyta o klinikę.

— Brałaś udział w bitwie? Słyszeliśmy o niej niewiarygodne rzeczy.

— Tak szybko? A co słyszeliście?

Strażnik mówił z przejęciem.

— Podobno prawie wszyscy strażnicy zginęli w walce, a na koniec schwytaliście strzygę i przywieźliście ze sobą.

— Nie... mamy więcej rannych niż martwych. A co do strzygi... — Musiałam odetchnąć. Co miałam mu powiedzieć? Co się właściwie stało z Dymitrem? — Została przemieniona w dampira.

Dampir wybałuszył oczy.

— Oberwałaś w głowę?

— Mówię, jak jest! Odmieniła go Wasylissa Dragomir. Użyła mocy ducha. Możesz to wszystkim powiedzieć.

Zostawiłam go z rozdziawionymi ustami. Teraz już naprawdę nie miałam do kogo zwrócić się o pomoc. Powlokłam się do swojego pokoju z poczuciem klęski, wiedząc, że nie zmrużę oka. W każdym razie tak mi się wydawało. Chwilę chodziłam tam i z powrotem, a potem przysiadłam na łóżku, żeby obmyślić jakiś plan działania. Wkrótce potem zapadłam w ciężki sen. Obudziłam się nagle. Nie mogłam zebrać myśli, byłam obolała. Wcześniej nie zdawałam sobie sprawy z obrażeń. Spojrzałam na zegar i zdumiałam się. Długo spałam, w świecie wampirów był już późny poranek. W ciągu pięciu minut wzięłam prysznic i wrzuciłam na siebie czyste ubranie. Po chwili już byłam za drzwiami.

Idąc, widziałam mnóstwo osób zajętych na pozór normalnymi sprawami. Jednak mijając poszczególne grupki, słyszałam, że wszyscy rozmawiają o bitwie w magazynie i o Dymitrze.

— Wiedzieliśmy, że ma dar uzdrawiania — mówił jakiś moroj. — Dlaczego nie miałaby uzdrowić strzygi albo wskrzeszać zmarłych?

— To absurd — sprzeciwiła się jego żona. — Nie wierzę w te opowieści o magii ducha. Próbują zamydlić nam oczy, bo Dragomirówna nie znalazła do tej pory żadnej specjalizacji.

Nie słyszałam dalszego ciągu, lecz strzępki innych rozmów kręciły się wokół tego samego tematu. Część mieszkańców dworu była przekonana, że wmawiają im kłamstwa, inni uważali Lissę za świętą. Słyszałam też najdziwniejsze pogłoski, na przykład taką, że strażnicy pojmali kilka strzyg, na których zamierzają prowadzić eksperymenty. Nikt nie wspominał jednak Dymitra, nie wiedziano, co się z nim dzieje.

Postanowiłam trzymać się planu: pójść prosto do budynku straży, w którym znajdował się areszt, chociaż nie miałam pojęcia, co zrobię na miejscu. Nie wiedziałam nawet, czy to tam zaprowadzono Dymitra, ale wydawało się to najbardziej prawdopodobne. Minęłam jakiegoś strażnika i dopiero po kilku sekundach zorientowałam się, że go znam. Zatrzymałam się gwałtownie i zawróciłam.

— Michaił! — Odwrócił głowę i podszedł do mnie. — Co jest grane? — spytałam z ulgą na widok znajomej twarzy. — Wypuścili już Dymitra?

Strażnik potrząsnął głową.

— Nie. Wciąż usiłują dociec, co się wydarzyło. Nie mają pewności, chociaż księżniczka przysięga, że widziała go po wszystkim i na pewno już nie jest strzygą.

Usłyszałam w jego głosie zaciekawienie i nadzieję. Chciał, żeby to była prawda, pragnął uwierzyć, że może uratować swoją ukochaną. Współczułam mu całym sercem. Miałam nadzieję, że historia Michaiła i Soni będzie miała szczęśliwe zakończenie tak jak...

— Zaraz. Co powiedziałeś? — przerwałam romantyczne fantazje, bo nagle dotarł do mnie sens jego słów. — Powiedziałeś, że Lissa go widziała? Po walce? — natychmiast przeniknęłam do jej umysłu. Tym razem poszło mi łatwiej, ale Lissa spała. Niczego nie mogłam się dowiedzieć.

— Prosił, by ją przyprowadzono — wyjaśnił Michaił. — Wpuścili ją, oczywiście pod ochroną.

Nie mogłam w to uwierzyć. Dymitr przyjmował gości. Pozwalano mu na widzenia. Mój mroczny nastrój rozproszył się w jednej chwili. Obróciłam się na pięcie.

— Dzięki, Michaił.

— Zaczekaj, Rose...

Ale nie zatrzymałam się. Pędziłam do budynku straży, nie zważając na zdziwione spojrzenia. Nie posiadałam się z radości. Zaraz zobaczę Dymitra. Nareszcie się spotkamy i będzie tak jak dawniej.

— Nie możesz do niego wejść.

Stanęłam jak wryta przed dyżurnym w recepcji.

— Jak to? Muszę go zobaczyć.

— Żadnych wizyt.

— Przecież Lissa... to jest Wasylissa Dragomir była u niego.

— Prosił o rozmowę z nią.

Wpatrywałam się w niego ze zdumieniem.

— Na pewno pytał również o mnie.

Strażnik wzruszył ramionami.

— Nic mi o tym nie wiadomo.

Tłumiony długo gniew teraz znalazł ujście.

— Więc idź i się dowiedz! Dymitr chce mnie widzieć. Musisz mnie do niego wpuścić. Kto jest twoim zwierzchnikiem?

Popatrzył na mnie spode łba.

— Nigdzie nie pójdę, dopóki ktoś mnie nie zmieni. Powiadomią cię, jeśli o ciebie poprosi. Nie wpuszczę nikogo bez pozwolenia.

Po włamaniu do systemu bezpieczeństwa w więzieniu Tarasow mogłam go ominąć bez trudu. Z drugiej strony, w podziemiach, gdzie znajdowały się cele, na pewno natknęłabym się na innych strażników. Przez chwilę rozważałam możliwość walki. W końcu chodziło o Dymitra. Zrobiłabym dla niego wszystko. I nagle poczułam, że Lissa się obudziła.

— W porządku — rzuciłam obrażonym tonem. — Dzięki za „pomoc".

Nie potrzebowałam już tego palanta. Pójdę do Lissy.

Umieszczono ją na drugim końcu terenów dworskich i pokonałam tę odległość truchtem. Otworzyła drzwi i zorientowałam się, że ubrała się równie szybko jak ja. Właściwie już zbierała się do wyjścia. Zerknęłam na jej twarz i dłonie i odetchnęłam z ulgą: poparzenia niemal zniknęły. Pozostało tylko kilka czerwonych śladów na jej palcach. Adrian dobrze się spisał. Żaden lekarz nie dokonałby tego w tak krótkim czasie. Lissa miała na sobie jasnoniebieską bluzkę, długie blond włosy ściągnęła z tyłu. Z całą pewnością nie wyglądała na kogoś, kto przeżył prawdziwą traumę tej samej doby.

— Nic ci nie jest? — spytała.

Tyle się wydarzyło, a ona martwiła się o mnie.

— Wszystko w porządku — zapewniłam. Przynajmniej fizycznie czułam się dobrze. — Co z tobą?

— Dobrze. — Skinęła głową.

— Świetnie wyglądasz — zauważyłam. — Zeszłej nocy... naprawdę mnie przestraszyłaś. Ten ogień... — nie mogłam dokończyć.

— Wiem. — Odwróciła wzrok. Wyglądała na zdenerwowaną, nawet zakłopotaną. — Adrian robi postępy w uzdrawianiu.

— Idziesz tam? — Wyczułam, że jest niespokojna. Wydało mi się oczywiste, że biegnie do kliniki, żeby mu pomóc. Ale... nagle zrozumiałam, co się święci. — Idziesz do Dymitra!

— Rose...

— Nie. — Nie pozwoliłam jej dokończyć. — To wspaniale. Pójdę z tobą. Byłam już tam, ale nie chcieli mnie wpuścić.

— Rose... — Lissa wyraźnie czuła się nieswojo.

— Pletli coś o tym, że poprosił o widzenie z tobą, a nie ze mną i dlatego nie pozwolili mi wejść. Teraz będą musieli nas wpuścić.

— Rose... — Głos Lissy zabrzmiał stanowczo. — Nie możesz pójść ze mną.

— Co? — Chyba się przesłyszałam. — Oczywiście, że mogę. Muszę go zobaczyć. Przecież wiesz. On też mnie potrzebuje.

Widziałam, jak moja przyjaciółka powoli kręci głową. Wciąż była zdenerwowana, ale patrzyła na mnie współczująco.

— Nie okłamywali cię — powiedziała. — Dymitr nie prosił o widzenie z tobą. Chce rozmawiać tylko ze mną.

Cały mój zapał zgasł jak zdmuchnięta świeca. Osłupiałam, nie wiedziałam, co powiedzieć.

— Ale... — Przypomniałam sobie, jak przywarł do niej tej nocy, jak głęboko był zrozpaczony. Nie chciałam tego przyznać, lecz w jakimś sensie rozumiałam, czemu to Lissę chciał widzieć. — Oczywiście, że poprosił ciebie. Nagle wszystko się dla niego zmieniło, a ty go ocaliłaś. Na pewno wkrótce dojdzie do siebie i wtedy zechce mnie zobaczyć.

— Nie możesz do niego iść, Rose. — Smutek w głosie Lissy przeniknął do mnie głęboko przez więź. — Dymitr nie zapomniał o tobie. Prosił, byś go nie odwiedzała.

Rozdział osiemnasty

Kiedy łączy cię z kimś psychiczna więź, cierpisz, wiedząc, że on kłamie albo mówi prawdę, jak w przypadku Lissy. Mimo to zareagowałam buntem.

— To nieprawda.

— Czyżby? — Spojrzała na mnie znacząco. Wiedziała, że wyczułam, że nie kłamie.

— Przecież... to niemożliwe... — Rzadko brakowało mi słów, szczególnie w rozmowie z Lissą. To ja zwykle byłam asertywna i tłumaczyłam jej, dlaczego coś się dzieje. Nie zauważyłam, kiedy moja przyjaciółka nabrała pewności siebie.

— Przykro mi — przemówiła łagodnie, lecz stanowczo. Czułam, jak bardzo nie chciała przekazywać mi nieprzyjemnych wiadomości. — Dymitr prosił mnie... Powiedział, żebym zabroniła ci przychodzić. Że nie chce cię widzieć.

Wbiłam w nią błagalny wzrok.

— Ale dlaczego? — spytałam jak dziecko. — Czemu tak powiedział? Oczywiście, że chce mnie widzieć. Na pewno wszystko mu się pomieszało...

307

— Nie wiem, Rose. Powtarzam tylko jego słowa. Tak bardzo mi przykro. — Wyciągnęła ręce, jakby chciała mnie przytulić, lecz się cofnęłam. W głowie kłębiły mi się najróżniejsze myśli.

— I tak pójdę z tobą. Poczekam na górze ze strażnikami. Powiesz Dymitrowi, że jestem, a on zmieni zdanie.

— Nie powinnaś tego robić — odparła. — On mówił poważnie, niemal kategorycznie. Zdenerwowałby się, wiedząc, że jesteś blisko.

— Zdenerwowałby się? On? Liss, to ja! Dymitr mnie kocha. Potrzebuje mnie.

Lissa skrzywiła się i zorientowałam się, że na nią krzyczę.

— Powtórzyłam ci jego życzenie. To wszystko jest bardzo trudne... Proszę. Nie stawiaj mnie w takiej sytuacji. Poczekaj, co się wydarzy. Jeśli tak bardzo chcesz go zobaczyć, to zawsze możesz...

Nie dokończyła, ale zrozumiałam. Proponowała, bym była obecna na ich spotkaniu za pośrednictwem więzi. To był wspaniałomyślny gest — chociaż i tak nie mogłaby mnie powstrzymać, gdybym chciała zrobić to wbrew jej woli. Zwykle nie podobało jej się moje „szpiegowanie". Wiedziałam, że Lissa chce mi poprawić samopoczucie i tylko taki pomysł przyszedł jej do głowy.

Nie bardzo jej się to udało. Świat oszalał. Nagle zakazano mi kontaktu z Dymitrem. I to on rzekomo nie chciał mnie widzieć! O co tu chodzi, do diabła? Instynktownie chciałam pójść z nią mimo wszystko i zażądać widzenia. Jednocześnie Lissa błagała mnie przez więź, żebym tego nie robiła. Nie chciała kłopotów. Ona pewnie także nie rozumiała prośby Dymitra, ale czuła, że powinna ją uszanować, dopóki on się nie uspokoi.

— Proszę — powiedziała, a ja się poddałam.

— Dobrze — odparłam z udręką. Czułam się tak, jakbym przyznała się do porażki. „Myśl o tym jak o taktycznym wycofaniu się" — powtarzałam sobie.

— Dziękuję. — Tym razem mnie przytuliła. — Obiecuję, że dowiem się jak najwięcej, dobrze?

Przygnębiona skinęłam głową. Wyszłyśmy razem. Rozstałam się z nią niechętnie i pozwoliłam, by poszła sama do budynku straży, a potem powlokłam się do siebie. Ale kiedy tylko znikła mi z oczu, wśliznęłam się do jej umysłu i obserwowałam jej oczami, jak idzie po idealnie przystrzyżonym trawniku. Odbierałam jeszcze niewielkie zakłócenia przekazu, ale z każdą minutą widziałam wszystko coraz wyraźniej.

Lissa przeżywała trudne chwile. Miała wyrzuty sumienia, bo musiała mi odmówić. Jednocześnie nie mogła się doczekać spotkania z Dymitrem. Ona też za nim tęskniła, chociaż inaczej niż ja. Czuła się za niego odpowiedzialna, pragnęła go chronić za wszelką cenę.

Weszła do budynku. Dyżurny, który wcześniej nie pozwolił mi przejść, skinął głową na jej widok i sięgnął po słuchawkę. Po chwili pojawiło się trzech strażników i pokazali Lissie gestem, by zeszła z nimi na dół. Wszyscy mieli ponure miny, nawet jak na strażników.

— Nie musisz tego robić — zaczął jeden. — Tylko dlatego, że on o to prosi...

— W porządku — przerwała mu chłodnym królewskim tonem. — Nie przeszkadza mi to.

— Zapewnimy ci silną ochronę, jak poprzednim razem. Będziesz całkowicie bezpieczna.

Spojrzała na nich ostro.

— Ani przez chwilę nie czułam się zagrożona.

Widok schodów prowadzących do aresztu znajdującego się w podziemiach wywołał we mnie bolesne wspomnienia. Kiedyś szłam tędy z Dymitrem, żeby rozmówić się z Wiktorem. Tak wiele nas łączyło, tamten Dymitr doskonale mnie rozumiał. Wpadł w furię, kiedy Wiktor zaczął mi grozić. Kochał mnie tak bardzo, że zrobiłby wszystko, żeby mnie chronić.

Elektroniczna karta wsunięta w otwór w drzwiach otworzyła przed nimi długi korytarz pełen cel. Nie było to tak przygnębiające miejsce jak więzienie Tarasow, ale brak wyposażenia i stalowe kraty nadawały mu surowy wyraz.

Lissa poruszała się z trudem, bo ze wszystkich stron otaczali ją strażnicy. Zapewniono jej niezwykłą ochronę. Oczywiście strzyga mogła wyrwać się na wolność zza żelaznych krat, ale Dymitr nie był strzygą. Dlaczego oni tego nie rozumieli? Byli ślepi?

Cała świta przecisnęła się jakoś przez tłum strażników i stanęła przed jego celą. W środku było równie zimno i pusto jak w całym areszcie, wstawiono tylko niezbędne meble. Dymitr siedział na wąskiej pryczy tyłem do drzwi. Podciągnął nogi pod brodę i opierał się o ścianę w kącie. Nie tego się spodziewałam. Czemu nie uderzał pięściami w kraty? Dlaczego nie żądał, by go wypuszczono, nie mówił, że nie jest strzygą? Nie pojmowałam, jak może być tak spokojny.

— Dymitr.

Głos Lissy zabrzmiał miękko i delikatnie. Wpuścił nieco ciepła do surowej celi. To był głos anioła.

Dymitr odwrócił się i zobaczyłam, że on także tak pomyślał. Zmienił się w jednej chwili. Apatia przerodziła się w zadziwienie.

Nie tylko on był zdumiony. Przebywałam w umyśle Lissy, ale niemal przestałam oddychać. Poprzedniej nocy zaledwie na niego zerknęłam, a i tak byłam oszołomiona. Teraz oglądałam go całego, zwróconego do Lissy — do mnie — i ten widok zapierał mi oddech. To było niesamowite. Dar. Prawdziwy cud.

Nie mogłam uwierzyć, że ktoś widział w nim strzygę. Jak mogłam myśleć, że tamten Dymitr, którego spotkałam na Syberii, był tą samą osobą? Doprowadził się do porządku po bitwie, miał na sobie dżinsy i czarny podkoszulek. Brązowe włosy związał w krótki kucyk, a niewyraźny cień na dolnej połowie jego twarzy mówił o tym, że powinien się ogolić. Na pewno nie dali mu brzytwy. Ale nawet nieogolony wyglądał seksownie, bardziej prawdziwie, jak dampir. Jak.. żywy. Najbardziej uderzyły mnie jego oczy. Trupia bladość skóry znikła bez śladu, ale najważniejsze, że nie miał już tych strasznych czerwonych obwódek wokół źrenic. Wyglądał idealnie. Dokładnie tak jak kiedyś. Patrzył na mnie ciepłymi brązowymi oczyma o długich rzęsach. Mogłabym zatonąć w nich na zawsze.

— Wasylissa... — westchnął. Serce ścisnęło mi się na dźwięk jego głosu. Boże, tak bardzo za nim tęskniłam.

— Wróciłaś.

Dymitr wstał i zrobił krok w kierunku krat. Strażnicy natychmiast ciaśniej otoczyli Lissę, gotowi powstrzymać niespodziewany atak.

— Cofnąć się! — warknęła królewskim tonem. Powiodła po nich wzrokiem pełnym nagany. — Dajcie nam odrobinę prywatności. — Nikt nie zareagował, więc powtórzyła mocniej. — Słyszeliście. Odsuńcie się!

Poczułam przez więź, że tym razem użyła wpływu. Była ostrożna, wzmocniła swoje polecenie tylko odrobiną magii ducha. Lissa nie miała dość siły, by zapanować nad tłumem strażników, lecz udało jej się skłonić ich do wycofania. Teraz mogła spokojnie rozmawiać z Dymitrem. Skupiła się na nim, a jej oczy natychmiast złagodniały.

— Oczywiście, że wróciłam. Jak się czujesz? Czy oni... — Posłała groźne spojrzenie strażnikom. — Czy dobrze cię traktują?

Dymitr wzruszył ramionami.

— Tak. Nie robią mi krzywdy. — Jeśli choć trochę był dawnym sobą, to nie mógł przyznać, że ktokolwiek go skrzywdził. — Zadają tylko pytania. Mnóstwo pytań — ciągnął ze znużeniem... Strzygi nigdy nie czują się zmęczone. — I bez przerwy badają moje oczy.

— Ale jak się czujesz? — powtórzyła Lissa. — W głowie? I w sercu?

Gdyby nie powaga sytuacji, mogłabym się roześmiać. Usłyszałam terapeutyczny ton, tak dobrze znany nam obu. Nie cierpiałam, kiedy zadawano mi podobne pytania, ale chciałam usłyszeć odpowiedź Dymitra.

Do tej pory nie spuszczał z niej wzroku, a teraz uciekł spojrzeniem.

— To... trudno opisać. Jakbym obudził się ze snu. Z koszmaru. W tym śnie obserwowałem kogoś żyjącego w moim ciele, jakbym oglądał film. Ale to nie był ktoś inny. To byłem ja. Naprawdę robiłem to wszystko i nagle cały świat się zmienił. Czuję, jakbym uczył się na nowo.

— To minie. Oswoisz się z nową sytuacją, kiedy odzyskasz siebie w pełni.

Lissa była tego pewna.

Ruchem głowy pokazał strażników za jej plecami.

— Oni tak nie myślą.

— Przekonają się — odparła stanowczo. — Potrzebujemy tylko trochę czasu. — Umilkła, wahając się przed wypowiedzeniem następnych słów. — Rose... chciałaby cię zobaczyć.

W jednej chwili znikła cała jego senność i smutek. Utkwił w niej przenikliwy wzrok i po raz pierwszy zobaczyłam, co naprawdę czuje.

— Nie. Każdy tylko nie ona. Nie mogę się z nią spotkać. Nie pozwól jej tu przyjść. Proszę.

Lissa przełknęła ślinę, nie wiedząc, co odpowiedzieć. Było jej tym trudniej, że wszyscy ich słyszeli. Spróbowała obniżyć głos.

— Ale... ona cię kocha. Martwi się o ciebie. To, co się stało... fakt, że zdołaliśmy ciebie ocalić... zawdzięczasz to głównie Rose.

— Ty mnie ocaliłaś.

— Wykonałam tylko decydujący ruch. Całą resztę przeprowadziła Rose.

Tak, włamałam się do więzienia i wypuściłam więźnia.

Dymitr odwrócił się od Lissy i płomień, który rozbłysnął na krótko w jego oczach, zgasł. Odszedł kilka kroków i oparł się o ścianę celi. Przymknął powieki, potem wziął głęboki oddech i otworzył oczy.

— Każdy tylko nie ona — powtórzył. — Nie po tym, co jej zrobiłem. Wyrządziłem... wiele krzywd. Dopuściłem się strasznych rzeczy. — Obrócił dłonie wewnętrzną stroną do góry i wpatrywał się w nie długo, jakby widział krew. — Ale to ją skrzywdziłem najbardziej, bo... to była ona. Przyjechała, żeby mnie ocalić, a ja... — Potrząsnął głową. — Robiłem jej straszne rzeczy. Innym także. Nie mógłbym teraz spojrzeć jej w oczy. To było niewybaczalne.

— Nieprawda — wtrąciła szybko Lissa. — Nie byłeś sobą. Ona ci wybaczy.

— Nie. Nie zasługuję na przebaczenie, nie po tym, co zrobiłem. Nie jestem jej wart, nie mam prawa nawet się do niej zbliżyć. Jedyne, co mogę zrobić... — Dymitr podszedł do Lissy i ukląkł przed nią, wprawiając nas obie w zdumienie. — Jedyne, co mogę zrobić... jak odpokutować... to odpłacić ci za ratunek.

— Dymitr... — Lissa mówiła nieswoim głosem. — Tłumaczyłam ci...

— Czułem tę moc. W tamtej chwili poczułem, jak sprowadzasz z powrotem moją duszę. Tylko w ten sposób mogę choć w pewnym stopniu odkupić moje winy. Wiem, że to nie wystarczy... lecz to wszystko, na co mnie stać. — Złożył razem dłonie. — Przyrzekam, zrobię wszystko, co w mojej mocy, żeby spełnić każde twoje życzenie. Będę ci służył i chronił cię do końca życia. Wykonam każde twoje polecenie. Będę ci wierny.

Lissa znów chciała powiedzieć, że nie chce takiego poświęcenia, ale nagle przyszła jej do głowy sprytna myśl.

— Więc zobaczysz się z Rose?

Dymitr skrzywił się.

— Wszystko tylko nie to.

— Dymitr...

— Proszę. Zrobię dla ciebie, co zechcesz, ale nie mogę jej zobaczyć. Nie zniósłbym tego cierpienia.

Użył jedynego argumentu zdolnego przekonać Lissę. Miał przy tym zrozpaczony wyraz twarzy. Nigdy wcześniej go takiego nie widziała, ja także nie. W moich oczach Dymitr pozostawał niezwyciężony. Teraz czuł się bezbronny i wcale nie czyniło go to słabszym. Tylko bardziej skomplikowanym. Czułam, że kocham go jeszcze mocniej i chcę mu pomóc.

Lissa zdążyła lekko skinąć głową na znak zgody, kiedy jeden ze strażników oznajmił, że widzenie dobiegło końca. Wyprowadzono ją, a Dymitr wciąż nie podnosił się z klęczek. Odprowadzał ją wzrokiem, który mówił, że jest jedyną nadzieją, jaka pozostała mu na tym świecie.

Moje serce wypełniło się smutkiem i zazdrością... Poczułam także złość. To na mnie powinien tak patrzeć. Jak on śmie? Jak śmie traktować Lissę jak najcudowniejsze zjawisko? To prawda, że zrobiła dużo, by go ocalić, ale ja przemierzałam dla niego cały świat. To ja bez przerwy ryzykowałam dla niego życie. Najważniejsze jednak, że to ja go kochałam. Jak mógł mnie teraz odrzucić?

Lissa wyszła z budynku. Obie byłyśmy zmieszane i zdenerwowane. Martwiłyśmy się stanem ducha Dymitra. Złościło mnie, że nie chce ze mną rozmawiać, ale czułam się okropnie, widząc go w tak marnej kondycji.

Dobijało mnie to. Nigdy tak się nie zachowywał. Po napaści na Akademię był wprawdzie smutny i opłakiwał poległych, ale teraz pogrążył się w prawdziwej rozpaczy. Dręczyła go depresja i poczucie winy, przed którymi nie potrafił uciec. Wstrząsnęło to Lissą i mną. Dymitr był zawsze aktywny, zawsze gotów podnieść się po przeżytej tragedii i walczyć do końca.

A teraz? Obie z Lissą zastanawiałyśmy się, jak mu pomóc. Każda z nas miała jednak całkowicie różne wyobrażenie na ten temat. Ona była łagodna i współczująca, nie przestawała do niego mówić. Chciała również spokojnie przekonać władze, że Dymitr nie stanowi już zagrożenia. A ja? Chciałam pójść do niego, nie zważając na sprzeciwy. Włamałam się już do więzienia. Wejście do aresztu powinno okazać się drobnostką. Byłam pewna, że kiedy on mnie zobaczy, zapomni o winie. Jak w ogóle mógł pomyśleć, że mu nie wybaczę? Kochałam go. Rozumiałam. A w kwestii przekonania władz o tym, że nie jest niebezpieczny... Cóż, czułam, że trzeba będzie dużo krzyczeć i walić pięściami w drzwi.

Lissa doskonale zdawała sobie sprawę z tego, że obserwowałam jej spotkanie z Dymitrem, więc nie czuła się zobowiązana, żeby natychmiast zdawać mi relację. Uznała, że bardziej przyda się w klinice. Słyszała, że Adrian omal nie zemdlał, bo nadużył swoich zdolności magicznych, pomagając innym. To było do niego niepodobne, takie poświęcenie... Dokonywał wielkich rzeczy, chociaż dużo go to kosztowało.

Adrian.

To był problem. Nie miałam okazji go zobaczyć po bitwie w magazynie. Prawdę mówiąc, nawet o nim nie myślałam. Powiedziałam, że nawet jeśli Dymitr zostanie ocalony, nie zmieni to nic między nami. Tymczasem mój dawny chłopak wrócił zaledwie dwadzieścia cztery godziny temu, a ja już popadałam w obsesję na jego punkcie...

— Lissa?

Wróciłam myślami do rzeczywistości, ale część mnie nadal podążała za Lissą. Przed kliniką stał Christian. Sądząc po jego sylwetce opartej o ścianę, musiał długo czekać na coś... lub kogoś.

Lissa przystanęła i w niewyjaśniony sposób Dymitr natychmiast wywietrzał jej z głowy. No nie. Oczywiście chciałam, żeby tych dwoje się pogodziło, ale nie teraz. Nie mieliśmy na to czasu. Los Dymitra był ważniejszy niż przekomarzanki z Christianem.

Na szczęście Christian nie był w nastroju do drwin. Patrzył na nią z zaciekawieniem i troską.

— Jak się czujesz? — spytał. Nie rozmawiali ze sobą od przyjazdu, a podczas podróży Lissa kiepsko się czuła i niewiele pamiętała.

— Dobrze. — Bezwiednie przesunęła ręką po twarzy. — Adrian mnie uzdrowił.

— W końcu się na coś przydał. — Cóż, Christian nie wyzbył się złośliwości. Jednak się starał.

— Adrian potrafi wiele rzeczy — sprzeciwiła się Lissa, ale nie mogła powstrzymać uśmiechu. — Pracował bez wytchnienia przez całą noc.

— A ty? Znam cię. Na pewno zerwałaś się za wcześnie i pomagałaś mu.

Lissa pokręciła głową.

— Nie. Najpierw poszłam do Dymitra.

Christian stracił cały spokój.

— Rozmawiałaś z nim?

— Dwa razy.

— I co?

— Z czym?

— Jaki on jest?

— Jak Dymitr. — Nieoczekiwanie zmarszczyła brwi, rozważając, co powiedziała. — Chociaż nie do końca.

— Pozostało w nim coś ze strzygi? — Christian wyprostował się, a niebieskie oczy rozbłysły. — Jeśli może być niebezpieczny, to nie powinnaś...

— Nie! — wykrzyknęła. — Nie stanowi zagrożenia. I... — zrobiła kilka kroków naprzód, patrząc mu twardo w oczy. — Nawet gdyby było inaczej, nie będziesz mi mówił, co powinnam, a cz go nie.

Christian westchnął dramatycznie.

— Myślałem, że tylko Rose pakuje się w idiotyczne sytuacje, nie myśląc o tym, że może zginąć.

Zapłonął w niej gniew, głównie z powodu mocy ducha, której ostatnio używała w nadmiarze.

— Nie miałeś obiekcji, kiedy pomagałeś mi ugodzić Dymitra srebrnym sztyletem. Szkoliłeś mnie.

— To co innego. Mieliśmy kłopoty i gdyby sprawy przybrały gorszy obrót... Mógłbym go spalić. — Christian zmierzył ją od stóp do głowy. Było coś w jego spojrzeniu... coś więcej niż obiektywna ocena. — Nie musiałem jednak ingerować. Byłaś zadziwiająca. Przebiłaś mu serce. Nie wiedziałem, czy sobie poradzisz, a jednak zrobiłaś to... I ogień... Nie cofnęłaś się, a na pewno cię bolało...

Christian mówił ze zdziwieniem, jakby dopiero teraz dotarły do niego w pełni konsekwencje tego, co mogło jej się stać. Jego troska i podziw sprawiły, że się zaczerwieniła. Przechyliła głowę — stara sztuczka — i kosmyki włosów, które uciekły z kucyka, opadły jej na policzek i zasłoniły twarz. Nie musiała się chować. Christian wbił wzrok w ziemię.

— Musiałam to zrobić — mruknęła w końcu. — Musiałam sprawdzić, czy to jest możliwe.

Christian podniósł na nią oczy.

— I to było... właściwe? Naprawdę nie zostało w nim już nic ze strzygi?

— Naprawdę. Jestem tego pewna. Ale nikt mi nie wierzy.

— Czy można im się dziwić? Pomagałem ci i chciałem, żeby to była prawda... ale chyba nigdy naprawdę nie wierzyłem, że strzyga może wrócić do życia...

Znowu odwrócił wzrok i zapatrzył się w krzew bzu. Lissa poczuła jego zapach, ale zmartwiony wyraz jego twarzy powiedział jej, że Christian nie dostrzega piękna natury. Nie myślał także o Dymitrze. Nagle zobaczył swoich rodziców. Jaki byłby ich los, gdyby w chwili, w której przemienili się w strzygi, znalazł się w pobliżu ktoś obdarzony mocą ducha? Czy istniał sposób, by ich ocalić?

Lissa nie odgadła, o czym myślał.

— Nie jestem pewna, czy ja w to wierzyłam. Ale kiedy to się stało... wiedziałam. Nie ma w nim strzygi. Jestem tego pewna. Muszę mu pomóc. Sprawić, by inni to zrozumieli. Nie pozwolę, by trzymano go w zamknięciu albo by stało mu się coś jeszcze gorszego.

Nie było jej łatwo chronić Dymitra przed sztyletami strażników. Zadrżała na wspomnienie tych kilku sekund po jego odmianie, gdy wszyscy krzyczeli, że trzeba go zabić.

Christian odwrócił się i spojrzał w jej oczy z ciekawością.

— Co miałaś na myśli, mówiąc, że to jest Dymitr, ale nie do końca?

— Jest... smutny — odparła drżącym głosem.

— Smutny? Powinien się cieszyć, że został ocalony.

— Nie... nie rozumiesz. Nie może się uporać z tym, co robił jako strzyga. Ma depresję i wyrzuty sumienia. Karze siebie, bo nie wierzy, że zasługuje na przebaczenie.

— Jasna cholera! — Christian był zaskoczony. Właśnie przechodziło obok kilka morojek i usłyszały, że przeklina. Przyśpieszyły kroku z oburzeniem, wymieniając szeptem komentarze. Christian nie zwrócił na nie uwagi. — Przecież nie mógł nic na to poradzić...

— Wiem. Rozmawiałam z nim o tym.

— Czy Rose może mu pomóc?

— Nie — rzuciła krótko.

Christian czekał, że Lissa powie coś więcej, i zirytował się, kiedy umilkła.

— Jak to nie? Kto inny mógłby go teraz bardziej wesprzeć?

— Nie chcę o tym rozmawiać. — Sytuacja między mną a Dymitrem niepokoiła ją. Mnie również. Lissa obróciła się w stronę kliniki. Z zewnątrz wyglądała jak królewski zamek, ale w środku została wyposażona w najnowocześniejszy sprzęt medyczny. — Słuchaj, muszę tam pójść. Nie patrz tak na mnie.

— Jak? — zrobił kilka kroków w jej stronę.

– Z dezaprobatą. Złościsz się, kiedy coś nie idzie po twojej myśli.

– Wcale tak nie patrzę!

– Owszem. – Odwróciła się i ruszyła w stronę kliniki. – Jeśli chcesz usłyszeć więcej, to mogę opowiedzieć ci o tym później. Teraz nie mam czasu... Poza tym... Nie mam ochoty o tym rozmawiać.

Ta wkurzona mina – Lissa miała rację – nieco zrzedła.

– Dobrze – zgodził się pośpiesznie. – Porozmawiamy później. Lissa...

– Hmm?

– Cieszę się, że nic ci się nie stało. To, czego wczoraj dokonałaś... było niezwykłe.

Wpatrywała się w niego przez kilka ciężkich sekund. Serce zabiło jej szybciej, kiedy lekki wiatr rozwiał jego czarne włosy.

– Nie zrobiłabym tego bez twojej pomocy – powiedziała w końcu. Potem weszła do środka, a ja powróciłam do siebie.

Nic się nie zmieniło, nadal czułam się bezradna. Lissa będzie zajęta do wieczora, a dobijanie się z krzykiem do dowództwa straży nie pomoże mi dostać się do Dymitra. Pozostawał cień szansy, że mogę wkurzyć strażników, którzy za karę zamkną i mnie w areszcie. Może wyznaczyliby mi celę sąsiadującą z celą Dymitra. Szybko zrezygnowałam jednak z tego pomysłu z obawy, że kara okaże się znów ślęczeniem nad papierami.

Co mi pozostało? Nic. Chciałam go zobaczyć, lecz nie wiedziałam, jak do tego doprowadzić. Miotałam się. Lissa stanowczo za krótko rozmawiała z Dymitrem. Ja chciałam zobaczyć go na własne oczy. I, och, ten smutek... to poczucie beznadziejności. Nie mogłam tego znieść. Pragnęłam go przytulić, zapewnić, że wszystko się ułoży. Powiedziałabym, że mu wybaczyłam i że teraz będzie jak dawniej. Możemy być razem, tak jak marzyliśmy...

Ogarnęła mnie frustracja. Czując, że zbiera mi się na płacz, wróciłam do swojego pokoju i rzuciłam się na łóżko. W samotności nareszcie pozwoliłam płynąć łzom powstrzymywanym od zeszłej nocy. Właściwie nie wiedziałam, dlaczego płaczę. Może z powodu szoku, jaki przeżyłam, rozlewu krwi. Mojego złamanego serca. Smutku Dymitra. Okrutnych okoliczności, które zniszczyły nasze życie. Powodów znalazłoby się mnóstwo.

Spędziłam większą część dnia u siebie, pogrążona w żalu i niepokoju. Wciąż na nowo odtwarzałam w myślach rozmowę Lissy z Dymitrem. Przypominałam sobie, co mówił i jak wyglądał. Straciłam rachubę czasu i dopiero pukanie do drzwi wyrwało mnie z tych rozmyślań.

Pośpiesznie otarłam oczy i otworzyłam. Na progu stał Adrian.

— Cześć — bąknęłam, zaskoczona tą wizytą. Od razu poczułam też wyrzuty sumienia, bo właśnie płakałam z powodu innego mężczyzny. Nie byłam gotowa na spotkanie z Adrianem, lecz postawił mnie przed faktem. — Czy... Chcesz wejść?

— Chciałbym, mała dampirzyco. — Więc nie przyszedł na poważną rozmowę o naszym związku, wyraźnie się śpieszył. — Wpadłem na chwilę z zaproszeniem.

— Zaproszeniem? — zdziwiłam się. W głowie dźwięczało mi tylko jedno słowo: Dymitr. Dymitr. Dymitr.

— Na imprezę.

Rozdział dziewiętnasty

Zwariowałeś? – spytałam.

Nie odpowiedział, jak zawsze, kiedy zadawałam mu to pytanie.

Westchnęłam i spróbowałam jeszcze raz.

– Impreza? To gruba przesada, nawet jak na ciebie. Zginęło tylu naszych! Strażnicy, Priscilla Voda... – Nie wspominając o tych, którzy powrócili z martwych. Uznałam, że nie powinnam mówić tego głośno. – To nie czas na szaleństwa i zawody piwne.

Spodziewałam się usłyszeć, że zawsze jest dobry czas na kufel piwa, ale Adrian był poważny.

– To impreza wydawana właśnie na cześć ofiar. Nie będzie piwa. Właściwie nie powinienem nazywać jej imprezą. Raczej... – Zmarszczył brwi, szukając odpowiedniego słowa. – Wydarzenie specjalne. W elitarnym kręgu.

– Wszystkie przyjęcia na dworze są elitarne – zauważyłam.

— Tak, ale tym razem nie zaproszono wszystkich. Będzie wyłącznie śmietanka towarzyska.

Nie przekonał mnie tym.

— Adrian...

— Nie, posłuchaj. — Przesunął ręką po włosach w znajomym mi geście. Była to oznaka frustracji. — To będzie ceremonia. Dawny tradycyjny obyczaj... Zdaje się, że pochodzi z Rumunii. Nazywają go Pustą Nocą. Moroje zbierają się, by oddać cześć zmarłym. To sekretny rytuał przekazywany w najstarszych liniach krwi.

Nagle przypomniałam sobie destrukcyjne sekretne stowarzyszenie, które powstało w Akademii Świętego Władimira.

— Ale to nie ma nic wspólnego z Maną?

— Nie, słowo daję. Proszę, Rose. Też nie miałem ochoty tam iść, ale moja mama nalega. Bardzo chciałbym, byś mi towarzyszyła.

Słowa „elita" i „linie krwi" podziałały na mnie jak sygnał ostrzegawczy.

— Czy inne dampiry też są zaproszone?

— Nie. Ale zadbałem o to, by znalazły się tam osoby, które lubisz — dodał szybko. — W ten sposób obojgu nam będzie łatwiej.

— Lissa? — zgadywałam. Skoro wspomniał o arystokracji, ona musiała się tam znaleźć.

— Tak. Wpadłem na nią w klinice. Zareagowała tak samo jak ty.

Uśmiechnęłam się. Jednocześnie pomysł wydał mi się bardziej interesujący. Chciałam porozmawiać z Lissą o jej wizycie w areszcie, lecz do tej pory unikała mnie.

Jeśli udział w jakimś idiotycznym rytuale pozwoliłby mi się do niej zbliżyć, tym lepiej.

— Kto jeszcze?

— Osoby, które lubisz.

— Dobra. Bądź tajemniczy. Przyjdę na tę kultową ceremonię.

Zasłużyłam na jego uśmiech.

— Nie ma w tym nic kultowego, mała dampirzyco. Naprawdę chcemy złożyć hołd poległym w bitwie. — Adrian wyciągnął rękę i pogłaskał mnie po policzku. — Cieszę się... Boże, tak bardzo się cieszę, że nie jesteś jedną z nich. Nawet nie wiesz... — głos uwiązł mu w gardle. Adrian uśmiechnął się z zakłopotaniem. — Nie zdajesz sobie sprawy, jak bardzo się o ciebie bałem. Każda minuta, kiedy nie wiedziałem, co się z tobą dzieje... była dla mnie udręką. Nawet kiedy zapewniono mnie, że nic ci się nie stało, bez przerwy wypytywałem wszystkich w klinice, co wiedzą. Czy widzieli cię podczas walki, czy jesteś ranna...

Poczułam ściskanie w gardle. Nie mogłam zobaczyć się z Adrianem po powrocie, ale powinnam była przynajmniej wysłać mu wiadomość. Ścisnęłam go za rękę i spróbowałam zażartować.

— I co mówili? Że jestem twardzielką?

— Owszem. Nie mogli się ciebie nachwalić. Ciotka Tatiana także słyszała już o twoich wyczynach i nawet ona była pod wrażeniem.

Noo. To dopiero niespodzianka. Chciałam dowiedzieć się więcej, ale Adrian zamknął mi usta.

— Podobno awanturowałaś się, żeby dowiedzieć się czegoś o Bielikowie. Jeszcze tego ranka waliłaś pięściami w drzwi strażników.

Odwróciłam wzrok.

— Och. Tak. Ja... Posłuchaj, bardzo mi przykro, ale musiałam...

— Hej, hej... — Adrian uciszył mnie, patrząc mi szczerze i poważnie w oczy. — Nie przepraszaj. Rozumiem.

Podniosłam głowę.

— Naprawdę?

— Spodziewałem się, że tak będzie, jeśli on wróci.

Przyjrzałam mu się niepewnie. Miał smutną minę.

— Wiem. Pamiętam, co mówiłeś...

Skinął głową i znów się uśmiechnął.

— Oczywiście, nie sądziłem, że to się uda. Lissa usiłowała mi wyjaśnić, jak posłużyła się magią... ale, dobry Boże, nie sądzę, bym potrafił zrobić coś podobnego.

— A teraz wierzysz? — spytałam. — Wierzysz, że on już nie jest strzygą?

— Owszem. Lissa tak mówi, a ja jej uwierzyłem. Poza tym widziałem go z daleka w pełnym słońcu. Mimo to nie uważam, że powinnaś się z nim spotykać.

— Mówisz tak z zazdrości. — Nie miałam prawa czynić mu wyrzutów, skoro wciąż myślałam tylko o Dymitrze.

— Oczywiście — przyznał nonszalancko. — A czego się spodziewałaś? Wraca twoja dawna miłość, i to wraca z martwych. Nie cieszę się z tego. Ale nie dziwię się, że jesteś rozdarta.

— Mówiłam ci już...

— Wiem, wiem. — Adrian nie był zdenerwowany. Usłyszałam w jego głosie zaskakującą cierpliwość. — Powiedziałaś, że jego powrót nie zmieni niczego między nami. Lecz zapewnienia to jedno, a fakty wzbudzają różne emocje.

– Co chcesz powiedzieć? – Nie rozumiałam.

– Pragnę cię, Rose. – Mocno uścisnął moją rękę. – Zawsze cię pragnąłem. Chcę być z tobą. Chciałbym zachować się jak facet i zapewnić, że będę się o ciebie troszczyć, ale cóż. Gdyby do czegoś doszło, to ty troszczyłabyś się o mnie.

Roześmiałam się wbrew sobie.

– Czasem myślę, że sam jesteś dla siebie największym zagrożeniem. Czuję od ciebie dym papierosowy.

– Hej, nigdy, przenigdy nie twierdziłem, że jestem doskonały. Poza tym nie zgadzam się. To ty jesteś dla mnie najbardziej niebezpieczna.

– Adrian...

– Poczekaj. – Zakrył mi usta drugą ręką. – Wysłuchaj mnie. Byłbym idiotą, spodziewając się, że powrót dawnego chłopaka nie zrobi na tobie wrażenia. Czy podoba mi się to, że chcesz się z nim spotkać? Nie, to oczywiste. Reaguję instynktownie. Ale chodzi o coś więcej. Naprawdę wierzę, że znów stał się dampirem. Całkowicie. Tylko...

– Tylko co? – Adrian zaciekawiał mnie coraz bardziej.

– Fakt, że nie jest już strzygą, nie znaczy jeszcze, że uwolnił się całkowicie. Poczekaj... – uciszył mnie, widząc, jak otwieram usta. – Nie twierdzę, że jest zły ani że chce kogoś skrzywdzić. Jednak to, co przeżył... To wielka trauma. Niewyobrażalna. Nie wiemy, jak przebiega proces przemiany. Jaki wpływ będzie miało to wszystko na jego życie? Czy pozostała w nim skłonność do agresji, która nagle się ujawni? Tego się obawiam, Rose. Znam cię. Wiem, że nie potrafisz się powstrzymać. Musisz się z nim spotkać i porozmawiać. Tylko czy będziesz bezpieczna? Nikt nie zna odpowiedzi na to pytanie. Nic nie wiemy. Nie wiemy, czy nie jest zagrożeniem.

Christian powiedział to samo Lissie. Przyjrzałam się bacznie Adrianowi. To, co mówił, zabrzmiało jak wygodny argument, żeby zatrzymać mnie z daleka od Dymitra. Ale zobaczyłam szczerość w jego zielonych oczach. Niepokoił się ewentualną reakcją Dymitra. Przyznał się do zazdrości. Doceniłam to. Nie zakazał mi kontaktu z Dymitrem ani nie usiłował mówić, jak mam postąpić. To również mi się spodobało. Wyciągnęłam rękę i splotłam palce z jego palcami.

— On nie jest niebezpieczny. Jest... smutny. Z powodu tego, co robił. Zabija go poczucie winy.

— Wyobrażam sobie. Też bym sobie nie wybaczył, gdybym nagle uświadomił sobie, że przez cztery miesiące brutalnie mordowałem ludzi. — Adrian przyciągnął mnie do siebie i pocałował w czubek głowy. — Jednak ze względu na wszystkich, tak, również Dymitra, mam nadzieję, że jest taki jak dawniej. Bądź ostrożna, dobrze?

— Będę — zapewniłam, całując go w policzek. — Postaram się jak nigdy.

Adrian uśmiechnął się i puścił mnie.

— Na to liczę. Muszę teraz zajrzeć do rodziców. Przyjdę po ciebie o czwartej, dobrze?

— Dobrze. Czy powinnam włożyć coś specjalnego na tę okazję?

— Wystarczy ładna sukienka.

Zastanowiło mnie coś.

— Skoro to prestiżowe przyjęcie, jak wprowadzisz dampirzycę niskiego pochodzenia?

— W tym. — Adrian sięgnął po torbę, którą postawił na podłodze. Podał mi ją.

Zaciekawiona, zajrzałam do środka i zobaczyłam maskę zakrywającą górną część twarzy. Była pięknie wykonana, ozdobiona złotymi i zielonymi liśćmi oraz klejnocikami w kształcie kwiatów.

— Maska?! — wykrzyknęłam. — Wszyscy w nich wystąpią? Co to ma być, Halloween?

Adrian mrugnął do mnie porozumiewawczo.

— Do zobaczenia o czwartej.

Nie założyliśmy masek w drodze na Pustą Noc. Adrian oświadczył, że to sekretne zgromadzenie i nie powinniśmy zwracać na siebie uwagi. Szliśmy więc w eleganckich strojach przez dziedzińce — włożyłam tę samą sukienkę, którą miałam na sobie podczas kolacji w domu jego rodziców — nie wzbudzając większego zainteresowania niż zwykle, kiedy pokazywaliśmy się razem. Poza tym było już późno i większość dworzan szykowała się do snu.

Byłam zaskoczona wyborem miejsca. Ceremonia miała się odbywać w budynku przeznaczonym dla zwykłych pracowników nienależących do rodów królewskich. Zorientowałam się, że w pobliżu mieszkała również Mia. Cóż, z pewnością nikt nie będzie podejrzewał, że tutaj potajemnie spotyka się elita. A jednak nie weszliśmy do żadnego z mieszkań. W holu Adrian polecił mi włożyć maskę, a potem wskazał drzwi prowadzące na pierwszy rzut oka do stróżówki.

Pomyliłam się. Za drzwiami znajdowały się schody biegnące w dół. Było ciemno, co natychmiast obudziło moją czujność. Instynktownie starałam się rozeznać w każdym pomieszczeniu, w jakim zdarzało mi się znaleźć. Adrian zachowywał absolutny spokój i wydawał się pewny siebie, więc poszłam za nim w nadziei, że nie prowadzi mnie do jakiegoś ołtarza ofiarnego. Nie chciałam się przyznać, ale intrygowała mnie ta Pusta Noc i na chwilę zapomniałam o Dymitrze.

Dotarliśmy do następnych drzwi, przed którymi stało dwóch strażników. Obaj byli morojami i nosili maski, jak Adrian i ja. Zachowywali się bardzo oficjalnie i czujnie. Nie odezwali się do nas, patrzyli tylko wyczekująco. Adrian wypowiedział kilka słów, zdaje się po rumuńsku, i jeden z morojów otworzył przed nami drzwi.

— Sekretne hasło? — mruknęłam, wślizgując się do środka.

— Hasła. Jedno dla ciebie, drugie dla mnie. Każdy z uczestników otrzymał własne.

Znaleźliśmy się w wąskim tunelu oświetlonym pochodniami zawieszonymi na ścianach. Tańczące płomienie rzucały niesamowite cienie. Usłyszałam z daleka szmer rozmów. Dobiegały mnie zwyczajne strzępki konwersacji, jakie prowadzi się na przyjęciach. A spodziewałam się co najmniej śpiewów i bicia bębnów.

Pokręciłam głową.

— Wiedziałam, że w podziemiach są ukryte jakieś średniowieczne lochy. Dziwię się, że na ścianach nie ma łańcuchów.

— Boisz się? — zażartował Adrian i chwycił mnie za rękę.

— Czego? No wiesz? Na skali zagrożeń Rose Hathaway to miejsce zajmuje zaledwie...

Nie dokończyłam, bo korytarz nagle się skończył. Zobaczyłam wielką salę o niskich sklepieniach. Wzdrygnęłam się na widok tej przestrzeni, próbując ocenić, jak głęboko pod ziemią się znajdujemy. Z sufitu zwisały kute w żelazie kandelabry, a świece rzucały wydłużone cienie jak pochodnie. Kamienne ściany były wyłożone wspaniałym materiałem: gładko wypolerowanym szarym kamieniem z czerwonawymi cętkami. Ktoś próbował nadać temu wnętrzu stylowy wygląd lochu ze Starego Świata. Wokół nas zebrała się grupa około pięćdziesięciu osób. Podobnie jak my, miały na sobie oficjalne stroje i maski zakrywające połowę twarzy. Każda z nich wyglądała inaczej. Niektóre miały kwieciste wzory, jak moja, inne dekoracje zwierzęce. Jeszcze inne zdobiły zawijasy i wzory geometryczne. Rozglądałam się bacznie w nadziei, że jakiś szczegół pomoże mi kogoś rozpoznać.

Tymczasem Adrian wyprowadził mnie z korytarza do kąta sali. Miałam stąd lepszy widok i dopiero teraz dostrzegłam na środku duże miejsce na ognisko, otoczone kamiennym kręgiem. Nie rozpalono w nim ognia, ale wszyscy trzymali się w bezpiecznej odległości od paleniska. Przez krótką chwilę doznałam uczucia *déjà vu* — przypomniał mi się wieczór na Syberii. Tam również zostałam zaproszona na coś w rodzaju wieczoru pamięci — bez masek i tajnych haseł — i wszyscy goście usiedli wówczas przy ognisku płonącym przed domem. Tamtą stypę odprawiono dla Dymitra i ci, którzy go kochali, siedzieli razem, wspominając różne zdarzenia z jego życia.

Chciałam zająć miejsce bliżej ognia, lecz Adrian uznał, że lepiej będzie trzymać się z tyłu.

— Nie zwracaj na siebie uwagi — rzucił ostrzegawczo.

— Zamierzałam tylko popatrzeć.

— Wiem, ale od razu zauważą, że jesteś najniższa w tłumie. Zorientują się, że mają do czynienia z dampirem. Pamiętaj, że to elitarna impreza dla przedstawicieli najstarszych linii krwi.

Spojrzałam na niego z przyganą, choć pewnie nie zauważył tego pod maską.

— Podobno załatwiłeś mi wejściówkę?! — jęknęłam. — Rozumiem, że wprowadziłeś mnie tu nielegalnie. Cóż, macie kiepską ochronę.

— Przecież znaliśmy hasła — żachnął się Adrian. — To wystarczyło. Wykradłem... to jest pożyczyłem je sobie z listy mojej mamy.

— Twoja mama pomagała zorganizować tę imprezę?

— Tak. Pochodzi ze starego rodu Tarus, należącego do tej grupy od stuleci. Zdaje się, że po napaści na szkołę urządzono tu naprawdę wielką ceremonię.

Rozmyślałam o tym wszystkim, nie będąc pewna, co właściwie czuję. Nie znosiłam osób przywiązujących zbytnią wagę do swojej pozycji i wyglądu, ale nie mogłam ich winić, że pragną oddać cześć poległym, tym bardziej że większość ofiar była dampirami. Do końca życia będzie nawiedzała mnie pamięć o napaści strzyg na Akademię Świętego Władimira. Nagle wyczułam znajomą obecność.

— Lissa przyszła — oznajmiłam, rozglądając się po sali. Czułam, że jest w pobliżu, ale nie od razu zauważyłam ją w morzu masek i cieni. — Tam.

Stała samotnie w sukni w odcieniach różu i złotej masce z podobiznami łabędzi. Wypatrywała kogoś znajomego. Chciałam do niej natychmiast pobiec, ale Adrian mnie przytrzymał. Obiecał, że ją do mnie przyprowadzi.

— Co się tu dzieje? — spytała Lissa, podchodząc.

— Myślałam, że wiesz — odparłam. — Ściśle tajna impreza tylko dla wybrańców królewskiego rodu.

— Nie miałam o niczym pojęcia — wyjaśniła. — Dostałam zaproszenie od królowej niemal w ostatniej chwili. Twierdziła, że powinnam poznać swoje dziedzictwo i nakazała milczenie. Zaraz potem zjawił się Adrian i poprosił, żebym przyszła ze względu na ciebie.

— Tatiana zaprosiła cię osobiście?! — wykrzyknęłam. Pewnie nie powinnam się dziwić. Lissa nie musiała wkradać się na elitarne imprezy. Spodziewałam się, że została zaproszona, lecz sądziłam, że zadbał o to Adrian. Rozejrzałam się niepewnie. — Tatiana też tu jest?

— Prawdopodobnie — rzucił Adrian irytująco lekkim tonem. Obecność ciotki nie robiła na nim takiego wrażenia, jak na pozostałych. — O, jest i Christian. W płomiennej masce.

Nie wiem, jak go wypatrzył. Wysoki i ciemnowłosy, Christian nie wyróżniał się w tłumie morojów. Gawędził z jakąś dziewczyną, co nie pasowało do sytuacji.

— Na pewno nie dostał oficjalnego zaproszenia — myślałam głośno. Jeśli nawet zaproszono kogoś z rodziny Ozerów, to nie mógł to być Christian.

— Fakt — przyznał Adrian, który przywołał chłopaka nieznacznym gestem. — Podałem mu jedno z haseł wykradzionych mamie.

Zerknęłam na niego niespokojnie.

— Ile haseł wykradłeś?

— Wystarczająco...

— Proszę wszystkich o uwagę...

Dźwięczny głos uciszył słowa Adriana i kroki Christiana. Ozera skrzywił się i wrócił na dawne miejsce po drugiej stronie sali. Wyglądało na to, że nie będę miała okazji wypytać Lissy o Dymitra.

Nie czekając na wskazówki, goście zaczęli formować krąg wokół paleniska. Pomieszczenie okazało się za małe dla jednego dużego kręgu, dzięki czemu mogłam się schować za plecami morojów i oglądać widowisko z drugiego rzędu. Lissa stała obok mnie, ale nie spuszczała wzroku z Christiana. Była rozczarowana, że nie zdążył do nas dołączyć.

— Przybyliśmy tu dzisiejszej nocy, aby złożyć hołd duszom poległych w walce ze złem, które nęka nas od tak dawna — mówił ten sam moroj, który prosił o uwagę. Na czarnej masce lśniły srebrne desenie. Nie znałam go. Zapewne należał do jednego z najstarszych rodów i miał głos zdolny przywołać zebranych. Adrian potwierdził moje przypuszczenia.

— To Anthony Badica. Zawsze wybierają go na takie okazje.

Anthony wyglądał bardziej na religijnego przywódcę niż herolda, ale nie powiedziałam tego, żeby nie przyciągać uwagi.

— Tej nocy oddamy im cześć — ciągnął mówca.

Wstrzymałam oddech, bo wszyscy powtórzyli chórem jego słowa. Wymieniłyśmy z Lissą niespokojne spojrzenia. Najwyraźniej istniał scenariusz, którego nie znałyśmy.

— Ich życie zostało zakończone zbyt szybko — mówił Anthony.

— Tej nocy oddajemy im cześć.

Może jednak tekst nie był trudny do zapamiętania. Badica mówił dalej o strasznej tragedii, a chór powtarzał jedno zdanie. Ten rytuał wciąż wydawał mi się nieco dziwaczny, ale odczułam szczery smutek Lissy, który i mnie się udzielił. Priscilla zawsze była dla niej dobra, a dla mnie uprzejma. Grant chronił Lissę przez krótki czas, lecz naprawdę się starał. Gdyby nie jego pomoc, Dymitr nadal byłby strzygą. Stopniowo docierał do mnie ogrom poniesionej straty i chociaż istniały lepsze sposoby przeżywania żałoby, doceniłam fakt, że zmarli doczekali się uczczenia.

Po kilku refrenach Anthony zaprosił kogoś gestem. Z tłumu wyłoniła się kobieta w błyszczącej szmaragdowej masce. Trzymała w ręku pochodnię. Adrian przestąpił z nogi na nogę.

— Moja droga mama — mruknął.

Oczywiście. Teraz, kiedy to powiedział, rozpoznałam rysy Danielli. Rzuciła pochodnię w palenisko i natychmiast zapłonął ogień jak w święto Czwartego Lipca. Ktoś musiał podlać wcześniej polana benzyną albo rosyjską wódką. Może jednym i drugim. Nic dziwnego, że pozostali trzymali się z daleka. Daniella natychmiast wtopiła się w tłum, a do przodu wystąpiła inna kobieta, trzymająca tacę ze złotymi czarami. Obchodząc krąg, podawała czarki. Po niej wyszła następna z drugą tacą.

Kiedy wszyscy mieli już czarki w dłoniach, Anthony wyjaśnił:

— Wzniesiemy teraz toast i wypijemy za zmarłych, aby ich dusze przeszły dalej i odnalazły spokój.

Poruszyłam się niespokojnie. Rozprawiali o głodnych duchach i zmarłych poszukujących spokoju, nie mając pojęcia, o czym mówią. Pocałunek cienia sprawiał, że widziałam te niespokojne duchy. Długo trwało, zanim nauczyłam się ich nie dostrzegać. Otaczały mnie w każdej chwili; musiałam się przed nimi osłaniać. Zastanawiałam się przez chwilę, co zobaczyłabym teraz, gdybym przestała się kontrolować. Czy kłębiło się tutaj od dusz zabitych podczas walki z Dymitrem i jego bandą?

Adrian powąchał swoją czarkę i się skrzywił. Przestraszyłam się i szybko powąchałam swoją.

— To wino. Dzięki Bogu — szepnęłam. — Zobaczywszy twoją minę, pomyślałam, że podali nam krew.

Wiedziałam, że Adrian nie znosił krwi niepochodzącej bezpośrednio ze źródła.

— Nie — mruknął. — Ale to wino kiepskiej jakości.

Anthony uniósł swój kielich w górę obiema rękami. Za jego plecami płonął ogień i moroj wyglądał jak postać nie z tego świata.

— Pijemy za Priscillę Vodę — powiedział.

— Za Priscillę Vodę — powtórzyli zebrani.

Za jego przykładem każdy upił teraz łyk wina, z wyjątkiem Adriana, który jednym haustem opróżnił kielich do połowy. Anthony ponownie wzniósł czarkę w górę.

— Pijemy za Jamesa Wilketa.

Powtarzając jego słowa, uświadomiłam sobie, że James Wilket był jednym ze strażników Priscilli. Ta grupa arystokratycznych pomyleńców naprawdę składała hołd dampirom. Wymienialiśmy kolejno imiona wszystkich strażników, a ja starałam się popijać małymi łyczkami, żeby zachować trzeźwy umysł. Pod koniec listy zmarłych Adrian udawał, że pije, bo jego kielich był pusty.

Anthony wzniósł czarę po raz ostatni i podszedł do ognia, od którego w sali zrobiło się już gorąco. Czułam, jak sukienka przesiąka mi potem.

— Za wszystkich, którzy zginęli za sprawą wielkiego zła. Oddajemy cześć waszym duszom w nadziei, że odnajdą spokój na tamtym świecie.

Po tych słowach wylał resztkę wina do ognia.

Wiara w duchy, które pozostają po śmierci na ziemi, była sprzeczna z zasadami religii chrześcijańskiej wyznawanej przez większość morojów. Zastanawiałam się, z jakich czasów pochodzi ten rytuał. Znów ogarnęła mnie chęć sprawdzenia, czy dusze poległych są obecne na tej sali, ale przestraszyłam się tego. W tej chwili zapanowało poruszenie, bo wszyscy zebrani zaczęli podchodzić do paleniska i wylewać w płomienie resztki wina ze swoich kielichów. Podchodzili kolejno, poruszając się zgodnie z ruchem wskazówek zegara. Na sali panowała absolutna cisza, przerywana tylko trzaskaniem ognia. Reszta przyglądała się ceremonii w milczeniu.

Kiedy przyszła moja kolej, bardzo starałam się nie trząść. Nie zapomniałam, że Adrian wprowadził mnie tu nielegalnie. Nie zaproszono morojów niższego pochodzenia, a co dopiero dampirów. Ciekawe, jak zareagowaliby na mój widok. Może oskarżyliby mnie o pogwałcenie świętego prawa? Urządziliby awanturę? Może nawet wrzuciliby mnie w ogień?

Nie dane mi było tego sprawdzić. Wylałam wino i nikt się nie poruszył ani nie odezwał. Zaraz potem do paleniska podszedł Adrian. Odetchnęłam, stając u boku Lissy. Kiedy wszyscy dopełnili obrządku, poproszono nas o chwilę ciszy ku czci zmarłych. Byłam świadkiem porwania Lissy i potem akcji ratunkowej. Widziałam wiele ofiar. Chwila ciszy nie odda im sprawiedliwości.

I znów na niewypowiedziane polecenie krąg rozproszył się i napięcie nieco opadło. Moroje rozmawiali teraz w mniejszych grupkach, jakby to było zwyczajne przyjęcie, chociaż widziałam łzy w oczach niektórych.

— Priscilla musiała być lubiana — zauważyłam.

Adrian podszedł do stołu, który pojawił się w tajemniczy sposób pod tylną ścianą, zastawiony owocami, serem i winem. Nalał sobie kieliszek.

— Nie opłakują tylko jej — odparł.

— Trudno mi uwierzyć, że opłakują dampiry — sprzeciwiłam się. — Nawet ich nie znali.

— Mylisz się.

Lissa zrozumiała, o co mu chodzi.

— Większość strażników wysłanych nam na ratunek opiekowała się morojami. To nie byli wyłącznie strażnicy dworscy.

Miała rację. Nasz oddział liczył wiele osób. Część zgromadzonych tu morojów musiała stracić strażników, z którymi byli zżyci, przyjaźnili się z nimi.

— Żenada — powiedział ktoś nagle.

Odwróciliśmy się i zobaczyliśmy Christiana, któremu dopiero teraz udało się do nas podejść.

— Nie wiem, czy braliśmy udział w pogrzebie, czy jakimś obrzędzie satanistycznym. Nieudolna próba połączenia jednego i drugiego.

— Przestań! — warknęłam, zaskakując samą siebie. — Oni zginęli także dla ciebie. Ta ceremonia mimo wszystko wypłynęła z szacunku dla ofiar.

To go otrzeźwiło.

— Masz rację — przyznał.

Zauważyłam, że Lissa stojąca obok mnie rozpromieniła się na widok Christiana. Ostatnie tragiczne wydarzenia znów ich do siebie zbliżyły. Przypomniałam sobie, z jaką czułością wspierali się w drodze powrotnej. Obdarzyła chłopaka ciepłym spojrzeniem, a on uśmiechnął się lekko. Pomyślałam, że wydarzyło się jednak coś dobrego, co pozwoli im rozwiązać problemy.

Albo i nie.

Adrian skrzywił się w uśmiechu.

— Cześć. Fajnie, że jesteś.

W pierwszej chwili sądziłam, że zwrócił się do Christiana, ale zobaczyłam, że podchodzi do nas dziewczyna w masce pawia. Tyle osób kręciło się wokół, że nie zauważyłam jej od razu. Przyjrzałam się niebieskim oczom i dopiero po chwili ją poznałam. To była Mia.

— Co ty tu robisz? — spytałam.

Uśmiechnęła się.

— Adrian podał mi hasło.

— Zdaje się, że połowa zebranych jest gośćmi Adriana. Moroj był z siebie bardzo zadowolony.

— Widzisz? — zwrócił się do mnie z uśmiechem. — Mówiłem, że nie będziesz zawiedziona. Jesteśmy w komplecie. Prawie.

— Nigdy nie widziałam czegoś podobnego. — Mia rozglądała się po sali. — Nie rozumiem, dlaczego trzymają w tajemnicy fakt, że polegli byli bohaterami. Nie mogli z tym zaczekać do ich pogrzebu?

Adrian wzruszył ramionami.

— Tłumaczyłem ci, że to bardzo stary rytuał. Tradycja przywieziona ze Starego Kraju. Przywiązują do niej wielką wagę. Podobno dawniej ceremonia była bogatsza, dziś byliśmy świadkami unowocześnionej wersji.

Zorientowałam się, że Lissa nie odezwała się słowem od chwili, kiedy okazało się, że Christian przyszedł z Mią. Otworzyłam się na przepływ jej uczuć i odebrałam potężną falę zazdrości i urazy. Nadal uważałam, że Christian nigdy nie związałby się z Mią. (To prawda, że trudno było mi sobie wyobrazić, że wiąże się z kimkolwiek. Fakt, że chodził z Lissą, był naprawdę niezwykły). Ale Lissa nie podzielała mojego zdania. Uważała, że Christian bez przerwy spotyka się z innymi dziewczynami. Tego wieczoru szczególnie okazywała swoją niechęć i Christian nie patrzył już na nią tak przyjaźnie.

— Więc to prawda? — spytała Mia nieświadoma dramatu, jaki rozgrywał się wokół niej. — Dymitr naprawdę... wrócił?

Wymieniłyśmy z Lissą spojrzenia.

— Tak — potwierdziłam stanowczo. — Znów jest dampirem, chociaż nikt w to nie wierzy. To sami idioci.

— To się wydarzyło bardzo niedawno, mała dampirzyco — zauważył delikatnie Adrian, chociaż czułam, że temat wyraźnie mu nie leżał. — Nie możesz oczekiwać, że wszyscy od razu będą przekonani.

— Ale to naprawdę idioci — wtrąciła zapalczywie Lissa.

— Na pierwszy rzut oka widać, że Dymitr nie jest strzygą. Wciąż im powtarzam, żeby go wypuścili, a wtedy każdy będzie mógł przekonać się o tym na własne oczy. Wolałabym, żeby przekonała ich w sprawie moich odwiedzin w areszcie, ale nie chciałam o tym mówić w tej chwili. Popatrzyłam po twarzach zebranych. Ciekawe, czy mieliby problem z zaakceptowaniem Dymitra, który odegrał istotną rolę w bitwie, gdzie zginęli ich bliscy. Nie panował nad sobą, ale to usprawiedliwienie nie mogło przywrócić życia poległym.

Lissa, której trudno było wytrzymać bliskość Christiana, denerwowała się coraz bardziej. Chciała już iść i zajrzeć do Dymitra.

— Jak długo musimy tu zostać? Będzie coś jeszcze...

— Kim ty jesteś, do diabła?!

Obróciliśmy się gwałtownie i zobaczyliśmy Anthony'ego. Biorąc pod uwagę, że prawie wszyscy dostaliśmy się tutaj nielegalnie, mógł zwracać się do każdego. Ale nie było wątpliwości.

Patrzył prosto na mnie.

Rozdział dwudziesty

Nie jesteś Morojką! — ciągnął. Nie krzyczał, ale zwrócił uwagę kilku osób stojących najbliżej. — Rose Hathaway, prawda? Jak śmiałaś zbrukać to święte miejsce swoją nieczystą krwią?

— Dosyć — odezwał się czyjś dźwięczny głos. — Teraz ja się tym zajmę.

Miała zakrytą twarz, ale ten głos rozpoznałabym wszędzie. Obok Anthony'ego stanęła Tatiana w srebrnej masce w kwiaty i popielatej sukni z długimi rękawami. Chyba widziałam ją wcześniej w tłumie, ale dopóki się nie odezwała, nie poznałam jej.

Na sali zapadła cisza. Daniella Iwaszkow podeszła szybko do władczyni i wybałuszyła oczy na mój widok.

— Adrian... — zaczęła.

Ale Tatiana panowała nad sytuacją.

— Chodź ze mną.

Nie miałam wątpliwości, że zwraca się do mnie i że jej posłucham. Obróciła się na pięcie i ruszyła w stronę wyjścia. Pośpieszyłam za nią, podobnie jak Adrian i Daniella.

Kiedy znaleźliśmy się w korytarzu oświetlonym pochodniami, Daniella napadła na syna.

— Co ty sobie myślisz? Wiesz, że nie sprzeciwiam się zapraszaniu Rose na różne imprezy, ale to było...

— Niewłaściwe — podsunęła cierpko Tatiana. — Chociaż może dobrze, że dampirzyca zobaczyła, jakim szacunkiem darzymy poświęcenie jej ludu.

Byliśmy wstrząśnięci tą wypowiedzią. Daniella pozbierała się pierwsza.

— Tak, ale zgodnie z tradycją...

Królowa znów nie pozwoliła jej dokończyć.

— Dobrze znam tradycję. Obecność Rosemarie jest wbrew etykiecie, ale z pewnością nie deprecjonuje naszych intencji. Strata Priscilli...

Tatiana nie okazywała wzruszenia, lecz zachowywała się inaczej niż zwykle. Nigdy nie pomyślałam, że ktoś taki jak ona może mieć przyjaciółkę, lecz Priscilla zdaje się nią była. Jak bym się zachowywała, gdybym straciła Lissę? Nie umiałabym tak nad sobą panować.

— Długo nie uporam się z jej stratą — wydusiła w końcu. Patrzyła na mnie. — Mam nadzieję, że rozumiesz, jak bardzo jesteście nam potrzebni ty i inni strażnicy. Jak wartościowi. Wiem, że czasem czujecie się niedoceniani. Mylicie się. Ci, którzy zginęli, pozostawili po sobie puste miejsca, których nigdy nie zdołamy zapełnić. Teraz czujemy się jeszcze bardziej bezbronni. Na pewno o tym wiesz.

Kiwnęłam głową, wciąż zaskoczona, że Tatiana nie wyrzuciła mnie z wrzaskiem.

– To wielka strata – przyznałam. – Tym dotkliwsza, że wciąż jest nas za mało... Szczególnie teraz, kiedy strzygi atakują grupami. Nie zawsze możemy im dorównać. Tatiana potwierdziła ruchem głowy, przyjemnie zaskoczona, że w czymś się zgadzamy. Podzielałam jej uczucia.

– Wiedziałam, że zrozumiesz. Jednakże... – zwróciła się do Adriana. – Nie powinieneś był zapraszać Rose. Istnieją granice przyzwoitości.

Adrian zareagował zadziwiająco posłusznie.

– Przepraszam, ciociu Tatiano. Pomyślałem, że powinna to zobaczyć.

– Zachowasz to, co widziałaś, w tajemnicy, prawda? – wtrąciła Daniella, patrząc na mnie. – Wielu naszych gości to zaprzysiężeni konserwatyści. Nie życzyliby sobie ujawnienia, że odprawiamy takie ceremonie. Gromadzili się wokół ognia w dziwacznych przebraniach. Nic dziwnego, że woleli to ukrywać.

– Nie powiem nikomu – zapewniłam.

– To dobrze – stwierdziła Tatiana. – Powinnaś teraz odejść, zanim... Czy to Christian Ozera? – Zerknęła w głąb zatłoczonej sali.

– Tak – potwierdziliśmy jednocześnie z Adrianem.

– Nie został zaproszony! – wykrzyknęła Daniella. – To także twoja wina?

– Nie tyle wina, co przebłysk geniuszu – odparł Adrian.

– Nikt się nie zorientuje, o ile będzie się zachowywał przyzwoicie – westchnęła Tatiana. – Na pewno korzysta z każdej okazji, żeby zbliżyć się do Wasylissy.

— Och — odezwałam się bez zastanowienia. — To nie jest Lissa.

Lissa stała właśnie plecami do Christiana i rozmawiała z kimś, zerkając na mnie w popłochu.

— Więc któż to jest? — chciała wiedzieć królowa.

Co ja narobiłam?

— To, um, Mia Rinaldi. Nasza koleżanka z Akademii Świętego Władimira. — Omal nie skłamałam i nie nadałam jej królewskiego nazwiska. Niektóre rody były tak liczne, że nie sposób było znać wszystkich członków.

— Rinaldi... — Tatiana zmarszczyła brwi. — Chyba mam służącego o tym nazwisku.

Byłam pod wrażeniem, że znała swoich pracowników. Może jednak powinnam zmienić o niej zdanie.

— Służącego? — Daniella zerknęła ostrzegawczo na syna. — Czy powinnam jeszcze o kimś wiedzieć?

— Nie. Chociaż gdybym miał więcej czasu, pewnie zaprosiłbym również Eddiego. Może nawet Ślicznotkę.

Daniella była wstrząśnięta.

— Powiedziałeś Ślicznotkę?

— Tak ją nazywamy dla żartu — wtrąciłam pośpiesznie, chcąc ratować sytuację. Bałam się, co Adrian może odpowiedzieć. — To nasza przyjaciółka, Jill Mastrano.

Ani Tatiana, ani Daniella nie widziały w tym nic zabawnego.

— Cóż, chyba nikt nie zauważył, że są obcy w tym kręgu. — Daniella wskazała głową Christiana i Mię. — Bez wątpienia rozniesie się jednak sensacyjna plotka o występie Rose.

— Przepraszam. — Zrobiło mi się głupio, że sprawiłam jej kłopot.

— Stało się — powiedziała ze znużeniem Tatiana. — Idź już, niech myślą, że zostałaś surowo ukarana. Adrian wróci z nami i dopilnuje, by jego „goście" nie zwracali na siebie uwagi. To się nie może powtórzyć.

— Oczywiście — odparł niemal przekonująco.

Cała trójka skierowała się z powrotem do sali, ale Tatiana zerknęła na mnie po raz ostatni.

— Postąpiłaś źle, lecz nie zapominaj, co tu widziałaś. Naprawdę potrzebujemy strażników.

Kiwnęłam głową, a w środku wypełniała mnie duma. Królowa mnie doceniła. Kiedy jednak patrzyłam, jak odchodzą, ogarnęła mnie złość z powodu upokorzenia na oczach wszystkich. Cóż, mogło być gorzej, więc postanowiłam skupić się na jasnych stronach tej sytuacji. Zdjęłam maskę, nie mając już nic do ukrycia, i powędrowałam schodami na górę, a potem wyszłam na zewnątrz.

Nie uszłam daleko, bo ktoś zagrodził mi drogę. Byłam tak zaprzątnięta myślami, że omal nie podskoczyłam.

— Michaił! — wykrzyknęłam. — Przestraszyłeś mnie na śmierć. Co tu robisz?

— Szukałem cię. — Wyglądał na zdenerwowanego. — Zajrzałem do twojego budynku, ale nigdzie cię nie było.

— Tak, brałam udział w Maskaradzie Przeklętych.

Patrzył na mnie, nie rozumiejąc.

— Nieważne. O co chodzi?

— Chyba mamy szansę.

— Na co?

— Słyszałem, że próbowałaś dzisiaj zobaczyć się z Dymitrem.

O, tak. Ten temat powinnam dobrze przemyśleć.

— Niestety, moje starania spełzły na niczym. On nie chce mnie widzieć, pomijając armię strażników blokujących mi wejście.

Michaił przestąpił z nogi na nogę. Rozglądał się przy tym jak przestraszone zwierzę.

— Właśnie z tym przychodzę.

— Słuchaj, nic z tego nie rozumiem... — Głowa zaczynała mnie boleć od wina.

Michaił wziął głęboki oddech.

— Mógłbym ci pomóc się prześliznąć.

Odczekałam chwilę, sądząc, że się przesłyszałam. Tak bardzo mi na tym zależało, że wyobraźnia mogła płatać mi figle. Ale nie. Michaił był śmiertelnie poważny i chociaż nie znałam go dobrze, zrozumiałam, że nie żartuje.

— Jak? — spytałam. — Próbowałam i...

Pokazał mi gestem, bym poszła za nim.

— Wyjaśnię ci wszystko po drodze. Nie mamy dużo czasu.

Nie chciałam stracić takiej okazji, więc pośpieszyłam za nim.

— Coś się stało? — spytałam, dostosowując się do jego długich kroków. — Czy... pytał o mnie?

Nie śmiałam nawet o tym marzyć. Poza tym słowo „prześliznąć" wykluczało taką możliwość.

— Ograniczono liczbę jego strażników — wyjaśnił Michaił.

— Naprawdę? Do ilu? — Podczas wizyty Lissy w areszcie naliczyłam około dwunastu, łącznie z jej eskortą. Jeśli poszli po rozum do głowy i postanowili zostawić jednego albo dwóch wartowników pod celą Dymitra, musieli wreszcie uznać, że nie jest już strzygą.

— Pilnuje go pięciu.

— Och... — Nie wiedziałam, jak ocenić tę zmianę. — Czyżby zaświtało im w głowie, iż Dymitr nie jest zagrożeniem?

Michaił wzruszył ramionami, wpatrując się w ścieżkę biegnącą przed nami. Podczas Pustej Nocy padał deszcz i powietrze, wciąż przesycone wilgocią, było trochę chłodniejsze.

— Część strażników mu wierzy. Ale musimy poczekać na królewski dekret, który oficjalnie potwierdzi, czym jest.

Omal się nie zatrzymałam.

— Potwierdzi, czym jest? — wykrzyknęłam. — On nie jest czymś! Jest osobą. Dampirem jak my.

— Wiem, ale nie mamy w tej kwestii nic do powiedzenia.

— Masz rację. Przepraszam — wymamrotałam. Nie zabija się posłańca.

— Mam nadzieję, że w końcu się tym zajmą.

Zapadła wymowna cisza. Spojrzałam ostro na Michaiła.

— Co? Co chcesz jeszcze powiedzieć? — spytałam.

Wzruszył ramionami.

— Chodzą pogłoski, że Rada dyskutuje teraz nad inną ważną sprawą, która jest priorytetowa.

Byłam naprawdę wściekła. Co mogło być ważniejsze od Dymitra? Spokojnie, Rose. Opanuj się. Skoncentruj. Nie pozwól, żeby zagarnął cię mrok. Zwykle potrafiłam nad nim zapanować, ale w sytuacjach stresowych brał nade mną górę. Miałam ostatnio za dużo problemów.

Doszliśmy już do budynku, w którym mieścił się areszt. Przeskakiwałam po dwa stopnie.

– Nawet jeśli zmniejszyli liczbę strażników i tak mnie nie wpuszczą. Wszyscy wiedzą, że mam zakaz wstępu.

– Teraz na warcie stoi mój przyjaciel. Powie innym, że dostałaś pozwolenie. Ale musimy się pośpieszyć.

Otwierał drzwi, ale zatrzymałam go i położyłam rękę na jego ramieniu.

– Dlaczego to dla mnie robisz? Rada morojów może nie przejmować się specjalnie sprawą Dymitra, ale strażnicy na pewno. Nie będziesz miał kłopotów?

Spojrzał na mnie z tym swoim gorzkim uśmiechem.

– Musisz pytać?

Zastanowiłam się.

– Nie – odparłam miękko.

– Kiedy straciłem Sonię... – Michaił przymknął powieki i zaraz otworzył je, zapatrzony w przeszłość. – Kiedy ją straciłem, nie chciałem dłużej żyć. Była dobra, naprawdę. Przemieniła się w strzygę z rozpaczy. Nie widziała innego sposobu, żeby uchronić się przed działaniem ducha. Oddałbym wszystko, wszystko, by jej pomóc, żeby znów być blisko niej. Nie wiem, czy to jest możliwe, ale wy macie szansę. Nie pozwolę, byś ją straciła.

Weszliśmy i zobaczyłam, że dyżur naprawdę pełni inny strażnik. Zgodnie z obietnicą Michaiła zadzwonił do kolegów w areszcie i oznajmił, że Dymitr ma gościa. Bardzo się przy tym denerwował, co było zrozumiałe. Mimo wszystko chciał pomóc. Pomyślałam w zadumie, że przyjaciele są gotowi do wielkich poświęceń. Ostatnie tygodnie były tego niezaprzeczalnym dowodem.

Podobnie jak podczas wizyty Lissy, pojawiło się dwóch wartowników, by zaprowadzić mnie na dół. Rozpoznałam ich, a oni wydawali się zaskoczeni moim widokiem. Jeśli słyszeli, jak Dymitr zakazywał mi wizyt, to musieli teraz przeżyć szok. Na szczęście uwierzyli, że ktoś wydał mi pozwolenie na odwiedziny, i nie zadawali pytań.

Michaił szedł za nami po krętych schodach, a ja czułam, że serce bije mi coraz szybciej. Dymitr. Miałam go zobaczyć. Co powiem? Co zrobię? Nie potrafiłam się skupić. Przez całą drogę nakazywałam sobie opanowanie w obawie, że nie będę w stanie wydusić ani słowa.

W korytarzu, gdzie znajdowały się cele, zobaczyłam dwóch wartowników przed więzieniem Dymitra, jednego na końcu korytarza i dwóch przy wejściu. Zatrzymałam się niepewnie na myśl, że usłyszą, co będę mówiła. Nie chciałam publiczności, ale wiedziałam, że strażnicy mają obowiązek troszczyć się o moje bezpieczeństwo.

— Zostawicie nam odrobinę prywatności? — spytałam.

Strażnik z eskorty pokręcił głową.

— Mamy rozkazy. Dwóch strażników musi być przy celi.

— Ona jest strażniczką — zauważył łagodnie Michaił.

— Ja również. Puśćcie nas. Reszta może zaczekać przy drzwiach.

Spojrzałam na niego z wdzięcznością. Jemu pozwoliłabym stać obok. Pozostali uznali, że jestem bezpieczna i odsunęli się dyskretnie na koniec korytarza. Nie zyskałam w ten sposób całkowitej prywatności, ale przynajmniej nie mogli mnie usłyszeć.

Serce omal nie wyskoczyło mi z piersi, kiedy podeszłam z Michaiłem do celi i zajrzałam do środka. Dymitr siedział w takiej samej pozycji, jak wtedy gdy odwiedziła go Lissa: skulony na łóżku, plecami do nas. Słowa uwięzły mi w gardle. Nie mogłam zebrać myśli. Jakbym zapomniała, po co tu przyszłam.

— Dymitr — wyjąkałam w końcu. W każdym razie to próbowałam powiedzieć, ale chyba zabrzmiało niezrozumiale.

Usłyszał, bo nagle zesztywniał. Nie odwrócił się.

— Dymitr — powtórzyłam, tym razem wyraźniej. — To... ja.

Nie musiałam tego mówić. Poznał mnie od razu. Rozpoznałby mój głos wszędzie. Pewnie znał również rytm bicia mego serca i oddech. Liczyłam na to, że coś powie, i przestałam oddychać. Kiedy wreszcie się odezwał, poczułam rozczarowanie.

— Nie.

— Co nie? — wyjąkałam. — Nie, to nie ja?

Wypuścił powietrze z rezygnacją, prawie tak samo jak dawniej podczas treningów, kiedy zdarzyło mi się popełnić jakieś głupstwo.

— Nie, nie chcę cię widzieć. — Jego głos drżał od emocji. — Mieli cię nie wpuszczać.

— Znalazłam sposób, żeby obejść ten zakaz.

— Oczywiście.

Wciąż na mnie nie patrzył, co było dla mnie udręką. Zerknęłam na Michaiła, który skinął głową z zachętą. Pewnie powinnam się cieszyć, że Dymitr w ogóle się do mnie odezwał.

— Chciałam cię zobaczyć. Dowiedzieć się, jak się czujesz.

— Lissa na pewno poinformowała cię o wszystkim.

— Musiałam się przekonać na własne oczy.

— I przekonałaś się.

— Widzę tylko twoje plecy.

To było szaleństwo, lecz każde słowo, jakie wypowiedział, traktowałam jak dar. Miałam wrażenie, że nie słuchałam jego głosu od wieków. Znowu nie mogłam zrozumieć, jak mogłam pomylić tego Dymitra z potworem, którego odnalazłam na Syberii. Głos brzmiał tak samo, tamten mówił z identycznym akcentem, ale był strzygą i jego słowa mroziły powietrze. Teraz brzmiały ciepło. Ton głosu Dymitra kojarzył się z miodem i aksamitem, nawet jeśli to, co mówił, brzmiało okrutnie.

— Nie chcę, żebyś tu przychodziła — ciągnął bezbarwnie. — Nie chcę cię widzieć.

Próbowałam obrać jakąś strategię. Dymitr był w depresji, stracił nadzieję. Lissa traktowała go łagodnie, ze współczuciem. Przełamała jego opór, ponieważ Dymitr uważał ją za swoją wybawicielkę. Powinnam zastosować tę samą taktykę. Być delikatna i wspierająca, pełna miłości... Kocham go. I bardzo chcę mu pomóc. Nie byłam jednak pewna, czy potrafię. Rose Hathaway nie słynęła z delikatności. Ale mogłam zagrać jego poczuciem odpowiedzialności.

— Nie możesz mnie ignorować — powiedziałam przyciszonym głosem. — Jesteś mi coś winien. Ocaliłam cię.

Milczenie.

— To Lissa mnie ocaliła — odparł ostrożnie.

Ogarnął mnie gniew, jak wtedy, gdy obserwowałam jego spotkanie z Lissą. To mnie powinien dziękować.

– Jak myślisz, kto jej to umożliwił? – spytałam ostrzej. – Jak dowiedziała się, co trzeba zrobić? Nie masz pojęcia, przez co musiałyśmy – ja musiałam – przejść, żeby zdobyć te informacje. Sądzisz, że moja wyprawa na Syberię była aktem szaleństwa? W takim razie nic nie wiesz o szaleństwie. Znasz mnie. Wiesz, do czego jestem zdolna. A tym razem przekroczyłam wszelkie granice. Jesteś mi coś winien.

Byłam ostra, ale musiałam sprowokować go do reakcji. Zmusić, by pokazał emocje. Udało mi się. Odwrócił się nagle i spojrzał na mnie błyszczącymi oczami. Drżał. Poruszał się jak dawniej, groźnie i wdzięcznie. W jego głosie usłyszałam gniew, frustrację i troskę.

– W takim razie najlepsze, co mogę zrobić...

Znieruchomiał. Brązowe oczy nagle rozjarzyły się... czym? Zachwytem? Podziwem? A może był równie oszołomiony jak ja, kiedy go ujrzałam?

Nagle zrozumiałam, że przeżywa to samo co ja przed chwilą. Widział mnie setki razy na Syberii. Poprzedniej nocy spotkaliśmy się w magazynie. Ale teraz... po raz pierwszy patrzył na mnie swoimi oczami. Cały jego świat się zmienił. Inaczej postrzegał i odczuwał. Nawet jego dusza była inna.

Nastąpiła jedna z tych chwil, o których ludzie mówią, że całe życie wyświetla im się przed oczami. Patrzyliśmy na siebie, wspominając wszystko, co nam się przydarzyło. Pamiętałam, jak silny i niezwyciężony był Dymitr, kiedy go poznałam. Przyjechał po Lissę i po mnie, żeby sprowadzić nas z powrotem do Akademii. Zapamiętałam delikatność, z jaką opatrywał moje pokrwawione ręce. Jak niósł mnie w ramionach po tym, kiedy napadła na mnie córka Wiktora, Nathalie. Najlepiej jednak zapamiętałam tę noc, którą spędziliśmy we dwoje w małej chatce, zanim porwały go strzygi. Minął rok. Znaliśmy się zaledwie od roku, a tyle razem przeszliśmy...

Dymitr patrzył na mnie i wiedziałam, że on także to sobie uświadamia. Chłonął zachłannie każdy szczegół mojej twarzy i sylwetki. Nie mogłam sobie przypomnieć, jak jestem ubrana. Chyba wciąż miałam na sobie sukienkę, którą włożyłam na tajne spotkanie. Dobrze w niej wyglądałam. Musiałam mieć oczy zaczerwienione od płaczu. Nie zdążyłam też porządnie się uczesać przed wyjściem z Adrianem.

Ale to wszystko nie miało większego znaczenia. Sposób, w jaki Dymitr na mnie patrzył, potwierdzał to, co tak desperacko chciałam zobaczyć. Jego uczucia do mnie sprzed przemiany w strzygę wciąż były żywe. Musiały. Może to Lissa go ocaliła. Może reszta dworu uważała ją za boginię. Ale ja wiedziałam swoje. Nawet nieuczesana i zapłakana to ja byłam dla niego boginią. Nie mógł mnie oszukać.

Dymitr przełknął ślinę i zmusił się do opanowania. Nic się nie zmieniło.

— W takim razie najlepsze, co mogę zrobić — podjął ze spokojem — to trzymać się od ciebie z daleka. Tylko tak mogę spłacić swój dług.

Z trudem się kontrolowalam. Byłam równie oszołomiona jak on. W tej chwili ogarnęła mnie również wściekłość.

— Powiedziałeś Lissie, że chcesz się jej odwdzięczyć i nigdy jej nie opuścisz!

— Nie zrobiłem jej... — Na chwilę odwrócił wzrok, aby się opanować, a potem znów spojrzał mi w oczy. — Nie zrobiłem jej takiej krzywdy jak tobie.

— Nie byłeś sobą! To się nie liczy. — Ledwo panowałam nad słowami.

— Ilu ich było?! — wykrzyknął. — Ilu strażników zginęło wczoraj przeze mnie?

— Chyba... sześciu albo siedmiu... — Bolesna strata. Poczułam ból w klatce piersiowej na wspomnienie nazwisk przywoływanych w podziemiach.

— Sześciu lub siedmiu — powtórzył z udręką bezbarwnym głosem. — Zginęli jednej nocy. Z mojej winy.

— Nie działałeś samotnie! Poza tym nie byłeś sobą. Nie mogłeś nad tym zapanować. To dla mnie nic nie znaczy...

— Ale dla mnie tak! — Jego krzyk zadźwięczał w korytarzu. Strażnicy stojący na obu końcach poruszyli się niespokojnie, ale nie podeszli do nas. Dymitr obniżył głos, który jeszcze drżał od silnych emocji. — Dla mnie to ma znaczenie. Nie rozumiesz tego. Nie możesz. Nie wiesz, jakie to uczucie wiedzieć, co się zrobiło. Czas, kiedy byłem strzygą... mam wrażenie, że to zły sen, ale pamiętam go dokładnie. Nie ma dla mnie przebaczenia. I to, co zrobiłem tobie... To pamiętam najlepiej. Wszystko. Wszystko, co chciałem zrobić.

— To się skończyło — błagałam. — Przyjmij to do wiadomości. Zanim do tego doszło, powiedziałeś, że możemy być razem. Chcieliśmy służyć blisko siebie i...

— Roza — przerwał mi i to pieszczotliwe imię przebiło mi serce. Nie chciał go użyć, wymknęło mu się bezwiednie. Uśmiechnął się z goryczą. — Naprawdę sądzisz, że pozwolą mi znów być strażnikiem? To cud, jeśli w ogóle pozostawią mnie przy życiu.

— Nieprawda. Kiedy zrozumieją, że się zmieniłeś i nie jesteś już taki jak przedtem... wszystko będzie po staremu.

Potrząsnął ze smutkiem głową.

— Ten twój optymizm... wiara, że możesz osiągnąć wszystko. Och, Rose. To jest w tobie zadziwiające, a jednocześnie doprowadza mnie do furii.

— Wierzyłam, że możesz znów stać się sobą — zauważyłam. — Może więc ta wiara w pozornie niemożliwe nie jest aż tak szalona.

Ta rozmowa była przejmująco smutna, łamała mi serce, lecz jednocześnie przypomniała mi nasze dawne treningi. Dymitr mnie przekonywał w jakiejś spornej sprawie, a ja mu się sprzeciwiałam, kierując się własną logiką. Zazwyczaj reagował rozbawieniem i desperacją. Teraz było nieco inaczej, ale on zachowywał się tak jak wtedy. Tylko że nie byliśmy na sali treningowej. Nie uśmiechnął się i nie przewrócił oczami. Był poważny. Rozmawialiśmy o życiu i śmierci.

— Jestem ci wdzięczny za to, co zrobiłaś — powiedział sztywno, choć widziałam, jak dużo go to kosztuje. To również nas łączyło, pilnowanie samokontroli. Dymitr był w tym lepszy ode mnie. — Jestem twoim dłużnikiem. Nie mogę jednak ci się odwdzięczyć. Powtarzam, mogę tylko trzymać się od ciebie z daleka.

— Jeśli masz zamiar towarzyszyć Lissie, nie będziesz mógł mnie unikać.

— Można żyć obok siebie i nie... nie oczekiwać nic więcej — odparł stanowczo. Jakie to było do niego podobne. Logika kontra emocje.

Zepsułam wszystko. Nie umiałam panować nad sobą tak dobrze jak Dymitr.

Rzuciłam się na kraty tak gwałtownie, że nawet Michaił się stropił.

— Ale ja cię kocham! — Syknęłam. — I wiem, że ty też mnie kochasz. Naprawdę mógłbyś żyć obok mnie, ignorując to, co nas łączy?

Problem polegał na tym, że jeszcze w Akademii Dymitr długo sądził, iż właśnie tak będzie. Uparcie sądził, że spędzi życie, nie ujawniając swoich uczuć do mnie.

— Kochasz mnie — powtórzyłam. — Wiem o tym. — Wyciągnęłam rękę przez kraty. Nie mogłam go dosięgnąć, ale rozcapierzyłam rozpaczliwie palce, jakby miały się nagle wydłużyć i chwycić go. Tylko tego potrzebowałam. Jego dotyku, żebym wiedziała, że mu nadal zależy, ciepła jego skóry i...

— Czy to prawda — powiedział cicho — że spotykasz się z Adrianem Iwaszkowem?

Opuściłam rękę.

— Skąd o tym wiesz?

— Pogłoski szybko się rozchodzą — odparł, naśladując Michaiła.

— O, tak — mruknęłam.

— Spotykasz się z nim? — powtórzył z naciskiem.

Zwlekałam z odpowiedzią. Jeśli wyznam prawdę, to zyska kolejny argument. Ale nie potrafiłabym go okłamać.

— Tak, ale...

— To dobrze. — Nie wiem, jakiej reakcji się spodziewałam. Wybuchu zazdrości? Szoku? Dymitr oparł się o ścianę, a na jego twarzy malowała się... ulga. — Adrian jest lepszy, niż się wydaje. Będzie dla ciebie dobry.

— Ale...

— To jest twoja przyszłość, Rose. — Dymitr znów miał ten znużony, pozbawiony nadziei wyraz twarzy. — Nie wiesz, przez co przeszedłem, kiedy wróciłem ze świata strzyg. To mnie odmieniło. Nie chodzi o to, że wyrządziłem ci niewybaczalną krzywdę. Moje uczucia wobec ciebie... się zmieniły. Nie są takie jak dawniej. Znów jestem dampirem, lecz to, co przeżyłem... to było przerażające. Odmieniło moją duszę. Nie potrafię już nikogo kochać. Nie umiem... nie kocham cię. Już nic nas nie łączy.

Krew ostygła mi w żyłach. Nie chciałam mu wierzyć, nie po tym, jak na mnie patrzył.

— Nie! To nieprawda! Kocham cię i ty...

— Straż! — Dymitr zawołał tak głośno, że cały budynek powinien był się zatrząść w posadach. — Wyprowadźcie ją stąd! Zabierzcie ją!

Znaleźli się przy mnie w mgnieniu oka. Dymitr był więźniem i nie miał prawa wydawać im poleceń, jednak otrzymali rozkaz, by nie dopuścić do zamieszania. Odciągnęli Michaiła, ale ja się opierałam.

— Nie, poczekajcie...

— Nie sprzeciwiaj się. — Michaił mruknął mi do ucha. — Powinniśmy już wyjść, a dzisiaj i tak nie osiągnęłabyś więcej.

Chciałam zaprotestować, lecz słowa uwięzły mi w gardle. Pozwoliłam się wyprowadzić, ale po raz ostatni spojrzałam przeciągle na Dymitra. Miał doskonale obojętną minę, bardzo profesjonalną, jednak jego przenikliwy wzrok powiedział mi, że przeżywa silne emocje.

Przyjaciel Michaiła ciągle jeszcze pełnił dyżur na górze, więc wymknęliśmy się bez większych problemów. Na zewnątrz zatrzymałam się i kopnęłam ze złością schodek.

— Szlag! — wrzasnęłam. Para morojów wracająca do domu po jakiejś imprezie zerknęła na mnie z niepokojem.

— Uspokój się — powiedział Michaił. — Widzieliście się po raz pierwszy od jego przemiany. Nie możesz oczekiwać więcej cudów. Dojdzie do siebie.

— Nie jestem pewna — mruknęłam. Spojrzałam z westchnieniem w niebo. Małe pierzaste obłoczki przesuwały się leniwie, lecz ja ledwie je widziałam. — Nie znasz go tak dobrze jak ja.

Niby zdawałam sobie sprawę, że to, co mówił Dymitr, było w dużej mierze spowodowane szokiem, ale nie byłam tego do końca pewna. Znałam go dobrze. Miał silne poczucie honoru, sprecyzowane przekonania na temat dobra i zła. Trwał przy nich niezmiennie. Starał się żyć według swoich zasad. Jeśli naprawdę wierzył, że powinien mnie unikać i zakończyć nasz związek... Cóż, istniało duże prawdopodobieństwo, że tak postąpi, nawet jeśli mnie kocha. Pamiętałam, jak się opierał temu uczuciu w Akademii Świętego Władimira.

Co do reszty... stwierdził, że już mnie nie kocha, że nie potrafi kochać nikogo... To osobny problem. Christian i Adrian sugerowali, że mogło pozostać w nim coś ze strzygi, ale obawiali się przede wszystkim skłonności do przemocy i żądzy krwi. Nikomu nie przyszło do głowy, że życie strzygi znieczuliło jego serce, pozbawiło go możliwości kochania.

Przestał mnie kochać?

Jeśli to prawda, to jakaś część mnie umrze...

Rozdział dwudziesty pierwszy

Michaił i ja powiedzieliśmy sobie prawie wszystko. Nie chciałam, żeby miał przeze mnie kłopoty i pozwoliłam się wyprowadzić z budynku straży w milczeniu. Zobaczyłam niebo oblekające się purpurą na wschodzie. Słońce miało wkrótce wstać, sygnalizując środek naszej nocy.

Zajrzałam na krótko do umysłu Lissy i odkryłam, że Pusta Noc nareszcie dobiegła końca i moja przyjaciółka wracała do siebie. Martwiła się o mnie i była wściekła na Christiana, który przyszedł w towarzystwie Mii.

Postanowiłam pójść za przykładem przyjaciółki w nadziei, że sen uwolni mnie od dręczących myśli po rozmowie z Dymitrem. Podziękowałam jednak Michaiłowi za pomoc i za to, że dla mnie ryzykował. Skwitował to zaledwie skinieniem głowy, jakby to była drobnostka. Oczekiwałby ode mnie tego samego, gdyby znalazł się na moim miejscu i to panna Karp siedziałaby za kratami.

Położyłam się i zapadłam w głęboki sen, ale śniłam koszmary. Słyszałam głos Dymitra, który powtarzał, że już mnie nie kocha. Bębnił mi w głowie, rozbijając serce na kawałki. W pewnej chwili zorientowałam się, że to bębnienie nie rozbrzmiewa tylko we śnie. Słyszałam je naprawdę. Ktoś dobijał się do moich drzwi. Ocknęłam się i na pół przytomna poszłam otworzyć. Na progu stał Adrian.

Przeżyłam podobną scenę zeszłej nocy, kiedy przyszedł zaprosić mnie na Pustą Noc. Tym razem miał ponurą minę. W pierwszej chwili pomyślałam, że dowiedział się o moich odwiedzinach u Dymitra albo ma poważne kłopoty związane z zaproszeniem prawie wszystkich przyjaciół na tajną stypę.

— Adrian... wcześniej wstałeś... — Zerknęłam na zegarek i odkryłam, że jednak spałam długo.

— Wcale nie — odparł. Był poważny. — Dużo się dzieje. Przyszedłem przekazać ci nowinę, zanim dowiesz się od kogoś innego.

— Jaką nowinę?

— Rada ogłosiła werdykt. Długo nad tym dyskutowali, zresztą sama w tym uczestniczyłaś.

— Zaraz. Skończyli? — przypomniałam sobie, co mówił Michaił o tajemniczej debacie, która blokowała inne ważne sprawy, między innymi wydanie oficjalnego orzeczenia, że Dymitr znów jest dampirem. — To fantastyczna wiadomość!

Skoro podczas dyskusji Tatiana kazała mi popisywać się umiejętnościami... może była szansa, że przydzielą mnie do ochrony nad Lissą? Czyżby królowa naprawdę zmieniła zdanie na mój temat? Ostatnio zachowywała się przyjaźnie.

Adrian patrzył na mnie tak jak nigdy dotąd: ze współczuciem.

— Nic nie rozumiesz, prawda?

— O czym ty mówisz?

— Rose... — Delikatnie położył mi rękę na ramieniu.

— Rada zdecydowała o naborze młodszych strażników. Od tej pory dampiry będą kończyły edukację po drugim roku i od razu podejmowały służbę.

— Co?!! — Musiałam się przesłyszeć.

— Wiesz, jaka ostatnio zapanowała panika. Wszyscy narzekają, że mamy za mało strażników. — Adrian westchnął. — No i znaleźli rozwiązanie.

— Przecież to jeszcze dzieci! — wykrzyknęłam. — Skąd pomysł, że szesnastolatki są gotowe do walki?

— Cóż, sama im go podsunęłaś.

Cały świat znieruchomiał wokół mnie. Ja podsunęłam? Nie, to jakiś absurd.

Adrian lekko szturchnął mnie w ramię, usiłując wyrwać mnie z osłupienia.

— Może to nie jest ostateczna decyzja. Ogłosili ją na otwartym posiedzeniu i wzbudzili tym spore zamieszanie.

— Tak...

Chciałam pójść z nim natychmiast, ale uświadomiłam sobie, że jestem w piżamie. Przebrałam się szybko i uczesałam, wciąż nie mogąc uwierzyć w to, co się stało. Po pięciu minutach byłam gotowa do wyjścia. Adrian nie był typem sportowca, ale dotrzymywał mi kroku, kiedy pędziliśmy do budynku Rady.

— Jak to się stało? — spytałam. — Chyba nie mówiłeś poważnie, że... odegrałam w tym jakąś rolę? — Chciałam, żeby to zabrzmiało stanowczo, ale wyszło błagalnie.

Adrian zapalił papierosa, nie zwalniając kroku, lecz nie miałam siły oponować.

— To był gorący temat od dłuższego czasu. Decyzja zapadła niemal jednogłośnie. Zwolennicy takiego rozwiązania postarali się o przekonujące uzasadnienie. Posłużyłaś im jako koronny argument: nastoletnia dampirzyca, uczennica mordująca strzygi na prawo i lewo.

— Prawie skończyłam szkołę — mruknęłam w zamyśleniu. Chcieli wysłać szesnastolatków do walki. Czy to w ogóle możliwe? Nonsens. Fakt, że zostałam wykorzystana w tak haniebny sposób, przyprawiał mnie o mdłości. Jakaż byłam głupia, sądząc, że darowali mi niezdyscyplinowanie i wychwalali pod niebiosa. Wykorzystali mnie. Tatiana mnie wykorzystała.

Na sali posiedzeń panował chaos, tak jak uprzedzał Adrian. Nie bywałam na takich zgromadzeniach, ale zorientowałam się, że grupki rozgorączkowanych morojów nie stanowiły normalnego widoku, a rzecznik Rady zwykle nie musiał przekrzykiwać tłumu, prosząc o ciszę.

Tylko Tatiana zachowywała spokój. Siedziała cierpliwie na swoim miejscu pośrodku, zgodnie z etykietą posiedzeń. Wyglądała na zadowoloną z siebie. Jej towarzysze nie byli tak opanowani. Zerwali się z miejsc i kłócili ze sobą oraz innymi, gotowi do walki. Wpatrywałam się w tę scenę z podziwem, niepewna, co robić.

— Kto głosował za? — spytałam.

Adrian rozejrzał się po twarzach członków Rady i liczył na palcach.

— Szelsky, Ozera, Badica, Daszkow, Conta i Drozdow byli przeciwko.

— Ozera? — Zdziwiłam się. Nie znałam dobrze księżniczki Ozery — miała na imię Evette — ale sprawiała wrażenie sztywnej i niemiłej. Teraz nabrałam do niej szacunku.

Adrian wskazał głową Taszę, która z furią przemawiała do grupy morojów. Oczy jej błyszczały, gestykulowała gwałtownie.

— Evette dała się przekonać niektórym członkom rodziny.

Uśmiechnęłam się, ale zaraz spoważniałam. Ucieszyłam się, że Tasza i Christian zostali ponownie przyjęci na łono rodziny, ale wciąż mieliśmy poważny problem. Mogłam się domyślić nazwisk pozostałych.

— Zatem... książę Iwaszkow głosował za wnioskiem — powiedziałam. Adrian wzruszył ramionami, jakby przepraszał za swoją rodzinę. — Lazar, Zeklos, Tarus i Voda także...

Nie było nic dziwnego w tym, że rodzina Vodów żądała dodatkowej ochrony, biorąc pod uwagę niedawną tragiczną śmierć Priscilli. Priscilla nie została jeszcze pochowana, a nowy książę Alexander wyraźnie nie wiedział, co począć z nieoczekiwanym awansem.

Spojrzałam przenikliwie na Adriana.

— Głosowali pięć do sześciu. Och — nagle zrozumiałam — szlag. Królowa miała głos.

Uprawnionych do głosowania było dwunastu przedstawicieli rodów królewskich oraz aktualny władca lub władczyni. Oczywiście oznaczało to dwa głosy z jednej rodziny, bowiem monarcha rzadko zajmował inne stanowisko niż przedstawiciel jego rodu. Jednak zdarzało się to czasem. W każdym razie system był niesprawiedliwy. Powinno być trzynaście głosów. Tylko że... niedawno pojawił się nowy problem. Obecnie w Radzie nie zasiadał żaden z Dragomirów. W takich rzadkich przypadkach prawo morojów traktowało głos króla lub królowej jako podwójny. Słyszałam, że ta kwestia od dawna budzi kontrowersje, ale nikt nie znalazł rozwiązania. Tymczasem Rada miała trudności w podejmowaniu decyzji, a ponieważ władcy byli wybierani przez głosowanie, więc wielu wierzyło, że działa w interesie morojów.

— Tatiana była szósta — powiedziałam. — Jej głos przeważył szalę.

Rozejrzałam się po gniewnych twarzach morojów głosujących przeciwko dekretowi. Najwyraźniej nie wszyscy wierzyli, że Tatiana działa na ich korzyść.

Poczułam przez więź, że Lissa jest blisko, i nie zdziwiłam się, kiedy weszła na salę. Wieści rozchodziły się szybko, ale ona nie znała jeszcze szczegółów. Pomachaliśmy do niej z Adrianem. Była równie oszołomiona jak my.

— Jak mogli to zrobić? — spytała.

— Boją się, że ktoś może im kazać się bronić. Zwolennicy Taszy narobili sporo hałasu.

Lissa potrząsnęła głową.

— Nie tylko o to mi chodzi. Dlaczego w ogóle brali udział w obradach? Powinniśmy opłakiwać zmarłych... publicznie. To powinność całego dworu, nie tylko wybranych jednostek. Przecież zginęła również członkini Rady! Nie mogli zaczekać na pogrzeb?

Czułam, że Lissa wciąż ma przed oczami straszną śmierć Priscilli.

— Okazało się, że nietrudno ją zastąpić — usłyszeliśmy czyjś głos.

Podszedł do nas Christian. Lissa cofnęła się instynktownie, nadal zła z powodu Mii.

— Wybrali idealny moment. Zwolennicy dekretu wykorzystali szansę. Każda napaść strzyg wywołuje powszechną panikę. Wielu zgodziło się ze strachu. Jeśli część członków Rady była do tej pory niezdecydowana, bitwa ich przekonała.

Christian rozumował prawidłowo i zrobił wrażenie na Lissie, która na chwilę zapomniała o urazie. Rzecznik Rady zdołał wreszcie przekrzyczeć publikę. Zastanawiałam się, czy Tatiana nie huknie, żeby się uciszyli, ale ona zachowywała królewską godność. Wciąż siedziała spokojnie, jakby nic się nie działo.

Trochę to trwało, zanim wszyscy na powrót zajęli swoje miejsca. Usadowiliśmy się, gdzie się dało. Wyczerpany rzecznik skłonił się przed władczynią.

Uśmiechnęła się łaskawie i odezwała majestatycznym tonem.

— Pragniemy podziękować wszystkim za przybycie i wyrażenie... opinii. Wiem, że niektórzy z was nie są w pełni przekonani co do słuszności naszej decyzji, ale zapadła ona zgodnie z prawem morojów, prawem obowiązującym nas od wieków. Wkrótce odbędzie się kolejna narada i wówczas spokojnie wysłuchamy, co macie do powiedzenia. — Coś mi mówiło, że to pusty gest. Nawet jeśli ktoś wyrazi sprzeciw, Tatiana go nie posłucha. — Nasz werdykt przysłuży się morojom. Strażnicy są doskonale wyszkoleni. — Skinęła głową w kierunku strażników stojących rzędem pod ścianami w odświętnych mundurach.

Mieli doskonale obojętne miny, ale zgadywałam, że tak jak ja chętnie przyłożyliby połowie członków Rady. — Są tak doskonali, że trenują swoich adeptów do walki już w bardzo młodym wieku. Dzięki nim będziemy się czuli bezpiecznie po niedawnych tragicznych wydarzeniach. Tatiana opuściła głowę, zapewne na znak żałoby. Przypomniałam sobie ostatnią noc, kiedy zająknęła się na wspomnienie Priscilli. Czyżby udawała? Czy śmierć najlepszej przyjaciółki posłużyła jej jako pretekst do przeforsowania projektu? Nie... nie mogła być aż tak nieczuła.

Królowa uniosła głowę.

— Powtarzam, że z radością wysłuchamy waszych opinii, chociaż zgodnie z prawem decyzja zapadła. Obrady zostaną wstrzymane do czasu zakończenia żałoby po nieszczęsnych ofiarach.

Jej ton i postawa świadczyły o tym, że to koniec dyskusji. Nagle impertynencki głos przerwał ciszę.

Należał do mnie.

— Chciałabym już teraz wyrazić swoją opinię.

Słyszałam w głowie krzyk Lissy: „Siadaj! Siadaj!". Ale już wstałam i ruszyłam w kierunku stołu Rady. Przystanęłam w bezpiecznej odległości, skąd wszyscy mogli mnie widzieć, ale poza zasięgiem interwencji strażników. Rzecznik spurpurowiał na widok takiej niesubordynacji.

— Zachowujesz się niestosownie, łamiąc zasady protokołu! Usiądź albo zostaniesz wyprowadzona. — Zerknął na strażników, jakby spodziewał się, że mnie zaatakują. Żaden się nie poruszył. Albo nie uważali mnie za napastniczkę, albo byli ciekawi, co zamierzam. Sama się nad tym zastanawiałam.

Delikatnym gestem dłoni Tatiana odsunęła herolda.

— Zasady protokołu zostały dzisiaj już kilkakrotnie złamane. Jeden incydent więcej niczego nie zmieni. — Uśmiechnęła się do mnie przyjaźnie na znak, że jesteśmy w dobrej komitywie. — Poza tym strażniczka Hathaway jest naszym cennym nabytkiem. Interesuje mnie, co ma do powiedzenia.

Czyżby? Cóż, zaraz się przekonamy. Zwróciłam się do Rady.

— Dekret, który wydaliście, jest aktem czystego szaleństwa. — Pogratulowałam sobie w duchu, że nie użyłam mocniejszych słów, które cisnęły mi się na usta. Kto powiedział, że nie znam etykiety dworskiej? — Jak możecie tu siedzieć i myśleć, że wolno wam narażać szesnastolatków na śmiertelne niebezpieczeństwo?

— Obniżyliśmy granicę wieku zaledwie o dwa lata — wtrącił książę Tarus. — Nie wysyłamy na wojnę dziesięciolatków.

— Dwa lata to bardzo dużo. — Przypomniałam sobie siebie w tym wieku. Co się wydarzyło w ciągu tych dwóch lat? Uciekłam z Lissą, widziałam, jak giną moi przyjaciele, podróżowałam po dalekim świecie i zakochałam się... — W takim czasie można mnóstwo przeżyć. Jeśli zamierzacie nadal wysyłać nas na front, a tak przecież robicie, kiedy kończymy szkołę, to jesteście nam winni te dwa lata.

Spojrzałam na publiczność. Reakcje były mieszane. Niektórzy wyraźnie zgadzali się ze mną i kiwali głowami. Inni sprawiali wrażenie, że nic nie jest w stanie zmienić ich zdania. Jeszcze inni unikali mojego wzroku... Czy udało mi się zachwiać ich pewnością? Byli niezdecydowani? Może zażenowani swoim egoizmem? Powinnam to wykorzystać.

— Możesz mi wierzyć, że chciałbym, by twoja rasa mogła nacieszyć się młodością — odezwał się Nathan Iwaszkow. — Ale nie mamy wyboru. Strzygi stają się coraz bardziej agresywne. Każdego dnia tracimy morojów i strażników. Musimy zwiększyć liczebność straży, żeby powstrzymać napastników. Tymczasem marnujemy umiejętności młodych dampirów. Ten dekret chroni obie nasze rasy.

— Doprowadzi do szybszego wyginięcia dampirów! — odparłam i zdałam sobie sprawę, że zaraz zacznę krzyczeć. Wzięłam głęboki oddech. — Oni nie są gotowi. Nie odbyli pełnego treningu.

I wtedy Tatiana ujawniła swój mistrzowski plan.

— Twój przykład jest dowodem doskonałego przygotowania do walki. Zanim skończyłaś osiemnaście lat, zabiłaś więcej strzyg niż inni strażnicy przez całe życie.

Spojrzałam na nią spod przymrużonych powiek.

— Ja — odparłam chłodno — miałam doskonałego instruktora. Trzymacie go pod kluczem. Skoro tyle mówicie o marnowaniu naszych zdolności, zajrzyjcie do dworskiego aresztu.

Na widowni zapanowało lekkie poruszenie, a przyjacielski uśmiech Tatiany nieco zrzedł.

— Nie o tym dzisiaj dyskutujemy. Najważniejsza jest kwestia naszego bezpieczeństwa. Zdaje się, że sama wypowiadałaś się w przeszłości na temat niewystarczającej liczby strażników. — Rzuciła mi w twarz moje własne słowa. — Musimy wzmocnić wasze szeregi. Ty i wielu twoich kolegów udowodniliście, że potraficie nas obronić.

— Stanowimy wyjątek! — zabrzmiało to jak przechwałka, ale było prawdą. — Nie wszyscy nowicjusze osiągnęli nasz poziom.

W oczach władczyni pojawił się niebezpieczny błysk, a jej głos znów zabrzmiał podejrzanie słodko.

— W takim razie może brakuje nam lepszych instruktorów. Wyślemy cię do Akademii Świętego Władimira lub innej szkoły, żebyś mogła zadbać o edukację młodszych kolegów. O ile wiem, wyznaczono ci pracę w administracji dworskiej. Jeśli jednak zależy ci na powodzeniu naszego przedsięwzięcia, to możemy zmienić przydział na instruktorski. W ten sposób być może przyśpieszysz swoją promocję na strażniczkę.

Teraz to ja uśmiechnęłam się niebezpiecznie.

— Nigdy — ostrzegłam — nie próbujcie mnie zastraszać, przekupywać ani szantażować. Nie spodobają wam się konsekwencje.

Chyba posunęłam się za daleko. Publiczność wymieniała niespokojne spojrzenia. Niektórzy mieli takie miny, jakby nie spodziewali się po mnie niczego lepszego. Rozpoznałam kilku zdegustowanych morojów. Podsłuchałam kiedyś, jak rozmawiali o moim związku z Adrianem i dezaprobacie Tatiany. Spodziewałam się też, że na sali są obecni uczestnicy wczorajszego rytuału. Widzieli, że królowa wyprowadziła mnie z podziemi, i byli przekonani, że teraz jawnie biorę odwet.

Ale nie tylko moroje reagowali na moje słowa. Nie wiem, czy w duchu się ze mną zgadzali, lecz kilku strażników wystąpiło naprzód. Nie ruszyłam się z miejsca, a ponieważ Tatiana nie okazała lęku, więc zatrzymali się w pół drogi.

— Ta rozmowa jest dla nas bezcelowa — Tatiana przeszła na królewską liczbę mnogą. — Będziesz mogła powiedzieć więcej i w bardziej odpowiedniej formie na następnym spotkaniu, kiedy otworzymy dyskusję. Tymczasem, czy ci się to podoba, czy nie, wniosek przeszedł i nabrał mocy prawnej.

Podpuszcza cię! Zadźwięczał mi w głowie głos Lissy. Wycofaj się, zanim naprawdę napytasz sobie biedy. Wrócisz do tego.

W tej chwili naprawdę niewiele brakowało, żebym wybuchła gniewem. Lissa mnie powstrzymała, ale jej argumenty nie trafiły mi do przekonania. Ugryzłam się w język tylko ze względu na nią. Przypomniałam sobie wcześniejszą rozmowę z Adrianem, kiedy dostrzegłam niekonsekwencję w działaniach Rady.

— To głosowanie nie było uczciwe — powiedziałam głośno. — Przeprowadzono je niezgodnie z prawem.

— Więc zna się pani także na prawie, panno Hathaway? — Królowa była rozbawiona, a fakt, że nie użyła tytułu strażniczka, oznaczał jawny brak szacunku. — Jeśli nawiązuje pani do większego znaczenia głosu monarchy niż pozostałych członków Rady, zapewniamy panią, że moroje kierują się tą zasadą od kilkuset lat. — Tatiana zerknęła na przedstawicieli Rady, z których żaden nie zaprotestował. Nawet ci, którzy sprzeciwiali się dekretowi, nie mogli jej niczego zarzucić.

— Tak, ale w głosowaniu nie brali udziału wszyscy uprawnieni — upierałam się. — Od kilku lat macie puste miejsce w Radzie, chociaż nie powinno tak być. — Odwróciłam się i wskazałam na moich przyjaciół. — Wasylissa Dragomir ukończyła osiemnaście lat i może decydować w imieniu swojego rodu. — Tyle się ostatnio wydarzyło, że wszyscy, łącznie ze mną, przeoczyli urodziny Lissy.

Oczy publiczności zwróciły się teraz na nią i wyczułam, jak bardzo jest z tego niezadowolona. Mimo wszystko była przyzwyczajona do publicznych wystąpień. Wiedziała, czego oczekuje się od przedstawicielki królewskiego rodu, jak powinna wyglądać i jak się zachowywać. Teraz wyprostowała się i patrzyła przed siebie chłodnym, wyniosłym wzrokiem, który mówił, że może w każdej chwili podejść do stołu i upomnieć się o swoje prawo. Nie wiem, czy sprawiła to jej królewska postawa, czy Lissa posłużyła się nieco wpływem, ale nie można było oderwać od niej oczu. Wyglądała olśniewająco i zauważyłam, że wielu wpatrywało się w nią z zachwytem. Cudowna przemiana Dymitra pozostawała kwestią spekulacji, jednak ci, którzy w nią wierzyli, uważali Lissę nieomal za świętą. Zyskała wielki podziw w oczach morojów zarówno dzięki nazwisku, jak i tajemniczej mocy.

Przeniosłam triumfalny wzrok na Tatianę.

— Czy pełnoletność nie uprawnia do głosowania? — Szach-mat, suko.

— Ależ tak — zaćwierkała radośnie. — Pod warunkiem, że Dragomirowie mieliby *quorum*.

Nie mogę powiedzieć, że moje spektakularne zwycięstwo zostało obrócone wniwecz, ale z pewnością nim zachwiano.

— Co takiego?

— *Quorum*. Zgodnie z prawem reprezentanta w radzie może mieć tylko rodzina morojów. Lissa pozostała jedyną przedstawicielką.

Nie wierzyłam własnym uszom.

— Więc musi urodzić dziecko, żebyście dopuścili ją do głosowania?

Tatiana się skrzywiła.

— Nie teraz, oczywiście. Ale kiedyś na pewno. Rodzina pretendująca do prawa głosu musi mieć przynajmniej dwóch członków, z których jeden powinien być pełnoletni. Takie jest prawo morojów, prawo uświęcone kilkusetletnią tradycją.

Zauważyłam zaniepokojone, zmieszane spojrzenia i zorientowałam się, że to prawo nie było powszechnie znane. Oczywiście sytuacja jedynej przedstawicielki rodu była raczej precedensowa.

— To prawda — potwierdziła niechętnie Ariana Szelska. — Czytałam o tym prawie.

Teraz moje zwycięstwo legło w gruzach. Ufałam Szelskim, a Ariana była starszą siostrą moroja, którego chroniła moja matka. Wiedziałam, że odebrała staranne wykształcenie. Poza tym głosowała przeciwko dekretowi i nie miałam powodu podejrzewać, że mówi nieprawdę.

Amunicja mi się skończyła, więc uciekłam się do defensywy.

— To — zwróciłam się do Tatiany — najbardziej popieprzone prawo, o jakim słyszałam.

Teraz naprawdę przesadziłam. Widzowie byli zszokowani, a królowa ostatecznie zrezygnowała z udawania, że jesteśmy w komitywie. Nie pozostawiła żadnych wątpliwości heroldowi.

— Wyprowadzić ją! — wrzasnęła. Zrobiło się głośno, ale ona przekrzyczała wszystkich bez trudu. — Nie będziemy tolerowali tak wulgarnego zachowania!

W jednej chwili byli przy mnie. Biorąc pod uwagę, jak często strażnicy wyprowadzali mnie z różnych miejsc, zaczynałam się już do tego przyzwyczajać. Nie opierałam się, poszłam z nimi do drzwi, ale zachowałam sobie prawo do ostatniego słowa.

— Mogłabyś zmienić to prawo, gdybyś tylko chciała, świętoszkowata suko! — wykrzyknęłam. — Naginasz je do własnych egoistycznych celów, bo się boisz! Popełniasz największy błąd w swoim życiu. Jeszcze tego pożałujesz! Poczekaj, a przekonasz się, że lepiej było tego nie robić!

Nie wiem, czy ktoś mnie usłyszał, bo na sali zapanował chaos, zupełnie jak w chwili, kiedy tu weszłam. Strażnicy, a było ich trzech, puścili mnie dopiero, kiedy znaleźliśmy się na zewnątrz. Przez chwilę staliśmy naprzeciwko siebie w niezręcznej ciszy.

— I co teraz? — starałam się, żeby nie zabrzmiało to agresywnie. Czułam się roztrzęsiona, lecz nie z ich winy.

— Aresztujecie mnie? — To mogłaby być nagroda, bo musieliby mnie zamknąć obok Dymitra.

— Kazano nam cię wyprowadzić — zauważył jeden z nich. — Nie wydano innych rozkazów.

Inny strażnik, starszy mężczyzna, ale wciąż o walecznej postawie, patrzył na mnie surowo.

— Na twoim miejscu ulotniłbym się, zanim postanowią wymierzyć ci karę.

— Chociaż i tak wszędzie cię znajdą — dorzucił trzeci.

Zawrócili, zostawiwszy mnie zdenerwowaną i zdezorientowaną. Moje ciało gotowało się do walki, ale w duszy czułam frustrację, jak zwykle w momentach bezsilności. Mogłam sobie krzyczeć do upojenia. Nic nie wskórałam.

— Rose?

Otrząsnęłam się nieco i podniosłam głowę. Starszy strażnik nie wszedł jeszcze do sali. Miał niewzruszoną minę, lecz dostrzegłam błysk w jego oku.

— Nie wiem, czy to cię pocieszy — powiedział — ale uważam, że zachowałaś się fantastycznie.

Nie było mi do śmiechu, jednak wargi same uniosły mi się w górę.

— Dzięki — odparłam.

Cóż, może jednak coś mi się udało.

ROZDZIAŁ DWUDZIESTY DRUGI

NIE POSŁUCHAŁAM RADY strażnika i nie starałam się zniknąć, ale nie zamierzałam rzucać się w oczy. Znalazłam sobie miejsce wśród drzewek wiśniowych, wiedząc, że zebranie dobiegnie końca i wszyscy tędy wyjdą. Minęło kilkanaście minut i nic się nie wydarzyło, więc zajrzałam do umysłu Lissy. Dyskusja toczyła się nadal. Tatiana dwukrotnie ogłaszała już koniec posiedzenia, ale zebrani nie zamierzali przerywać rozmów toczonych w mniejszych grupach.

Tasza dyskutowała z Lissą i Adrianem oraz kilkoma morojami. Właśnie wygłaszała kolejną udaną przemowę. Nie była tak wyrachowana jak Tatiana w sprawach polityki, lecz dostrzegała luki w systemie i potrafiła wykorzystać nadarzającą się okazję. Głosowała przeciwko nowemu dekretowi. Uczyła morojów sztuki walki. Teraz skoncentrowała się na Lissie.

— Dlaczego kłócimy się, jak najskuteczniej zabijać strzygi, skoro możemy je ratować? — Tasza jednym ramieniem otoczyła Lissę, a drugim objęła Adriana. Twarz

Lissy wyrażała spokój i opanowanie, lecz Adrian wyraźnie wrzał. — Wasylissa, której odmówiono prawa głosu, dowiodła, że można przywrócić strzygę do życi

— To nie zostało potwierdzone — sprzeciw w tłumie.

— Żartujesz? — zdziwiła się kobieta stojąca Moja siostra brała udział w bitwie. Twierdzi, że on jes znów dampirem. Przebywał na słońcu!

Tasza skinęła głową z aprobatą.

— Też tam byłam. W dodatku mamy dwoje morojów obdarzonych mocą ducha, którzy mogą pomóc innym strzygom.

Darzyłam Taszę szacunkiem, ale nie zgadzałam się z nią do końca. Siła magii — nie wspominając o władaniu sztyletem — jakiej Lissa użyła do walki z Dymitrem, była zatrważająca. Naruszyła nawet naszą więź. Nie znaczyło to, że nie powinna tego powtórzyć ani że tego nie chciała. Lissa była zbyt wrażliwa. Tak bardzo współczuła ofiarom, że skoczyłaby w ogień na ratunek potrzebującym. Wiedziałam jednak, że nadużywanie mocy prowadziło do obłędu.

A Adrian... on się nie liczył. Nawet gdyby chciał ratować strzygi, nie posiadał uzdrawiającej mocy, przynajmniej na razie. Moroje używali swojej magii do różnych celów. Ci obdarzeni mocą ognia, jak Christian, potrafili zapanować nad tym żywiołem. Inni posługiwali się powietrzem do ogrzewania wnętrz. Podobnie Lissa i Adrian mieli swoje mocniejsze i słabsze strony. Jego największym wyczynem w dziedzinie uzdrawiania było złożenie złamanej kości, a Lissa wciąż nie potrafiła przenikać do cudzych snów, mimo że bardzo się starała.

Prawda wyglądała tak, że tylko jedna osoba obdarzoną mocą ducha mogła ocalić strzygi i trudno było sobie ..ć, że uratuje legiony tych bestii. Tasza zdawała ..o sprawę.

.. nie powinna tracić czasu na dekrety dotyczące ..trażników — ciągnęła. — Powinniśmy aktywnie szukać morojów władających żywiołem ducha, zwoływać ich, by ratowali strzygi. — Utkwiła wzrok w kimś stojącym w tłumie. — Martinie, czy twój brat nie został przemieniony wbrew woli? Moglibyśmy go sprowadzić z powrotem dla ciebie. Żywego. Takiego, jakim go znałeś. W przeciwnym razie może przebić go sztylet jakiegoś strażnika. Poza tym przez cały czas morduje niewinne ofiary.

Tasza była niezła. Potrafiła odmalować tak przekonujący obraz, że doprowadziła Martina do łez. Dyplomatycznie nie wspominała o morojach, którzy dobrowolnie zmienili się w strzygi. Lissa, która wciąż stała obok niej, nie była pewna, co myśli o armii ducha niosącej ocalenie bestiom, ale wiedziała, że Tasza ma większy plan, między innymi uzyskanie prawa głosu dla Dragomirów.

Wychwalała zdolności i charakter księżniczki i potępiała przestarzałe prawo, nieadekwatne do obecnej sytuacji. Podkreśliła, że pełna Rada licząca dwanaście rodzin powinna wysłać odezwę do strzyg o tym, że moroje się jednoczą.

Nie miałam ochoty tego dłużej słuchać. Zostawiłam Taszę, by bawiła się w swoją polityczną magię, i postanowiłam porozmawiać z Lissą później. Wciąż byłam poruszona tym, co się stało, że nawrzeszczałam na Radę. Wróciłam do rzeczywistości i krzyknęłam na widok intruza.

— Ambroży!

Jeden z najprzystojniejszych dampirów na tej planecie — po Dymitrze, rzecz jasna — posłał mi olśniewający gwiazdorski uśmiech.

— Nie ruszałaś się, sądziłem, że próbujesz zmienić się w driadę.

Zamrugałam powiekami.

— W co?

Wskazał drzewka wiśniowe.

— Ducha przyrody. Piękną kobietę, która stanowi jedność z drzewami.

— Nie jestem pewna, czy to komplement — odparłam.

— Ale miło cię widzieć.

Ambroży wyróżniał się w naszej kulturze: mężczyzna dampir, który nie został strażnikiem ani nie ukrywał się między ludźmi. Kobiety mojej rasy często rezygnowały ze służby i poświęcały się wychowaniu dzieci. Dlatego strażniczki należały do rzadkości. Ale mężczyźni? Oni nie mieli usprawiedliwienia, w każdym razie zdaniem większości. Tymczasem Ambroży nie ugiął się pod presją i pracował dla morojów w innym charakterze. Właściwie był służącym — wysokim rangą, bo serwował drinki na elitarnych przyjęciach i masował arystokratki. Jeśli pogłoski były prawdziwe, to służył również Tatianie w bardziej intymnych okolicznościach. Odpędziłam tę myśl, bo znów przyprawiła mnie o ciarki.

— Ciebie również miło spotkać — powiedział. — Ale skoro nie jednoczysz się z przyrodą, co tu robisz?

— To długa historia. Zostałam wyproszona z posiedzenia Rady. — Widziałam, że zrobiłam na nim wrażenie.

— Dosłownie wyproszona?

— Wyprowadzili mnie siłą. Dziwiło mnie, że cię ostatnio nie widuję — mruknęłam. — Co prawda, byłam bardzo zajęta...

— Słyszałem. — Ambroży patrzył na mnie ze współczuciem. — A ja wyjeżdżałem. Wróciłem dopiero wczorajszej nocy.

— W samą porę, by zostać świadkiem ostatnich wydarzeń — skomentowałam.

Zorientowałam się po jego minie, że nie słyszał o dekrecie.

— Co teraz robisz? — spytał. — To nie wygląda jak kara. Odsłużyłaś wyrok?

— Mniej więcej. A teraz czekam na kogoś. Zaraz pójdę do siebie.

— Skoro nie masz nic do roboty, może spotkasz się z ciocią Rhondą?

— Rhonda? — Nachmurzyłam się. — Nie obraź się, ale nie przekonała mnie co do swoich zdolności.

— Nie obraziłaś mnie — odparł wesoło Ambroży. — Ciocia pytała o ciebie. O Wasylissę również. Może skorzystałabyś z wolnego...

Zawahałam się. Rzeczywiście nie miałam nic lepszego do roboty. Nie wiedziałam, jak rozwiązać sprawę Dymitra i jak zaradzić idiotycznej rezolucji Rady. Z drugiej strony nie miałam ochoty spotykać się Rhondą — ciotką Ambrożego, która parała się wróżbiarstwem. Chociaż... niektóre jej przepowiednie się spełniły. Po prostu źle mi się kojarzyły.

— Dobrze. — Starałam się sprawiać wrażenie znudzonej. — Tylko niech to potrwa krótko.

Ambroży uśmiechnął się znowu, jakby przejrzał moją grę i poprowadził mnie do budynku, w którym już kiedyś byłam. Urządzono w nim luksusowy salon kosmetyczny i spa, odwiedzane przez morojow z rodzin królewskich. Wpadłyśmy tam kiedyś z Lissą, żeby zrobić sobie manicure. Szłam za Ambrożym do pokoiku Rhondy z mieszanymi uczuciami. Zabiegi kosmetyczne wydawały mi się najbardziej trywialnym zajęciem na świecie, ale tamtego dnia doskonale się bawiłyśmy. Śmiałyśmy się i zwierzałyśmy sobie... a potem strzygi napadły na szkołę i wszystko się rozpadło...

Rhonda przepowiadała przyszłość w małym pokoiku położonym z dala od gwarnego spa. Prowadziła jednak intratny interes i nawet miała recepcjonistkę. W każdym razie wtedy, bo teraz biurko stało puste i Ambroży wprowadził mnie od razu do gabinetu wróżki. Nic się tam nie zmieniło, nadal wyglądał jak serce. Wszystko było czerwone: tapeta, dekoracje i poduszki na podłodze.

Rhonda siedziała na podłodze i jadła jogurt — zwyczajny widok jak na kogoś, kto posiadał rzekomo zdolności magiczne. Długie czarne loki opadały jej na ramiona, w uszach lśniły złote koła.

— Rose Hathaway — przywitała mnie radośnie i odstawiła jogurt. — Co za miła niespodzianka.

— Nie przewidziałaś mojej wizyty? — spytałam sucho.

Uniosła kąciki ust w rozbawieniu. — Nie zajmuję się takimi drobnostkami.

— Przepraszam, że przeszkodziliśmy ci w obiedzie. — Ambroży usiadł na podłodze. — Ale niełatwo złapać Rose.

— Wyobrażam sobie — odparła. — Jestem pod wrażeniem, że w ogóle udało ci się ją przyprowadzić. Co mogę dziś dla ciebie zrobić, Rose?

Wzruszyłam ramionami i usiadłam obok Ambrożego.

— Nie wiem. Przyszłam tu z namowy Ambrożego.

— Nie uwierzyła w twoją ostatnią wróżbę — dodał dampir.

— Hej! — Skarciłam go wzrokiem. — Nie to powiedziałam.

Poprzednio byłam tu z Lissą i Dymitrem. Rhonda rozłożyła karty tarota i przepowiedziała Lissie moc oraz światło, co nas nie zdziwiło. Dymitrowi oznajmiła, że straci to, co dla niego najcenniejsze, i rzeczywiście: stracił duszę. Co do mnie, sugerowała niejasno, że będę zabijała nieumarłych. Żachnęłam się wówczas, bo przecież zamierzałam do końca życia walczyć ze strzygami. Teraz przyszło mi do głowy, że „nieumarła" mogła być strzyga w Dymitrze. Nawet jeśli to nie ja przebiłam go sztyletem, to z pewnością miałam w tym spory udział.

— Może kolejna wróżba rozjaśni tę pierwszą? — zaproponowała Rhonda.

Już miałam rzucić jakąś kąśliwą uwagę na temat jej parapsychicznych zdolności, ale powiedziałam coś zupełnie innego.

— W tym problem. Twoja poprzednia wróżba miała sens. Boję się... Boję się tego, co powiedzą karty.

— Karty nie determinują przyszłości — wyjaśniła łagodnie. — Jeśli coś ma się zdarzyć, to nic temu nie zaradzi. A poza tym... nasza przyszłość bezustannie się zmienia. Gdybyśmy nie mieli prawa wyboru, nasze życie byłoby pozbawione sensu.

382

— No właśnie — rzuciłam nonszalancko. — Spodziewałam się tak niejasnej cygańskiej odpowiedzi.

— Romskiej — poprawiła mnie. — Nie cygańskiej.

Mój sarkazm nie popsuł jej humoru. Pomyślałam, że ugodowa natura musi być ich cechą rodzinną.

— Chcesz, żebym postawiła ci karty czy nie?

Czy chciałam? Rhonda miała rację: przyszłość nie zmieni się, jeśli do niej zajrzę. W dodatku i tak pewnie nic nie zrozumiem z przepowiedni, zanim nie rozegra się w życiu.

— Tak — powiedziałam. — Dla zabawy. Poprzednio to musiał być ślepy traf.

Rhonda przewróciła oczami, ale przemilczała moją uwagę i zabrała się do tasowania. Robiła to tak sprawnie, że karty zdawały się przemieszczać same. Potem podała mi talię do przełożenia i złożyła ją ponownie.

— Wtedy wybrałaś trzy karty, ale teraz mamy więcej czasu. Zdecydujesz się na pięć?

— Im więcej kart, tym większa szansa, że coś z tego zrozumiem.

— Skoro nie wierzysz we wróżby, nie ma to żadnego znaczenia.

— W porządku. Niech będzie pięć.

Rozłożyła karty na stole z poważną miną i przyglądała się im uważnie. Dwie były odwrócone do góry nogami. Wiedziałam już, że to zły znak. Poprzednio sądziłam, że wybrałam dobre karty, ale się pomyliłam.

Pierwsza była Dwójka Kielichów, ukazująca mężczyznę i kobietę na zielonej łące pełnej kwiatów. Nad nimi jaśniało słońce.

— Kielichy wyrażają uczucia — wyjaśniła Rhonda. — Dwójka symbolizuje związek, miłość idealną i rozkwit radosnych emocji. Ale karta jest odwrócona...

— Wiesz co? — przerwałam jej. — Chyba już zrozumiałam. Możesz to pominąć. — Karta mogła równie dobrze przedstawiać mnie i Dymitra oraz pusty kielich i ból serca... Nie miałam ochoty słuchać analizy Rhondy, która przysporzyłaby mi jeszcze więcej bólu.

Przeszła do następnej karty. Była to Królowa Mieczy, także do góry nogami.

— Takie karty oznaczają silne indywidualności — powiedziała wróżka. Królowa Mieczy wyglądała dostojnie z rudymi lokami i w srebrnej szacie. — Jest mądra. Umie korzystać z wiedzy, potrafi przechytrzyć wrogów i ma wysokie ambicje.

Westchnęłam.

— Jest odwrócona...

— W tej pozycji — ciągnęła Rhonda — jej zalety zamieniają się w wady. Nadal jest bystra i ambitna... ale ucieka się do intryg i manipulacji. Powiedziałabym, że masz wroga.

— Tak — przyznałam, patrząc na koronę. — Chyba wiem, o kim mowa. Przed chwilą nazwałam ją świętoszkowatą suką.

Kobieta przemilczała moją uwagę i przeszła do kolejnej karty. Tym razem nieodwróconej, chociaż wolałabym, żeby było inaczej. Zobaczyłam wiele mieczy wbitych w ziemię i kobietę z opaską na oczach przywiązaną do jednego z nich. Ósemka Mieczy.

— No nie! — wykrzyknęłam. — Co ja mam wspólnego z tymi mieczami? Poprzednio wybrałam równie przygnębiającą kartę. — Była na niej kobieta płacząca przed ścianą mieczy.

— To była Dziewiątka — zgodziła się Rhonda. — Ale mogło być gorzej.

— Trudno mi w to uwierzyć.

Wróżka zebrała pozostałe karty i po krótkim namyśle wybrała Dziesiątkę Mieczy. — Mogłaś wyciągnąć tę.

— Karta ukazywała martwego człowieka leżącego na ziemi, przebitego wieloma mieczami.

— Jasne — poddałam się, a Ambroży zachichotał. — Co oznacza Dziewiątka?

— Pułapkę. Niemożność wydostania się z matni. Może również oznaczać oskarżenie. Zbieranie się na odwagę, by uciec.

Zerknęłam na królową i przypomniałam sobie, co mówiłam na posiedzeniu Rady. Z całą pewnością można to było podciągnąć pod oskarżenie. A pułapka? Cóż, zawsze mogłam utknąć za biurkiem na długie lata...

Westchnęłam.

— Co znaczy następna karta?

Wyglądała najbardziej obiecująco. Szóstka Mieczy. Na wodzie oświetlonej światłem księżyca kołysała się łódź, a w niej była gromada ludzi.

— Podróż — odparła Rhonda.

— Już podróżowałam, kilka razy. — Przyjrzałam się jej podejrzliwie. — Chyba nie masz na myśli czegoś w rodzaju podróży duchowej?

Ambroży znów się roześmiał.

— Powinnaś codziennie stawiać sobie karty, Rose.

Rhonda zignorowała go.

— Może, gdyby to były kielichy. Ale miecze wskazują na konkretne działania. Masz przed sobą prawdziwą, daleką podróż.

Dokąd niby miałam się wybrać? Czyżbym musiała wrócić do Akademii, jak sugerowała Tatiana? A może, mimo że złamałam zasady i obraziłam publicznie królową, dostanę jednak przydział na służbę z dala od dworu?

— Możliwe, że wyruszysz na poszukiwanie i to będzie zarazem podróż duchowa. — Interpretacja zabrzmiała mętnie. — Znaczenie ostatniej karty... — Rhonda zmarszczyła brwi — jest przede mną ukryte.

Zerknęłam. To był Giermek Kielichów.

— Mnie wydaje się oczywiste. To giermek z... hmm, kielichami.

— Zwykle widzę wyraźnie... Karty mówią o swoich wzajemnych powiązaniach. Ta nie jest jasna.

— Dla mnie nie jest jasne, czy to chłopiec czy dziewczyna. — Postać na obrazku wyglądała młodo, ale długie włosy i androginiczne rysy nie pozwalały odgadnąć płci. Do tego niebieskie rajstopy i tunika... Ale słoneczna łąka w tle wyglądała obiecująco.

— Płeć nie ma znaczenia — tłumaczyła Rhonda. — Giermek jest najniższy rangą wśród karcianych postaci: Króla, Królowej, Rycerza i Papieża. Kimkolwiek jest, to osoba godna zaufania, bardzo twórcza i pełna optymizmu. Może towarzyszyć ci w podróży albo być jej przyczyną.

Natychmiast straciłam cały optymizm i zaufanie do wróżki podającej mi sto możliwych interpretacji, z których żadna nie brzmiała przekonująco. Rhonda widziała mój sceptycyzm, ale wpatrywała się w kartę w skupieniu.

— Nie umiem powiedzieć więcej... Otacza ją chmura. Dlaczego? To nie ma sensu.

Jej zmieszanie przyprawiło mnie o dreszcz. Powiedziałam sobie w myślach, że mam do czynienia z oszustką, ale... Skoro zmyślała, dlaczego nie miała gotowego wyjaśnienia dla Giermka Kielichów? Zdawała sobie sprawę, że mnie nie przekona, przyznając się do niewiedzy. Może rzeczywiście istniała mistyczna siła, która przesłaniała jej obraz sytuacji?

Rhonda westchnęła i podniosła wzrok.

— Przykro mi, ale nie mogę powiedzieć więcej. Pomogłam ci chociaż w części?

Ponownie obejrzałam karty. Ból serca. Wróg. Oskarżenia. Pułapka. I podróż.

— O niektórych sprawach wiedziałam. Reszta postawiła przede mną więcej pytań.

Wróżka uśmiechnęła się znacząco.

— Tak to już jest.

Podziękowałam jej, ciesząc się w duchu, że nie zażądała zapłaty. Ambroży odprowadził mnie do wyjścia, a ja starałam się otrząsnąć z nastroju, w który wprowadziła mnie wróżba. Miałam wystarczająco dużo problemów bez głupich kart.

— Dasz sobie radę? — spytał dampir, kiedy wyszliśmy na zewnątrz. Słońce wznosiło się coraz wyżej. Dwór królewski wkrótce ułoży się do snu i męczący dzień dobiegnie końca. — Wiesz... nie przyprowadzałbym cię tam, gdybym wiedział, że tak cię to przygnębi.

— Nic się nie stało — zapewniłam. — To nie jest wina kart. Mam inne problemy... Pewnie słyszałeś.

Z początku nie zamierzałam opowiadać mu o nowym rozporządzeniu, lecz jako dampir miał prawo wiedzieć, co się stało. Słuchał z nieruchomą twarzą, tylko ciemnobrązowe oczy robiły się coraz większe.

— To na pewno nieporozumienie — powiedział na koniec. — Nie mogą tego zrobić. Nie wolno posyłać szesnastolatków do walki.

— Też tak myślałam, ale oni najwyraźniej nie żartują, skoro wyprosili mnie, kiedy odważyłam się zakwestionować decyzję Rady.

— Mogę sobie wyobrazić, jak ją „zakwestionowałaś". Spodziewam się, że teraz jeszcze więcej dampirów zacznie rezygnować ze służby... A może ci młodsi są bardziej podatni na pranie mózgu.

— Poruszyłam drażliwy dla ciebie temat? — Ostatecznie Ambroży także zrezygnował ze służby strażnika.

Potrząsnął głową.

— Moja decyzja pozostawiła mnie niemal bez szans na przetrwanie w świecie morojów. Jeśli te dzieciaki nie podejmą służby, to nie będą mogły liczyć na pomoc wpływowych przyjaciół. Staną się wyrzutkami. Taki będzie skutek dekretu: nastolatki idące na śmierć lub wyrzucone poza margines.

Zastanowiło mnie, jakich to wpływowych przyjaciół miał Ambroży, ale nie było czasu wypytywać go o historię jego życia.

— Ta królewska dziwka nic sobie z tego nie robi.

Zamyślone, nieobecne spojrzenie dampira nabrało ostrości.

— Nie nazywaj jej tak! — ostrzegł z błyskiem w oku. — To nie jest jej wina.

No, no. Co za niespodzianka. Uroczy i seksowny Ambroży zawsze zachowywał się bardzo przyjaźnie.

— Oczywiście, że tak! Jest władczynią morojów, pamiętasz?

Nachmurzył się jeszcze bardziej.

— W głosowaniu brali udział wszyscy członkowie Rady.

— Tak, ale Tatiana poparła rezolucję. Jej głos przeważył szalę.

— Musiała mieć ważny powód. Nie znasz jej tak dobrze jak ja. Nie ma złych intencji.

Chciałam wykrzyknąć, że postradał rozum, ale przypomniałam sobie pogłoski, że coś go łączyło z królową. Jeśli były prawdziwe, to Ambroży mógł naprawdę się o nią troszczyć. Ślady ukąszeń na szyi świadczyły o intymnej zażyłości.

A ja wcale nie chciałam lepiej poznawać Tatiany.

— Cokolwiek was łączy, nie chcę o tym wiedzieć — oznajmiłam spokojnie. — Widzę jednak, że wmówiła ci wiele rzeczy. Ze mną próbowała tego samego i na początku nawet jej się to udało. To oszustka.

— Nie wierzę ci — odparł z kamienną twarzą. — Jako królowa musi rozwiązywać wiele trudnych problemów. Na pewno są ukryte przyczyny jej decyzji... Jestem pewien, że niedługo zmieni to rozporządzenie.

— Jako królowa — przedrzeźniałam go — powinna była mu się przeciwstawić.

Urwałam, bo nieoczekiwanie usłyszałam w myślach głos Lissy.

Rose, na pewno chciałabyś to zobaczyć. Tylko obiecaj, że nie będziesz robiła problemów.

Lissa podała miejsce i nakazała mi pośpiech.

Ambroży przyglądał mi się z troską.

— Dobrze się czujesz?

— Tak... Lissa mnie potrzebuje. — Westchnęłam. — Nie chcę się z tobą kłócić. Mamy różne zdania, ale zgadzamy się w najważniejszej kwestii.

— Że nie wolno posyłać dzieci na śmierć? Tak, w tym się zgadzamy. — Uśmiechnęliśmy się do siebie bez cienia złości. — Porozmawiam z nią, Rose. Dowiem się, skąd ta decyzja i dam ci znać, dobrze?

— Dobrze. — Trudno mi było wyobrazić sobie, że Tatiana może się komuś zwierzać, ale ostatecznie nie miałam pojęcia, co ich łączyło. — Dzięki. Cieszę się, że cię spotkałam.

— Ja również. Idź już do Lissy.

Nie musiał tego powtarzać. Lissa powiedziała, że to pilne i dorzuciła wiadomość, która przyprawiła mnie o szybsze bicie serca: Chodzi o Dymitra.

Rozdział dwudziesty trzeci

Nie potrzebowałam więzi, żeby odnaleźć Lissę. Wokół niej i Dymitra zebrał się spory tłum. W pierwszej chwili pomyślałam, że odbywa się tam jakiś średniowieczny samosąd w rodzaju kamienowania czy linczu. Dopiero później zorientowałam się, że otaczają ich gapie. Przepychałam się, nie zważając na obrażone spojrzenia, i nareszcie stanęłam w pierwszym rzędzie. Nie mogłam uwierzyć własnym oczom.

Lissa i Dymitr siedzieli obok siebie na ławce naprzeciwko trzech morojów i — tak — Hansa. Wokół ustawili się strażnicy gotowi interweniować w razie zagrożenia. Domyśliłam się, co jest grane. To było przesłuchanie. Chcieli stwierdzić, kim jest Dymitr.

W normalnych okolicznościach przesłuchanie nie odbywałoby się na zewnątrz. Jak na ironię, wybrali miejsce, w którym wcześniej pracowaliśmy z Eddiem, w cieniu posągu młodej królowej. W pobliżu znajdował się kościół. Trawnik, na którym stały ławki, nie należał do poświęconej ziemi, lecz kościół zapewniał schronienie w razie zagrożenia. Krucyfiks nie był wprawdzie bronią przeciwko strzygom, ale bestie nie mogły wejść do kościoła, meczetu czy innego świętego przybytku. Był słoneczny poranek, więc władze wybrały najbezpieczniejsze miejsce na przesłuchanie Dymitra.

Rozpoznałam jednego z morojów, Reece'a Tarusa. Był spokrewniony z Adrianem przez matkę i głosował za przeforsowaniem dekretu. Od razu go znielubiłam, szczególnie za wyniosły ton, jakim zwracał się do Dymitra.

— Czy słońce cię oślepia? — spytał Reece. Miał przed sobą kartkę, a na niej wypisane pytania.

— Nie. — Dymitr odpowiadał spokojnie i bez namysłu. Koncentrował się na rozmówcach. Nie miał pojęcia, że go obserwuję, i tak było dobrze. Mogłam sobie pofolgować i napatrzyć się na jego twarz.

— A gdybyś spojrzał prosto w słońce?

Dymitr się zawahał, ale chyba nikt oprócz mnie nie zauważył błysku w jego oku. Rozumiałam go. Pytanie było idiotyczne i pewnie miał ochotę parsknąć śmiechem. Opanował się jednak.

— Każdy byłby oślepiony, gdyby spojrzał prosto w słońce — odparł. — Mnie to również dotyczy.

Morojowi nie spodobała się ta odpowiedź, lecz nie mógł jej zarzucić braku logiki. Zacisnął wargi, a potem przeszedł do następnego pytania.

— Czy słońce cię parzy?

— Teraz nie.

Lissa popatrzyła po zebranych i dostrzegła mnie. Nie wyczuwała mnie poprzez więź, ale zdarzało się, że intuicyjnie zdawała sobie sprawę z mojej obecności. Pewnie widziała moją aurę. Moroje obdarzeni mocą ducha twierdzili, że świetliste pole otaczające osoby noszące pocałunek cienia było bardzo wyraźne. Uśmiechnęła się do mnie i się odwróciła.

Zawsze czujny Dymitr zauważył ruch jej głowy. Zobaczył mnie i zająknął się przy następnej odpowiedzi.

— Czy twoje oczy robią się czasem czerwone?

— Nie... — Wpatrywał się we mnie przez chwilę, a potem zwrócił się do Reece'a. — Nie mam lustra, ale sądzę, że zauważyliby to moi strażnicy. Żaden mi tego nie powiedział.

Stojący obok nich strażnik wydał cichy dźwięk. Z trudem zachowywał powagę, słuchając tych niedorzecznych pytań. Nie mogłam sobie przypomnieć jego imienia. Dawno temu, kiedy przylecieliśmy z wizytą na dwór królewski, często gawędził i śmiał się z Dymitrem. Skoro dobry znajomy wierzył, że Dymitr znów jest dampirem, uznałam to za dobry znak.

Moroj siedzący obok Reece'a rozejrzał się surowo, chcąc odgadnąć, kto przeszkadza, ale bez powodzenia. Kolejne pytania dotyczyły kościoła. Chciano wiedzieć, czy Dymitr może przestąpić jego próg.

— Wejdę tam, kiedy chcecie — zaproponował. — Mogę pójść na jutrzejsze nabożeństwo.

Reece znów coś zanotował. Pewnie zamierzał poprosić księdza, żeby spryskał Dymitra wodą święconą.

— Mydlenie oczu — usłyszałam znajomy głos. — Biją pianę, jak mawia ciocia Tasza. — Christian stanął obok mnie.

— Muszą go przesłuchać — mruknęłam. — Żeby przekonać się, że nie jest już strzygą.

— Właśnie podpisali dekret. Królowa kazała im rozpocząć przesłuchanie zaraz po ostatniej sesji Rady. Dymitr jest prawdziwą sensacją i odwróci uwagę od rozporządzenia. Zobacz, wszyscy tu przyszli. Mają widowisko!

Christian naśladował swoją ciotkę, ale miał rację. Byłam rozdarta. Zależało mi na uwolnieniu Dymitra. Chciałam, by wrócił do dawnego życia. Jednocześnie nie pochwalałam manipulacji Tatiany, która wykorzystywała go do celów politycznych.

Nie obchodził jej. Rada podjęła przełomową decyzję w naszej historii i tak powinniśmy to rozumieć. Sprawa Dymitra posłużyła jako zasłona dymna dla jej knowań.

Reece pytał teraz Lissę i Dymitra o ich doświadczenia podczas walki w magazynie. Oboje pamiętali je dobrze. Dymitr zachowywał do tej pory całkowity spokój, lecz wyczułam, że zżera go poczucie winy. Zadręczał się tym, co robił jako strzyga. Kiedy jednak słuchał Lissy relacjonującej wydarzenia tamtej pamiętnej nocy, jego twarz rozpromieniła się w zachwycie. Ubóstwiał ją.

Poczułam ukłucie zazdrości. Nie żywił do niej romantycznych uczuć, ale nie to mi przeszkadzało. Odrzucił mnie i myślał tylko o Lissie.

Powiedział, że nie chce mnie więcej widzieć, a dla niej przyrzekł zrobić wszystko. Znów poczułam się oszukana. Nie chciałam uwierzyć, że Dymitr już mnie nie kocha.

To było niemożliwe po tym wszystkim, co razem przeszliśmy. Łączyła nas wielka miłość.

— Zbliża się kulminacyjny moment — zauważył podejrzliwie Christian.

Nie mogłam teraz udowadniać mu, że jego obawy są bezpodstawne, bo musiałam wysłuchać, co Dymitr ma do powiedzenia.

Relacja z jego przemiany była niezrozumiała dla większości, głównie dlatego, że moc ducha nadal pozostawała tajemnicą. Reece starał się to wyjaśnić w miarę możliwości, a potem oddał głos Hansowi. Strażnik był przede wszystkim praktykiem i nie zamierzał tracić czasu na pytania. Ujął w dłonie sztylet i kazał Dymitrowi go dotknąć. Zauważyłam, że strażnicy stojący obok przygotowali się na wypadek, gdyby Dymitr postanowił zaatakować.

Tymczasem on spokojnie wyciągnął rękę i przytrzymał czubek ostrza przez dłuższą chwilę. Wszyscy wstrzymali oddech w oczekiwaniu, że krzyknie z bólu, bo strzygi nie znosiły kontaktu ze srebrem. Jeden Dymitr miał obojętną minę.

A potem zadziwił ich wszystkich. Wyciągnął umięśnione przedramię do Hansa. Było gorąco, więc miał na sobie podkoszulek z krótkim rękawem.

— Rozetnij mi skórę — powiedział.

Hans uniósł brew.

— Będzie bolało, niezależnie od tego, czym jesteś.

— Nie zniósłbym tego jako strzyga — upierał się Dymitr. Był zdeterminowany. Takim widziałam go podczas walki. Nigdy się nie cofał. — Zrób to. Nie bój się, że mnie zranisz.

Hans zwlekał. Nie spodziewał się takiego obrotu sprawy. I nagle podjął decyzję. Uderzył. Ostrze rozdarło skórę Dymitra. Hans nie silił się na delikatność. Rana była głęboka i natychmiast trysnęła krwią. Kilku morojów nieprzyzwyczajonych do takiego widoku wydało przestraszone okrzyki.

Twarz Dymitra wyrażała ból, lecz cios magicznym sztyletem nie tylko ranił strzygę, lecz także palił jej wnętrzności. Widziałam to wiele razy, słyszałam, jak strzygi krzyczą w udręce. Dymitr skrzywił się lekko i przygryzł wargi, kiedy krew spływała mu po ramieniu. Mogłabym przysiąc, że widzę w jego oczach dumę. Wytrzymał. Kiedy stało się oczywiste, że nic więcej się nie wydarzy, Lissa wyciągnęła do niego ręce. Zrozumiałam jej intencje; chciała go uzdrowić.

— Chwileczkę. — Hans ją powstrzymał. — Rana strzygi zabliźniłaby się po kilku minutach.

Poczułam do niego szacunek. Postanowił udowodnić dwie rzeczy jednocześnie. Dymitr spojrzał na niego z wdzięcznością, a ja uświadomiłam sobie, że Hans mu wierzy. Był przekonany, że Dymitr jest dampirem. Pokochałam go za to całym sercem, mógłby nawet znów kazać mi ślęczeć nad aktami.

Patrzyliśmy, jak Dymitr krwawi. To było chore, ale przeszedł próbę. Wszyscy widzieli, że rana się nie zabliźnia. Na koniec pozwolono Lissie ją uzdrowić, co wzbudziło jeszcze większą sensację. Słyszałam wokół siebie pełne podziwu pomruki. Znów widziano w niej boginię.

Reece popatrzył na zebranych.

— Czy ktoś ma jakieś pytania?

Nikt się nie odezwał. Wszyscy byli oszołomieni.

Oczywiście ktoś jednak musiał się wychylić. Dosłownie.

— Ja mam — oświadczyłam, wychodząc z tłumu.

Nie, Rose, błagała Lissa.

Dymitr był niezadowolony. Podobnie jak wszyscy siedzący obok niego. Widząc wzrok Reece'a skierowany na mnie, zorientowałam się, że przypomniał sobie posiedzenie Rady, kiedy nazwałam Tatianę świętoszkowatą suką. Oparłam ręce na biodrach, nie zważając, co sobie pomyślą. Chciałam zmusić Dymitra do działania.

— Kiedy byłeś jedną ze strzyg — świadomie użyłam czasu przeszłego — miałeś kontakt z nimi wszystkimi. Wiedziałeś, gdzie przebywają strzygi w Rosji i Stanach, tak?

Patrzył na mnie nieufnie, zastanawiając się, do czego zmierzam.

— Tak.

— Czy teraz także wiesz, gdzie one są?

Lissa zmarszczyła czoło. Przestraszyła się, że zamierzam dowieść, iż Dymitr nadal kontaktuje się ze strzygami.

— Tak — przyznał. — O ile jeszcze się nie przeniosły.

— Tym razem odpowiedział szybciej. Nie byłam pewna, czy zorientował się, do czego zmierzam, czy po prostu uznał, że próbuję mu pomóc.

— Podzielisz się tymi informacjami ze strażnikami? — ciągnęłam. — Wskażesz nam kryjówki strzyg, żebyśmy mogli je zaatakować?

Dopięłam swego. Przejście do ofensywy w walce ze strzygami było gorąco dyskutowane i miało wielu zwolenników, podobnie jak przeciwników. Słuchałam reakcji w tłumie. Jedni twierdzili, że nawołuję do samobójczej walki, inni sądzili, że zyskalibyśmy cenną przewagę.

Oczy Dymitra się rozświetliły. Nie patrzył na mnie z takim uwielbieniem, jak na Lissę, ale nie miało to znaczenia. Jego wzrok mówił to, co kiedyś, kiedy rozumieliśmy się bez słów. Poczułam, że się ze mną zgadza i jest mi wdzięczny.

— Tak — odparł głośno i wyraźnie. — Powiem wam wszystko, co wiem o planach strzyg i ich kryjówkach. Będę walczył przeciwko nim razem z wami albo zostanę z tyłu, jeśli tego zażądacie.

Hans pochylił się do przodu. Był podekscytowany.

— To bezcenne informacje.

Przyznałam mu kolejny punkt.

Reece spurpurowiał z niezadowolenia. A może był to efekt promieni słonecznych? Moroje zamierzali sprawdzić, czy Dymitr spłonie w świetle dnia, lecz teraz słońce zaczynało im również doskwierać.

— Chwileczkę! — Reece usiłował zapanować nad rozemocjonowanymi gapiami. — Nie prowadzimy takiej strategii. Poza tym on może kłamać...

Jego słowa zagłuszył krzyk kobiety. Mały chłopiec, moroj, najwyżej sześcioletni, wyrwał się z tłumu i biegł w naszą stronę. Wrzeszczała jego matka. Zagrodziłam mu drogę i złapałam za rękę. Nie bałam się, że Dymitr zrobi mu krzywdę, ale ona mogła dostać ataku serca ze strachu. Podeszła do mnie z wdzięcznością.

— Mam pytanie — zaczął dzielnie malec.

Matka zamierzała go zabrać, ale powstrzymałam ją ruchem ręki.

— Chwileczkę. — Uśmiechnęłam się do chłopca. — O co chciałbyś zapytać? Śmiało. — Matka zerkała z przestrachem na Dymitra. — Nie pozwolę, by coś mu się stało — zapewniłam ją szeptem, lecz nie wydawała się przekonana. W każdym razie została na miejscu.

Reece przewrócił oczami.

— To śmieszne...

— Skoro jesteś strzygą... — tym razem chłopiec przemówił głośniej — to dlaczego nie masz rogów? Mój kolega Jeffrey mówił, że strzygi są rogate.

Dymitr znów popatrzył na mnie. Rozumieliśmy się. Odpowiedział chłopcu z łagodną, poważną miną.

— Strzygi nie mają rogów. A nawet gdyby tak było, to bez znaczenia, bo ja nie jestem strzygą.

— Strzygi mają czerwone oczy — wyjaśniłam. — Czy jego oczy są czerwone?

Chłopiec nachylił się bliżej.

— Nie. Są brązowe.

— Co jeszcze wiesz o strzygach? — ciągnęłam.

— Mają kły, tak jak my — odparł rezolutnie.

— Masz kły? — spytałam radośnie Dymitra.

Dymitr uśmiechnął się — szerokim, cudownym uśmiechem, który całkowicie mnie zaskoczył. Tak rzadko to robił. Nawet gdy był rozbawiony albo szczęśliwy, uśmiechał się półgębkiem. Teraz pokazał wszystkie zęby, normalne jak u ludzi i dampirów. Nie miał kłów.

Mały był pod wrażeniem.

— No, Jonathanie — odezwała się niespokojnie jego matka. — Zadałeś pytanie, więc możemy już iść.

— Strzygi są supersilne. — Jonathan zapewne zamierzał kiedyś zostać prawnikiem. — Nic nie może ich zranić.

Tym razem nie odezwałam się w obawie, że zażąda, by serce Dymitra zostało przebite sztyletem. Właściwie byłam zdziwiona, że Reece nie wpadł na ten pomysł. Chłopiec wbił wzrok w Dymitra.

— Jesteś supersilny? Można cię zranić?

— Oczywiście, że można — odparł pytany. — Jestem silny, ale odczuwam ból.

Nie byłabym sobą, gdybym nie zaproponowała malcowi czegoś, czego nie powinnam.

— Powinieneś go uderzyć i przekonać się na własne oczy.

Jego matka znowu krzyknęła, ale Jonathan był szybszy i wyrwał się jej. Podbiegł do Dymitra, zanim ktokolwiek zdążył go złapać — no, ja zdążyłabym — i uderzył maleńką piąstką w kolano.

Dymitr zareagował błyskawicznie, jak wtedy, gdy unikał ciosów przeciwnika. Udał, że leci do tyłu, jakby Jonathan go znokautował. Chwycił się przy tym za kolano i jęknął z bólu.

Kilka osób się roześmiało i wtedy jeden ze strażników chwycił chłopca i oddał go matce, która nieomal wpadła w histerię. Odciągany zerknął jeszcze przez ramię na Dymitra.

— On chyba nie jest taki silny. Nie jest strzygą.

Wywołał tą uwagą jeszcze większe rozbawienie. Trzeci moroj biorący udział w przesłuchaniu nie odzywał się do tej pory, ale teraz wstał.

— Widziałem już wystarczająco dużo. Uważam, że nadal trzeba go pilnować, lecz nie jest strzygą. Przydzielcie mu mieszkanie i miejcie na oku, zanim zapadną dalsze decyzje.

Reece zerwał się z miejsca.

— Ależ...

Tamten machnął ręką.

— Nie będziemy tracić czasu. Jest gorąco i chcę pójść do łóżka. Nie twierdzę, że rozumiem, co się stało, lecz w tej chwili to nasz najmniejszy problem. Członkowie Rady skaczą sobie do gardeł z powodu nowego dekretu. To, co dzisiaj widzieliśmy, jest pozytywnym zjawiskiem, nawet cudownym. Może odmienić nasze życie. Złożę stosowny raport Jej Wysokości.

Tłum zaczął się rozchodzić, ale widziałam zdumienie i podziw na wielu twarzach. To, co przydarzyło się Dymitrowi, było realne i zmieniało wszystko, co do tej pory wiedzieliśmy o strzygach. Strażnicy nie opuszczali Dymitra, który wstał, podobnie jak Lissa. Natychmiast podeszłam do nich, żeby wspólnie cieszyć się zwycięstwem. Serce podskoczyło mi radośnie, bo po „nokaucie" Jonathana Dymitr posłał mi uśmiech. W tej chwili zrozumiałam, że się nie myliłam. Nadal coś do mnie czuł. I nagle to się zmieniło. Dymitr zobaczył, że idę w ich stronę, i przybrał zimną, obojętną minę.

Rose, usłyszałam w głowie Lissę. Odejdź. Zostaw go teraz.

— Niedoczekanie — odpowiedziałam głośno. — Właśnie ci pomogłam.

— Radziliśmy sobie bez ciebie — odparł sztywno.

— Czyżby? — Nie wierzyłam własnym uszom. — Jeszcze przed chwilą byłeś mi wdzięczny za pomysł ujawnienia informacji o strzygach.

Dymitr odwrócił się do Lissy. Mówił cicho, ale usłyszałam go.

— Nie chcę jej widzieć.

— Musisz! — wrzasnęłam i kilka osób odwróciło się z niepokojem. — Nie wolno ci mnie ignorować.

— Każ jej odejść — warknął.

— Nie zamierzam...

ROSE!

Lissa krzyczała w mojej głowie. Jadeitowe oczy przewiercały mnie na wskroś. Chcesz mu pomóc czy nie? Stojąc tu i wrzeszcząc na niego, wprawiasz go w jeszcze większe przygnębienie. Tego chcesz? Chcesz, żeby wszyscy to widzieli? Jak się wścieka i krzyczy na ciebie? Czy dzięki temu poczujesz się zauważona? Powinni widzieć, że jest spokojny... Normalny. To prawda, że mu pomogłaś. Ale zepsujesz wszystko, jeśli teraz nie odejdziesz.

Patrzyłam na nich z oburzeniem, serce waliło mi jak szalone. Słyszałam słowa Lissy, równie dobrze mogła mi je wykrzyczeć w twarz. Ale wkurzyła mnie jeszcze bardziej. Kusiło mnie, by wyżyć się na obojgu, jednak powoli docierało do mnie, że Lissa ma rację. Awanturując się, nie pomogę Dymitrowi. Ale to tak niesprawiedliwe, że mnie odsyłają. Sprzymierzyli się, lekceważąc moją pomoc. Zmitygowałam się jednak. Nie mogłam pozwolić, by zraniona duma zniszczyła to, co osiągnęłam. Wszyscy powinni teraz zaakceptować Dymitra.

Posłałam im znaczące spojrzenie i gwałtownie się cofnęłam. Lissa była pełna współczucia, lecz nie chciałam jej dłużej słuchać.

Nie odeszłam daleko od terenu kościoła, kiedy wpadłam na Daniellę Iwaszkow. Miała lekko rozmazany makijaż i pomyślałam, że ona także stała na słońcu, przyglądając się przesłuchaniu Dymitra. Szła z kilkoma przyjaciółkami, które jednak zostały z tyłu, podczas gdy ona podeszła do mnie. Powściągnęłam złość, upominając się w duchu, że Daniella nie zrobiła mi nic złego. Zmusiłam się do uśmiechu.

— Witam, lady Iwaszkow.

— Daniella — przypomniała łagodnie. — Miałaś mnie nie tytułować.

— Przepraszam. Nie mogę się przyzwyczaić.

Daniella skinęła głową w kierunku odchodzących Lissy i Dymitra. Eskortowali ich strażnicy.

— Widziałam cię przed chwilą. Myślę, że bardzo mu pomogłaś. Biedny Reece był skonfundowany.

Przypomniałam sobie, że Daniella jest spokrewniona z morojem.

— Och... przykro mi. Nie chciałam...

— Nie przepraszaj. Reece jest moim wujem, ale w tym wypadku wierzę Wasylissie i panu Bielikowowi.

Byłam wściekła na Dymitra, ale instynktownie wychwyciłam słówko: pan. Daniella pominęła tytuł strażnika. Mogłam jej to jednak wybaczyć po tym, co powiedziała.

— Więc... wierzysz, że Lissa go odmieniła? I że strzygi można przywrócić do dawnego życia?

Powoli uświadamiałam sobie, że wierzy w to wiele osób. Widziałam to w twarzach w tłumie, a Lissa wciąż podbijała serca nowych zwolenników. Nawykowo zakładałam jednak, że arystokracja stoi po przeciwnej stronie barykady. Daniella uśmiechnęła się krzywo.

— Mój rodzony syn włada mocą ducha. Skoro uznałam ten fakt, muszę przyjąć także inne niewiarygodne zjawiska.

— Chyba tak — rzuciłam.

Za plecami Danielli stał jakiś moroj. Zauważyłam, że raz po raz zerka w naszą stronę. Mogłabym przysiąc, że już go gdzieś widziałam. Tymczasem ona miała mi coś jeszcze do powiedzenia.

— Skoro mówimy o Adrianie... wiem, że cię szukał. Zostało niewiele czasu na przygotowania, ale chciał cię zaprosić na późny koktajl do krewnych Nathana.

Kolejne przyjęcie. Czy ci dworacy nie zajmowali się niczym innym? Masowe zabójstwa, cuda... to nie miało dla nich znaczenia. Pomyślałam z goryczą, że wykorzystają każdą okazję, żeby się bawić.

Adrian musiał mnie szukać, kiedy poszłam z Ambrożym do Rhondy. Ciekawe. Daniella nie omieszkała dodać, że sama też chętnie widziałaby mnie na przyjęciu. Nie miałam ochoty skorzystać z ich zaproszenia. Krewni Nathana to Iwaszkowowie, a oni nie zachowują się przyjaźnie.

— Królowa też tam będzie? — spytałam podejrzliwie.

— Nie, ma inne zobowiązania.

— Na pewno? Nie wpadnie z nieoczekiwaną wizytą?

Daniella się roześmiała.

— Jestem pewna, że nie. Krążą pogłoski, iż lepiej nie zapraszać was razem.

Mogłam sobie wyobrazić, co opowiadają o moim wystąpieniu na posiedzeniu Rady, zwłaszcza że ojciec Adriana brał w nim udział.

— Rzeczywiście, szczególnie po ogłoszeniu jej nowego dekretu. To, co przeforsowała... — Znowu ogarnął mnie gniew. — To niewybaczalne.

Moroj stojący pod drzewem wciąż czekał. Na kogo?

Daniella nie skomentowała moich słów. Ciekawe, po czyjej stała stronie.

— Królowa bardzo cię ceni.

Żachnęłam się.

— Trudno mi w to uwierzyć.

Czyżby okazywała to, wrzeszcząc na mnie publicznie? Tatiana, zwykle opanowana i chłodna, nie wytrzymała pod koniec naszej kłótni.

— Powinnaś. Cierpliwości, może nawet dostaniesz przydział do opieki nad Wasylissą.

— Nie mówisz chyba poważnie?! — wykrzyknęłam.

Daniella Iwaszkow nie żartowałaby w ten sposób, ale byłam przekonana, że Tatiana tym razem mi nie daruje.

— Po tym wszystkim, co się stało, nie chcą tracić dobrych strażników. Poza tym ona nie szuka zwady z tobą.

— Czyżby? Ale ja nie dam się przekupić! Jeśli sądzi, że wypuszczając Dymitra, może na mnie wpłynąć, to bardzo się myli. Jest kłamliwą intrygantką i...

Urwałam gwałtownie. Podniosłam głos i przyjaciółki Danielli patrzyły teraz w naszą stronę. Poza tym nie chciałam obrzucać Tatiany wyzwiskami w obecności tej kobiety.

— Przepraszam — spróbowałam zdobyć się na cywilizowany ton. — Przekaż Adrianowi, że przyjdę na to przyjęcie. Ale czy ty też sobie tego życzysz? Po tym, jak zepsułam wam ceremonię, nie wspominając o kilku innych wyczynach?

Daniella potrząsnęła głową.

— Podczas ceremonii zawinił również Adrian. Było, minęło, Tatiana puściła to w niepamięć. Dziś spotykamy się na miłym koktajlu i skoro on chce cię zaprosić, ja chcę go zadowolić.

— Wezmę prysznic, przebiorę się i spotkam się z nim w waszym domu mniej więcej za godzinę.

Taktownie przemilczała mój wybuch.

— Wspaniale. Adrian będzie uszczęśliwiony.

Ugryzłam się w język i nie powiedziałam, jak cieszy mnie perspektywa ostentacyjnego pokazania się w towarzystwie Adriana u Iwaszkowów, którzy mogą opowiedzieć o mojej wizycie Tatianie. Nie wierzyłam, że królowa zaakceptowała nasz związek. Poza tym stęskniłam się za Adrianem. Ostatnio nie mieliśmy wielu okazji do spotkań.

Daniella oddaliła się z przyjaciółkami, a ja podjęłam decyzję. Ruszyłam prosto w kierunku moroja, który wyraźnie nas obserwował. Stanęłam przed nim w wojowniczej pozie, opierając dłonie na biodrach.

— Dobra — zaczęłam prosto z mostu. — Kim jesteś i czego chcesz?

Był zaledwie kilka lat starszy ode mnie i moja postawa twardzielki nie zrobiła na nim wrażenia. Uśmiechnął się, a ja wciąż nie mogłam sobie przypomnieć, gdzie go widziałam.

— Mam dla ciebie wiadomość — oświadczył. — I kilka podarunków.

Podał mi torbę. Zajrzałam do środka i zobaczyłam laptop, zwoje kabli i kilka kartek. Spojrzałam na niego ze zdumieniem.

— Co to jest?

— Rzeczy niezbędne, żeby zrobić kolejny krok. Zachowaj to w tajemnicy. W środku jest list, on ci wszystko wyjaśni.

— Nie gramy w filmie szpiegowskim. Nie zrobię nic, dopóki... — teraz go poznałam. Spotkaliśmy się w Akademii podczas egzaminów. Trzymał się na uboczu. Jęknęłam, bo zrozumiałam, dlaczego zachowuje się tak tajemniczo. — Pracujesz dla Abe'a.

Rozdział dwudziesty czwarty

Moroj się uśmiechnął.

— W twoich ustach zabrzmiało to jak oskarżenie.

Skrzywiłam się i jeszcze raz zajrzałam do torby.

— Co jest grane?

— Jestem tylko posłańcem, spełniam polecenia pana Mazura.

— To łagodniejsza nazwa dla szpiegowania? Grzebiecie we wstydliwych sekretach innych i wykorzystujecie to przeciwko nim?

Abe wiedział wszystko o wszystkich, szczególnie jeśli dotyczyło to wpływowych polityków. Na pewno miał imponującą siatkę szpiegów. Także na dworze. Byłam pewna, że zainstalował podsłuch w moim pokoju.

— Szpiegowanie to mocne słowo. — Nie zaprzeczył. — Poza tym dobrze płaci. I jest dobrym szefem. — Wypełniwszy zadanie, zamierzał już odejść, ale polecił jeszcze:

— To naprawdę pilne. Przeczytaj list jak najszybciej.

Miałam ochotę cisnąć w niego nieoczekiwanym prezentem. Oswoiłam się już z myślą, że jestem córką Abe'a, ale nie zamierzałam dać się wciągać w jego niecne knowania. Sprzęt komputerowy nie wróżył nic dobrego. Mimo wszystko przytaszczyłam torbę do swojego pokoju i wyrzuciłam zawartość na łóżko. Znalazłam plik kartek, a na wierzchu list napisany na maszynie.

Rose!

Mam nadzieję, że Tad zdążył przekazać ci to w porę. Mam również nadzieję, że go nie obsztorcowałaś. Działam w imieniu osoby, która chce z tobą porozmawiać w pilnej sprawie. Nikt nie może się o tym dowiedzieć. Laptop i modem satelitarny umożliwią wam prywatny kontakt, więc zadbaj o odpowiednie miejsce. Dołączam szczegółowe instrukcje dotyczące konfiguracji. Spotkacie się o siódmej rano.

Nie było podpisu, ale nie potrzebowałam go. Odłożyłam list i przez chwilę gapiłam się na zwoje kabli. Do siódmej pozostała niecała godzina.

— Przesadziłeś, stary! — zawołałam.

Abe przygotował mnóstwo przystępnych instrukcji. Opisał wszystko szczegółowo, zaznaczając, gdzie podłączyć kable, jakiego użyć hasła do zalogowania i jak skonfigurować modem. Przez chwilę chciałam zrezygnować.

Skoro jednak ktoś taki jak Abe użył słowa „pilne", nie powinnam tak szybko się zniechęcać.

Przygotowałam się w duchu na techniczne łamigłówki i zaczęłam robić wszystko według instrukcji ojca. Zajęło mi to mnóstwo czasu, ale zdołałam w końcu podłączyć modem i kamerę oraz zainstalować program ochronny do wideokonferencji z tajemniczym kontaktem Abe'a. Skończyłam kilka minut przed siódmą. Wpatrując się w czarne okno pośrodku ekranu, zastanawiałam się, w co się pakuję.

Punktualnie o siódmej okno ożyło i nieoczekiwanie zobaczyłam w nim znajomą twarz.

— Sydney? — zdziwiłam się.

Obraz na monitorze był nieco zamazany, jak zwykle przy połączeniach internetowych, ale zobaczyłam, jak twarz mojej (w pewnym sensie) przyjaciółki Sydney Sage rozjaśnia się w uśmiechu. Był to typowy dla niej półironiczny grymas.

— Dzień dobry — przywitała się, tłumiąc ziewnięcie.

Sądząc po tym, jak zmierzwione miała włosy, właśnie wstała z łóżka. Nawet mimo kiepskiego obrazu widziałam, jak lśni złoty wzór na jej policzku. Taki tatuaż nosili wszyscy alchemicy. Robiono je atramentem zmieszanym z krwią morojów, która zapewniała długowieczność i zdrowie. Poza tym czar wpływu miał powstrzymać tajne bractwo alchemików przed ujawnieniem sekretów świata wampirów.

— Jest wieczór — poprawiłam ją.

— Możemy się spierać o wasz pokręcony porządek doby innym razem — odparła Sydney. — Nie po to tu jestem.

— A po co? — Wciąż nie mogłam ochłonąć, że ją widzę. Alchemicy niechętnie pełnili swoją służbę i nawet jeśli Sydney lubiła mnie bardziej niż pozostałych morojów i dampirów, to nie zwykła dzwonić, bo naszła ją chęć na przyjacielską pogawędkę. — Zaraz... Nie możesz być w Rosji, skoro mówisz, że u ciebie jest ranek. W tamtej części świata ludzie oglądają właśnie zachód słońca.

— Wróciłam do ojczyzny — wyjaśniła. — Dostałam przeniesienie do Nowego Orleanu.

– Nieźle. – Sydney nie znosiła Rosji. Odniosłam wrażenie, że utknęła tam z powodu jakiejś wymiany. – Jak ci się to udało?

Dostrzegłam jej lekkie zażenowanie.

– No cóż. Abe wyświadczył mi przysługę. Załatwił wszystko.

– Zawarłaś z nim umowę? – Naprawdę musiała nienawidzić Rosji. Za to Abe miał potężne wpływy. – Co mu obiecałaś w zamian? Swoją duszę?

Taki sobie żart, zważywszy, że Sydney była bardzo religijna. Pomyślałam jednak, że w jej przekonaniu moroje i dampiry pożerają dusze i może moja uwaga nie była aż tak nie na miejscu.

– Coś w tym stylu – odparła. – Powiedział: „Zwrócę się do ciebie, jeśli będę potrzebował przysługi".

– Drań.

– Hej! – skarciła mnie. – Nikt mnie do niczego nie zmusza. Tym razem to tobie zamierzam wyświadczyć przysługę.

– Mogłabyś to wyjaśnić?

Byłam ciekawa szczegółów ich diabelskiego paktu, ale czułam, że kroi się coś ważniejszego.

Sydney westchnęła i odgarnęła włosy z twarzy.

– Muszę cię o coś zapytać. Przysięgam, że nikomu nie doniosę... Po prostu chcę znać prawdę, bo może tracimy czas.

– Dobrze... – „Błagam, nie pytaj mnie o Wiktora" – poprosiłam w duchu.

– Czy włamałaś się gdzieś ostatnimi czasy?

Szlag. Starałam się zachować obojętną minę.

– Co masz na myśli?

411

— Niedawno ktoś wykradł akta alchemików — wyjaśniła poważnym, oficjalnym tonem. — Wszyscy zachodzą w głowę, kto to zrobił. I dlaczego.

Odetchnęłam w duchu. Więc nie chodziło jej o więzienie.. Dzięki Bogu nie byłam za coś odpowiedzialna. I nagle dotarło do mnie, co powiedziała. Wkurzyłam się nie na żarty.

— Zaraz. Ktoś was okradł i to mnie podejrzewasz? Sądziłam, że wykreśliłaś mnie z listy złych stworów nocy?

— Nie wykreśliłam żadnego dampira — odparła Sydney. Na jej ustach znów igrał półuśmieszek, jednak nie wiedziałam, czy żartuje. Szybko spoważniała i zrozumiałam, że traktuje tę sprawę bardzo serio. — Możesz mi wierzyć, nie znam nikogo poza tobą, kto mógłby wkraść się do naszego archiwum. To niełatwe zadanie. Praktycznie niemożliwe.

— Hmm, dziękuję? — Nie wiedziałam, czy powinnam uznać to za komplement.

— Oczywiście — ciągnęła z pogardą — ukradli tylko dokumenty, co jest dowodem głupoty. W dzisiejszych czasach mamy wszystko zapisane cyfrowo. Pojęcia nie mam, po co grzebią w starych aktach.

Mogłabym jej podać wiele powodów, ale przede wszystkim chciałam się dowiedzieć, dlaczego byłam główną podejrzaną w tej sprawie.

— To rzeczywiście głupota. I dlaczego sądzisz, że to ja zrobiłam?

— Z powodu wykradzionych informacji. Dotyczyły moroja, Erica Dragomira.

— Co takiego?

— Przyjaźnisz się z nim, prawda? To znaczy z jego córką.

— Tak... — Niemal odebrało mi mowę. — Przechowujecie akta morojów?

— Gromadzimy wszelkie informacje — wyjaśniła z dumą. — Zastanawiałam się, po co komu ta wiedza, kto interesuje się Dragomirami, i... pomyślałam o tobie.

— Nie zrobiłam tego. Dopuściłam się wielu wykroczeń, ale nie tego. Nie wiedziałam nawet, że macie archiwum.

Sydney przyglądała mi się podejrzliwie.

— Mówię prawdę!

— Jak już wspominałam — ciągnęła — nie doniosę na ciebie. Poważnie. Chcę tylko wiedzieć, jak było, żebyśmy nie tracili czasu na bezowocne dociekania. — Znów spoważniała. — Poza tym, jeśli to twoja sprawka... będę musiała odwrócić od ciebie podejrzenia. Obiecałam to Abe'owi.

— Nie wiem, jak to udowodnić. Nic wam nie ukradłam! Za to teraz sama chciałabym poznać sprawcę. Co zabrali? Wszystkie informacje o Ericu?

Sydney przygryzła wargę. Była winna przysługę Abe'owi i zdecydowała się zrobić coś za plecami swoich ludzi, ale najwyraźniej nie zamierzała zdradzać ich sekretów.

— Daj spokój! Skoro macie wszystko w wersji elektronicznej, musisz wiedzieć, co zginęło. Mówimy o Lissie.

— Coś mi przyszło do głowy. — Możesz mi przesłać kopię tych dokumentów?

— Nie — odparła natychmiast. — To wykluczone.

413

— W takim razie, proszę... powiedz mniej więcej, co tam było. Lissa jest moją najlepszą przyjaciółką. Nie mogę pozwolić, by stało jej się coś złego. Przygotowałam się na odmowę. Sydney była taka oficjalna. Czy miała przyjaciół? Potrafiła zrozumieć, co czuję?

— Głównie fakty z jego życia — powiedziała w końcu.

— Plus nasze obserwacje.

— Obser... — urwałam, bo nie chciałam wiedzieć więcej na temat inwigilacji prowadzonych przez alchemików. — Coś jeszcze?

— Raporty finansowe. — Zmarszczyła brwi. — Szczególnie te dotyczące sporych depozytów na pewnym koncie bankowym w Las Vegas. Bardzo się o to starał.

— W Las Vegas? Niedawno tam byłam... — Nie, to nie miało związku.

— Wiem — przyznała Sydney. — Oglądałam zapisy kamer z Godziny Czarownic. Między innymi dlatego cię podejrzewałam. Pasowało do ciebie — zawahała się.

— Ten chłopak, który z tobą był... wysoki moroj o ciemnych włosach... Jesteście razem?

— Eee, tak.

Kosztowało ją to sporo czasu i wysiłku, ale w końcu przyznała.

— Przystojny.

— Jak na złego stwora nocy?

— Ma się rozumieć. — Znowu się zawahała. — Czy to prawda, że uciekliście razem jako para kochanków?

— Co takiego? Skąd! Podobne plotki też do was docierają? — Pokręciłam głową z rozbawieniem, ale szybko wróciłam do sprawy. — Więc Eric miał konto w Vegas, na które wpłacał spore sumy?

— To nie było jego konto. Należało do pewnej kobiety.

— Jakiej kobiety?

— Jakiejś. Nikt tego nie wie. Figurowała u nas jako „NN".

— Oryginalnie — mruknęłam. — Dlaczego to robił?

— Tego również nie wiemy. Zresztą nie interesowaliśmy się tą sprawą. Chcemy wiedzieć, kto się włamał do archiwum.

— Mogę cię tylko zapewnić, że nie ja. — Dostrzegłszy niedowierzanie w jej oczach, wyrzuciłam ręce w górę. — Sydney! Gdybym chciała się czegoś dowiedzieć o Ericu, zapytałabym Lissę. Albo wykradła nasze informacje.

Milczała.

— W porządku. Wierzę ci — powiedziała w końcu.

— Naprawdę?

— Wolałabyś, żebym nie wierzyła?

— Nie, tylko zdziwiłam się, że tak łatwo cię przekonałam.

Westchnęła.

— Chcę wiedzieć więcej o tych skradzionych aktach — nie dawałam za wygraną. — I kim jest NN. Możesz dla mnie zdobyć te informacje?

Sydney potrząsnęła głową.

— Nie. Nie powiem ci nic więcej. I tak już za dużo wiesz o tej sprawie. Abe prosił, żebym uchroniła cię od kłopotów, i zrobiłam to. Wykonałam swoje zadanie.

— Nie sądzę, by Abe tak łatwo ci odpuścił. Ostatecznie zawarliście otwartą umowę.

Nie potwierdziła, ale jej spojrzenie mówiło, że się ze mną zgadza.

— Dobrej nocy, Rose. A może poranka. Nieważne.

— Zaczekaj...

Ekran zgasł.

— Szlag! — ryknęłam, gwałtownie składając laptop.

Każdy fragment tej rozmowy był dla mnie szokiem, poczynając od widoku Sydney, a na kradzieży akt ojca Lissy z archiwum alchemików kończąc. Co kogo obchodził martwy moroj? I dlaczego ten ktoś zadał sobie trud wykradzenia dokumentów? Czego chciał się dowiedzieć? A może próbował w ten sposób ukryć jakieś informacje? Jeśli to drugie było prawdziwe, to Sydney miała rację. Próba okazała się nieudana.

Rozmyślałam o tym, szykując się do snu. Myłam zęby przed lustrem i raz po raz zadawałam sobie pytanie o powód kradzieży. I o sprawcę. Miałam serdecznie dość tajemnic, ale traktowałam poważnie wszystko, co dotyczyło Lissy. Ostatecznie poddałam się i zasnęłam, nie mogąc znaleźć odpowiedzi na dręczące pytania.

Obudziłam się rankiem z nieco lżejszą głową. Zastanawiałam się, czy przekazać Lissie najnowsze rewelacje, i uznałam, że powinna wiedzieć. Ktoś zbierał informacje na temat jej ojca. Trudno było to porównać z pogłoskami o jego...

Nacierałam włosy szamponem, kiedy mnie olśniło. Wieczorem byłam tak skołowana i zmęczona, że nie skojarzyłam tego od razu. Tamten moroj w Godzinie Czarownic twierdził, że ojciec Lissy bywał u nich częstym gościem. Zgodnie z informacjami Sydney Eric wpłacał duże sumy na konto w banku w Las Vegas. Zbieg okoliczności? Być może. Ostatnio jednak coraz mniej wierzyłam w przypadki.

Doprowadziłam się do porządku i postanowiłam odwiedzić przyjaciółkę. Nie uszłam daleko. Adrian czekał na mnie w holu, rozparty na fotelu.

— Wcześnie wstałeś — zażartowałam, podchodząc bliżej.

Spodziewałam się, że się uśmiechnie, ale miał raczej ponurą minę. Zauważyłam, że jest nieuczesany, a jego ubranie — Adrian dbał o wygląd — pomięte. Wyczułam silny zapach tytoniu.

— To nie było trudne, zważywszy, że się nie kładłem — odparł. — Czekałem na kogoś całą noc.

— Czekałeś... O Boże! — Przyjęcie. Zupełnie zapomniałam o zaproszeniu jego matki. Wszystkiemu winni Abe i Sydney. — Adrian, tak mi przykro.

Wzruszył ramionami i nie dotknął mnie, kiedy przysiadłam na poręczy jego fotela.

— Jasne. Pewnie powinienem się był tego spodziewać. Powoli dociera do mnie, że żyłem złudzeniami.

— Nie, nie. Miałam przyjść, ale nie uwierzysz, co...

— Oszczędź mi tego, proszę. — Miał znużony głos i przekrwione oczy. — Nie musisz się tłumaczyć. Mama powiedziała, że byłaś na przesłuchaniu Dymitra.

Zmarszczyłam czoło.

— Ale nie dlatego nie przyszłam na imprezę. Pamiętasz tego gościa...

— Nie rozumiesz, Rose. Znalazłaś czas, żeby uczestniczyć w przesłuchaniu i odwiedzić go w celi, jeśli to prawda, co słyszałem. Ale nie zaprzątałaś sobie głowy

417

dotrzymaniem obietnicy złożonej mnie. Nawet nie odwołałaś wizyty, a przecież wystarczyłoby krótkie: „Nie mogę". Czekałem na ciebie godzinę w domu rodziców, zanim wreszcie zrezygnowałem.

Chciałam powiedzieć, że mógł się ze mną skontaktować, ale właściwie czemu miałby to robić? Ja powinnam była to zrobić. Powiedziałam Danielli, że przyjdę. Wina leżała po mojej stronie.

— Adrian, przepraszam cię. — Ścisnęłam go za rękę, ale nie odwzajemnił uścisku. — Naprawdę chciałam przyjść, tylko...

— Przestań. Odkąd wrócił Dymitr... Nie, to nie tak. Od kiedy popadłaś w obsesję, żeby go odmienić, ja poszedłem w odstawkę. Nieważne, co między nami się działo, nigdy nie zaangażowałaś się w ten związek. Chciałem wierzyć w to, co mi mówiłaś. Sądziłem, że jesteś gotowa... Cóż, pomyliłem się.

Słowa protestu same cisnęły mi się na usta, lecz i tym razem je zdusiłam. Adrian miał rację. Obiecałam, że dam nam szansę. Zaakceptowałam wygodną rolę jego dziewczyny, ale przez cały czas... myślałam o Dymitrze. Zdawałam sobie z tego sprawę, brnąc w podwójną grę. Nieoczekiwanie przypomniał mi się Mason. Jego także zwodziłam i właśnie dlatego zginął. Co się ze mną działo? Nie potrafiłam rozpoznać swoich uczuć.

— Przepraszam — powtórzyłam. — Zależy mi na tym związku... — Nawet ja zdawałam sobie sprawę, jak nieprzekonująco to zabrzmiało.

Adrian uśmiechnął się znacząco.

— Nie wierzę ci. Sama sobie nie wierzysz. — Wstał i bezradnie przesunął ręką po włosach. — Jeśli naprawdę chcesz być ze mną, to musisz to udowodnić.

Nie mogłam znieść jego przygnębienia. Tym bardziej że ja byłam powodem. Poszłam za Adrianem do drzwi.

— Zaczekaj. Porozmawiajmy.

— Nie teraz, mała dampirzyco. Muszę się przespać. Nie mam siły na te gierki.

Mogłam wyjść razem z nim. Zatrzymać go siłą. Ale uznałam, że to bez sensu, skoro nie wiedziałam, co mu powiedzieć. Miał rację. I dopóki nie podejmę ostatecznej decyzji, nie powinnam go do niczego zmuszać. Poza tym był zmęczony i dalsza rozmowa nic by nam nie dała.

Adrian otwierał już drzwi, ale nie mogłam jednak przemilczeć tego pytania.

— Zanim odejdziesz, a rozumiem, że musisz... chcę cię o coś spytać. To nas nie dotyczy. Chodzi o Lissę.

Zatrzymał się niechętnie.

— Kolejna przysługa — westchnął i zerknął na mnie przez ramię. — Mów, tylko szybko.

— Ktoś włamał się do archiwum alchemików i wykradł informacje o ojcu Lissy. Była to głównie historia jego życia, lecz także dane o koncie bankowym, jakie potajemnie założył w Las Vegas. Wpłacał na nie regularnie spore sumy dla jakiejś kobiety.

Adrian czekał.

— I?

— Usiłuję zrozumieć, po co komu te informacje. Nie podoba mi się, że ktoś węszy w rodzinie Lissy. Wiesz cokolwiek na temat poczynań Erica?

— Słyszałaś, co mówił ten facet w kasynie. Podobno Eric często tam zaglądał. Może przesadził z hazardem i musiał spłacać długi.

— Rodzina Lissy zawsze była bardzo zamożna — sprzeciwiłam się. — Nie mieli problemów z pieniędzmi. I dlaczego ktoś wykradł te informacje?

Adrian uniósł ręce.

— Nie mam pojęcia. To wszystko, co wiem, w każdym razie tyle pamiętam wczesnym rankiem. Nie mam głowy do intryg i plotek. Poza tym nie sądzę, żeby ta historia mogła zagrażać Lissie.

Skinęłam głową rozczarowana.

— W porządku. Dzięki.

Adrian wyszedł, a ja patrzyłam przez uchylone drzwi, jak odchodzi. Lissa mieszkała obok niego, lecz nie chciałam, by sądził, że za nim idę. Odczekałam, aż się oddali i ruszyłam w tym samym kierunku. Zatrzymało mnie odległe bicie dzwonów. Zawahałam się.

Chciałam porozmawiać z Lissą o tym, co powiedziała mi Sydney. Wyczułam, że jest teraz sama, więc nikt by nam nie przeszkadzał. Tylko te dzwony. Był niedzielny poranek. Za chwilę w kościele rozpocznie się nabożeństwo. Miałam pewne przeczucie i musiałam sprawdzić, czy się nie mylę.

Ruszyłam biegiem w stronę kościoła znajdującego się w odwrotnym kierunku niż mieszkanie Lissy. Drzwi były już zamknięte, ale kilku spóźnionych wiernych postanowiło wślizgnąć się do środka. Weszłam z nimi i przystanęłam, oceniając sytuację. W powietrzu unosił się ciężki zapach kadzideł. Moje oczy przyzwyczajały się do ciemnego wnętrza oświetlonego jedynie świecami. Cerkiew była znacznie większa od kaplicy u Świętego Władimira. Nie widziałam jeszcze tak wielkiego zgromadzenia. Większość miejsc była zajęta.

Ale nie wszystkie.

Przeczucie mnie nie myliło. Dymitr siedział w jednej z ostatnich ławek. Towarzyszyło mu oczywiście kilku strażników, ale nikt więcej. W kościele było tłoczno, lecz jego ławka pozostała pusta. Reece pytał go wczoraj, czy odważy się wejść do cerkwi, a Dymitr zapowiedział, że chce uczestniczyć w niedzielnych nabożeństwach.

Kapłan rozpoczął już mszę, więc wśliznęłam się do ławki Dymitra. Starałam się poruszać jak najciszej, lecz i tak zwróciłam na siebie uwagę osób siedzących w pobliżu. Nie rozumieli, dlaczego siadam obok strzygi przemienionej w dampira. Gapili się na mnie, słyszałam ich komentarze wymieniane szeptem.

Strażnicy zostawili wolne miejsce obok Dymitra. Kiedy usiadłam, jego twarz wyrażała zaskoczenie, chociaż powinien się mnie spodziewać.

— Nawet nie próbuj! — syknął. — Nie zaczynaj tutaj.

— Ani mi się śni, towarzyszu — mruknęłam. — Przyszłam tu dla dobra mojej duszy.

Nie musiał nic mówić. Nie wierzył, że moja obecność w kościele miała coś wspólnego z duchowością. Nie odezwałam się jednak do końca nabożeństwa. Nawet ja szanowałam pewne granice. Po kilku minutach poczułam, że Dymitr nieco się odprężył. Zareagował nieufnie, kiedy się przysiadłam, ale uznał, że nie wykręcę żadnego numeru. W końcu przestał zwracać na mnie uwagę i pogrążył się w modlitwie. Mogłam mu się przyglądać, nie zwracając na siebie uwagi.

Dawniej Dymitr chodził do szkolnej kaplicy, żeby odnaleźć spokój. Powtarzał, że zabija wprawdzie tylko zło, lecz czuje potrzebę rozmyślania o swoim życiu i szukania przebaczenia za popełnione grzechy. Widząc go teraz, zrozumiałam, że te słowa są prawdziwsze niż kiedykolwiek.

Wyglądał niesamowicie. Przywykłam do tego, że ukrywał emocje, a teraz nieoczekiwanie miał je wypisane na twarzy. Wsłuchiwał się w każde słowo wypowiadane przez kapłana i nagle zrozumiałam, że odnosi je do siebie. Jego piękna twarz wyrażała głębokie skupienie. Wspominał każdy swój okrutny czyn z czasu, kiedy był strzygą. W jego oczach malowała się tak bezdenna rozpacz, że można by pomyśleć, iż to on jest odpowiedzialny za wszystkie grzechy świata, o których rozprawiał ksiądz.

Przez krótką chwilę widziałam na jego twarzy także nadzieję pomieszaną z poczuciem winy i skruchą. Nie, to nie nadzieja. Ona łączy się z myślą, że masz jeszcze szansę. To, co widziałam w jego oczach, było tęsknotą. Gorącym życzeniem. Dymitr modlił się, by obecność w tym świętym przybytku i żarliwy udział w nabożeństwie przyniosły mu odkupienie. Jednocześnie nie miał wiary w to, że to jest możliwe. Pragnął oczyszczenia, ale nie sądził, by było mu dane.

Poczułam ból. Nie wiedziałam, jak zareagować na jego smutek. Uważał, że nie ma nadziei. A ja? Nie wyobrażałam sobie świata bez nadziei.

Nigdy też nie przyszłoby mi do głowy, że będę cytować nauki kościelne. Ale kiedy wierni zaczęli podchodzić do ołtarza, żeby przyjąć komunię, odezwałam się do Dymitra.

– Nie sądzisz, że gdyby Bóg ci przebaczył, byłbyś egoistą, nie wybaczając sam sobie?

– Długo czekałaś, żeby to powiedzieć?

– Wpadłam na to przed chwilą. Niezłe, prawda? Założę się, że nie podejrzewałeś mnie o uwagę podczas mszy.

– I nie myliłem się. Nie przyszłaś tu, żeby się modlić, tylko żeby mnie obserwować.

Interesujące. Skoro zorientował się, że na niego patrzę, również musiał patrzeć na mnie. Trochę to skomplikowane.

– Nie odpowiedziałeś na moje pytanie.

Dymitr wpatrywał się w księdza, rozważając odpowiedź.

– Niewłaściwe pytanie. Nie muszę wybaczać sobie, nawet jeśli Bóg mi przebaczy. Poza tym nie jestem pewien, czy odpuścił mi grzechy.

– Słyszałeś, co mówił kapłan. Bóg wybacza wszystko. Twierdzisz, że to kłamstwo? Bluźnisz.

Dymitr jęknął. Nie sądziłam, że dręczenie go sprawi mi przyjemność, ale frustracja wypisana na jego twarzy nie wypływała z żalu. Nie mógł znieść mojej impertynencji. Widziałam u niego tę minę setki razy i chociaż to brzmi jak szaleństwo, ucieszyła mnie.

– To ty bluźnisz, Rose. Próbujesz wykorzystać cudzą wiarę, żeby osiągnąć swój cel. Nigdy nie wierzyłaś i nadal nie wierzysz.

– Wierzę, że zmarli mogą wrócić do życia – oświadczyłam poważnie. – Jesteś na to dowodem. A skoro to prawda, powinieneś sobie wybaczyć.

Jego spojrzenie stwardniało i jeśli o cokolwiek modlił się w tej chwili, to o zakończenie komunii, żeby mógł się ode mnie jak najszybciej oddalić. Oboje wiedzieliśmy, że musi poczekać do zakończenia mszy. Gdyby nagle wyszedł, uznano by go za strzygę.

– Nie masz pojęcia, o czym mówisz – powiedział.

– Czyżby?! – syknęłam, nachylając się do niego.

Światło świec odbijało się w jego włosach. Miał takie smukłe ciało... Ktoś najwyraźniej uznał, że można mu pozwolić się ogolić i Dymitr miał teraz gładką twarz o idealnych rysach.

– Dokładnie wiem, o czym mówię – ciągnęłam, starając się nie myśleć o wyglądzie Dymitra. – Wiem, przez co przeszedłeś. Dopuściłeś się strasznych rzeczy, byłam przecież świadkiem. Ale złe minęło. Nie miałeś wpływu na swoje czyny. To już przeszłość.

Dziwny udręczony wyraz przemknął po jego twarzy.

– Skąd wiesz? Może bestia nie odeszła. Może zostało we mnie coś ze strzygi.

– W takim razie musisz ją pokonać, podejmując wyzwanie. I nie chodzi o rycerską obronę Lissy. Musisz zacząć żyć. Otworzyć się na tych, którzy cię kochają. Strzyga nie byłaby w stanie tego zrobić. Oto jak możesz siebie ocalić.

– Nie mogę pozwolić, by ktoś mnie kochał! – warknął. – Nie potrafiłbym odwzajemnić uczuć.

– Może powinieneś spróbować, zamiast użalać się nad sobą.

– To nie takie proste.

– Szla... – omal nie zaklęłam w kościele. – Nic nie jest proste! Nasze życie przed napaścią także nie było, a jednak nam się udało! Teraz też nam się uda. Razem pokonamy wszystkie przeszkody. Nie obchodzi mnie twoja wiara w Boga. Ważne jest to, czy wierzysz w nas.

— Nie ma nas. Już ci to mówiłem.

— Wiesz, że nie jestem pilną słuchaczką.

Rozmawialiśmy po cichu, ale nasze ciała musiały ujawnić, że się kłócimy. Zebrani w kościele nie zauważyli niczego, ale strażnicy siedzący najbliżej obserwowali nas bacznie. Przypomniałam sobie, co mówili Lissa i Michaił. Dymitr nie powinien okazywać publicznie gniewu. Problem polegał na tym, że to, co miałam mu do powiedzenia, musiało go rozzłościć.

— Wolałbym, żebyś tu nie przychodziła — powiedział w końcu. — Nie powinniśmy się spotykać.

— To zabawne. Kiedyś powtarzałeś, że jesteśmy sobie przeznaczeni.

— Trzymaj się ode mnie z daleka — zignorował moją uwagę. — Nie próbuj przywoływać uczuć, które dawno zgasły. To minęło. Nie wydarzy się więcej. Nigdy. Lepiej, żebyśmy traktowali się jak obcy. Lepiej dla ciebie.

Miłość i współczucie, jakie we mnie wzbudził, przerodziły się w furię.

— Jeśli chcesz mi dyktować, co mogę, a czego nie — wycedziłam tak cicho, jak to było możliwe — to miej przynajmniej odwagę, żeby powiedzieć mi to w oczy!

Obrócił się tak gwałtownie, jakby wciąż był strzygą. Jego oczy przepełniało... co? To już nie było przygnębienie. Nawet nie wściekłość, chociaż dostrzegłam w nich również gniew. Kryły się w nich przede wszystkim rozpacz i frustracja, może nawet lęk. U podłoża tych wszystkich uczuć wyczułam jednak ból. Dymitr cierpiał i to go zabijało.

— Nie chcę cię tutaj — rzucił z rozognionym wzrokiem. Zabolało, ale jednocześnie poczułam radość, jak przed chwilą, kiedy zareagował tak samo gwałtownie. Nie widziałam przed sobą zimnej wyrachowanej strzygi. Nie był to też pokonany mężczyzna z celi. Patrzyłam na mojego dawnego nauczyciela i kochanka, który gotów był podjąć każde wyzwanie z pasją i mocą. — Ile razy mam ci to powtarzać? Nie zbliżaj się do mnie.

— Przecież mnie nie skrzywdzisz. Jestem tego pewna.

— Już cię skrzywdziłem. Dlaczego nie możesz tego zrozumieć? Jak ci to powiedzieć?

— Mówiłeś... Zanim odszedłeś, mówiłeś, że mnie kochasz — powiedziałam drżącym głosem. — Jak możesz z tego rezygnować?

— Jest już za późno! I łatwiej mi odejść, niż ciągle pamiętać o tym, co ci zrobiłem! — Dymitr przestał się kontrolować i jego głos zadźwięczał w kościele. Kapłan oraz ci, którzy przyjmowali komunię nie usłyszeli go, ale z pewnością zwrócił uwagę siedzących z tyłu. Kilku strażników zesztywniało. Znów musiałam upomnieć się w duchu. Mogłam się wściekać na Dymitra, czułam się zdradzona, bo mnie porzucił, ale nie wolno mi było prowokować go publicznie. Był poruszony i łatwo można było wziąć jego frustrację i ból za wrogość.

Odwróciłam się od niego. Usiłowłam zapanować nad emocjami. Kiedy ponownie podniosłam wzrok, skrzyżowaliśmy spojrzenia. Zaiskrzyło między nami. Dymitr mógł sobie ignorować, co chciał, ale ta więź — porozumienie naszych dusz — wciąż trwała. Chciałam go dotknąć.

Objąć go ramionami i mocno przytulić, powtarzać, że razem możemy osiągnąć wszystko. Nie zdając sobie sprawy z tego, co robię, wyciągnęłam do niego rękę. Odskoczył, jakbym była wężem. Strażnicy zareagowali błyskawicznie, gotowi unieruchomić go w jednej chwili. Ale on nic nie zrobił. Patrzył tylko na mnie tak zimnym wzrokiem, że krew ostygła mi w żyłach. Jakbym była czymś złym i obcym.

— Rose. Proszę, przestań. Proszę, nie zbliżaj się do mnie.

Bardzo starał się zachować spokój.

Zerwałam się w gniewie i frustracji. Czułam, że nie mogę tu zostać, bo skoczylibyśmy sobie do gardeł.

— To nie koniec — mruknęłam. — Nie zrezygnowałam z ciebie.

— Ale ja z ciebie zrezygnowałem — odparł cicho. — Miłość przemija. Moja się skończyła.

Wpatrywałam się w niego z niedowierzaniem. Jeszcze nigdy nie odezwał się do mnie w taki sposób. Do tej pory protestował, uciekając się do wyższych argumentów, powtarzał, że był potworem, który zabił w nim całą miłość. „Zrezygnowałem z ciebie. Miłość przemija. Moja się skończyła".

Cofnęłam się, jakby wymierzył mi policzek. Coś drgnęło w jego twarzy, może uświadomił sobie, jak bardzo mnie zranił. Nie chciałam na niego patrzeć. Przepchnęłam się przez nawę i pobiegłam w stronę tylnego wyjścia. Bałam się, że jeśli zostanę, to wszyscy zobaczą, że płaczę.

Rozdział dwudziesty piąty

Nie chciałam nikogo widzieć. Pobiegłam otumaniona do swojego pokoju. W głowie rozbrzmiewały mi słowa Dymitra: „Miłość przemija. Moja się skończyła". To najgorsze, co mógł powiedzieć. Nie zrozumcie mnie źle: resztę też niełatwo mi przyjąć. Mówił, że będzie mnie unikał, starał się zapomnieć o tym, co nas łączyło. To także bolało, ale pozostawała mi nadzieja, że nadal łączy nas miłość. Że on mnie kocha.

Ale... miłość przemija.

Wszystko się zmieniło. To, co nas łączyło, miało umrzeć, zblednąć i ulecieć na wietrze jak uschnięty liść. Na myśl o tym czułam ból w piersi i w żołądku. Skuliłam się na łóżku i objęłam ramionami, jakby to mogło złagodzić cierpienie. Nie umiałam się z tym pogodzić. To niemożliwie, że po tym wszystkim, co przeszedł, przestał mnie kochać.

Zamierzałam zostać w pokoju do wieczora, zakopana w pościeli. Rozmowa z Sydney i niepokojąca historia ojca Lissy przestały mieć znaczenie. Nie myślałam nawet o przyjaciółce. Miała tego dnia kilka spraw do załatwienia, ale co jakiś czas kontaktowała się ze mną w myślach, pytając, czy się do niej przyłączę.

Nie odpowiadałam, więc Lissa zaczęła się martwić. W pewnej chwili przestraszyłam się, że ona — albo ktoś inny — może mnie szukać w pokoju. Postanowiłam więc wyjść. Nie wiedziałam, dokąd się udać i ruszyłam po prostu przed siebie. Okrążając dziedziniec dworu dostrzegałam miejsca, których nie widziałam wcześniej. Wszędzie stały piękne posągi i fontanny, ale nie potrafiłam ich podziwiać. Kiedy wróciłam do siebie po kilku godzinach, byłam wykończona. Trudno. Przynajmniej uniknęłam niechcianych pytań.

A jednak. Późno — o tej porze zwykle już śpię — rozległo się pukanie. Zwlekałam. Kto mógł mnie odwiedzić? I czy miałam ochotę na rozmowę? Nie wiedziałam, kto stoi za drzwiami, wyczułam tylko, że nie Lissa. Boże. Najbardziej prawdopodobnym gościem wydawał się Hans. Zaraz zażąda, żebym dokończyła pracę papierkową. Po długim zastanowieniu (i ponieważ pukanie nie ustawało) postanowiłam otworzyć.

Na progu stał Adrian.

— Mała dampirzyco. — Uśmiechnął się ze znużeniem. — Wyglądasz, jakbyś zobaczyła ducha.

Co to, to nie. Potrafiłam rozpoznać ducha.

— Ja tylko... nie spodziewałam się ciebie po porannej rozmowie...

Wszedł i usiadł na moim łóżku. Ucieszyłam się, że doprowadził się do porządku. Miał świeże ubranie i perfekcyjną fryzurę. Nadal wyczuwałam zapach papierosów, ale po tym, co mu zafundowałam, miał prawo sobie pofolgować.

— I ja nie spodziewałem się, że cię odwiedzę — przyznał. — Dałaś mi... hmm... sporo do myślenia.

Siadając, starałam się zachować odpowiedni dystans.

— O nas?

— Nie. O Lissie.

— Och... — zarzucałam Dymitrowi egoizm, a oto sama założyłam, że tylko miłość do mnie mogła sprowadzić Adriana z powrotem.

Patrzył na mnie z namysłem w zielonych oczach.

— Myślałem o tym, co powiedziałaś o jej ojcu. To prawda, był hazardzistą i miał pieniądze na spłatę długów. Nie musiałby trzymać tego w tajemnicy. Zapytałem o to mamę.

— Co takiego?! — wykrzyknęłam. — Nikt nie powinien wiedzieć, że...

— Tak, tak, domyśliłem się, że sprawa jest ściśle tajna. Nie martw się. Powiedziałem mamie, że słyszeliśmy w Vegas plotkę o cichym koncie bankowym ojca Lissy.

— I co?

— Ofuknęła mnie, ale potwierdziła nasze przypuszczenia. Twierdzi, że Eric Dragomir był porządnym morojem i nie powinno się źle mówić o zmarłych. Sugerowała też, że mógł mieć problem z hazardem, ale dokonał również wielu wielkich czynów. Zdaje się, że po naszej wpadce podczas Pustej Nocy mama boi się, że wywołam kolejny skandal.

— Ma rację. Co do Erica... — zaczęłam. Może ktoś wykradł jego akta, żeby zniesławić Dragomirów. Rozgłaszanie plotek o zmarłych nie miało wprawdzie sensu, ale jeśli chodziło o Lissę i jej prawo do głosowania? To było prawdopodobne. Chciałam to powiedzieć głośno, ale Adrian dorzucił kolejną sensacyjną wiadomość.

— Ojciec usłyszał, o czym rozmawiamy, i podsunął mi pewną myśl. Powiedział: „Na pewno utrzymywał kochankę. Był porządnym morojem, ale i flirciarzem. Lubił kobiety". — Adrian przewrócił oczami. — Zacytowałem dosłownie: „Lubił kobiety". Mój ojciec jest beznadziejny, taki staroświecki.

Chwyciłam go za ramię, nie zdając sobie sprawy z tego, co robię.

— Powiedział coś więcej?

Adrian wzruszył ramionami, ale nie strząsnął mojej ręki.

— Nie. Mama się rozzłościła i powiedziała mu to samo, co mnie — że niepotwierdzone plotki bywają okrutne.

— Myślisz, że to prawda? Ojciec Lissy miał kochankę? Utrzymywał ją, wpłacając pieniądze na konto?

— Nie wiem, mała dampirzyco. Szczerze? Mój ojciec uwielbia plotkować. Równie dobrze mógł sam to wymyślić. Wiadomo, że tata Lissy lubił się bawić. Łatwo wysnuć dalsze wnioski. Może i miał jakieś sekrety. Wszyscy je mamy. A ten, kto ukradł jego akta, może chce się nimi posłużyć.

Opowiedziałam mu o swojej teorii, że ktoś może próbować w ten sposób zniszczyć Lissę.

— Albo — zastanawiałam się głośno — akta wykradł ktoś, kto ją popiera, żeby nie dostały się w niepowołane ręce.

Adrian przytaknął ruchem głowy.

— Tak czy owak, Lissie nie zagraża śmiertelne niebezpieczeństwo.

Wstał, ale pociągnęłam go z powrotem na łóżko.

— Adrian, zaczekaj... ja... — Przełknęłam ślinę. — Chcę cię przeprosić. Traktowałam cię podle... nie byłam wobec ciebie uczciwa. Przepraszam.

Odwrócił głowę i wbił wzrok w podłogę.

— Nie można zmusić się do uczucia.

— Chodzi o to, że... nie wiem, co czuję. Brzmi idiotycznie, ale to prawda. Zależy mi na Dymitrze. Byłam głupia, sądząc, że jego powrót nie zrobi na mnie wrażenia. Teraz zaczynam rozumieć, że... — „Miłość przemija. Moja się skończyła". — To nie jest skończony rozdział. Niełatwo jest zapomnieć o tym, co było. Potrzebuję czasu i okłamałabym nas oboje, mówiąc, że mam to za sobą.

— Brzmi rozsądnie — stwierdził Adrian.

— Naprawdę?

Zerknął na mnie z lekkim rozbawieniem.

— Tak, mała dampirzyco. Czasem bywasz rozsądna. Mów dalej.

— Więc... mówiłam, że... muszę się z niego wyleczyć. I zależy mi na tobie... Chyba cię nawet trochę kocham — Znów się uśmiechnął. — Chciałabym spróbować jeszcze raz. Naprawdę. Lubię, kiedy jesteś przy mnie, ale za bardzo się pośpieszyłam. Zrozumiem, jeśli odmówisz po tym, jak cię zwodziłam, lecz jeśli chciałbyś być ze mną, to jestem gotowa.

Adrian przyglądał mi się dłuższą chwilę. Wstrzymałam oddech. Mówiłam szczerze: miał pełne prawo ze mną skończyć... ale z jakiegoś powodu ta myśl mnie przeraziła.

Na koniec przyciągnął mnie do siebie i położył się na łóżku.

— Rose, bardzo chciałbym być z tobą. Nie dajesz mi spokoju od chwili, kiedy zobaczyłem cię w ośrodku narciarskim.

Przysunęłam się do niego i oparłam głowę na jego piersi.

— Może nam się udać. Czuję to. A jeśli znowu wszystko zepsuję, to będziesz mógł odejść.

— Gdyby to było takie proste. — Roześmiał się. — Zapominasz, że mam skłonności do uzależnień. Jestem od ciebie uzależniony. Czasem myślę, że mogłabyś mnie krzywdzić, a ja i tak wracałbym do ciebie. Proszę tylko, żebyś była ze mną szczera i mówiła o swoich emocjach. Jeśli nie będziesz potrafiła ocenić, co czujesz do Dymitra, to powiedz mi o tym. Możemy rozmawiać o wszystkim.

Chciałam wyznać, że niezależnie od tego, co czuję, Dymitr nie jest dla niego żadnym zagrożeniem, bo odrzucił mnie wiele razy. Mogłam go prześladować, a i tak nic nie wskóram. „Miłość przemija". Te słowa nadal mnie bolały. Nie umiałam jednak otworzyć się na ten ból. W tej chwili, kiedy Adrian trzymał mnie w ramionach i okazał tyle zrozumienia, zraniona część mojej duszy uświadomiła sobie inną prawdę: Miłość rośnie. Mieliśmy szansę. Naprawdę chciałam spróbować jeszcze raz.

Westchnęłam.

— Nie powinieneś zachowywać się tak wyrozumiale. Miałeś być płytki, nierozważny i... i...

Pocałował mnie w czoło.

— I jaki?

— Hmm... śmieszny.

— To ostatnie mogę załatwić. A pozostałe epitety... tylko przy szczególnych okazjach.

Leżeliśmy spleceni ze sobą, a ja uniosłam głowę i oglądałam jego twarz. Wysokie kości policzkowe i artystyczny nieład na głowie, dzięki czemu wyglądał tak fantastycznie. Przypomniałam sobie, co mówiła jego matka, że niezależnie od wszystkiego i tak się kiedyś rozstaniemy. Może jest mi pisane zawsze tracić mężczyzn, których pokocham.

Przyciągnęłam go mocno i pocałowałam tak namiętnie, że go zaskoczyłam. Jeśli nauczyłam się czegoś o miłości, to tego, że była nietrwała i mogła się skończyć w każdej chwili, jak wiele innych rzeczy w życiu. Oczywiście należało zachować ostrożność, ale nie można sobie pozwalać na marnotrawienie szczęścia. Postanowiłam, że nie zaprzepaszczę tej szansy.

Moje ręce zaczęły rozpinać koszulę Adriana, zanim pomyślałam o tym, co robię. Nie powstrzymał mnie i on również sięgnął do mojego ubrania. Zdarzały mu się chwile olśnień i zrozumienia, lecz był przecież... cóż, Adrianem. Żył chwilą i robił wiele rzeczy bez zastanowienia. Poza tym pragnął mnie od dawna.

Okazało się, że jest także lepszy ode mnie w tej grze i rozebrał mnie szybciej. Poczułam na szyi jego gorące, chętne usta, ale był ostrożny i nie pozwolił sobie nawet musnąć mojej skóry kłami. Byłam mniej delikatna i zaskoczyłam siebie, wbijając mu paznokcie w nagie plecy. Jego usta przesuwały się niżej po linii mojego obojczyka, podczas gdy jednym ruchem zdjął ze mnie stanik.

Gorączkowo ściągałam z siebie dżinsy i naraz poczułam się zażenowana reakcją mojego ciała. Do tej pory wmawiałam sobie, że Dymitr pozostanie moim jedynym kochankiem, a teraz? Pragnęłam Adriana. Czyżbym brała odwet na Dymitrze za to, że mnie odrzucił? A może kierował mną impuls do życia albo miłość do Adriana? Ostatecznie mogło po prostu chodzić o pożądanie. Cokolwiek to było, uczyniło mnie bezbronną pod dotykiem rąk i ust Adriana. Przerwał tylko na krótką chwilę, kiedy zdjął ze mnie wszystko i leżałam przed nim zupełnie naga. On też był prawie nagi, nie zdąży-łam tylko zdjąć z niego bokserek. (Były jedwabne, Adrian nie nosił-by innych). Ujął moją twarz w dłonie i zobaczyłam w jego oczach intensywność, pożądanie... i nutę zachwytu.

— Kim ty jesteś, Rose Hathaway? Istniejesz naprawdę? Dla mnie jesteś jak marzenie we śnie. Boję się, że kiedy cię dotknę, będę musiał się obudzić, a ty znikniesz. —

Rozpoznałam ten poetycki trans, w który czasem wpadał, czar, który kazał mi się zastanowić, czy nie jest oznaką lekkiego obłędu wywołanego mocą ducha.

— Dotknij mnie, a się przekonasz. — Przyciągnęłam go bliżej.

Moje ciało rozpaliło się pod dotykiem jego skóry i dłoni. Fizyczna namiętność zapanowała nad logiką i rozumem. Nie myślałam o niczym, byliśmy tylko my i siła, która przyciągała nas do siebie. Stałam się wyłącznie pragnieniem, pożądaniem i wrażeniem, i...

— Szlag.

Zabrzmiało to bełkotliwie, bo cały czas się całowali-śmy. Tylko refleks strażniczki pozwolił mi się odsunąć w chwili, kiedy nasze biodra odnalazły już wspólny rytm. Odczułam to boleśnie, a Adrian jeszcze bardziej. Nie rozumiał, co się dzieje. Wpatrywał się we mnie ze zdumieniem, kiedy nareszcie zdołałam usiąść na łóżku.

— Co... co się stało? Zmieniłaś zdanie?

— Potrzebujemy zabezpieczenia — powiedziałam. —
Masz kondomy?

Milczał przez chwilę, a potem westchnął.

— Rose, tylko ty wybrałabyś taki moment, żeby o tym
powiedzieć.

Punkt dla niego. Nie miałam wyczucia chwili. Mimo
to lepiej, że przypomniałam sobie teraz, a nie po wszystkim. Nadal przepełniało mnie pożądanie, ale nagle zobaczyłam przed oczami siostrę Dymitra, Karolinę. Poznałam ją na Syberii, miała półroczne dziecko. Maleństwo
było prześliczne, ale na Boga, ta dziewczyna miała mnóstwo zajęć. Karolina pracowała jako kelnerka, a kiedy
wracała do domu, zajmowała się wyłącznie dzieckiem.
Kiedy jej nie było, maleństwem opiekowała się matka
Dymitra. A dziecko ciągle czegoś potrzebowało: jedzenia, przewinięcia, bezustannej uwagi, bo mogłoby coś
połknąć. Druga siostra Dymitra, Sonia, także spodziewała się dziecka, a sądząc po tym, co działo się z ich naj-
młodszą siostrą, Wiktorią, nie zdziwiłabym się, gdyby
i ona wkrótce zaszła w ciążę. Chwilą nieuwagi można
było zmienić całe życie.

Byłam absolutnie pewna, że nie chcę urodzić dziecka
w tym okresie mojego życia. Byłam za młoda. Z Dymitrem nie miałam podobnych obaw, bo dampiry są bez-
płodne. Ale z Adrianem? Stanowiło to problem, podobnie jak fakt, że chociaż choroby weneryczne występowały rzadko u obu gatunków, nie byłam pierwszą kochanką
Adriana. Ani też drugą. Ani trzecią...

— Masz czy nie? — spytałam niecierpliwie. Owszem,
byłam odpowiedzialna, ale nie zamierzałam rezygnować
z seksu.

— Tak. — Adrian także usiadł. — U siebie w sypialni.

Popatrzyliśmy na siebie. Jego pokój znajdował się daleko, w kwaterach dla morojów.

Przysunął się bliżej, objął mnie ramieniem i zaczął pieścić moje ucho.

— Ryzyko jest minimalne.

Zamknęłam oczy i oparłam o niego głowę. Przesunął ręce na moje biodra i pogłaskał mnie.

— Jesteś lekarzem? — spytałam.

Roześmiał się miękko i pocałował mnie za uchem.

— Nie, ale jestem gotów zaryzykować. Nie powiesz mi, że tego nie chcesz.

Otworzyłam oczy i odsunęłam się, żeby na niego spojrzeć. Miał rację. Chciałam tego. Bardzo mocno. I ta część mnie — przeważająca część — płonęła pożądaniem, usiłując przejąć kontrolę. Ryzyko może było niewielkie. Czyż nie słyszałam o kobietach, które bezskutecznie usiłowały zajść w ciążę? Moje pragnienie miało solidne argumenty i zdziwiłam się, kiedy wygrała logika.

— Ja nie mogę ryzykować — oświadczyłam.

Teraz on mi się przyglądał. Na koniec skinął głową.

— W porządku. Przełożymy to. A tej nocy będziemy... odpowiedzialni.

— Tylko tyle powiesz?

Zmarszczył brwi.

— A co chciałabyś usłyszeć? Powiedziałaś nie.

— Przecież mógłbyś... użyć czaru wpływu.

Teraz on był zaskoczony.

— Chciałabyś tego?

— Nie. Oczywiście, że nie. Pomyślałam tylko, że... mógłbyś to zrobić.

Adrian ujął moją twarz w dłonie.

— Rose, oszukuję w grze w karty i przy kupowaniu alkoholu. Ale nigdy, przenigdy nie zmusiłbym cię do zrobienia czegoś wbrew twojej woli. A już szczególnie... Nie pozwoliłam mu dokończyć. Przytuliłam się do niego i pocałowałam. W pierwszej chwili poddał się, ale potem niechętnie mnie odsunął.

— Mała dampirzyco — powiedział sucho. — Jeśli chcesz być odpowiedzialna, to nie tędy droga.

— Możemy się kontrolować. I być odpowiedzialni.

— To całe gadanie...

Znieruchomiał, kiedy odrzuciłam włosy, odsłaniając szyję. Przekręciłam się lekko, żeby spojrzeć mu w oczy, ale nic nie powiedziałam. Nie musiałam. To było oczywiste zaproszenie.

— Rose... — zaczął niepewnie, chociaż widziałam w jego oczach pragnienie.

Picie krwi nie jest tym samym co seks, ale wszystkie wampiry tego pragną. Zwłaszcza w intymnej sytuacji, kiedy są podniecone, smak krwi dostarcza im ponoć niezrównanej rozkoszy. Oczywiście takie praktyki są surowo zakazane. Kobiety dampiry pozwalające pić swoją krew kochankom nazywane są dziwkami krwi i potępiane. Ja już to wcześniej robiłam: karmiłam swoją krwią Lissę oraz Dymitra, kiedy był strzygą. Zapamiętałam to jako cudowne przeżycie.

Adrian spróbował jeszcze raz, z większym opanowaniem.

— Rose, czy wiesz, o co prosisz?

— Tak — odparłam stanowczo. Przesunęłam delikatnie palcem po jego wargach i wsuwając go do ust, dotkęłam jego kłów. Powtórzyłam jego własne słowa. – Nie powiesz mi, że tego nie chcesz.

Chciał. W ułamku sekundy zatopił kły w mojej szyi. Krzyknęłam z bólu, lecz krzyk natychmiast przerodził się w jęk rozkoszy, kiedy poczułam napływ endorfin obecnych w ślinie wampirów. Ogarnęła mnie błogość. Adrian niemal przyciągnął mnie, przycisnął moje plecy do swojej piersi. Ledwie uświadamiałam sobie dotyk jego dłoni, jego ust. Poddałam się całkowicie uczuciu najwyższej rozkoszy i słodyczy. Byłam w uniesieniu.

Kiedy się ode mnie oderwał, miałam wrażenie, że odebrał mi część duszy. Czułam się niekompletna. Sięgnęłam po niego, ale delikatnie odsunął moją rękę. Uśmiechnął się przy tym, oblizując wargi.

– Ostrożnie, mała dampirzyco. Posunąłem się trochę za daleko. Za chwilę wyrosną ci skrzydła i odlecisz.

Pomysł wydawał się doskonały, lecz po krótkiej chwili uniesienie minęło i wróciłam do rzeczywistości. Nadal czułam się cudownie, trochę nieprzytomnie; endorfiny ugasiły pragnienie mojego ciała. Stopniowo odzyskiwałam zdolność myślenia. Adrian upewnił się, że jestem przytomna, i położył się wygodnie na łóżku. Dołączyłam do niego i zwinęłam się w kłębek u jego boku. On także był zaspokojony.

– Wiesz – powiedział w zamyśleniu. – To było najlepsze nieseksualne zbliżenie, jakie miałem.

Uśmiechnęłam się sennie. Zrobiło się późno i zachciało mi się spać. Coś mi mówiło, że postąpiłam źle. Chciałam tego i zależało mi na Adrianie, ale zdecydowałam się raczej z powodu smutku i przygnębienia.

Szybko otrząsnęłam się jednak z tych rozmyślań. Byłam wyczerpana. Zasnęłam u boku Adriana zdrowym, głębokim snem, jakiego nie doświadczyłam od dawna.

Właściwie nie zdziwiłam się, że wstałam, wzięłam prysznic, ubrałam się i nawet wysuszyłam włosy, nie budząc Adriana. W przeszłości spędziliśmy z przyjaciółmi wiele porannych godzin, usiłując wyciągnąć go z łóżka. Trzeźwy czy skacowany, Adrian był wielkim śpiochem.

Poświęciłam więcej czasu niż zwykle na ułożenie fryzury. Na mojej szyi widniał wyraźny ślad ukąszenia wampira. Rozpuściłam włosy i zaczesałam je na bok, by gęstą falą zakrywały dowód. Zadowolona z efektu rozważałam, co robić. Mniej więcej za godzinę miało się rozpocząć posiedzenie Rady, na którym mogli się wypowiedzieć zwolennicy i przeciwnicy nowego dekretu, kwestii udziału morojów w walce ze strzygami i prawa głosu dla Lissy. Jeśli mnie tam wpuszczą, to za nic nie stracę tak ważnej debaty.

Nie chciałam budzić Adriana. Smacznie spał w moim łóżku. Gdyby teraz wstał, musiałabym poczekać, aż się wyszykuje do wyjścia. Wyczułam przez więź, że Lissa siedzi sama w kafeterii. Chciałam porozmawiać z nią przy śniadaniu i uznałam, że Adrian poradzi sobie sam, gdy się obudzi. Zostawiłam mu liścik, w którym napisałam, dokąd poszłam i że drzwi zatrzasną się, kiedy będzie wychodził. Dołączyłam mnóstwo uśmiechów.

W połowie drogi do kawiarni poczułam, że mój plan nie wypalił. Do Lissy przysiadł się Christian.

— No, no — mruknęłam do siebie.

Tyle się ostatnio wydarzyło, że nie śledziłam uważnie prywatnego życia przyjaciółki. Po tym, co razem przeszli w magazynie, nie zdziwiłam się, że znów są blisko, ale wiedziałam też, że nie są razem. Tymczasem. Chcieli odnowić przyjaźń i zakończyć wieczne spory podszyte zazdrością i urazą.

Nie miałam zamiaru im w tym przeszkadzać. Skierowałam się do innego miejsca w pobliżu budynku straży, gdzie także serwowano kawę i pączki. Postanowiłam się tam wślizgnąć w nadziei, że zapomniano o moim okresie próbnym i nikt nie zrobi mi awantury.

Postanowiłam zaryzykować.

Idąc przez dziedziniec, zerknęłam z niepokojem na niebo. Deszcz z pewnością nie poprawiłby mi nastroju. Na szczęście w kawiarni nikt nie zwrócił na mnie uwagi. Goście mieli większą sensację: Dymitra.

Towarzyszyli mu strażnicy i chociaż ucieszyłam się, że zyskał nieco wolności, to jednak byłam zła, że wciąż go pilnowano. Cóż, przynajmniej nie zebrał się wokół niego tłum gapiów. Ci, którzy przyszli na śniadanie, oczywiście zerkali w jego stronę, ale nikt nie podchodził. Naliczyłam wokół Dymitra pięciu strażników, zatem znacznie zmniejszono liczbę jego obstawy. Uznałam to za dobry znak. Siedział samotnie przy stoliku przy kawie i na wpół zjedzonym pączku z lukrem. Czytał powieść w miękkiej okładce. Mogłabym przysiąc, że to był western.

Nikt nie usiadł przy nim. Eskorta utworzyła ochronny pierścień: dwoje strażników pod ścianami, jeden przy wejściu i dwóch przy sąsiednich stolikach. Ta czujność wydawała się jednak bezpodstawna. Dymitr był pogrążony w lekturze, kompletnie nieświadomy obecności strażników i gapiów. A może tylko robił dobrą minę do złej gry? Wydawał się niegroźny, ale przypomniałam sobie słowa Adriana. Czy zostało w nim coś ze strzygi? Coś mrocznego? Sam twierdził, że nie potrafi już nikogo kochać. Zawsze bezbłędnie wyczuwaliśmy się nawzajem. Potrafiłam go odnaleźć w największym tłumie. Teraz, chociaż był zajęty czytaniem, podniósł głowę, kiedy podeszłam do lady. Nasze oczy spotkały się na ułamek sekundy. Miał obojętną minę, a jednak wyczułam, że na coś czeka.

„Na mnie" — pomyślałam od razu. Pomimo wszystko, mimo kłótni w kościele... Nadal sądził, że będę go przekonywać i zapewniać o swojej miłości. Dlaczego? Czyżby spodziewał się, że zupełnie straciłam głowę? A może — czy to możliwe — chciał, żebym do niego podeszła?

Postanowiłam jednak, że zostawię mu inicjatywę. Zbyt dużo razy mnie zranił. Kazał mi się trzymać z daleka i jeśli w ten okrutny sposób zamierzał się ze mną bawić, to nie miałam zamiaru podejmować gry. Posłałam mu surowe spojrzenie, odwróciłam się gwałtownie i stanęłam przy ladzie. Zamówiłam herbatę z mlekiem i czekoladową eklerkę. Po chwili zastanowienia zamówiłam drugą. Czułam, że to będzie jeden z tych dni.

Planowałam zjeść na zewnątrz, lecz zerknęłam na zaciemnioną szybę i dostrzegłam na niej smugi deszczu. Szlag. Przez chwilę rozważałam wyjście na przekór pogodzie, ale uznałam, że nie dam się odstraszyć Dymitrowi. Ruszyłam do jak najdalszego stolika, omijając Dymitra wzrokiem.

— Cześć, Rose. Wybierasz się na dzisiejsze posiedzenie Rady?

Stanęłam jak wryta. Zaczepił mnie jeden ze strażników Dymitra. Uśmiechał się do mnie przyjaźnie. Nie pamiętałam jego imienia, ale zawsze był dla mnie miły, Nie chciałam być niegrzeczna, więc niechętnie przystanęłam.

— Jasne. — Starałam się patrzeć wyłącznie na strażnika. — Tylko coś przegryzę.

— Myślisz, że cię tam wpuszczą? — spytał drugi. On także się uśmiechał. W pierwszej chwili pomyślałam, że naśmiewają się z mojego wybuchu na ostatnim posiedzeniu. Ale nie. Ich miny wyrażały aprobatę.

— Oto jest pytanie — przyznałam i ugryzłam eklerkę.

— Mimo wszystko spróbuję. Postaram się zachowywać grzecznie.

Pierwszy strażnik zachichotał.

— Mam nadzieję, że nie nadmiernie grzecznie. Ta banda zasługuje na solidną burę za ich idiotyczne pomysły.

Pozostali strażnicy pokiwali głowami.

— O czym mówicie? — spytał Dymitr.

Powoli obróciłam się w jego stronę. Jak zwykle zaparło mi dech. „Uspokój się, Rose — skarciłam się w myślach.

— Jesteś na niego wściekła, pamiętasz? I w dodatku wybrałaś Adriana".

— Rada wydała dekret orzekający, że szesnastoletnie dampiry mogą walczyć ze strzygami równie skutecznie jak osiemnastolatki — wyjaśniłam i ugryzłam kolejny kęs ciastka.

Dymitr poderwał głowę tak gwałtownie, że omal się nie udławiłam.

— Jakie szesnastolatki walczą ze strzygami? — Jego strażnicy zesztywnieli, ale się nie poruszyli.

Trochę to trwało, zanim przełknęłam. Kiedy wreszcie się odezwałam, mówiłam z lekkim przestrachem.

— Tak głosi dekret. Dampiry kończą naukę w wieku szesnastu lat.

— Od kiedy? — spytał ostro.

— Od wczoraj. Nikt ci nie powiedział? — Zerknęłam na jego towarzyszy. Jeden z nich wzruszył ramionami. Odniosłam wrażenie, że nie wdają się z nim w pogawędki, nawet jeśli uwierzyli, że jest dampirem. Dymitr rozmawiał tylko z Lissą i komisją śledczą.

— Nie. — Nastroszył brwi, rozważając tę rewelację.

Jadłam eklerkę w milczeniu, czekając, czy doda coś więcej. W końcu się odezwał.

— To obłęd. Pomijając kwestię etyki, te dzieciaki nie są gotowe do walki. Popychają je do samobójstwa.

— Wiem. Tasza podała solidne argumenty przeciwko dekretowi. Sama też interweniowałam w tej sprawie.

Dymitr zerknął na mnie podejrzliwie, zwłaszcza że dwóch strażników uśmiechnęło się pod nosem.

— Głosowanie było zamknięte? — Dymitr zadawał mi pytania, jakby mnie przesłuchiwał. Mówił poważnym, oficjalnym tonem charakterystycznym dla strażnika. Uznałam, że to lepsze od jego depresji. Dużo lepsze, niż gdyby kazał mi odejść.

— O, tak. Gdyby dopuszczono Lissę, głosowałaby przeciwko i wniosek by nie przeszedł.

— Aha. — Dymitr bawił się krawędzią filiżanki. — Chodzi o *quorum*.

— Wiesz coś o tym? — zdziwiłam się.

— To stare prawo morojów.

— Tak słyszałam.

— Co robi opozycja? Próbują obalić dekret czy uzyskać prawo głosu dla Dragomirówny?

— Jedno i drugie. Nie poddają się.

Dymitr pokręcił głową i odgarnął kosmyk włosów za ucho.

— Nie powinni się rozpraszać. Lepiej, żeby skupili się na jednym problemie. Lissa jest dobrym wyborem. Rada powinna przywrócić prawo głosu Dragomirom. Widziałem, jak wszyscy patrzyli ostatnio na Lissę, kiedy wystawiono mnie na widok publiczny — w jego głosie pojawiła się nutka goryczy, jedyny znak świadczący o tym, jak się wówczas czuł. Szybko się opanował. — Nie będzie trudno znaleźć poparcie dla tego przedsięwzięcia, o ile opozycja skoncentruje siły.

Nadgryzłam drugie ciastko, zapominając o swoim solennym postanowieniu, że będę ignorować Dymitra. Teraz nie chciałam go odciągać od tematu. Po raz pierwszy od dawna zobaczyłam, jak jego oczy rozbłysły. Zaangażował się. Do tej pory interesowała go wyłącznie służba dla Lissy i przepędzanie mnie. Podobał mi się taki Dymitr.

W tej chwili, gdy gotów był ryzykować życie dla słusznej sprawy, wydawał się dawnym sobą. Niemal zapragnęłam, by wrócił do tej irytującej pozy i znów kazał mi trzymać się z daleka. Taki jak teraz budził we mnie za dużo wspomnień, no i wyglądał zbyt atrakcyjnie. Kiedy się angażował, był bardzo seksowny. Roztaczał wokół siebie tę samą aurę charyzmy, kiedy walczyliśmy ze sobą. I kiedy się kochaliśmy. Powrócił dawny Dymitr:

silny i zdecydowany. Cieszył mnie jego widok, lecz jednocześnie serce ścisnęło mi się z bólu, ponieważ go straciłam.

Jeśli odgadł moje uczucia, to nie okazał tego. Patrzył mi prosto w oczy i tak jak dawniej jego wzrok działał na mnie magnetycznie.

— Jeśli spotkasz Taszę, to możesz ją do mnie przysłać? Muszę z nią o tym porozmawiać.

— Zatem Tasza może być twoją przyjaciółką, a ja nie? — wypaliłam bez zastanowienia. Zaczerwieniłam się ze wstydu, że wyrwało mi się to w obecności strażników. Dymitr najwyraźniej także nie życzył sobie publiczności. Podniósł wzrok na dampira, który zagadnął mnie pierwszy.

— Czy moglibyśmy porozmawiać chwilę na osobności?

Eskorta wymieniła spojrzenia i niemal jak na komendę wszyscy się cofnęli. Nie odeszli daleko i nadal okrążali Dymitra pierścieniem. Zapewnili nam jednak możliwość rozmowy w cztery oczy. Dymitr spojrzał na mnie. Usiadłam.

— Ty i Tasza to dwie różne historie. Ona może być obecna w moim życiu. Ty nie.

— A mimo to... — odrzuciłam gniewnie włosy — ...pozwalasz mi się zbliżać wtedy, kiedy ci to pasuje, na przykład kiedy potrzebujesz posłańca.

— Nie odniosłem wrażenia, że jestem potrzebny tobie — rzucił sucho, wskazując ruchem głowy moją szyję.

Nie od razu zorientowałam się, do czego pije. Odrzucając włosy, odsłoniłam ślad ukąszenia. Usiłowałam zapanować nad rumieńcem. W końcu nie miałam się czego wstydzić. Poprawiłam fryzurę.

— Nie twoja sprawa! — syknęłam z nadzieją, że strażnicy niczego nie zauważyli.

— Otóż to — powiedział triumfalnie. — Powinnaś prowadzić własne życie, z dala ode mnie.

— Och, na litość boską! — wykrzyknęłam. — Przestań wreszcie...

Nie dokończyłam, bo nieoczekiwanie zostaliśmy zaatakowani.

No, może nie był to do końca atak. Przed chwilą byliśmy tu tylko Dymitr, ja i jego ochrona. Nagle do środka wtargnął oddział straży. Nie byle jaki oddział. Strażnicy nosili czarno-białe uniformy przeznaczone na specjalne okazje, ale małe czerwone guziki na ich kołnierzach świadczyły o tym, że są oni członkami osobistej ochrony królowej. Naliczyłam ich chyba około dwudziestu.

To byli najlepsi z najlepszych, najstraszniejsi w walce. Straż królewska od wieków skutecznie strzegła władców przed napastnikami. Nieśli ze sobą śmierć. Teraz błyskawicznie nas otoczyli. Poderwaliśmy się z Dymitrem, nie wiedząc, co się dzieje. Z całą pewnością straż przybyła tu z naszego powodu. Do tej pory oddzielał nas od siebie jego stolik i kilka krzeseł, ale w jednej chwili instynktownie przyjęliśmy pozycję obronną plecami do siebie.

Ochroniarze Dymitra byli zaskoczeni pojawieniem się straży, ale wkrótce przyłączyli się do przybyłych. Skończyły się uśmiechy i żarty. Chciałam zasłonić Dymitra własnym ciałem, ale w tej sytuacji było to trudne.

— Pójdziesz z nami — odezwał się jeden ze strażników królowej. — Jeśli stawisz opór, to wyprowadzimy cię siłą.

— Zostawcie go! — krzyknęłam, rozglądając się po ich twarzach. Eksplodowała we mnie ślepa furia. Jak mogli mu wciąż nie wierzyć? Dlaczego go prześladowali? — On nie zrobił nic złego! Kiedy wreszcie przyjmiecie do wiadomości, że jest dampirem?

Strażnik uniósł brew.

— Nie mówiłem do niego.

— Jak to? Przyszliście... po mnie? — gorączkowo usiłowałam sobie przypomnieć, co ostatnio zrobiłam. Przez chwilę rozważałam szaloną myśl, że królowa dowiedziała się o mojej nocy z Adrianem i wpadła we wściekłość. Ale przecież nie wysyłałaby po mnie straży... A może? Czyżbym naprawdę posunęła się za daleko?

— Dlaczego? — wtrącił się Dymitr. Jego ciało było napięte i gotowe do walki.

Strażnik nie spuszczał ze mnie wzroku, ignorując Dymitra.

— Nie zmuszaj mnie, bym to powtarzał: pójdziesz z nami dobrowolnie albo cię zmusimy. — W jego ręku zalśniły kajdanki.

Wybałuszyłam oczy.

— To jakiś obłęd! Nigdzie nie pójdę, dopóki nie wyjaśnicie mi, co do diabła...

Najwyraźniej uznali, że nie zamierzam być posłuszna. Dwóch strażników rzuciło się na mnie i mimo że teoretycznie staliśmy po tej samej stronie, zareagowałam instynktownie. Wiedziałam tylko, że nie pozwolę traktować siebie jak kryminalistki. Popchnęłam krzesło, na którym przed chwilą siedziałam, w stronę jednego z napastników, podczas gdy drugiemu wymierzyłam cios pięścią. Nie wyszło mi to zgrabnie, bo był wyższy ode mnie, ale wykorzystałam ten fakt, by nie dać się schwytać. Kopnęłam nieco na oślep, celując w nogi i usłyszałam cichy jęk. Widać trafiłam.

Usłyszałam krzyki za plecami. Personel ukrył się pod kontuarem, jakby spodziewał się, że zaraz wyciągniemy broń i zaczniemy strzelać. Klienci siedzący do tej pory przy stolikach zerwali się, przewracając talerze, i pobiegli do drzwi. Ale wyjście blokowali strażnicy. W środku zapanowała panika, mimo że tylko ja miałam się czego obawiać.

Tymczasem nadciągały posiłki. Udało mi się kilka razy solidnie przyłożyć napastnikom, lecz wiedziałam, że nie mam szans. Ktoś chwycił mnie za ramię i próbował skuć mi ręce. Nie udało mu się, bo ktoś inny chwycił mnie z drugiej strony i pociągnął do siebie.

To był Dymitr.

— Nie dotykaj jej! — ryknął.

W jego głosie zabrzmiało coś przerażającego. Zasłonił mnie teraz swoim ciałem. Strażnicy atakowali nas ze wszystkich stron, ale on obezwładniał jednego po drugim z właściwą sobie gracją. Z tego powodu nazywano go bogiem — był niezwyciężony. Nie zabijał strażników, po prostu eliminował ich z pojedynku. Jeśli ktoś sądził, że przemiana w strzygę i więzienie odbiły się negatywnie na jego umiejętnościach, to bardzo się mylił. Dymitr wciąż był usposobieniem sił natury. Walczył i jednocześnie powstrzymywał mnie, kiedy usiłowałam się przyłączyć. Straż królewska mogła składać się z najlepszych wojowników, ale Dymitr... Cóż, mój dawny kochanek i instruktor to osobna kategoria. Nikt nie mógł się z nim równać, a teraz walczył w mojej obronie.

— Stój spokojnie — rozkazał mi. — Nie tkną cię.

Z początku jego reakcja zrobiła na mnie wrażenie, chociaż z trudem powstrzymywałam się od udziału w walce. Przyglądałam mu się jak zahipnotyzowana. Był piękny i zarazem śmiertelnie niebezpieczny. Cała armia w jednej osobie, wojownik stający w obronie tych, których kochał, straszliwy dla wrogów...

I nagle olśniła mnie przerażająca myśl.

— Przestańcie! — wrzasnęłam. — Pójdę! Pójdę z wami!

Pochłonięci walką, nie usłyszeli mnie od razu. Kilku strażników usiłowało zajść Dymitra od tyłu, ale on przewidział ich zamiary i ciskał w napastników krzesłami, a jednocześnie kopał i okładał tych, którzy podchodzili z przodu. Kto wie? Może naprawdę sam jeden starczyłby za całą armię?

Ale nie mogłam pozwolić, by przekreślił swoją szansę na powrót do normalności.

Potrząsnęłam go za ramię.

— Przestań — powtórzyłam. — Nie walcz z nimi.

— Rose..

— Przestańcie!

Jestem pewna, że nigdy jeszcze nie krzyczałam tak głośno. Mój głos rozbrzmiał w całym pomieszczeniu. Wydawało mi się, że słyszano go w całym dworze.

Nie sprawiłam, że zaprzestali walki, ale na chwilę odwróciłam ich uwagę. Kilku pracowników wyjrzało ostrożnie zza lady. Dymitr wciąż gotów był zaatakować każdego i musiałam dosłownie nim potrząsnąć, żeby mnie zauważył.

— Dosyć — tym razem szepnęłam. Na sali zapadła niezręczna cisza. — Nie sprzeciwiaj się. Pójdę z nimi.

— Nie. Nie pozwolę, by cię zabrali.

— Musisz — błagałam.

Dymitr oddychał ciężko, każdy mięsień jego ciała był gotowy do ataku. Popatrzyliśmy sobie w oczy i w tej krótkiej chwili przekazaliśmy sobie wszystko. Miałam nadzieję, że dobrze mnie zrozumiał.

Jeden ze strażników postąpił ostrożnie naprzód, ominąwszy ciało nieprzytomnego kolegi, i Dymitr zareagował błyskawicznie. Znów chciał mnie chronić, ale stanęłam między nimi. Chwyciłam Dymitra za rękę, nie spuszczając z niego wzroku. Poczułam ciepło jego skóry.

— Proszę. Już wystarczy.

Nareszcie zrozumiał. Nadal się go obawiano. Nikt nie wiedział, kim jest. Lissa twicrdziła, że powinien zachowywać spokój i opanowanie. I co? Oto walczył samotnie z całym oddziałem straży. To nie mogło poprawić mu opinii. Wiedziałam, że szkoda już została wyrządzona, ale spróbowałam przynajmniej uspokoić sytuację. Nie mogłam pozwolić, by ponownie trafił do aresztu, nie z mojego powodu.

Patrząc na mnie, przesłał mi wiadomość bez słów: nadal był gotów o mnie walczyć, do upadłego. Nie pozwoli, by zabrano mnie siłą.

Potrząsnęłam głową i uścisnęłam mu dłoń na pożegnanie. Jego palce były takie, jak zapamiętałam: długie, z odciskami po latach treningu. Puściłam go i zwróciłam się w stronę pierwszego strażnika. Założyłam, że jest dowódcą.

Wyciągnęłam ręce, podchodząc bliżej.

— Pójdę spokojnie. Tylko, proszę... nie zamykajcie go. On tylko myślał, że mam kłopoty.

Kiedy kajdanki zamknęły się na moich nadgarstkach, uznałam, że jednak mam kłopot. Strażnicy pomagali kolegom się pozbierać, a dowódca wziął głęboki oddech i wypowiedział słowa oskarżenia. Przełknęłam ślinę w oczekiwaniu na imię Wiktora.

— Rose Hathaway, jesteś aresztowana za zdradę stanu.

Nie tego się spodziewałam. Odważyłam się więc spytać w nadziei, że uzyskam odpowiedź w zamian za dobrowolne poddanie się.

— Jaką zdradę?

— Zabójstwo Jej Wysokości królowej Tatiany.

Rozdział dwudziesty szósty

Nie wiem, czy zadecydowało o tym czyjeś chore poczucie humoru, ale wylądowałam w pustej celi po Dymitrze.

Pozwoliłam spokojnie się wyprowadzić, po tym jak strażnik przedstawił mi oskarżenie. Byłam tak oszołomiona tym, co słyszałam, że chyba nie wszystko zrozumiałam. A już na pewno nie to, co mi zarzucano. Nie czułam się wściekła ani upokorzona. W głowie powtarzałam tylko jedną myśl: Tatiana nie żyje.

Nie zmarła naturalnie. Została zamordowana.

Zamordowana?

Jak to się stało? Jak mogło się stać na dworze będącym jednym z najbezpieczniejszych miejsc na świecie? Nikogo nie strzeżono lepiej niż władczyni morojów. Pilnowali jej ci sami strażnicy, którzy błyskawicznie okrążyli mnie i Dymitra. Jeśli Tatiana nie opuściła dworu — a wiedziałam, że tego nie zrobiła — to nie mogła zostać zabita przez strzygi. Naszemu światu bezustannie zagrażało niebezpieczeństwo ze strony bestii i prawie nie słyszeliśmy o zabójstwach dokonywanych przez dampiry lub morojów. Na pewno się zdarzały. To nieuniknione w każdym społeczeństwie, ale my musieliśmy bronić się przed napastnikami z zewnątrz i nie mieliśmy czasu, by zwracać się przeciwko sobie (poza pojedynczymi awanturami na posiedzeniach Rady). Między innymi dlatego właśnie potępiano Wiktora. Uznano, że nie ma większej winy niż ta, której się dopuścił.

Do tej pory.

Kiedy nieco oswoiłam się z niemożliwą myślą o śmierci Tatiany, zadałam sobie wreszcie najważniejsze pytanie: Dlaczego ja? Czemu to mnie oskarżono? Nie znałam się na prawie, ale nawet ja wiedziałam, że nazwanie kogoś świętoszkowatą suką nie może stanowić dowodu w procesie o morderstwo.

Próbowałam wyciągnąć więcej informacji od strażników wartujących pod moją celą, lecz mieli obojętne miny i nie odezwali się do mnie słowem. Ochrypłam w końcu od krzyku i położyłam się na pryczy. Postanowiłam zajrzeć do umysłu Lissy, która powinna być lepiej poinformowana.

Lissa szalała, rozpaczliwie usiłując dowiedzieć się szczegółów. Stała razem z Christianem w holu jednego z budynków administracji, w którym wrzało. Dampiry i moroje biegali w tę i z powrotem — jedni w przestrachu, bo nagle zrobiło się niebezpiecznie, drudzy w nadziei, że coś na tym ugrają. Lissa i Christian stali pośrodku tego zamieszania niczym dwa liście zerwane przez wicher i ciśnięte na ziemię.

Podczas gdy Lissa była formalnie dorosła, nadal pozostawała pod opieką kogoś na dworze — czasem Priscilli

Vody, a czasem nawet Tatiany. Na pomoc żadnej z nich z oczywistych powodów nie mogła już liczyć. Wielu arystokratów darzyło wprawdzie Lissę szacunkiem, ale w tej chwili nie miała do kogo się zwrócić.

Widząc jej niepokój, Christian ścisnął ją za rękę.

— Ciocia Tasza będzie wiedziała, co się dzieje — powiedział. — Pojawi się prędzej czy później. Wiesz, że nie pozwoli skrzywdzić Rose.

Lissa wyczuła lekkie wahanie w jego głosie, ale nie skomentowała tego głośno. Tasza mogła mnie chronić, lecz nie była wpływową osobistością.

— Lissa!

Oboje odwrócili się na wołanie Adriana. Właśnie wszedł w towarzystwie swojej matki. Wyglądał tak, jakby przed chwilą wyszedł z mojej sypialni. Miał na sobie wczorajsze ubranie, nieco pomięte, i lekko potargane włosy. W przeciwieństwie do syna Daniella prezentowała się schludnie i elegancko — doskonały obraz bizneswoman, która nie straciła nic z kobiecości.

Nareszcie! Adrian i jego matka mogli wiedzieć coś więcej. Lissa podbiegła do nich z wdzięcznością.

— Dzięki Bogu — zaczęła. — Nikt nam nie mówi, co się stało... poza tym, że królowa nie żyje, a Rose została aresztowana. — Lissa patrzyła błagalnie na Daniellę. — Powiedz, że to pomyłka.

Kobieta poklepała ją po ramieniu i obdarzyła najbardziej współczującym spojrzeniem, na jakie ją było stać w tych okolicznościach.

— Obawiam się, że nie ma mowy o pomyłce. Tatiana została zamordowana tej nocy, a Rose jest główną podejrzaną.

— Ona nie mogłaby tego zrobić! — wykrzyknęła Lissa.

Christian także kipiał gniewem.

— To, że wywołała skandal na posiedzeniu Rady, nie czyni jej winną zbrodni. — A zatem rozumowaliśmy podobnie. Niemal się tego przestraszyłam. — Poza tym zawiniła tylko obecnością na Pustej Nocy.

— Masz słuszność. To nie są wystarczające dowody — przyznała Daniella. — Ale psują wizerunek Rose. I najwyraźniej są dodatkowe powody, dla których ją oskarżono.

— Jakie powody? — oburzyła się Lissa.

Daniella miała przepraszającą minę.

— Nie wiem. Prowadzone jest śledztwo. Wkrótce odbędzie się przesłuchanie, na którym przedstawią dowody i wybadają, gdzie była Rose i jaki mogła mieć motyw... Coś w tym rodzaju. — Rozejrzała się po gwarnym holu. — O ile zdołają to zorganizować. Coś podobnego nie wydarzyło się od wieków. Rada objęła rządy do chwili wyboru nowego władcy, ale trudno będzie im ogarnąć ten chaos. Nie zdziwiłabym się, gdyby ogłoszono stan wojenny.

Christian spojrzał na Lissę z nadzieją.

— Widziałaś się wieczorem z Rose? Była z tobą?

Lissa zmarszczyła brwi.

— Nie. Chyba zaszyła się w swoim pokoju. Ostatnio rozmawiałam z nią przedwczoraj.

Daniella nie ucieszyła się z tej informacji.

— To jej nie pomoże. Jeśli była sama, to nie ma alibi.

— Nie była sama.

Trzy pary oczu zwróciły się na Adriana. Odezwał się po raz pierwszy od chwili, kiedy zawołał Lissę. Ponieważ nie zwracała na niego większej uwagi, więc nie mogłam tego zrobić sama. Moja przyjaciółka zauważyła tylko jego dziwaczny wygląd i dopiero teraz przyjrzała mu się dokładniej. Zmartwienie i niepokój malujące się na twarzy Adriana postarzały go. Kiedy Lissa dostroiła się do jego aury, zobaczyła złotą poświatę mocy ducha, ale złoto i inne barwy zanieczyszczał mrok. Dostrzegła również migotanie będące ostrzeżeniem przed zaburzeniem równowagi psychicznej. Wiadomość o morderstwie spadła na niego jak grom z jasnego nieba i Adrian od razu ruszył po pomoc, ale podejrzewałam, że w pierwszej wolnej chwili sięgnie po papierosy i alkohol. W taki sposób radził sobie ze stresem.

— Co ty mówisz?! — spytała ostro Daniella.

Adrian wzruszył ramionami.

— Rose nie była sama. Zostałem z nią przez całą noc.

Lissa i Christian zdołali zachować obojętny wyraz twarzy, lecz Daniella była zszokowana, jak każdy rodzic, gdy usłyszy o życiu seksualnym dziecka. Adrian zauważył jej reakcję.

— Daruj sobie — rzucił ostrzegawczo. — Nie chcę słuchać morałów ani znać twojego zdania... To w tej chwili nie ma znaczenia. — Wskazał grupę przerażonych osób rozprawiających głośno o tym, że Wiktor Daszkow zakradł się na dwór i teraz wybije ich wszystkich. Adrian pokręcił głową i ponownie zwrócił się do matki. — Byłem z Rose. To dowodzi jej niewinności. Później zajmiemy się twoją dezaprobatą dla mojego życia erotycznego.

— Nie to mnie martwi! Jeśli mają przekonujące dowody przeciwko Rose, a ty będziesz jej bronił, to mogą oskarżyć was oboje. — Opanowanie Danielli miało swoje granice.

— Tatiana była moją ciotką! — Adrian nie mógł uwierzyć w to, co powiedziała. — Dlaczego u licha mielibyśmy ją mordować?

— Nie pochwalała waszego związku. Poza tym Rose sprzeciwiała się nowemu dekretowi. — Te słowa wypowiedział Christian. Lissa oburzyła się, ale on tylko wzruszył ramionami. — No co? Mówię oczywiste rzeczy. Na pewno wkrótce to usłyszycie od innych. Znamy podobne historie. W takich sytuacjach powstają niestworzone plotki, w które trudno uwierzyć, nawet jeśli dotyczą Rose.

Niezły komentarz.

— Kiedy? — zażądała odpowiedzi Daniella, chwytając Adriana za rękaw. — Kiedy dokładnie byłeś u Rose? O której do niej poszedłeś?

— Nie wiem. Nie pamiętam — odparł.

Zacisnęła palce mocniej.

— Adrian! Potraktuj to poważnie. Twoje zeznania będą miały decydujące znaczenie. Jeśli przyszedłeś do Rose, zanim Tatiana została zabita, to nikt nie będzie cię wiązał z morderstwem. Lecz jeśli spotkaliście się po fakcie...

— Będzie miała alibi — przerwał jej. — Nie widzę problemu.

— Mam nadzieję, że się nie mylisz — mruknęła jego matka. Nie widziała już moich przyjaciół. W jej głowie kłębiły się najróżniejsze myśli, podczas gdy gorączkowo szukała sposobu, by chronić syna. W tej chwili przestałam się dla niej liczyć, ważny był tylko on. — Załatwię ci jednak adwokata. Porozmawiam z Damonem. Muszę go znaleźć przed dzisiejszym przesłuchaniem. Rufus też powinien się dowiedzieć. Cholera. – Adrian uniósł brew.

Odniosłam wrażenie, że lady Iwaszkow nie przeklinała zbyt często. – Musimy wiedzieć, o której godzinie tam byłeś.

Adrian wydawał się tak słaby, że lada chwila mógł się przewrócić z braku nikotyny lub alkoholu. Nie mogłam tego znieść, zwłaszcza że ja za to odpowiadałam. Wiedziałam, że Adrian ma w sobie siłę, lecz jego charakter – plus skutki uboczne działania ducha – kompletnie wytrącały go z równowagi w chwilach silnego stresu. Mimo wszystko jednak zdołał sięgnąć do zasobów pamięci, by uspokoić zrozpaczoną matkę.

– Ktoś był w budynku, kiedy tam wszedłem... Chyba cieć. Tak mi się wydaje. Nie widziałem jednak nikogo w recepcji.

Większość budynków dworskich była obsługiwana przez pracowników wykonujących drobne usługi dla mieszkańców.

Daniella rozpromieniła się.

– O to chodzi. Tego nam potrzeba. Damon sprawdzi, o której przyszedłeś i zostaniesz oczyszczony z ewentualnych podejrzeń.

– Będzie mnie bronił, jeśli zostanę oskarżony?

– Oczywiście – rzuciła lekko.

– A co się stanie z Rose?

– Nie rozumiem?

Adrian nadal wyglądał tak, jakby w każdej chwili mógł się przewrócić, ale w zielonych oczach pojawiła się powaga i skupienie. – Jeśli okaże się, że ciocia Tatiana została zabita, zanim odwiedziłem Rose, i to ją rzucą na pożarcie wilkom, czy Damon będzie jej adwokatem?

Daniella straciła rezon.

— No wiesz, kochanie... Damon nie zajmuje się podobnymi sprawami...

— Wystarczy, że go o to poprosisz — nalegał syn.

— Adrian — zaczęła ze znużeniem. — Nie wiesz, o czym mówisz. Mają mocne dowody przeciwko Rose. Jeśli nasza rodzina okaże jej wsparcie...

— Przecież nie popieramy mordercy! Poznałaś Rose. Polubiłaś ją. Potrafisz spojrzeć mi w oczy i powiedzieć, że wystarczy jej jakiś dupek z urzędu, który będzie jej niezdarnie bronił? Potrafisz?

Daniella zbladła. Słowo daję, że miała ochotę zapaść się pod ziemię. Nie przywykła do takiej zapalczywości swojego beztroskiego synka. Adrian mówił rozsądnie, ale w jego głosie pobrzmiewała nuta desperacji. W tej chwili można się było go przestraszyć. Nie umiałam ocenić, czy był to skutek działania mocy ducha, czy tak bardzo to wszystko przeżywał.

— Ja... porozmawiam z Damonem — wyjąkała w końcu Daniella. Widziałam, że kilka razy przełknęła ślinę, zanim zdołała to z siebie wyrzucić.

Adrian odetchnął głęboko i trochę się odprężył.

— Dziękuję.

Jego matka natychmiast odeszła, zostawiając Adriana sam na sam z Lissą i Christianem. Oboje byli prawie tak samo zdezorientowani.

— Damon Tarus? — odgadła Lissa i Adrian potwierdził ruchem głowy.

— Co to za jeden? — chciał wiedzieć Christian.

— Kuzyn mojej matki — wyjaśnił Adrian. — A zarazem nasz rodzinny prawnik. Prawdziwy rekin. Miesza się czasem w śliskie sprawy, ale potrafi być naprawdę skuteczny.

— Rozumiem, że może się przydać. — Christian się zamyślił. — Tylko czy poradzi sobie z tymi „mocnymi dowodami"?

— Nie mam pojęcia. — Adrian bezwiednie sięgnął do kieszeni, w której zwykle trzymał papierosy. Nie znalazł ich jednak i westchnął. — Nie wiem, co to za dowody, nie wiem nawet, jak zginęła ciocia Tatiana. Słyszałem tylko, że znaleziono ją martwą dziś rano.

Lissa i Christian wymienili grymasy. Christian wzruszył ramionami, a Lissa zwróciła się do Adriana, biorąc na siebie rolę informatorki.

— Zginęła od sztyletu — powiedziała. — Znaleziono ją w łóżku ze srebrnym ostrzem w sercu.

Adrian nie odezwał się, nadal był bardzo przygnębiony. Dopiero teraz Lissa zorientowała się, że wszyscy rozprawiają o niewinności, dowodach i prawnikach, a nikt nie zauważył, że Tatiana była cioteczną babką Adriana. Nie pochwalał niektórych jej decyzji i często żartował z niej za plecami. Ale należała do jego rodziny, znał ją od urodzenia. Musiał cierpieć z powodu jej śmierci. Nawet ja lekko się zmieszałam. Nie znosiłam Tatiany za to, jak mnie traktowała, lecz nigdy nie życzyłam jej śmierci. Poza tym czasem zdarzało jej się odezwać do mnie jak do człowieka. Może udawała, ale czułam, że tamtej nocy w domu Iwaszkowów mówiła szczerze. Była znużona i zamyślona, przejęta tym, jak zaprowadzić pokój wśród poddanych.

Lissa patrzyła za odchodzącym Adrianem ze współczuciem i smutkiem. Christian delikatnie dotknął jej ramienia.

— Chodźmy — powiedział. — Dowiedzieliśmy się wszystkiego. Tylko im przeszkadzamy.

Lissa podążyła za nim z uczuciem bezradności. Wydostali się na zewnątrz ze spanikowanego tłumu. Pomarańczowe światło zachodzącego słońca zabarwiło na złoto drzewa i liście. Kiedy wróciliśmy po bitwie w magazynie, na dziedzińcu witało nas wiele osób, ale teraz zebrały się tu tłumy. Wszyscy byli przestraszeni, jeden przez drugiego opowiadali sobie, co się wydarzyło. Niektórzy już pogrążyli się w żałobie, włożyli czarne ubrania i mieli zapłakane twarze. Zastanawiałam się, czy ich smutek jest prawdziwy. Nawet w obliczu tragedii i zbrodni arystokracja lada chwila zacznie walczyć o władzę.

W tłumie raz po raz padało moje imię i Lissa była tym kompletnie sfrustrowana. Ogarnęły ją mroczne uczucia, które odbierałam niczym gryzący czarny dym. Przekleństwo mocy ducha. Moja przyjaciółka nieraz traciła nad sobą kontrolę.

— Nie wierzę! — wykrzyknęła do Christiana. Zauważyłam, choć ona chyba nie była tego świadoma, że chłopak pośpiesznie prowadzi ją w ustronne miejsce. — Jak mogą podejrzewać Rose? Ktoś próbuje ją wrobić. Jestem tego pewna.

— Wiem, wiem — uspokajał ją. Christian nauczył się już rozpoznawać skutki negatywnej mocy ducha i starał się wyciszyć emocje Lissy. Zatrzymali się na niewielkim trawniku w cieniu wysokiej leszczyny i usiedli. — Wiemy, że Rose jest niewinna. To jest najważniejsze. Udowodnimy to. Nie zostanie ukarana za niepopełnione winy.

— Nie znasz ich — wymamrotała Lissa. — Jeśli ktoś postanowił zniszczyć Rose, to znajdzie sposób, by dopiąć swego — na pół świadomie wzięłam na siebie trochę mroku Lissy, żeby ją uspokoić. Niestety, natychmiast sama poczułam gniew.

Christian parsknął śmiechem.

— Zapominasz, że wychowałem się wśród nich. Chodziłem do szkoły z ich dziećmi. Wiem, do czego są zdolni... ale nie możemy wpadać w panikę. Najpierw musimy dowiedzieć się więcej.

Lissa odetchnęła i zauważyłam, że poczuła się lepiej. Upomniałam się w duchu, że powinnam być ostrożniejsza i nie przyjmować od niej za dużo. Uśmiechnęła się do Christiana ze smutkiem.

— Nie pamiętam, żebyś przemawiał tak rozsądnie.

— Każdy inaczej rozumie słowo „rozsądek". A ja często bywam źle oceniany — rzucił niemal z patosem.

— To dlatego, że nikt cię nie rozumie. — Lissa się roześmiała.

Spojrzał na nią z ciepłym uśmiechem.

— Mam nadzieję, że ty mnie źle nie zrozumiesz. W przeciwnym razie dostałbym po twarzy.

Pochylił się i pocałował ją w usta. Lissa poddała mu się bez wahania, instynktownie odwzajemniając słodki pocałunek. Niestety, nie zdążyłam się przed tym odgrodzić i czułam to, co ona. Kiedy odsunęli się od siebie, serce Lissy biło szybciej, a jej policzki się zaróżowiły.

— To znaczy, że jak mam to rozumieć? — spytała, wciąż czując na wargach smak jego ust.

— Potraktuj to jako przeprosiny — odparł Christian.
Odwróciła wzrok i nerwowo skubała trawę. Na koniec westchnęła.

— Christian... czy było coś... Czy coś łączyło cię z Jill? Albo z Mią?

Wpatrywał się w nią ze zdumieniem.

— Co takiego? Jak mogłaś tak pomyśleć?

— Spędzałeś z nimi dużo czasu.

— Zawsze pragnąłem tylko jednej kobiety — powiedział. Siła spojrzenia jego krystalicznoniebieskich oczu nie pozostawiała wątpliwości, o kim mówi. — Nie zbliżyłem się do żadnej innej. Mimo wszystko, nawet kiedy Avery...

— Przepraszam cię za to.

— Nie musisz...

— Ale chcę.

— Szlag... — Wkurzył się. — Pozwolisz mi dokończyć zdanie?

— Nie. — Lissa znów mu przerwała. Teraz ona pochyliła się i pocałowała go namiętnie, pożądliwie. W tej chwili poczułam, że dla niej również nie istnieje nikt inny.

Cóż. Najwyraźniej Tasza miała rację: tylko ja mogłam ich ze sobą pogodzić. Nie sądziłam tylko, że doprowadzę do tego, dając się zamknąć w areszcie.

Opuściłam umysł Lissy, żeby nie zakłócać im prywatności i oszczędzić sobie przeżywania ich bliskości. Nie miałam do nich żalu. W tej chwili nic nie mogli dla mnie zrobić i zasługiwali na tę chwilę. Musieli czekać na informacje, a poza tym na pewno wybrali lepszy sposób od tego, co zapewne robił teraz Adrian.

Leżałam na pryczy, gapiąc się w sufit. Otaczały mnie blade kolory i metal. Doprowadzało mnie to do szaleństwa. Nie miałam co oglądać ani co czytać. Czułam się jak zwierzę w klatce. Wydawało mi się, że cela kurczy się w oczach. Próbowałam odtworzyć w myślach informacje uzyskane za pośrednictwem Lissy i analizować wszystko, co zostało powiedziane. Miałam mnóstwo pytań, ale najwyraźniej utkwiło mi w głowie to, co mówiła Daniella o przesłuchaniu. Musiałam dowiedzieć się więcej na ten temat.

Odpowiedź przyszła po kilku godzinach.

Zapadłam w lekkie otępienie i z trudem rozpoznałam Michaiła, kiedy stanął pod moją celą. Zerwałam się z łóżka i podbiegłam do krat. Michaił otwierał drzwi, budząc we mnie nadzieję.

— Co jest grane? — spytałam. — Wypuścisz mnie?

— Obawiam się, że nie — odparł. Wszedł i założył mi kajdanki. Nie opierałam się. — Mam cię doprowadzić na przesłuchanie.

Na korytarzu była grupka strażników. Przydzielono mi eskortę. Zupełnie jak wcześniej Dymitrowi. Cudownie. Ruszyłam za Michaiłem, który litościwie rozmawiał ze mną po drodze. Pozostali strażnicy zbywali więźniów zimnym milczeniem.

— Zaczęli proces?

— Nie, nie. Jeszcze na to za wcześnie. Podczas przesłuchania zapadnie decyzja, czy staniesz przed sądem.

— Zatem to strata czasu — zauważyłam.

Opuściliśmy budynek straży i poczułam powiew świeżego, przesyconego wilgocią powietrza. Odetchnęłam z rozkoszą.

— Większą stratą czasu byłoby rozpoczęcie postępowania sądowego i oni dobrze o tym wiedzą. Teraz przedłożą wszystkie dowody i sędzia, a właściwie ktoś pełniący tę funkcję, zdecyduje, czy rozpocząć proces. Wtedy postawią ci oficjalne zarzuty, wydadzą werdykt i wymierzą karę.

— Dlaczego tak długo zwlekali z przesłuchaniem? Spędziłam w celi cały dzień.

Michaił roześmiał się, chociaż nie widział w tym nic zabawnego.

— Bardzo się pośpieszyli, Rose. Naprawdę. Niektórzy czekają na przesłuchanie całymi dniami lub tygodniami. Jeśli zapadnie decyzja o procesie, to posiedzisz do jego rozpoczęcia.

Poczułam się nieswojo.

— Myślisz, że nastąpiłby w miarę szybko?

— Nie mam pojęcia. Od stu lat nie zamordowano żadnego władcy. Wszyscy panikują i Rada usiłuje zaprowadzić porządek. Tymczasem planują wielki pogrzeb Tatiany, widowisko, które ma odwrócić uwagę publiczną od innych problemów. Podobnie jak twoje przesłuchanie.

— Jak to?

— Im szybciej skażą mordercę, tym bezpieczniej poczują się moroje. Zdecydowano już o twojej winie i będą się śpieszyć. Oni chcą cię skazać. Postanowili pochować królową w czasie, kiedy jej zabójczyni będzie osądzana. Dzięki temu wszyscy będą mogli spać spokojnie w chwili wyboru nowego władcy.

— Ale ja nie... — urwałam.

Nie było sensu zaprzeczać.

Przed nami wyrósł budynek, w którym mieścił się sąd. Pamiętałam, że wydał mi się posępny, kiedy przyjechałam tu za pierwszym razem na proces Wiktora, ale głównie z powodu wspomnień, które napawały mnie lękiem. Teraz... ważyła się moja przyszłość. I nie tylko moja. Świat morojów skupiał na mnie wzrok i czekał w nadziei, że okażę się zbrodniarką, którą na zawsze pozbawią wolności. Przełknęłam nerwowo ślinę, zerkając na Michaiła.

— Myślisz, że jednak wytoczą mi proces?

Nie odpowiedział. Jeden ze strażników przytrzymał dla nas drzwi.

— Michaił... — powtórzyłam z naciskiem — czy naprawdę wytoczą mi proces o morderstwo?

— Tak — powiedział współczująco. — Jestem tego pewien.

ROZDZIAŁ DWUDZIESTY SIÓDMY

WEJŚCIE NA SALĘ SĄDOWĄ było jednym z najdziwniejszych zdarzeń w moim życiu nie tylko dlatego, że występowałam w roli oskarżonej. Po prostu nieodparcie przypominało mi proces Wiktora i myśl, że znalazłam się na jego miejscu była zbyt absurdalna, bym mogła ją przyswoić.

Kiedy wchodzisz gdzieś w asyście strażników, wszyscy się na ciebie gapią. Możecie mi wierzyć, że sala była szczelnie wypełniona, ale nie poczułam się skrępowana. Wydawało mi się to całkowicie naturalne. Szłam pewnie, z wysoko uniesioną głową. Znów stanął mi przed oczami Wiktor. On także zachowywał się z godnością, aż trudno było mi uwierzyć, że ktoś, kto dopuścił się takich przestępstw, potrafi się na to zdobyć. Ciekawe, czy oni myślą tak samo o mnie?

Na podium pośrodku sali siedziała kobieta, której nie rozpoznałam. Moroje wyznaczali sędziów spośród prawników, powierzając im przesłuchania. Procesy — przynajmniej te wielkie, jak proces Wiktora — prowadziła królowa. To od niej zależał ostateczny werdykt. W moim przypadku decydujący głos mieli członkowie Rady.

Doprowadzono mnie do pierwszego rzędu ławek za barierkę oddzielającą główne osoby dramatu od widowni i wskazano mi miejsce obok moroja w średnim wieku, ubranego w bardzo elegancki czarny garnitur. Ten garnitur krzyczał: „Przykro mi, że królowa nie żyje, ale staram się wyglądać modnie, jednocześnie wyrażając swój smutek". Moroj miał jasne włosy lekko przyprószone siwizną. Było mu z nią do twarzy. Zakładałam, że to sam Damon Tarus, mój obrońca, który jednak nie odezwał się do mnie słowem.

Michaił także usiadł obok. Ucieszyłam się, że wybrano właśnie jego, by nie opuszczał mnie na krok. Zerknęłam za siebie i zobaczyłam Daniellę i Nathana Iwaszkowów siedzących pośród wysokich rangą arystokratów oraz ich rodzin. Adrian nie zdecydował się im towarzyszyć. Usiadł z tyłu razem z Lissą, Christianem i Eddiem. Mieli szczerze zmartwione miny.

Sędzia — starszawa siwowłosa morojka, która mimo to wyglądała groźnie — poprosiła wszystkich o uwagę, więc szybko odwróciłam głowę. Na salę wchodzili teraz przedstawiciele Rady, których wywoływała po nazwisku. Ustawiono dla nich ławki — dwa rzędy po sześć i trzynastą z tyłu. Oczywiście zajęli tylko jedenaście, a ja starałam się tym nie przejąć. Lissa powinna była siedzieć między nimi.

Kiedy wszyscy usiedli, sędzia zwróciła się do obecnych dźwięcznym, wibrującym głosem.

— Otwieram przesłuchanie, podczas którego stwierdzimy, czy istnieją wystarczające dowody na...

Przerwały jej podniesione głosy pod drzwiami i publiczność zaczęła się rozglądać, chcąc zobaczyć, co tam się dzieje.

— Co to za zamieszanie? — spytała głośno sędzia.

Jeden ze strażników uchylił drzwi i wystawił głowę na zewnątrz. Rozmawiał z kimś, kto stał na korytarzu. Po chwili cofnął się.

— Wysoki Sądzie, przybył adwokat oskarżonej.

Sędzia zerknęła na Damona i na mnie, a potem marszcząc brwi zwróciła się do strażnika.

— Ona już ma obrońcę.

Mężczyzna wzruszył ramionami z komicznie bezradną miną. Wiedziałby, co robić, gdyby wtargnęły tu strzygi, ale to niespotykane zakłócenie protokołu przerastało jego kompetencje. Sędzia westchnęła.

— Dobrze. Proszę wprowadzić przybyłego i zacznijmy przesłuchanie.

Na salę wszedł Abe.

— Dobry Boże! — wyrwało mi się głośno.

Nie musiałam się karcić za tę nieostrożność, bo jednocześnie na sali zawrzało. Zgadywałam, że połowa widzów zdumiała się, bowiem znali Abe'a i jego reputację. Druga połowa była oszołomiona samym jego wyglądem.

Włożył szary garnitur z kaszmiru, znacznie lżejszy od ponurej czerni, w którą oblekł się Damon. Pod spodem miał koszulę tak białą, że niemal bił od niej blask, zwłaszcza, że kontrastowała z jaskrawokarmazynowym krawatem z jedwabiu. Uzupełniające plamy czerwieni rozmieścił starannie — w butonierce chusteczka i bransoletki z gumy na nadgarstkach. Całość prezentowała się, rzecz jasna, niezwykle elegancko i równie drogo jak strój Damona. Abe nie był jednak pogrążony w żałobie. Nie wyglądał jak adwokat. Raczej jak ktoś, kogo wezwano w drodze na przyjęcie. Wyraźnie pysznił się złotymi kółkami w uszach i starannie przystrzyżoną brodą.

Sędzia uciszyła salę ruchem dłoni, podczas gdy mój ojciec szedł prosto do niej dumnym krokiem.

— Ibrahim Mazur — pokręciła głową. W jej głosie rozbrzmiewały jednocześnie podziw i dezaprobata. — To... nieoczekiwana wizyta.

Abe skłonił się przed nią wytwornie.

— Cudownie cię znowu widzieć, Paula. Nie postarzałaś się nawet o dzień.

— Nie jesteśmy w country clubie, panie Mazur — poinformowała go chłodno. — Proszę zatem tytułować mnie stosownie do miejsca.

— Racja. — Mrugnął do niej. — Proszę o wybaczenie, Wysoki Sądzie. — Obrócił się i rozejrzał po sali, zatrzymując wzrok na mnie. — Tutaj jest. Przepraszam za zwłokę. Możemy już zaczynać.

W tej chwili podniósł się Damon.

— Co to ma znaczyć? Kim pan jest? To ja jestem jej obrońcą.

Abe potrząsnął głową.

— Musiało zajść nieporozumienie. Trochę to trwało, zanim zdołałem tu przylecieć, i zapewne dlatego wyznaczono pana jako obrońcę z urzędu.

— Obrońcę z urzędu! — Damon poczerwieniał z oburzenia. — Jestem jednym z najbardziej uznanych prawników pośród amerykańskich morojów.

— Uznany czy z urzędu... — Abe wzruszył ramionami, kołysząc się na piętach. — Nie mnie to osądzać. Bez urazy.

— Panie Mazur — przerwała sędzia. — Czy pan jest prawnikiem?

— Znam się na wielu rzeczach, Paula... Wysoki Sądzie. Poza tym, jakie to ma znaczenie? Ona potrzebuje kogoś, kto będzie jej bronił.

— I już go znalazła! — wykrzyknął Damon. — Mnie.

— To nieaktualne — odparł uprzejmie Abe. Nie przestawał się uśmiechać, ale wydawało mi się, że dostrzegłam ten niebezpieczny błysk w jego oku, który tak przerażał jego wrogów. Był uosobieniem spokoju, podczas gdy Damon wyglądał tak, jakby groziła mu apopleksja.

— Wysoki Sądzie...

— Dosyć! — Sędzia użyła swojego wibrującego głosu. — Pozwólmy wybrać dziewczynie. — Utkwiła we mnie spojrzenie brązowych oczu. — Kogo wolałabyś na obrońcę?

— Ja... — nie mogłam mówić, czując na sobie wszystkie oczy. Obserwowałam rozgrywkę obu mężczyzn niczym mecz tenisowy i teraz piłka uderzyła mnie w głowę.

— Rose.

Obróciłam się nieznacznie. Daniella Iwaszkow przesunęła się ukradkiem i usiadła tuż za mną.

— Rose — szepnęła ponownie. — Nie masz pojęcia, kim jest ten Mazur. — Czyżby? — Nie chciałabyś mieć z nim nic wspólnego. Damon jest najlepszy. Niełatwo było go namówić.

Wróciła na miejsce, a ja popatrzyłam na swoich potencjalnych obrońców. Rozumiałam, co sugerowała Daniel-

472

la. Namówiła Damona na prośbę syna. Jeśli z niego zrezygnuję, to poczuje się urażona, a ponieważ była jedną z niewielu arystokratek, które nie sprzeciwiały się mojej relacji z Adrianem, więc nie chciałam tracić jej przychylności. Poza tym, skoro wrabiali mnie arystokraci, dobrze było mieć kogoś z nich po swojej stronie barykady.

Ale... był jeszcze Abe, który przyglądał mi się teraz ze swoim cwanym uśmieszkiem. Z całą pewnością potrafił postawić na swoim, ale wiele osiągał siłą swojej osobowości i reputacji. Jeśli naprawdę istniały jakieś absurdalne dowody świadczące przeciwko mnie, to nie wystarczy sama reputacja Abe'a, by mnie oczyścić z zarzutów. Był wprawdzie przebiegły. Jak wąż. Potrafił dokonać rzeczy niemożliwych; wiedziałam, ile sznurków pociągał w mojej sprawie. Nie zmieniało to jednak faktu, że nie jest prawnikiem.

Z drugiej strony to mój ojciec.

To mój ojciec i chociaż ledwo się znaliśmy, zadał sobie wiele trudu, żeby tu przylecieć w popielatym garniturze i wystąpić w mojej obronie. Czyżby ojcowska miłość mogła sprowadzić mnie na manowce? Czy Abe znał prawo? I czy to prawda, co mówią o więzach krwi? Nie wiedziałam. Właściwie nie lubiłam tego powiedzenia. Może i było dobre dla ludzi, ale wśród wampirów traciło sens.

Abe wpatrywał się we mnie wyczekująco swoimi ciemnobrązowymi oczyma, tak bardzo przypominającymi moje. Zaufaj mi, zdawały się mówić. Czy mogłam zaryzykować? Powierzyć się w jego ręce? Zaufałabym matce, gdyby tu była, a ona zaufałaby Abe'owi.

Westchnęłam i wskazałam ojca ręką.

— Wezmę jego — oświadczyłam i dodałam półgłosem:
— Nie zawiedź mnie, Żmiju.

Abe uśmiechnął się szerzej, podczas gdy na sali rozległy się wstrząśnięte okrzyki, a Damon zaciekle protestował. Z początku Daniella z pewnością musiała go prosić, by zdecydował się mnie bronić, ale teraz to była sprawa honoru. Nadszarpnęłam jego reputację, rezygnując z jego pomocy.

Jednak dokonałam wyboru i zniecierpliwiona sędzina nie chciała słuchać sporu. Odprawiła Damona i Mazur zajął jego miejsce. Morojka rozpoczęła przesłuchanie zwyczajową mową, wyjaśniała, po co się tu zebraliśmy i tak dalej. Pochyliłam się do Abe'a.

— W co ty mnie pakujesz?! — syknęłam.

— Ja? Raczej w co ty się wpakowałaś! Nie mógłbym jak normalny ojciec po prostu odbierać cię z komisariatu, bo nielegalnie spożywałaś alkohol?

Zaczynałam rozumieć, dlaczego wszyscy się na mnie wkurzali, kiedy żartowałam w niebezpiecznych sytuacjach.

— Chodzi o moją pieprzoną przyszłość! Wytoczą mi proces i skażą!

Na twarzy Abe'a nie było już rozbawienia. Stał się śmiertelnie poważny, a ja poczułam ciarki na plecach.

— To — zaczął niskim bezbarwnym głosem — się nigdy nie wydarzy. Przyrzekam ci to.

Tymczasem sędzia znów zwróciła się do nas i oskarżycielki, Iris Kane. Nie nosiła królewskiego nazwiska, ale wyglądała na twardzielkę. Może tacy byli wszyscy prawnicy.

Zanim przedstawiono obciążające mnie dowody, opisano szczegóły zabójstwa królowej. Opowiadano o tym, jak znaleziono ją rankiem w łóżku ze srebrnym sztyletem wbitym w serce i wyrazem najgłębszego przerażenia i szoku na twarzy. Tatiana miała koszulę splamioną krwią, podobnie prześcieradło, skórę... Pokazano zdjęcia, co wywołało najróżniejsze reakcje. Okrzyki zdumienia. Lęk i panikę. Nawet... płacz. Po części te łzy wypływały z szoku wywołanego tragedią, ale podejrzewałam również, że wielu morojów kochało bądź lubiło Tatianę. Królowa bywała zimna i nieprzystępna, ale rządziła sprawiedliwie i w pokoju.

Następnie przyszła kolej na moje zeznania. Tok przesłuchania różnił się od typowego procesu. Prawnicy nie wychodzili na środek, żeby zadawać pytania świadkom. Stali na swoich miejscach i na przemian zabierali głos na wezwanie sędzi.

— Panno Hathaway — zaczęła Iris, pomijając mój tytuł. — O której godzinie wróciła pani wczoraj do swojego pokoju?

— Nie pamiętam dokładnie... — Koncentrowałam się na niej i Abie, starając się nie patrzeć na morze otaczających mnie twarzy. — Sądzę, że koło piątej, może szóstej.

— Czy ktoś pani towarzyszył?

— Nie, ale później już tak — O Boże, teraz muszę to powiedzieć. — Adrian Iwaszkow mnie odwiedził.

— O której godzinie przyszedł? — spytał Abe.

— Tego również nie jestem pewna. Kilka godzin po moim powrocie.

Abe uśmiechnął się czarująco do Iris, która przeglądała jakieś papiery.

— Czas zgonu królowej został precyzyjnie ustalony. Śmierć nastąpiła między siódmą a ósmą. Rose nie była wówczas sama. Oczywiście pan Iwaszkow musi to potwierdzić.

Zerknęłam na widownię. Daniella zbladła. Tego obawiała się najbardziej: że Adrian zostanie wmieszany w sprawę. Poszukałam go wzrokiem — wydawał się dziwnie spokojny. Miałam nadzieję, że nie jest pijany.

Iris podniosła triumfalnie jakąś kartkę.

— Mamy tu podpisane zeznanie dozorcy, który twierdzi, że pan Iwaszkow odwiedził podejrzaną mniej więcej o dziewiątej dwadzieścia.

— Cóż za precyzyjna pamięć... — Abe wydawał się rozbawiony, jakby prokurator powiedziała coś śmiesznego.

— Czy ktoś z recepcji może to potwierdzić?

— Nie — rzuciła lodowato Iris. — Ale jego zeznanie wystarczy. Zapamiętał czas, bo właśnie zamierzał zrobić sobie przerwę. Panna Hathaway była sama w chwili morderstwa. Nie ma alibi.

— Cóż — stwierdził Abe. — Przynajmniej według niesprawdzonych źródeł.

Nie powiedziano już nic więcej na ten temat. Dowód został dołączony do akt, a ja wzięłam głęboki oddech. Nie podobało mi się, dokąd zmierzało przesłuchanie, ale podejrzewałam, że nie będzie łatwo, wysłuchawszy rozmów uszami Lissy. Brak alibi nie poprawiał mojej sytuacji, lecz Abe trafił w sedno. Dowody, jakie przedstawiono do tej pory, były niewystarczające, by wszcząć proces. Poza tym nie pytano o wizytę Adriana, który do tej pory pozostawał bez związku ze sprawą.

— Kolejny dowód — ogłosiła Iris z triumfalną miną.
Zdawała sobie sprawę, że podane godziny są wątpliwe,
ale teraz wyciągnęła asa z rękawa.

Srebrny sztylet.

Niewiarygodne. W plastikowym pudełku leżała broń.
Ostrze lśniło w jarzeniowym świetle. Tylko końcówka była ciemna. Od krwi.

— Tym sztyletem zamordowano królową — obwieściła
Iris. — Sztyletem panny Hathaway.

Abe roześmiał się jej w twarz.

— To już przesada. Strażnicy ciągle dostają nową broń.
Mają spore zapasy identycznych sztyletów.

Prokurator zignorowała go i spojrzała na mnie.

— Gdzie jest teraz pani sztylet?

Zmarszczyłam brwi.

— W moim pokoju.

Obróciła się i popatrzyła na kogoś w tłumie.

— Strażniku Stone?

Wysoki dampir z gęstymi czarnymi wąsami wstał.

— Słucham?

— Pan przewodził przeszukiwaniu pokoju panny Hathaway?

Zawrzałam z oburzenia.

— Grzebaliście w moich...

Abe uciszył mnie jednym surowym spojrzeniem.

— Zgadza się — odparł strażnik.

— Znaleźliście sztylety? — ciągnęła Iris.

— Nie.

Oskarżycielka popatrzyła na nas z wyższością, ale
Abe uznał, że nawet ta informacja jest bez znaczenia.

— To niczego nie dowodzi. Mogła zostawić gdzieś sztylet, nie zdając sobie z tego sprawy.

— Na przykład w sercu królowej?

— Panno Kane — upomniała ją sędzia.

— Proszę mi wybaczyć, Wysoki Sądzie — odparła gładko Iris i zwróciła się do mnie. — Panno Hathaway, czy pani sztylet ma jakieś szczególne cechy? Coś, co odróżnia go od innych?

— T-tak.

— Mogłaby go pani opisać?

Zdenerwowałam się. Miałam złe przeczucia.

— Tuż przy czubku ma pewien wzór. Geometryczny wzór. — Strażnicy ozdabiali czasem swoje sztylety. Ten znalazłam na Syberii i zatrzymałam. Właściwie podesłał mi go Dymitr po tym, jak próbowałam go zabić.

Iris podeszła do Rady i zaprezentowała im pojemnik. Potem pokazała go mnie.

— Czy to ten wzór? Sztylet jest pani własnością?

Wpatrywałam się w srebrną broń ze zdumieniem. Otworzyłam usta, żeby potwierdzić, ale podchwyciłam wzrok Abe'a. Nie mógł się odezwać, lecz jego spojrzenie mówiło samo za siebie. Nakazywał mi ostrożność. Co ktoś tak sprytny jak on zrobiłby na moim miejscu?

— Cóż... wygląda podobnie — powiedziałam w końcu. — Ale nie mogę stwierdzić, że to mój sztylet.

Uśmiech Abe'a potwierdził, że wybrałam dobrą odpowiedź.

— Oczywiście — Iris zareagowała tak, jakby nie spodziewała się innej odpowiedzi. Oddała pojemnik urzędnikowi sądowemu. — Teraz, kiedy Rada mogła stwierdzić, że wzór na sztylecie pasuje do opisu podanego przez podsądną, chciałabym podkreślić coś jeszcze. — Wzięła do ręki kolejną kartkę ze zwycięską miną. — Na rękojeści znajdują się jej odciski palców.

Więc to była ich rewelacja. Niepodważalny dowód.

— Czy są tam również inne odciski palców? — spytała sędzia.

— Nie, Wysoki Sądzie. Tylko jej.

— To nadal nic nie znaczy. — Abe wzruszył ramionami. Miałam wrażenie, że gdybym teraz wstała i przyznała się do winy, Abe nadal twierdziłby, że to wątpliwy dowód.

— Ktoś w rękawiczkach ukradł jej broń. Odciski palców świadczą tylko o tym, że sztylet należał do niej.

— Nie sądzi pan, że to trochę pokrętne wyjaśnienie? — zakpiła Iris.

— Dowody pozostawiają wiele wątpliwości — zaprotestował Abe. — To jest pokrętne. Jak dostała się do sypialni królowej? Jakim cudem prześliznęła się mimo straży?

— Cóż — zamyśliła się Iris. — Na te pytania postaramy się znaleźć odpowiedź podczas procesu, ale biorąc pod uwagę liczne włamania dokonywane przez pannę Hathaway oraz jej problemy z dyscypliną, nie wątpię, że znalazłaby wiele sposobów, by się tam dostać.

— Nie macie dowodów — stwierdził Abe. — Ani nawet teorii.

— Nie jest nam potrzebna — sprzeciwiła się Iris. — To wstępny etap dochodzenia. Mamy wystarczająco dużo powodów, by wytoczyć proces. Nawet nie przeszliśmy jeszcze do części, w której ogromna liczba świadków słyszała, jak panna Hathaway groziła królowej, że pożałuje wydania nowego dekretu. Mogę dostarczyć zapis jej słów oraz innych „soczystych" komentarzy panny Hathaway, które wygłaszała publicznie.

Nagle przypomniałam sobie rozmowę z Daniellą, kiedy na oczach wszystkich zarzekałam się, że królowa nie przekupi mnie dobrym przydziałem. Nie było to rozsądne. Podobnie jak pojawienie się na Pustej Nocy i narzekanie, że królowa ma nadzwyczajną ochronę, podczas gdy Lissa została porwana. Dostarczyłam Iris wielu argumentów.

— A, tak — ciągnęła pani prokurator. — Mamy również zeznania licznych świadków, którzy potwierdzili, że królowa była w najwyższej mierze niezadowolona ze związku panny Hathaway z Adrianem Iwaszkowem, szczególnie zaś z ich potajemnej ucieczki... — Otworzyłam usta, chcąc zaprotestować, ale Abe znów mnie uciszył. — Świadkowie potwierdzają również, że Jej Wysokość i panna Hathaway wielokrotnie spierały się publicznie. Czy mam przedstawić stosowne dokumenty, czy też możemy już głosować w sprawie procesu?

To pytanie zostało skierowane do sędzi. Nie znałam prawa, ale dowody były przytłaczające. Powiedziałabym, że istniały solidne podstawy, by uznać mnie za podejrzaną o morderstwo, tylko że...

— Wysoki Sądzie? — spróbowałam zabrać głos, bo sędzia zamierzała wydać oświadczenie. — Czy mogę coś powiedzieć?

Morojka zastanowiła się, a potem wzruszyła ramionami.

— Nie widzę powodu, by odmówić. Gromadzimy obecnie wszelkie dowody.

Tego Abe z pewnością nie planował. Ruszył w moją stronę w nadziei, że mnie powstrzyma mądrą radą, ale ubiegłam go.

— W porządku — zaczęłam spokojnie, chcąc przekonać wszystkich, że nie zrobię nic drastycznego. — Przedstawiliście mnóstwo podejrzeń. — Abe miał zbolałą minę. Jeszcze go takim nie widziałam. Nieczęsto zdarzało mu się tracić kontrolę nad sytuacją. — W tym szkopuł. Wszystko jest dla was podejrzane. Gdybym chciała kogoś zamordować, nie postępowałabym w tak oczywisty sposób. Sądzicie, że zostawiłabym swój sztylet w piersi ofiary? Że nie włożyłabym rękawiczek? Przecież to głupota. Skoro jestem tak sprytna, jak mówicie, dlaczego narażałabym się na złapanie? Bądźmy poważni. Postąpiłabym o wiele mądrzej. Nie rzucałabym na siebie podejrzeń. Obrażacie moją inteligencję.

— Rose... — zaczął Abe z niebezpieczną nutą w głosie. Mówiłam dalej.

— Wszystkie wasze dowody są boleśnie oczywiste. Ktoś je spreparował, równie dobrze mogłabym przecież złożyć swój podpis na sztylecie. Zostałam wrobiona, a wy jesteście za głupi, żeby to zauważyć. — Zorientowałam się, że podnoszę głos, więc nakazałam sobie opanowanie. — Chcecie łatwej odpowiedzi. Szybkiej. Byłoby dla was najlepiej, gdybyście znaleźli winnego z kręgu nieuprzywilejowanych, bez wpływowej rodziny, która mogłaby go ochronić — zawahałam się, nie wiedząc, jak zakwalifikować Abe'a. — Tak jest zawsze. Tak było z dekretem. Nikt nie wstawił się za dampirami, ponieważ ten przeklęty system na to nie pozwala.

Przyszło mi do głowy, że daleko odbiegłam od tematu i za chwilę uznają mnie za winną, bo sprzeciwiłam się nowemu prawu. Powstrzymałam się.

— Nieważne. Wysoki Sądzie... chcę powiedzieć, że przedstawiono niewystarczające dowody na to, żeby mnie oskarżyć lub postawić przed sądem. Zaplanowałabym morderstwo znacznie lepiej.

— Dziękuję, panno Hathaway — powiedziała sędzia. — To było bardzo... wyczerpujące. Może pani usiąść, a Rada przejdzie do głosowania.

Wróciliśmy z Abe'em do ławki.

— Co ty sobie myślisz?! — syknął.

— Powiedziałam ważne rzeczy. Broniłam się.

— Trochę przesadzasz. Nie jesteś prawnikiem.

Spojrzałam na niego krzywo.

— Ty także nie, staruszku.

Sędzia poprosiła członków Rady o głosowanie, czy ich zdaniem zebrano wystarczające dowody obciążające mnie i skazujące na proces. Jedenaście rąk uniosło się w górę. Dokonało się.

Poczułam strach Lissy. Podnieśliśmy się z Abe'em i wtedy rozejrzałam się po sali. Wszyscy dyskutowali o tym, co się stało. Lissa była blada, patrzyła przed siebie szeroko otwartymi oczami. Adrian, który stał obok niej, także wyglądał na zdenerwowanego, ale kiedy nasze oczy się spotkały, zobaczyłam w nich miłość i determinację. Za nimi stał...

Dymitr.

Nie wiedziałam, że jest na sali. On także na mnie patrzył. Tylko ja umiałam odczytać, co on czuje. Twarz Dymitra nie zdradzała emocji, ale było coś w jego oczach...

coś intensywnego, onieśmielającego. Naraz zobaczyłam Dymitra osłaniającego mnie w walce ze strażnikami i zrozumiałam, że gdybym poprosiła, zrobiłby to jeszcze raz. Przedarłby się przez salę i zrobił wszystko, co w jego mocy, żeby mnie ocalić.

Ocknęłam się, kiedy poczułam, że ktoś dotknął mojej ręki. Szliśmy z Abe'em do wyjścia, ale droga przed nami była zatłoczona i musieliśmy się zatrzymać. Wtedy ktoś wcisnął mi do ręki złożoną kartkę. Obejrzałam się i zobaczyłam Ambrożego. Siedział w ławce i patrzył prosto przed siebie. Chciałam zapytać, co się dzieje, ale instynktownie ugryzłam się w język. Ponieważ kolejka do wyjścia się nie przesuwała, więc pośpiesznie rozłożyłam kartkę i zakrywałam ją przed wzrokiem Abe'a.

Był to niewielki skrawek zapisany eleganckim pochyłym pismem, niemal niemożliwym do odczytania.

Rose!

Jeżeli czytasz ten list, to musiało wydarzyć się coś strasznego. Zapewne mnie nienawidzisz i nie winię cię za to. Mogę cię tylko prosić, byś zaufała mi w sprawie nowego dekretu. To lepsze rozwiązanie dla twojej rasy niż inne, które mi proponowano. Grupa morojów pragnie zmusić wszystkie dampiry do służby, czy tego chcą czy nie, i zamierzają w tym celu używać w stosunku do was czaru wpływu. Dekret, który uchwaliliśmy, spowolni realizację ich zamiarów.

Chciałabym powierzyć ci pewien sekret i proszę cię o zrozumienie. Możesz wtajemniczyć tylko wąskie grono osób. Wasylissa powinna zasiąść w Radzie i może to osiągnąć. Nie jest ostatnią Dragomirówną. Oprócz niej żyje nieślubne dziecko Erica Dragomira. Nie wiem nic więcej, ale jeśli

*zdołasz odnaleźć jego syna czy córkę, to zwrócisz Wasylissie
należne jej prawo i władzę. Nieważne, jakie popełniłaś błędy
i jaki masz temperament, tylko ty możesz podjąć się tego zadania. Nie trać czasu.*

Tatiana Iwaszkow

Wpatrywałam się w kartkę, a litery rozmazywały mi
się przed oczami. Zapamiętałam jednak każde słowo.
Nie jest ostatnią Dragomirówną. Żyje ktoś jeszcze.

Jeśli to była prawda, jeśli Lissa miała przyrodniego
brata lub siostrę... to wszystko mogło się zmienić. Dosta-
łaby prawo głosu w Radzie. Nie byłaby już sama. Jeśli to
była prawda. Jeśli ten list napisała Tatiana. Każdy mógł
podpisać się jej nazwiskiem. Chociaż wydawało mi się
to mało prawdopodobne. Zadrżałam na myśl, że właśnie
dostałam list zza grobu. Czy gdybym pozwoliła sobie zobaczyć duchy, Tatiana znajdowałaby się teraz tuż obok,
niespokojna i żądna zemsty? Nie mogłam się zmusić do
opuszczenia osłon. Jeszcze nie teraz. Na pewno istnieją
inne sposoby, by poznać prawdę. Ambroży podał mi list.
Muszę go wypytać... tylko że kolejka znowu ruszyła i jakiś strażnik popchnął mnie w stronę wyjścia.

— Co to? — spytał wiecznie czujny i podejrzliwy Abe.

Złożyłam kartkę.

— Nic takiego.

Jego spojrzenie mówiło, że mi nie wierzy. Zastanawiałam się, czy powinnam mu powiedzieć. „Możesz wtajemniczyć tylko wąskie grono osób". Jeśli nawet on miał do
niego należeć, to nie było to odpowiednie miejsce. Spróbowałam odciągnąć jego uwagę od listu i otrząsnąć się
z oszołomienia, które miałam wypisane na twarzy. List

był problemem, ale nie tak dużym, jak ten, który pojawił się teraz.

— Obiecałeś, że nie dopuścisz do procesu... — Oburzyłam się, bo znów poczułam rozdrażnienie. — Ryzykowałam, wybierając ciebie!

— Niezupełnie. Tarus też by cię z tego nie wyciągnął.

Lekkość, z jaką to powiedział, rozzłościła mnie jeszcze bardziej.

— Wiedziałeś więc, że to całe przesłuchanie jest bezcelowe, a sprawa z góry przegrana? — To samo twierdził Michaił. Miło, że wszyscy mieli w sobie tyle wiary.

— Przesłuchanie to pestka — odparł wymijająco Abe.

— Ważne, co zdarzy się teraz.

— Mianowicie?

Posłał mi to swoje ciemne, chytre spojrzenie. — Na razie nie masz się czym przejmować.

Strażnik położył mi rękę na ramieniu. Nalegał, bym się nie zatrzymywała. Oparłam mu się i nachyliłam do Abe'a.

— Akurat! Rozmawiamy o moim życiu! — wykrzyknęłam. Wiedziałam, co teraz będzie. Więzienie do procesu. A potem dłuższe wiezienie, jeśli zostanę skazana. — To poważna sprawa! Nie chcę procesu! Nie chcę spędzić reszty życia w takim miejscu jak Tarasow.

Dampir popchnął mnie mocniej, zmuszając do wyjścia, a Abe przeszył mnie wzrokiem, od którego krew zastygła mi w żyłach.

— Nie będzie procesu. Nie pójdziesz do więzienia — syknął, żeby tamten go nie usłyszał. — Nie pozwolę na to. Rozumiesz?

Potrząsnęłam głową. Byłam zdezorientowana i nie wiedziałam, co myśleć.

— Nawet ty nie masz takich wpływów, staruszku.

Abe odzyskał uśmiech.

— Zdziwiłabyś się. Poza tym zdrajców stanu nie wysyła się do więzień, Rose. Wszyscy to wiedzą.

Żachnęłam się.

— Oszalałeś? Oczywiście, że tak. Co innego można zrobić ze zdrajcą? Uwolnić i prosić, żeby tego więcej nie robił?

— Nie — odparł Abe, zanim się ode mnie odwrócił. — Zdrajcy zostają straceni.

PODZIĘKOWANIA

Dziękuję moim przyjaciołom i rodzinie za udzielenie mi wielkiego wsparcia podczas pracy nad tą książką. Szczególnie dziękuję mojemu zadziwiającemu i cierpliwemu mężowi. Wiem, że bez Ciebie nie dałabym sobie rady! Szczególne podziękowania kieruję również do mojej kumpelki Jen Ligot i jej sokolich oczu.

Po stronie wydawców jestem niezmiennie wdzięczna mojemu agentowi Jimowi McCarthy'emu za jego ciężką pracę oraz wszystkim w Dystel&Goderich Literary Management, a także Lauren Abramo, która pomaga w rozsyłaniu *Akademii wampirów* po całym świecie. Dziękuję także ekipie z Penguin Books — Jessice Rothenberg, Benowi Schrankowi, Caseyowi McIntyre i wielu innym, którzy czynili cuda dla tej serii. Moi wydawcy spoza Stanów Zjednoczonych również dokonują wspaniałych rzeczy, rozsyłając informacje o Rose; jestem bezustannie zadziwiona informacjami o ich pracy, napływającymi z różnych krajów. Dziękuję bardzo za wszystko, co robicie.

Ostatnie słowo kieruję do moich czytelników, których niesłabnący entuzjazm mnie zachwyca. Dziękuję, że czytacie *Akademię wampirów* i kochacie moich bohaterów tak samo jak ja.

Wydawnictwo NASZA KSIĘGARNIA Sp. z o.o.
02-868 Warszawa, ul. Sarabandy 24c
tel.: 22 643 93 89, 22 331 91 49
faks: 22 643 70 28
e-mail: naszaksiegarnia@nk.com.pl

Dział Handlowy
tel.: 22 331 91 55, tel./faks: 22 643 64 42
Sprzedaż wysyłkowa
tel.: 22 641 56 32
e-mail: sklep.wysylkowy@nk.com.pl **www.nk.com.pl**

*Książkę wydrukowano na papierze
Creamy Hi Bulk 53 g/m² wol. 2,4.*

Redaktor prowadzący *Joanna Wajs*
Opieka redakcyjna *Joanna Kończak*
Korekta *Roma Sachnowska, Lidia Jakubiec*
Opracowanie DTP, redakcja techniczna *Joanna Piotrowska*

ISBN 978-83-10-11950-6

PRINTED IN POLAND

Wydawnictwo „Nasza Księgarnia", Warszawa 2012 r.
Wydanie pierwsze
Druk: Nasza Drukarnia